DE
LAATS
DISCI

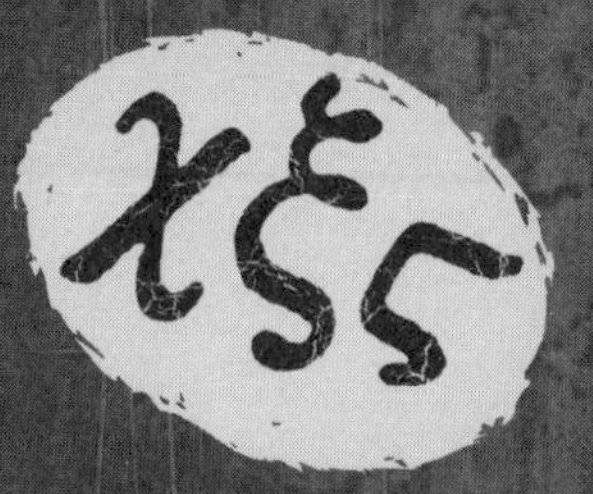

DE LAATSTE DISCIPEL

HANK • HANEGRAAFF
SIGMUND • BROUWER

Uitgeverij Mozaïek, Zoetermeer

Kijk ook eens op www.decipherthecode.com

Ontwerp omslag Philip Howe | Toni Mulder
Vertaling Roeleke Meijer-Muilwijk
Historisch en redactioneel advies Bob Vuijk
Correctie Janneke van Hoven-Cornelisse

Oorspronkelijk verschenen bij Tyndale House Publishers inc. onder de titel *The Last Disciple*

ISBN 90 239 9149 4
NUR 342

Meer informatie over deze roman en andere uitgaven van Mozaïek vindt u op www.uitgeverijmozaiek.nl

Aan Ron Beers

Je karakter, deskundigheid en durf
zijn voor ons en voor het lichaam van Christus
een geschenk uit de hemel.

IK VERZEKER JULLIE:
DEZE GENERATIE ZAL ZEKER

Zeventig weken
zijn vastgesteld
voor je volk en je heilige stad,
voordat aan de overtredingen
een einde komt
en de zonden zijn afgesloten,
voordat het wangedrag is vergolden
en eeuwige gerechtigheid is gebracht,
voordat het profetisch visioen bezegeld is
en het allerheiligste gewijd.

– Daniël 9:24

NOG NIET VERDWENEN ZIJN WANNEER AL DIE DINGEN GEBEUREN.

– MATTEÜS 24:34

Openbaring van Jezus Christus, die hij van God ontving om aan de dienaren van God te laten zien wat er binnenkort gebeuren moet. Hij heeft zijn engel deze openbaring laten meedelen aan zijn dienaar Johannes. Johannes maakt bekend wat God gesproken heeft en waarvan Jezus Christus heeft getuigd; dit heeft hij allemaal gezien. Gelukkig is wie dit voorleest, en gelukkig zijn zij die deze profetie horen en zich houden aan wat hier gezegd wordt. Want de tijd is nabij.

– Openbaring 1:1-3

AANDUIDINGEN VAN TIJD

De Romeinen verdeelden de dag in twaalf uren. Het eerste uur, *hora prima*, begon bij zonsopgang, ongeveer om zes uur 's morgens. Het twaalfde uur, *hora duodecima*, eindigde bij zonsondergang, ongeveer om zes uur 's avonds.

hora prima	het eerste uur	6.00 – 7.00 uur
hora secunda	het tweede uur	7.00 – 8.00 uur
hora tertia	het derde uur	8.00 – 9.00 uur
hora quarta	het vierde uur	9.00 – 10.00 uur
hora quinta	het vijfde uur	10.00 – 11.00 uur
hora sexta	het zesde uur	11.00 – 12.00 uur
hora septima	het zevende uur	12.00 – 13.00 uur
hora octava	het achtste uur	13.00 – 14.00 uur
hora nona	het negende uur	14.00 – 15.00 uur
hora decima	het tiende uur	15.00 – 16.00 uur
hora undecima	het elfde uur	16.00 – 17.00 uur
hora duodecima	het twaalfde uur	17.00 – 18.00 uur

In het Nieuwe Testament worden de uren op een soortgelijke manier aangegeven. Als we dus in Matteüs 27:45,46a lezen: 'Rond het middaguur viel er duisternis over het hele land, die drie uur aanhield. Aan het einde daarvan, in het negende uur, gaf Jezus een schreeuw (...)' begrijpen we dat dit tussen twee en drie uur 's middags plaatsvond.

De Romeinen verdeelden de nacht in acht nachtwaken:

voor middernacht: *Vespera, Prima fax, Concubia, Intempesta*

na middernacht: *Inclinatio, Gallicinium, Conticinium, Diluculum.*

De Romeinse namen voor de dagen van de week waren: Zon, Maan, Mars, Mercurius, Jupiter, Venus en Saturnus.

De maanden van de Hebreeuwse kalender zijn Nisan, Ziw, Siwan, Tammuz, Ab, Elul, Etanim, Marcheswan, Kislew, Tebet, Sebat, Adar I en Adar II. In het jaar 65 na Christus viel de datum 13 Ab waarschijnlijk op 1 augustus.

TIEN MAANDEN
NA HET BEGIN
VAN DE GROTE VERDRUKKING
[65 na Christus]

ROME

HOOFDSTAD VAN HET KEIZERRIJK

Vier grote dieren rezen op uit de zee,
elk met een andere gestalte.
Het eerste dier leek op een leeuw,
maar dan met adelaarsvleugels. (...)
Toen verscheen er een tweede dier;
het leek op een beer. (...)
Daarna zag ik een ander dier;
het leek op een panter. (...)
Daarna zag ik in mijn nachtelijke visioenen
een vierde dier, angstaanjagend,
afschrikwekkend en geweldig sterk,
met grote ijzeren tanden.
Het vrat en vermaalde alles,
en wat overbleef vertrapte het met zijn poten.

Daniël 7:3-7

INTEMPESTA

Vitas sloop door de keizerlijke tuinen; bij het licht van de volle maan achtervolgde hij heimelijk de man aan wie hij eens dienstbaarheid en trouw tot de dood had gezworen. Zijn keizer.

Het was een onnatuurlijk stille, zwoele nacht, vervuld van de onzichtbare dreiging van opkomend onweer. Boven Rome en de zeven heuvels die de stad bewaakten, scheen de maan; de weerkaatsing van het zilveren maanlicht op het rustige meer van de keizerlijke tuinen gleed over de bomen langs de oever.

Nero liep vijftig passen voor Vitas, licht slingerend onder het gewicht van een met zorg ontworpen en uitgewerkt kostuum dat zijn voortgang hinderde. Het kostuum was samengesteld uit delen van dieren die speciaal geïmporteerd waren om veroordeelde misdadigers te doden in de arena. Nero was van top tot teen gehuld in een pantervel. Twee paar adelaarsvleugels waren op de rug van het kostuum vastgenaaid. De kop van een enorme mannetjesleeuw was aan de bovenkant bevestigd; de schedel paste helemaal om Nero's hoofd heen, zodat hij door de lege oogkassen kon kijken. Zijn armen en benen werden bedekt door de huid van berenpoten, die ook vastgenaaid was aan het pantervel dat het grootste deel van zijn lichaam bedekte. In de stilte van de nacht rammelden de berenklauwen bij elke stap die Nero deed.

Naast Nero liep een andere man. Helius, Nero's secretaris en vertrouweling. Helius trok – samen met een man die Tigellinus heette – al met Nero op sinds diens tienerjaren; toen stroopten ze gedrieën, verkleed als misdadigers, 's nachts de straten van Rome af om vreemdelingen te intimideren en te beroven.

Nu hield Helius een toorts omhoog die de doffe ijzeren ketting in zijn rechterhand verlichtte. De ketting sleepte over de grond en rammelde in merkwaardige harmonie met de berenklauwen van Nero's kostuum.

Vanwege dat geluid en het feit dat ze kennelijk alleen op hun eindbestemming geconcentreerd waren, maakte Vitas zich geen zorgen dat de keizer zou merken dat hij achtervolgd werd. Hij maakte zich veel meer zorgen over Nero's bedoelingen. Het was wel eens voorgekomen dat Nero, in wolvenhuiden gekleed, aan palen vastgeketende slaven had aangevallen, maar dat was altijd onderdeel van openbare festiviteiten geweest.

Dit was anders. Griezelig. Vitas moest weten waarom.

Vitas was de enige man in Nero's naaste omgeving in wie de senaat vertrouwen stelde. Af en toe had Vitas het gevoel dat hij een dunne draad was die de senaat en de keizer bijeenhield. Als Vitas niet van al Nero's activiteiten op de hoogte bleef, zou hij het vertrouwen van de senaat, dat hem voor beide partijen zo waardevol maakte, verliezen. De draad zou knappen. Als dat gebeurde, zou er onvermijdelijk oorlog uitbreken, met desastreuze gevolgen voor het Romeinse rijk.

Uit een tuinmanshut vóór Vitas klonk het donderende gebrul van een echte leeuw; het geluid wervelde door de zwoele lucht in de richting van Nero's paleis.

Vitas vroeg zich af of de echo's van dat gebrul doordrongen in de dromen en nachtmerries van de slaven in de verschillende slaapverblijven. Of degenen die wakker werden van het gebrul zich slapend hielden of stilletjes hun kinderen omarmden en fluisterend gebeden opzonden tot hun goden.

De slaven wisten dat het gebrul gevaar betekende. Maar het was niet de leeuw die zij vreesden. Net als Vitas wisten zij wel beter.

✠ ✠ ✠

Helius had van Nero de instructie gekregen geen geluid te maken als ze bij de hut aankwamen. Vlak voor de afgesloten deur stopte Nero en wees op de ketting die Helius droeg; Helius knikte.

Helius was een arrogante, zelfverzekerde man, behalve in Nero's aanwezigheid. Tot zijn grote ergernis klungelde hij met de ketting terwijl hij die voorzichtig aan een halsband van het dierenkostuum bevestigde. Hij boog nederig toen Nero hem in het gezicht sloeg voor zijn onhandigheid.

Nero wees naar de deur van de hut.

Helius opende die en leidde Nero aan de ketting naar binnen.

Twee mannen en twee vrouwen waren aan de binnenmuur gekluisterd; alle vier hingen slap aan de boeien, alle vier waren naakt op wat vodden na.

Tegenover hen stonden drie kooien. Eén kooi bevatte de leeuw. In een andere kooi bevond zich een beer. In de derde stond een panter.

Helius stapte naar binnen met de vermomde Nero aan de ketting. Hij klemde de toorts in een ijzeren ring die voor dat doel met bouten aan de muur bevestigd was. Het eind van de ketting met het beest maakte hij vast aan een tralie van de leeuwenkooi.

Helius wendde zich tot de eerste man.

Ze waren ongeveer even lang, maar verschilden zichtbaar in leeftijd. De gevangene liep tegen de zestig; Helius was ergens in de twintig. Bij daglicht zou de gladde en bijna gebronsde huid van Helius' gezicht duidelijk zichtbaar geweest zijn. Zijn haar krulde weelderig; zijn ogen waren vreemd geel van kleur en bezorgden hem een woest, ongetemd uiterlijk dat volgens de geruchten een grote aantrekkingskracht op Nero had. Helius droeg een toga; zijn vingers, polsen en hals waren bedekt met in goud gevatte robijnen. De manier waarop hij de gevangene voor hem bekeek, had iets katachtigs.

In de plooien van zijn toga had Helius een mes verborgen. Traag trok hij het tevoorschijn, en met een onheilspellende kalmte zette hij het snijvlak tegen het gezicht van de man.

'De keizer wenst dat je neerbuigt en het beest aanbidt,' zei Helius. Zijn angst was verdwenen. Hoe tijdelijk ook, nu Nero het kostuum droeg, was Helius degene die de situatie beheerste.

'Nee,' zei de man rustig.

'Nee?'

Helius ging naar de vrouw naast de eerste man. Hij trok het mes langzaam van haar oor naar haar kin. Een smal streepje bloed volgde het mes en liep toen in haar hals.

'Laat die vrouw met rust,' zei de eerste gevangene. 'Richt uw aandacht op mij.' Zijn haar zag er net zo uit als zijn baard – vettig, bezweet, dagenlang ongewassen vanwege zijn gevangenschap, veel meer grijs dan zwart van kleur. Op zijn bovenlichaam en armen waren spieren als kabels zichtbaar, wat wees op een lang leven vol fysiek zware arbeid.

'Aanbid het beest dan,' antwoordde Helius.

'Dat kan ik niet.'

'Kun je niet?' vroeg Helius zacht, terwijl hij het mes voor de vrouw heen en weer bewoog. 'Of wil je niet?'

'Ik zal mijn Meester niet verraden.'

'Ik ook niet,' zei de vrouw. 'Ik ben niet bang.'

'Luister naar mij, Joden,' zei Helius. 'Als jullie buigen voor het beest en hem als een goddelijk wezen aanbidden, heb ik de volmacht jullie dit te besparen.'

Met zijn mes sneed Helius een stuk van de vodden die de eerste gevangene bedekten. Hij keerde zich naar de vrouw en gebruikte de lap om het bloed van haar gezicht te vegen.

Helius gooide het bebloede vod in de leeuwenkooi. Brullend viel de leeuw erop aan, nagelde het vast met zijn machtige klauwen en rukte eraan met zijn tanden. Daarnaast, in zijn eigen kooi, grauwde de beer luid van woede; in de derde kooi liep de panter geagiteerd heen en weer.

Helius negeerde de dieren en liet zijn blik over het gezicht van de gevangenen glijden, op zoek naar angst. Omdat hij zelf zo goed wist wat angst was, was hij een expert in het ontdekken ervan bij anderen.

Hij glimlachte bloeddorstig. 'Laat ik het nog eens herhalen: Nero wenst dat jullie het beest aanbidden. Aanvaarden jullie hem als god? Of zal ik het beest loslaten om jullie af te maken?'

De eerste man bleef zwijgen. Helius had dit verzet wel verwacht. Maar het maakte niets uit. In beide gevallen zou Nero tevredengesteld worden door een persoonlijke triomf over deze christenen. Of ze zouden hem aanbidden in het kostuum van het beest, of hij zou hen doden als het beest. Deze symbolische overwinning zou Nero de geruststelling geven dat hij in feite alles onder controle had, dat het verzet van de christenen van Rome tegen hem niets te betekenen had.

Helius wendde zich tot de anderen en vroeg hun een voor een of zij bereid waren te buigen en het beest te aanbidden. Geen van hen antwoordde.

'Laat mij hen doden!' Het beest dat Nero was, sprak met een verstikte stem. 'Laat mij hun lever uit hun levende lichaam scheuren! Laat mij –'

'Zwijg!' snauwde Helius tegen het beest. Dat was Nero's opdracht geweest. Hij moest de rol van de meester van het beest spelen zodat geen van de gevangenen kon vermoeden dat Nero zelf in het kostuum verborgen was.

Tegen de gevangenen zei Helius: 'Kijk eens goed naar het beest. Zie je dat het een beer is, een leeuw, een panter met vleugels? Zegt dat jullie niets?'

Het beest begon te sissen in een vlaag van waanzin die pas ophield toen Helius de toorts greep en het vuur onder zijn kop heen en weer bewoog. Alsof het werkelijk een beest was, geen mens. Nero, de amateurtoneelspeler, stond er wijd en zijd om bekend dat hij elke rol volkomen serieus nam.

Nadat Helius het beest gekalmeerd had, sprak hij de gevangenen weer toe. Zijn woorden waren doortrokken van woede. 'Ik begrijp veel meer van jullie, Joden, dan je beseft. Ik weet van jullie profeet Daniël. Honderden jaren geleden voorspelde hij dat Rome het vierde Beest zou zijn, groter dan de koninkrijken van Babel, Perzië en Griekenland. En hier is jullie vierde beest, klaar om jullie af te maken.'

'De dood kan ons niet vernietigen,' zei de eerste gevangene. 'Door mijn Heer en Meester is dat een lot dat wij vol vrede begroeten. Als u in zijn liefde zou geloven –'

Helius hakte met zijn mes op de gevangene in, een woedende houw. Het lemmet flitste over de biceps van de rechterarm van de man en sneed meteen door tot de spieren. Bloed droop langs zijn elleboog op de aarden vloer. Dit hoorde niet bij Nero's opdracht, maar Helius was in zijn hart een lafaard en genoot van de macht die hem voor deze rol gegeven was.

'Jullie weigeren het beest te aanbidden?' schimpte Helius. 'Dan zal het beest jullie vannacht afmaken! En in de komende jaren zal het doorgaan alle volgelingen af te maken tot de laatste discipel van de aardbodem weggevaagd is. De naam van die Christus zal vergeten zijn, maar Nero zal voor eeuwig vereerd worden!'

Helius draaide zich snel om en greep de ketting waarmee het rechtopstaande beest aan de leeuwenkooi vastzat. 'Grijp deze mannen en vrouwen en maak hen af,' sprak hij tot het beest. 'Laat hun stoffelijk overschot liggen voor de beer, de panter en de leeuw!'

Het beest jankte.

'Ja!' riep Helius tegen het beest. Hij moest schreeuwen om boven het brullen van de dieren en het hoge gekrijs van Nero die het beest speelde, uit te komen. 'Vannacht zul je in vrede slapen in de wetenschap dat de macht van het vierde Beest groter is dan de macht van hun god. Jij zult triomferen!'

Opeens stond Helius stokstijf stil: een andere man stapte de hut binnen.

Gallus Sergius Vitas.

✠ ✠ ✠

Vitas had buiten genoeg gehoord om te beslissen dat hij deze waanzin een halt moest toeroepen. En hij wist hoe hij dat zou doen.

Hij baseerde zijn besluit om de hut binnen te gaan op een bekend verhaal over Nero. Toen Nero keizer werd, was hij nog een tiener. In die tijd had hij zich vaak verkleed als slaaf; dan dwaalde hij 's nachts door de straten om winkels te plunderen en vreemdelingen te terroriseren. Hij en zijn vrienden, onder wie Helius en Tigellinus, hadden een rijke senator en zijn vrouw aangevallen. De senator was zich er niet van bewust dat een van de jonge vandalen Nero was. Hij had zich uitstekend verdedigd en Nero daarbij verscheidene malen midden in het gezicht gestompt. Nero en zijn vrienden waren gevlucht.

Hoewel Nero de senator had herkend, was hij niet van plan iets tegen hem te ondernemen omdat hij besefte dat de senator alle recht had zichzelf tegen de aanval van een slaaf te beschermen. Jammer genoeg stuurde de senator, toen iemand hem verteld had wie hij een blauw oog had geslagen, Nero een kruiperige excuusbrief. Omdat Nero niet langer kon voorwenden dat hij een anonieme slaaf was geweest en omdat nu algemeen bekend was dat de senator een verraderlijke daad tegen de keizer had gepleegd, moest de senator zijn aderen opensnijden. Alleen zelfmoord kon voorkomen dat de familie van de senator door een rechtszaak en veroordeling geruïneerd werd.

Ja, Nero was boven alles acteur. Daar rekende Vitas op.

Zonder aarzeling liep Vitas op Helius af en rukte hem de ketting uit handen. 'Als de keizer te weten komt dat jij betrokken bent bij illegale martelpraktijken, zal hij jou laten afmaken!'

Voor Vitas was het nu alles of niets: hij moest blijven bluffen, voorwenden dat hij niet wist dat Nero in het kostuum zat. Erop vertrouwen dat Nero dat nooit zou durven toegeven. Nu niet, en later ook niet...

Hij duwde Helius hardhandig naar de deur van het hutje. 'Naar buiten! Nu!'

Zonder te aarzelen greep Vitas de ketting en gaf er een harde ruk aan; hij behandelde de man in het beestenkostuum als minder dan een slaaf. 'Verroer je niet. Ik kom zo terug om jou aan te pakken.'

Vitas dwong zichzelf om woedend over te komen. Maar dit was het moment. Als Nero besloot dat hij de rol niet langer wilde spelen, zou dat nu Vitas' dood betekenen.

Het beest grauwde tegen hem; het geluid weergalmde in de leeuwenschedel. Maar het beest deed verder niets.

Vitas was veilig, besefte hij. Voorlopig.

Hij keerde zich op zijn hielen om en marcheerde naar buiten, naar Helius.

✠ ✠ ✠

'Je stijft hem in zijn waanideeën,' zei Vitas tegen Helius.

Ze stonden samen voor de hut in de schaduw van een olijfboom.

Helius haalde zijn schouders op. In het maanlicht was het zelfgenoegzame lachje op zijn gezicht te zien.

Vitas had als militair in Brittannië geleerd aan zijn eigen emoties voorbij te gaan. Toch kostte het hem enorme wilskracht om niet zijn korte zwaard onder zijn toga tevoorschijn te halen en Helius aan te vallen. Maar de dood van Helius zou niet goed zijn voor het Romeinse rijk, want Nero klampte zich aan de man vast en zou zonder hem zéker zijn stabiliteit verliezen.

'Natuurlijk stijf ik hem in zijn waanideeën.' Helius bleef zelfgenoegzaam grijnzen, zich niet bewust van het feit dat zijn eigen leven zojuist aan een zijden draad had gehangen. 'Daar gaat het juist om. Zijn macht. En hoe ik kan overleven.'

'Hoe kan dit in Nero's belang zijn?' Vitas wees met een fel gebaar op het hutje achter hen.

Vitas was niet bijzonder fors, maar hij was lang en aan zijn manier van bewegen was te zien dat hij gespierd was. Vele generaties zuiver Romeins bloed waren hem duidelijk aan te zien en over zijn dapperheid in de oorlog tegen de Iceni in Brittannië deden legendarische verhalen de ronde. Zelfs bij daglicht bleven zijn gedachten voor tegenstanders verborgen achter zijn uitdrukkingsloze, haast zwarte ogen, en zonder glimlach was zijn gezicht even meedogenloos als steen. Nu zijn gezicht in de schaduw verborgen bleef, was Vitas nog veel angstaanjagender. Nero had Helius nodig, maar voor Vitas had hij ontzag. Alleen Vitas kon het zich permitteren zo tegen Helius te spreken zonder later straf in de vorm van heimelijke vergiftiging of een huurmoordenaar te hoeven vrezen.

'Zijn nachtmerries,' zei Helius die eindelijk besefte dat achter het kalme gedrag van Vitas een dodelijk gevaar, een dodelijke woede schuilging. 'Nero wil ze kwijt.'

'Door deze karikatuur van rechtvaardigheid?'

Helius haalde zijn schouders op. 'Dit is niet veel erger dan de andere dingen die Nero de laatste jaren verlangt.'

Dat kon Vitas niet tegenspreken. 'Hij is de keizer, de vertegenwoordiger van ons grootse Romeinse rijk. Om het Romeinse rijk te beschermen moeten we de waardigheid van onze keizer beschermen.'

'Het Romeinse rijk?' schimpte Helius. 'Geloof jij werkelijk in het Romeinse rijk?'

Dat was de vraag, dacht Vitas. Kon hij in het Romeinse rijk blijven geloven? Het was ooit zijn hele leven geweest. Tot die laatste slag in Brittannië. Daar had hij gevochten om het Romeinse rijk te verdedigen tegen barbaren. Nu Nero elke dag meer aan grootheidswaan ging lijden, vroeg Vitas zich af wie de echte barbaren waren en of hij niet tégen het Romeinse rijk zou moeten strijden.

'Ik geloof,' antwoordde Vitas zonder zijn gedachten te verraden, 'dat jij geniet van Nero's laagste instincten.'

Helius glimlachte. 'Nero krijgt wat Nero wil. Ik doe voor hem wat hij me opdraagt.'

'Het heimelijk martelen en doden van die christenen.'

'Zijn nachtmerries zijn erger geworden.'

Vitas had geen nadere uitleg nodig. Nero, die ooit het bed met zijn moeder gedeeld had, had haar later laten vermoorden. Evenals zijn eerste vrouw, wier hoofd hij opeiste als bewijs van haar dood. Zijn tweede vrouw had hij doodgeschopt terwijl ze zwanger was. Hij had zijn geadopteerde halfbroer vergiftigd. De lijst ging verder tot de meest recente gruweldaden: de executie van talloze christenen. Het was geen wonder dat de man elke nacht in het donker door demonen gekweld werd.

Toch, hoe monsterlijk hij ook was – Vitas wist dat het beëindigen van Nero's leven waarschijnlijk zou uitlopen op een burgeroorlog, omdat er geen opvolger was. En een burgeroorlog zou de ondergang van het Romeinse rijk betekenen. Daarom diende Vitas Nero en deed hij zijn best om als vertrouwd adviseur diens monsterlijkheden te beperken.

'Verwacht hij dat dit zijn nachtmerries tot rust zal brengen?' vroeg Vitas met een gebaar naar het hutje.

'Het is die Griekse graffiti,' zei Helius. 'Dat ene zinloze woord dat de christenen overal in de stad schrijven om hem uit te dagen.'

Vitas wist ervan. Drie Griekse letters. Met de slang in het midden.

Helius ging door. 'Hun standvastigheid in het aanbidden van die Christus, ondanks Nero's vervolging, begon Nero's geloof in zijn eigen goddelijkheid aan het wankelen te brengen. Tot vannacht.'

'Een man die zich voordoet als een beest is nauwelijks goddelijk te noemen.'

'Ik heb hem ervan overtuigd dat hij deze vloek over zichzelf doorbreekt wanneer hij hen verslaat als het Beest dat hun profeet Daniël voorspeld heeft. Hij heeft een paar middelen ingenomen om dat zichzelf nog beter te kunnen wijsmaken.'

Het benauwde gevoel op Vitas' borst werd iets minder. Als Nero's geest vannacht door bedwelmende middelen beneveld was, zou hij waarschijnlijk vastbesloten zijn om de rol van het beest te blijven spelen en geen bevel geven om Vitas te executeren.

'Ik weet dat je een Joodse rabbi geraadpleegd hebt,' zei Vitas. 'Dus weet ik ook van die schriftgedeeltes af.'

'Hoe dan?' vroeg Helius dringend. 'Wie heeft jou verteld dat ik –'

'Geheimen zijn moeilijk te bewaren in het paleis,' zei Vitas vermoeid. 'Hoe ik het weet, is van veel minder belang dan wat ik weet. De profeet Daniël heeft ook geprofeteerd dat het vierde Beest afgemaakt zou worden. Heb je dat voor Nero verzwegen?'

'Denk je dat ik het leven moe ben?' zei Helius. 'Natuurlijk heb ik dat verzwegen. Wat hij gelooft, dat is van belang, niet de nonsens die een Joodse profeet zeshonderd jaar geleden uitkraamde. Nero zal nooit afgemaakt worden en zeker niet door een god van de Joden. Nero is ervan overtuigd dat hij overwinnaar is als zij het beest aanbidden of als het beest hen doodt. Dat is natuurlijk bijgeloof, maar je weet heel goed hoe die bijgelovige angst hem in zijn greep heeft.'

Vitas kende Nero's vrees voor de goden en voor voorspellingen inderdaad heel goed. Hij wist ook dat Nero, met zijn absolute macht, wel vreemdere dingen had gedaan om futielere redenen. Deze afschuwelijke parodie was nog wel logisch, op een verwrongen manier. Maar kon Vitas zichzelf toestaan nog een keer werkeloos toe te zien?

'Denk je dat dit geheim blijft?' sprak hij Helius tegen. 'Dat Nero zo bang voor de christenen is dat hij zich als een beest moet verkleden om hen eigenhandig te doden?' Elke dag drong het meer tot Vitas door hoe de senaat Nero's daden zou bekijken. 'Bedenk eens hoeveel geroddel dit teweeg zal brengen.'

'Wat Nero wil, kan Nero krijgen.'

'Als hij zo doorgaat, komt er een moment waarop hij niet langer getolereerd wordt. Het rijk zal tegen hem in opstand komen. En dan zul jij ook je macht verliezen.'

'We zijn nu eenmaal hier en het is te laat om hiermee op te houden,' snauwde Helius. 'Verwacht je soms een of andere goddelijke interventie om die mensen daarbinnen te redden? Om jou te redden van die daad van openlijke ongehoorzaamheid die je zojuist tegen de keizer gepleegd hebt?'

Beelden van het laatste gevecht in Brittannië schoten Vitas te binnen. Beelden van de macht van het Romeinse rijk, die werd losgelaten op onschuldige mensen. Hij sprak rustig. 'De vervolging moet ophouden.'

'Dat is de werkelijke reden dat jij hier vannacht bent, of niet?' Helius' tanden glansden in het maanlicht toen hij grijnsde. 'Je komt steeds weer aanzetten met langdradige betogen om de christenen te redden. Misschien ben jij er zelf een?'

'Klets niet. Jij en ik weten allebei dat ze niet schuldig zijn aan verraad. Het Romeinse rijk kan niet in stand blijven als het niet iedereen in gelijke mate gerechtigheid biedt.'

Helius haalde zijn schouders op. 'Geef mij maar macht! Daar heb je meer aan dan aan principes. Jammer dat jij die les niet wilt leren.'

'Breng Nero terug naar het paleis. Met een beetje geluk herinnert hij zich dit niet.'

'Het is te laat,' zei Helius. 'Wat begonnen is, moet afgemaakt worden.'

'Nee.'

'Nee?' herhaalde Helius. 'Ik betwijfel of jij me kunt tegenhouden. Je bent te zacht geworden, Vitas. Nero weet dat misschien niet. Maar ik wel. De grote krijgsman Vitas is een tandeloze leeuw. Maar wat kun je anders verwachten van iemand die met een barbaarse vrouw getrouwd is?'

Vitas klemde zijn kaken op elkaar, maar hij beheerste zich.

'Vertel eens,' zei Helius, nog altijd honend. 'Is het echt waar? Was het jouw zwaard dat –'

'Zwijg!'

'En anders vermoord je me?' vroeg Helius.

Vitas verstijfde.

'Zie je wel?' zei Helius. 'De grote krijgsman Vitas zou zo'n belediging nooit geslikt hebben.'

Hij keerde Vitas de rug toe en haastte zich terug de hut in.

✠ ✠ ✠

'Nee!'

Helius had net de ketting losgemaakt van de tralies van de

leeuwenkooi. Het beest met de vleugels en de leeuwenkop trok aan de ketting en strekte zijn berenklauwen uit naar de eerste in boeien geslagen gevangene.

Vitas had een besluit genomen. In de loop van de laatste zes maanden had hij te veel toegestaan; hij kon zijn geweten niet langer het zwijgen opleggen. Hij stapte weer de hut binnen. Klaar om Nero openlijk ongehoorzaam te zijn, zelfs al kostte het zijn leven.

'Nee!' herhaalde hij. Hij sprak het beest toe. 'Zo is het genoeg.'

Nero, beneveld door lust, woede en de middelen die hij ingenomen had, bleef sissen en grauwen in het kostuum van het beest. 'Dood hem!' siste hij vanuit de leeuwenkop. 'Ruk zijn hart eruit! Vitas moet sterven. Ik ben het beu dat hij de christenen altijd verdedigt!'

Op dat moment wist Vitas dat hij zijn weddenschap verloren had. Nero was opgehouden met acteren, had zijn naam uitgesproken. Vitas kon niet langer doen alsof hij niet wist wie het kostuum droeg. Dat hij als enige man aan Nero's hof door de senaat gerespecteerd werd, gold niet langer als bescherming.

'Dood hem!'

Nero's stem werd hoog en onnatuurlijk. De echte dieren in de kooien werden erdoor opgehitst tot woest gebrul, tot dreigend grommen.

'Dit moet ophouden!' antwoordde Vitas resoluut. Als dit zijn laatste verdediging was, zou hij niet vluchten.

'Dood hem!'

Het geluid van de beesten veranderde. Aanvankelijk nog nauwelijks merkbaar. Toen werd het grommen een op zichzelf staand geluid dat langzaam aanzwol en steeds luider werd.

De grond begon te schudden onder hun voeten.

Helius wankelde. Nero in zijn beestenkostuum zwalkte heen en weer. Vitas zette zijn voeten verder uit elkaar om zijn evenwicht te bewaren.

De kooien rammelden en schudden heen en weer.

Terwijl Vitas besefte dat de aarde zelf beefde, werd het rieten dak van de hut door de bliksem geraakt en het gerommel werd onderbroken door een ontzagwekkende donderslag.

Het dak vatte vlam. Opnieuw sloeg de bliksem in en meteen volgde een oorverdovende donderslag.

Toen Helius op zijn knieën viel, schudde de grond nog altijd.

Vitas zag dat de deuren van de kooien opengesprongen waren, dat de dieren aarzelend naar buiten kwamen, verbijsterd door hun plotselinge vrijheíd.

De enorme leeuw liep op de vermomde Nero toe. Hij deinsde achteruit en raakte het lichaam van de eerste gevangene. Kreunend van angst viel hij aan de voeten van de man neer.

Vitas trok zijn korte zwaard en stapte tussen Nero en de leeuw in. Nero was de keizer. Zelfs nu de keizer zijn executie had bevolen, moest Vitas zijn plicht vervullen.

De leeuw dook ineen. Het beest woog driemaal zoveel als een mens, had tanden die langer en scherper waren dan dolken, klauwen zo groot als een mensenhoofd en genoeg kracht om een os te verscheuren.

Vitas wachtte, klaar om te vechten, hoe nutteloos dat ook was.

Nog een oorverdovende donderslag. Letterlijk van zijn stuk gebracht zakte de leeuw door zijn achterpoten.

Weer flitste de bliksem.

Toen vluchtte de leeuw. De panter en de beer volgden.

Helius bleef op zijn knieën liggen en drukte zich plat tegen de grond; de tranen stroomden over zijn gezicht.

Een volgende bliksemflits, een moment van kalmte – en opnieuw begon de grond hevig te schudden.

Nero schreeuwde: 'De goden spreken zich tegen mij uit!'

Hij rukte zijn kostuum uit, stoof langs Vitas heen en vluchtte de hut uit; het pantervel met de adelaarsvleugels bleef liggen. Ook Helius blies de aftocht; hij volgde Nero tussen de bomen terwijl de bliksem bleef weerlichten over het paleisterrein.

Vitas schopte de restanten brandend stro die uit het dak van de hut vielen, opzij.

De vier aan de muur gekluisterde gevangenen keken hem zwijgend aan.

Vitas naderde de eerste met zijn zwaard.

'Spaar de vrouwen, alstublieft,' zei de gevangene met het grijze haar, de oude man die Helius zo onbevreesd had weerstaan. 'Ze hebben kinderen.'

'Hoe heet je?' vroeg Vitas terwijl hij de vlakke kant van zijn zwaard vlak bij de borstkas van de man omhoog hief.

'Johannes.'

'Johannes,' zei Vitas, 'je verdient niet te sterven voor wat je gelooft.'

Zijn zwaard gebruikend als hefboom wrikte Vitas de boeien van Johannes open. Een voor een bevrijdde hij ook de andere gevangenen.

Ze maakten geen aanstalten om te vluchten.

Vitas wendde zich tot de eerste vrouw. Het bloeden was minder geworden. Vitas scheurde een reep van zijn toga en drukte die tegen haar gezicht. Hij tilde haar hand op en bracht die bij haar gezicht. Toen ze de lap vastpakte deed hij een stap achteruit.

'Ga naar je kinderen,' beval Vitas. 'Jullie allemaal. Ga. Dit is het moment om te ontsnappen. Voordat Nero zichzelf er weer van heeft overtuigd dat hij god is.'

TWAALF MAANDEN
NA HET BEGIN
VAN DE GROTE VERDRUKKING
[65 na Christus]

ROME

HOOFDSTAD VAN HET KEIZERRIJK

SMYRNA

PROVINCIE ASIA

Wees niet bang voor wat u nog te wachten staat.
Sommigen van u zullen door de duivel
in de gevangenis worden gegooid,
en zo op de proef worden gesteld;
tien dagen lang zult u het zwaar
te verduren hebben.
Wees trouw tot in de dood,
dan zal ik u als lauwerkrans
het leven geven.

Openbaring 2:10

MERCURIUS

HORA DUODECIMA

Aan het eind van de eerste dag van de nieuwe spelen werd het gebrul van de dieren en het gehuil van stervende mannen en vrouwen in het amfitheater gemakkelijk overstemd door het applaus en de toejuichingen van tienduizenden toeschouwers.

Buiten het amfitheater waren dit de geluiden waarvoor Lea, een jonge Joodse vrouw, zich probeerde af te sluiten terwijl ze de hoofdpoort naderde. Haar broer was daarbinnen, maar niet als toeschouwer!

Ze had voor deze reis onopvallende kleding uitgezocht en probeerde te kijken alsof ze niet met iets clandestiens bezig was. Dat kostte haar moeite. Ze had tegen haar geliefde vader gelogen om uit hun appartement te ontsnappen. Het was voor zover ze zich kon herinneren de eerste keer dat ze hem misleid had. Bij elke stap in de richting van het amfitheater had ze het gevoel dat iedereen langs de weg wist van haar verachtelijke misdaad tegen haar vader, alsof de smet op haar ziel zich over haar gezicht had uitgebreid als een ziekte.

Wat haar ongemakkelijke gevoel nog versterkte, was haar angst dat Gallus Sergius Vitas, een lange, rustige man uit Nero's directe omgeving, hier zou zijn. Om de moed niet te verliezen had Lea onderweg keer op keer tegen zichzelf gezegd dat Vitas, zelfs al was hij in het amfitheater met die duizenden schreeuwende mensen om zich heen, haar waarschijnlijk niet zou opmerken als ze langs de hoofdpoort glipte. Maar hoezeer ze zichzelf ook probeerde te overtuigen, toch kon ze haar vrees niet echt de kop indrukken.

Ze herinnerde zich maar al te duidelijk de dag waarop Vitas met soldaten in hun huis verschenen was om haar broer Natan te arresteren. Die vreselijke gebeurtenis was nu weken geleden, maar Vitas' levendige waakzaamheid, zijn doordringende aandacht voor alles wat om hem heen te zien en te horen was, had diepe indruk op haar gemaakt. Hij had er ontspannen en waardig bij gestaan terwijl hij de soldaten een reprimande gaf omdat ze Natan met speren opjutten. Toen hij haar aankeek, was het alsof hij zelfs in staat was haar gedachten te lezen.

Erger was, besefte Lea opeens, dat – terwijl zij zich had laten afleiden door haar zorgen over Vitas – de straat leeggestroomd was. Alle toeschouwers hadden zich naar binnen gehaast om zitplaatsen te vinden en zij was nu de enige die nog op de kasseien liep.

Lea liep daar zeker niet onopgemerkt. Ze was zich intens bewust van de blikken van de soldaten die de boven haar hangende mannen en vrouwen bewaakten. Aan weerszijden van de brede straat die naar de ingang van het amfitheater leidde, stonden naast de verkoolde restanten van palen nieuwe houten palen, telkens tien passen van elkaar verwijderd. Daaraan bungelden mannen en vrouwen. Hun polsen waren aan elkaar gebonden en boven hun hoofd bevestigd aan grote spijkers die in de palen geslagen waren; hun hele lichaamsgewicht rukte en wrikte aan hun schoudergewrichten. Terwijl Lea zich langs hen haastte, realiseerde ze zich dat zij niet anders konden dan naar het donderende gejuich luisteren en hun eigen lot overdenken.

De soldaten zweetten overvloedig, hoewel ze allemaal een plekje in de schaduw hadden gezocht en ze zich zo min mogelijk verroerden. Af en toe stond een soldaat op om met een plens water uit de openbare fontein zijn gezicht nat te maken en te grommen van opluchting. Het zien en horen daarvan moest zeker de ellende van de mensen aan de palen nog verzwaren.

De hitte was een marteling op zich en verhevigde de folterende pijn aan hun schouders terwijl hun armen langzaam maar zeker uit de kom getrokken werden. Maar de gevangenen konden de voorbijgangers niet om water uit de fontein vragen. Hun lippen waren dichtgenaaid om te voorkomen dat ze Romeinse burgers hinderden met smeekbeden om hulp of schrille kreten van ondraaglijke pijn.

Net als Lea, die het verschrikkelijk vond dat ze niet in staat was deze gemartelde mannen en vrouwen te helpen, wisten de gevangenen welk doel zij zouden dienen als de duisternis viel. Elk van hen droeg een tunica molesta – een zwarte, in het zonlicht glanzende tunica die in teer ondergedompeld was. Lea kon zich het verstikkende gevoel van dat dikke, zware kledingstuk dat de hitte van de zon opslorpte en aan hun lijf vastplakte terwijl de teer tegen hun huid droop, nauwelijks voorstellen.

Toch was dit nog niet de ergste foltering.

Het wachten was erger.

Bij zonsondergang, als Nero het bevel gaf, zouden de bewakers de tunica's aansteken. Zo zouden deze mannen en vrouwen – de christenen – menselijke toortsen worden om de straat te verlichten voor de halfdronken Romeinse pretmakers die aan het eind van de spelen naar huis terugkeerden.

Dit was de Grote Verdrukking. De hel op aarde.

✠ ✠ ✠

Lea's gepieker over Gallus Vitas was ongegrond. Hij was vele dagen reizen van Rome verwijderd – bijna dertienhonderd kilometer – aan de overkant van de bergen, de Adriatische Zee, Macedonië en de Aegeïsche Zee: in het centrum van Smyrna, een Aziatische havenstad. Die avond was het nog laat licht doordat de stralen van de laagstaande zon van het aquamarijn van de zee op de heuvels weerkaatsten.

De taveerne waar Vitas samen met Titus Flavius Vespasianus binnenstapte, was zo hermetisch door luiken afgesloten dat er olielampen nodig waren, alsof de stad al in duisternis gehuld was. Buiten zou het nog een uur licht blijven.

De vaste klanten merkten een voor een de nieuwkomers op en binnen een minuut was het volkomen stil in de drukke taveerne. De dobbelstenen en bikkels op de toog die als goktafel diende, hielden op met rammelen, de prostituees beëindigden hun praatjes met de meest veelbelovende dronkelappen en de eenzame zanger bij een olielamp in de hoek hield halverwege een couplet abrupt op.

'Dat is zo vervelend als je naar de achterbuurt gaat,' zei Titus van terzijde tegen Vitas. 'Je moet je wel eenvoudig kleden om je aan te passen. Maar daarmee riskeer je allerlei ongedierte.'

Titus droeg een smetteloos witte toga. Het licht, hoe schemerig ook, toonde duidelijk zijn elegante, knappe gezicht. Hij was de beste vriend geweest van Brittannicus, de zoon van Claudius, de keizer die voor Nero geregeerd had. Dat Titus een tijd aan het hof had doorgebracht was te merken aan zijn zelfverzekerde houding, zijn kapsel en zijn manier van spreken.

'Misschien kun je dat nog wat harder zeggen,' antwoordde Vitas. Hij droeg een eenvoudige tunica en was iets langer dan Titus. Magerder ook. Vitas liep tegen de dertig, Titus was zes jaar jonger dan hij. Beiden waren zichtbaar goed gespierd en gezond en vertoonden een compleet gebit – dat alleen al was voldoende bewijs van hun rijkdom en rang voor de leden van de laagste klasse die deze taveerne bevolkten. 'Of misschien kun je het nog even herhalen voor de paar mensen achterin die het de eerste keer niet konden horen.'

Een paar forse mannen – gebogen door jaren zware arbeid – begonnen al overeind te komen. In hun haast stootten ze verschillende kroezen bier op hun tafel om.

'Speciem illorum uberum suis non amo,' zei Titus. Het was een duidelijke toespeling op de twee naderende mannen; door zijn formele taalgebruik werd de ordinaire belediging nog benadrukt.

Vitas schudde bedroefd het hoofd toen nog twee mannen uit

hun stoelen opstonden. 'Die varkensuiers staan me niet aan,' had Titus zojuist geroepen.

'Doe geen moeite,' zei Vitas tegen de mannen. 'Jullie hoeven niet op te staan om ons te begroeten. We hebben gehoord dat we Gallus Damianus hier kunnen vinden.'

Geen van de vier mannen vertraagde zijn pas; de prostituees gingen behoedzaam uit de weg.

'Let maar op, ze komen twee aan twee,' verkondigde Titus luid en trok rustig zijn toga op, zodat hij zich vrijer kon bewegen in een gevecht. 'Dat bewijst gewoon wat ik zei. Varkensuiers.'

✠ ✠ ✠

In een binnenkamer van het keizerlijk paleis in Rome stond de op een na machtigste man van het Romeinse rijk op dat moment op het punt een ander soort bedreiging te ontdekken, verborgen in een boekrol waarvan het zegel verbroken was.

'Laat me met rust,' zei Helius tegen de slaaf die zijn slaapvertrek binnenkwam met de boekrol. 'Ik heb het buitengewoon druk.'

In zijn stem klonk het sarcasme waarmee de man die ooit zelf slaaf geweest was nu tegen zijn ondergeschikten sprak; gezien zijn relatie met Nero viel bijna ieder ander in het Romeinse rijk in deze categorie. Helius was al prikkelbaar vanwege de zomerse hitte en dat werd nog verergerd door het feit dat hij deze slaaf altijd al bijzonder lelijk gevonden had.

'Tigellinus zei –'

'Ik ben bezig,' interrumpeerde Helius de slaaf. Hij spuwde elk woord uit.

Helius was inderdaad bezig, en wel met het zich laten verzorgen door twee andere slaven. Een vrouw knipte zijn haar in het nieuwste model en een jongen was bezig make-up op zijn gezicht aan te brengen.

De slaaf met de boekrol – een veertiger met dun grijs haar – leek zich belabberd te voelen. 'Tigellinus wil dat u naar de graffiti kijkt,' hield hij aan. Hij had een goede reden om vol te houden. Tigellinus wist namelijk dat Helius zich voorbereidde op een avond vol losbandigheid met Nero en had voorzien dat Helius niet geïnteresseerd zou zijn. Dus had hij de slaaf verzekerd dat hij hem stevig zou laten afranselen als Helius de boekrol niet las. En Tigellinus was als prefect van de pretoriaanse garde – de keizerlijke soldaten die toezicht uitoefenden op de stad – een van de weinige mannen in Rome met bijna evenveel macht als Helius.

'Graffiti?' herhaalde Helius. Hij voelde het afgrijzen in zich opkomen. Als dit van Tigellinus kwam, kon het alleen maar zinspelen op bepaalde graffiti die Nero woedend maakte. Nero's nachtmerries waren niet verminderd; het vermaak voor vanavond was bedoeld om hem af te leiden van zijn demonen.

'Deze...' zei de slaaf terwijl hij de boekrol begon uit te rollen. De achterkant – die naar Helius gekeerd was – onthulde een Grieks woord van drie letters, groot genoeg om op een paar passen afstand zichtbaar te zijn.

Helius zoog zijn adem in toen zijn vermoeden over de graffiti bevestigd werd. Hij herstelde zich snel in de hoop dat noch de vrouw achter hem, noch de tiener die zijn make-up aanbracht, die snelle inademing waargenomen had.

'Komt deze boekrol van Tigellinus?' vroeg hij zo nonchalant mogelijk. 'En waar heeft hij die vandaan?'

'Een jonge Jood hield hem staande op straat en liet hem dit zien. Tigellinus heeft hem onmiddellijk laten arresteren.'

'Was jij daar getuige van?'

'Ik was erbij,' antwoordde de oude slaaf.

'Heeft Tigellinus hem gelezen?'

'Ja.'

'En de Jood die hij arresteerde?'

'Tigellinus gaf mij opdracht u te vertellen dat de jonge Jood in hechtenis genomen is en bewaakt wordt.'

'Door Tigellinus zelf?' vroeg Helius. Hij hoopte dat het antwoord ontkennend zou zijn.

'Door Tigellinus zelf.'

Als Tigellinus zijn soldaten niet had bevolen de jonge Jood te bewaken, maar deze zaak persoonlijk behandelde, was dit zo belangrijk als Helius vreesde. Want als Nero hier lucht van kreeg, zou hij woest zijn. Alles waar Helius om gaf, was afhankelijk van de luimen van Nero. En diens geduld was al bijna op vanwege de klaarblijkelijke machteloosheid van Helius en Tigellinus tegenover het symbool op de achterkant van deze boekrol.

Helius dwong zijn gedachten een andere kant op, om niet aan de gevolgen te denken. Hij wist maar al te goed op welke afschuwelijke manier mannen en vrouwen die Nero mishaagden aan hun einde kwamen.

Helius zuchtte alsof de kwestie van de boekrol alleen maar irritant was. 'Zoals ik al zei: ik heb het druk. Laat Tigellinus deze zaak maar afhandelen.'

De slaaf, zich kennelijk bewust van de afranseling die Tigellinus beloofd had, zette door. 'Hij heeft me op het hart gedrukt dat u de boekrol moet lezen.'

'Ik ben druk bezig.' Helius moest voorwenden dat de boekrol hem absoluut niet interesseerde. Hij zweeg even, alsof hij plotseling op een gedachte kwam. 'Lees jij hem maar voor.'

'Natuurlijk,' zei de slaaf.

'Wacht. Is de inhoud van de boekrol in het Grieks geschreven, of in het Latijn?'

'Grieks,' antwoordde de slaaf terwijl hij de boekrol openmaakte. 'Zoals de achterkant.'

'Denk je soms dat ik achterlijk ben?' vroeg Helius. Zijn slechte bui was verergerd op het moment dat hij dat ene Griekse woord gezien had. Ja, de komende weken zouden een hel zijn als Nero dit ontdekte.

'Nee, ik –'

'Ik heb de achterkant gezien. Mij vertellen dat die ook in het Grieks is, is hetzelfde als beweren dat ik te stom ben om Grieks te lezen.'

'Ik bied u mijn verontschuldigingen aan,' zei de slaaf terwijl hij op zijn knieën viel en voorover boog.

Die vernedering beviel Helius. Hij had een hekel aan lelijke mensen.

De tiener giechelde om de verontschuldigingen van de slaaf. Omdat de jongen aantrekkelijk was, besloot Helius hem geen reprimande te geven. 'Schiet op dan,' zei hij tegen de oude slaaf. 'Lees die brief voor als Tigellinus daarop aandringt.'

✠ ✠ ✠

In Smyrna, nog geen achthonderd meter van de taveerne waar Vitas en Titus op het punt stonden te gaan knokken, hoorde Aristarchus geschreeuw achter de deken die over het poortje naar de binnenplaats hing. Hij had zijn vuist al gebald. Nu stompte hij tegen de deken. Toen die zich om zijn arm wikkelde, schudde hij hem af en liet hem op de mozaïekvloer vallen.

Hij marcheerde door het poortje en negeerde het uitzicht door de ramen van de binnenplaats. In het westen lag de haven van Smyrna en daarachter de zee, terwijl in het oosten de heuvels tot aan de azuurblauwe hemel reikten. Zijn rijkdom en zijn vorstelijke landgoed beschouwde hij allang als vanzelfsprekend, en vandaag was dat niet anders.

Aristarchus sloop naar het midden van de binnenplaats. In de avondzon wierp zijn lichaam een lange schaduw op de vloer. Recht voor hem waren een vroedvrouw en drie andere vrouwen zo geconcentreerd op Paulina, zijn vrouw, dat ze hem pas opmerkten toen hij nog maar een paar passen van hen verwijderd was. Hun kortstondige geschoktheid over zijn inbreuk op de traditie zorgde er bijna voor dat hij bij Paulina kon komen die achter hen op de baarstoel hurkte. Paulina leek zijn aanwezigheid niet op te merken. Ze sloot haar ogen en schreeuwde nogmaals, vechtend tegen de intense pijn van een langdurige wee.

'Ga opzij,' snauwde hij. Als hij niet zo woedend was, zou deze uiting een komische indruk hebben gemaakt, want hij was een kleine man met een hoge stem.

'Hoe durft u!' zei de vroedvrouw, zich losrukkend uit haar korte verstijving van schrik. 'Eruit!' Ze greep hem bij de arm en duwde hem terug naar de poort.

Normaal gesproken zou zij hem de baas zijn geweest. Ze was een forse, brede vrouw en van nature slecht gehumeurd. Aristarchus daarentegen was tamias, schatbewaarder van de gemeenteraad van Smyrna, geworden door sluw bedrog en ging zelden een openlijke confrontatie aan. Vandaag was zijn woede echter sterker dan zijn politieke instinct. Hij weerde de vrouw af met een klap van zijn nog altijd gebalde vuist tegen haar buik. Toen zij achteruit wankelde, rukte hij zich los en ging af op de andere drie vrouwen, Paulina's zussen, die in een beschermende halve kring voor haar stonden.

Paulina pufte opgelucht toen de wee voorbij was. Door de inspanning was haar gezicht rood en kleddernat van het zweet.

'Ga opzij,' beval hij. 'Ik wil mijn vrouw spreken.'

De vrouwen, even donker van huid en haar als hun zus, keken hem alledrie afkeurend aan.

'Verdwijn,' zei de oudste. Ze had nooit enig respect voor Aristarchus gehad en liet nu zonder scrupules haar minachting blijken. 'Mannen hebben hier niets mee te maken. Nooit.'

Aristarchus opende zijn vuist en liet een dun zilveren kettinkje aan zijn vingers bungelen. Een zilveren kruisje hing aan het eind. 'Ze moet mij antwoorden, dat eis ik. Ik moet weten of het waar is wat ik zojuist gehoord heb.'

'Mijn zus,' zei de oudste vrouw met haar tanden op elkaar, 'is al sinds gisteravond bezig met een moeilijke bevalling. Wacht tot morgen. Beter nog, wacht tot ze helemaal hersteld is. Op dit moment moet ze een kind baren, geen ruzie maken.'

Paulina kreunde toen een nieuwe wee opkwam.

De vroedvrouw haastte zich naar haar toe en veegde het zweet van haar voorhoofd. Verrassend zacht en vriendelijk mompelde ze: 'Elke nieuwe wee brengt je dichter bij een prachtige baby. Wees niet bang om te persen, mijn kind.'

Aristarchus deed zijn mond open om ruzie te maken, maar

toen Paulina weer begon te schreeuwen, besefte hij dat zijn pogingen tevergeefs zouden zijn.

Toen de wee eindelijk voorbij was, hield hij zich niet langer in. 'Hoort ze bij deze sekte?' vroeg hij dringend, terwijl hij de ketting met het kruisje heen en weer zwaaide. 'Is zij een van degenen die het bloed delen?'

De zussen sloten het gelid. Aristarchus duwde hen opzij om in Paulina's gezicht te schreeuwen. 'Ben je dat? Is het waar wat ik vandaag ontdekt heb over jouw geheime geloof?'

Paulina hijgde uitgeput, maar het licht in haar ogen was sterk. 'Ja,' zei ze eenvoudig.

'Die Joodse slavin van je, Sophia – die heeft je besmet, hè?'

'Ze heeft me tot de levende Christus geleid. Daar heb ik grote vrede gevonden. Ze –'

'Ze zal niet langer bij dit huishouden horen. Zweer nu die Christus af. Hier en nu, voor deze getuigen. Het is nog niet te laat om mijn reputatie en de positie die jouw familie onderhoudt, te redden. Doe afstand van je geloof!'

Paulina's gezicht verstrakte. 'Dat kan ik niet,' fluisterde ze. 'Christus is mijn Verlosser.'

'Nee! Ik ben verantwoordelijk voor een tempel waar Nero wordt aanbeden als almachtige verlosser. Wil je me soms ruïneren?'

Paulina kon niet antwoorden omdat de volgende wee haar overviel. Terwijl hij doorging met krijsen, begon zij te kreunen.

✠ ✠ ✠

'Jij bent een van hen, zeker?' Een kleine, maar stevig gebouwde bewaker bij de hoofdpoort van het amfitheater grijnsde vuil naar Lea. 'Je ziet er niet naar uit, maar ik heb wel geleerd dat je nooit op het uiterlijk moet afgaan.'

'Een van hen?' vroeg Lea. Ze had geen idee wat de bewaker met zijn opmerking over 'het uiterlijk' bedoelde. Lea was jong, nog maar net op huwbare leeftijd. Ze had zich alledaags gekleed en het grootste deel van haar lange, donkere haar bedekt. Ze wist wel dat mannen begerig naar haar keken, maar ze had nooit het gevoel dat ze aantrekkelijk genoeg was om hun aandacht te verdienen.

'Doe nou niet of je dom bent. Je vindt het heerlijk om hun angst te zien, of niet soms?' De bewaker pakte de omkoopsom die hij had geëist van haar aan en wees met een duim in de richting van de chaos achter zich.

Op de begane grond in het amfitheater drongen twintig of dertig mensen in de richting van de opening waar gevangenen doorheen geduwd werden, de arena in. Zonlicht scheen door de opening en toonde duidelijk de wellustige vreugde van de mannen en vrouwen die de nieuwe groep mannen op weg naar hun dood uitjouwden.

'Een van hen.'

Lea kon niet bevatten waarom de Romeinen genoten van de doodskreten die uit de arena opstegen, laat staan dat ze begreep waarom Nero zelf zoveel behagen schepte in al die openlijke perversiteit en in zijn fantasierijke foltermethodes. Als in Rome geboren Jodin – de Joodse gemeenschap in Rome was sterk, omvangrijk en levendig – had Lea het tot nog toe klaargespeeld uit de buurt te blijven van de spelen die plaatsvonden als politici de massa tot bedaren wilden brengen door middel van amusement.

'Een van hen.'

De mensen in het groepje voor haar beschimpten de gevangenen. Sommigen – zowel mannen als vrouwen – staken een hand uit om onbetamelijk naar hen te graaien.

'Pas maar op dat je niet in de arena terechtkomt,' lachte de bewaker. Zijn lach klonk meer als geblaf dan als een menselijk geluid. 'Bij de laatste spelen ontdekte een half dozijn toeschouwers dat ze in het zand lagen. Ze stierven net zo snel als de veroordeelden. Wat een schouwspel was dat!'

Lea haastte zich weg en probeerde zich af te sluiten voor de geluiden en beelden van de bewakers die speren gebruikten om de gevangenen voorwaarts te porren. Ze liet de opening met het zonlicht en het lawaai van de toejuichingen achter zich en volgde de lager onder de tribunes gelegen tunnels naar beneden in een vochtige duisternis die door toortsen verlicht werd.

✠ ✠ ✠

De spanning waarmee Vitas in de taveerne geconfronteerd werd, groeide naarmate de vier gewelddadige schurken dichterbij kwamen.

'Ik zeg dat die mooie jongen het eerst om zijn mama gaat roepen,' riep een man uit terwijl hij op Titus wees. 'Wedden?'

'Gewoon ja of nee, meer heb ik niet nodig,' zei Vitas. Zijn stem klonk luid, maar kalm. 'Heeft een van jullie Damianus vanavond gezien? Als jullie me helpen, betaal ik met alle plezier drank voor iedereen.'

Dat lokte toejuichingen uit, maar de vier schurken bleven in hun richting lopen, hoewel de ruwe houten tafels in de weg stonden. Toen de eerste vlakbij kwam, glimlachte Titus beleefd. Daarna stapte hij naar voren en schopte hem in het kruis.

De forse man viel op zijn knieën; zijn lichaam versperde tijdelijk de weg voor de andere twee. Een paar seconden later kokhalsde hij.

'Is het niet heerlijk om de stad in te gaan en dronken te worden?' zei Titus hartelijk tegen de gevallen man.

Twee van de andere mannen brulden en sprongen over de eerste man heen in een poging Titus te vloeren. Hij stapte achter Vitas, toen op een tafel en daarna op de volgende.

'Mijn excuses,' zei Titus tegen de met stomheid geslagen klanten aan elke tafel waar hij op stapte. 'Nogmaals excuses. En nogmaals.'

Door van het ene tafelblad naar het andere te wippen bereikte Titus in een paar tellen de overkant van de taveerne; hij liet het aan Vitas over met de forse dronkelappen af te rekenen.

Ondanks het bier dat ze verorberd hadden, waren de mannen nuchter genoeg om het korte zwaard dat Vitas voor hun neus hield niet te onderschatten. Dat zwaard had hij met verbazingwekkende snelheid onder zijn tunica vandaan getrokken, alsof hij daar de hele tijd al op gewacht had.

'Gallus Damianus,' zei Vitas. 'Jullie kennen hem vast wel. Ik heb gehoord dat veel gladiatoren zich hier komen vermaken op de avond voor de spelen.'

'En wie vraagt dat?' Deze stem kwam van een man die alleen zat. Alle andere tafels waren overvol, maar deze man had een hele tafel voor zichzelf.

Er ging een zacht gemompel door de menigte als reactie op zijn vraag.

De man stond langzaam op. Kwam naar Vitas toe.

De dronkelappen vielen achterover terwijl ze probeerden weg te komen; ze sleurden hun met stomheid geslagen makker met zich mee. Andere toeschouwers gingen met eerbiedige vrees opzij en maakten plaats voor de nieuwe man.

De man herhaalde zijn vraag aan Vitas. 'Vertel eens, wie vraagt er naar Damianus?'

✠ ✠ ✠

De slaaf met het dunne haar ging voor Helius staan en rolde de boekrol af tot hij bij het eerste gedeelte kwam. Hij hield de rol op een armlengte afstand, waarmee hij zijn verziendheid verried. De achterkant vertoonde de bovenkant van het Griekse woord dat Helius verontrustte.

'Wacht,' zei Helius. 'Rol hem uit zodat deze twee de achterkant nog eens kunnen zien.'

De vrouw en de jongen bekeken het drieletterwoord zorgvuldig.

'Kan een van jullie Grieks lezen?' vroeg Helius.

Beide slaven schudden het hoofd.

Helius zuchtte vol afkeer over hun onwetendheid.

'Maar ik heb het eerder gezien,' zei de jongen, erop gebrand hem een plezier te doen. 'Als graffiti... op de muren van het keizerlijk paleis. En een keer bij de spelen. Een christen was stervende. Een leeuw had zijn buik opengehaald en liep daarna door naar een andere. De eerste christen lag vlak bij de muur. Hij wreef met zijn hand over zijn bloedende buik en smeerde dat ene woord uit op de muur, zodat iedereen aan de andere kant van de arena het kon zien.'

Dat was wat Helius juist niet wilde horen. Als de jongen het gezien en herkend had, gold dat ook voor veel te veel mensen die door de stad zwierven.

'Weet je het zeker?' vroeg hij.

'Heel zeker. Kijk maar eens. Het is makkelijk te onthouden, vooral door die slang in het midden.'

Ja, dacht Helius, makkelijk te onthouden, veel te makkelijk. Ook Nero had het op de paleismuren gezien. Tot nog toe had Helius het met een grapje kunnen afdoen bij Nero, maar het woord had de laatste weken veel te vaak de kop opgestoken. Helius wenste dat alle christenen in de stad al dood waren, zodat er niemand dat merkteken op openbare gebouwen kon krabbelen.

'Wat betekent het?' vroeg de jongen.

'Niets bijzonders,' zei Helius. 'Zorg dat je mijn gezicht niet zo dik poedert dat het opvalt.'

Aan de ene kant sprak Helius de waarheid. Het woord was niets meer dan drie Griekse letters:

Maar aan de andere kant: het middelste symbool had het uiterlijk van een kronkelende slang en vertegenwoordigde het sissende geluid dat een slang maakt; dat maakte het onheilspellend. De eerste letter was de beginletter van de naam van Christus. De laatste letter was de dubbele letter waarmee stauros, het Griekse woord voor 'kruis', begon. En het symbool voor de slang zat gevangen tussen die twee.

Het zag er echt onheilspellend uit.

Helius begreep niets van het voortdurende gebruik van dit woord in het openlijke verzet tegen de vervolging. Dat mysterie maakte het voor hem nog onheilspellender.

'Lees die brief,' snauwde Helius tegen de oude slaaf. En tegen de vrouw en de jongen zei hij: 'En jullie, ga door met je werk. Allebei.'

✠ ✠ ✠

Toen Paulina's barensweeën weer toenamen, probeerde een van haar zussen Aristarchus weg te duwen bij zijn uitgeputte vrouw.

Hij hield voet bij stuk en bleef tegen Paulina gillen. 'Begrijp je het dan niet? Ik ben de schatbewaarder! Ik ben priester in de tempel van Nero! Je mag elke god aanbidden, maar niet Christus!'

Haar gekreun werd voortdurend luider terwijl de volgende golf van pijn de top bereikte.

Aristarchus sprak de oudste zus toe; zijn woede zwakte af tot smeken. 'De Christus eist dat je geen andere goden dient. Onze stad is afhankelijk van de edelmoedigheid van de goddelijke Nero. Zullen de mensen toestaan dat ik schatbewaarder blijf als bekend wordt dat mijn eigen vrouw weigert de keizer te aanbidden?'

De ondraaglijke pijn ontrukte nog een schreeuw aan Paulina.

'Persen,' drong de vroedvrouw aan. 'Persen!'

'Elke andere godsdienst!' pleitte Aristarchus schor. Hij had moeite zijn stem te laten horen boven het geschreeuw van zijn vrouw uit. 'Elke andere godsdienst zou ruimte laten voor aanbidding van de keizer! Je kunt uit tientallen kiezen. Ik zal je niet in de weg staan! In elke andere aangelegenheid van het huwelijk geef ik je wat je maar wilt! Maar hier trek ik de grens. Geen Christus, anders ben ik geruïneerd!'

'Persen! Persen!'

'Luister naar mij!' schreeuwde hij. 'Zelfs de Joden in deze stad verwerpen Christus. Dat moet jij ook doen. Luister!'

Niemand luisterde.

De vroedvrouw tilde het laken op om de voortgang van de bevalling te controleren. 'Persen! Persen! Je kind is er bijna.'

Paulina gilde met een mengeling van pijn, opluchting en blijdschap.

'Persen! Persen!' De vroedvrouw ving het hoofd van de baby op terwijl het kind ter wereld kwam. De schoudertjes draaiden opzij en de rest van het kleine lijfje volgde.

Paulina huilde van opluchting.

De vroedvrouw legde de baby zachtjes in Paulina's armen, zodat de kersverse moeder haar kind kon wiegen terwijl zíj de navelstreng afbond en doorsneed.

Aristarchus was opgehouden met tieren, gefascineerd door het wonder waar Romeinse mannen zelden getuige van waren. Even kreeg een ander onderwerp prioriteit boven zijn bezorgdheid over werkgelegenheid en sociale status. 'Is het een jongen?'

Hij wachtte niet op antwoord, maar keek zelf. Een honende grijns gleed over zijn gezicht. 'Ze dient die Christus en schenkt me een dochter.'

Paulina negeerde hem en hield haar dochter dicht tegen zich aan. 'Wat is ze mooi,' zong ze zachtjes, blijkbaar haar pijn en ellende vergetend. Een serene vreugde lichtte op in haar ogen. 'Zo mooi. En kijk eens naar al dat haar.'

'Hoe heet ze?' vroeg een van haar zussen, terwijl ze Paulina's gezicht met een vochtige doek afveegde.

'Priscilla,' antwoordde Paulina. 'Ter ere van een vrouw in Efeze die –'

'De baby zal geen naam krijgen,' bitste Aristarchus. 'Ze zal de negen dagen tot de lustratio niet halen.'

Dat was de officiële ceremonie waarbij een Romeins kind een naam kreeg en aan de gemeenschap werd voorgesteld.

'Nee!' riep de oudste zus. 'Dit is Paulina's eerste kind. Ze is nog jong. Ze heeft nog vele jaren om je een zoon te schenken.'

'Leg haar te vondeling,' zei Aristarchus streng en triomfantelijk. 'Ik zal het kind niet verkopen of doden. Te vondeling leggen is mijn decreet en bevel. Stel haar bloot aan de elementen tot ze sterft.'

✠ ✠ ✠

Een kakofonie van geluiden overviel Lea in de duisternis onder het amfitheater: geluiden van doffe wanhoop. Gekreun. Angst. Behalve deze geluiden uit de gevangeniscellen aan weerszijden van de tunnel hoorde ze af en toe in de verte het gebrul van dieren die getraind werden om later de executies uit te voeren.

Sinds Natans arrestatie had Lea elke nacht slechts een paar uur geslapen. De rest van de tijd had ze in het donker liggen woelen en draaien terwijl ze de gedachte aan de dood van haar broer probeerde te vermijden.

Ja, ze had veel te veel tijd besteed aan de gruwelen van de toekomst; nu was het zover.

Ze wilde dapper zijn. Móest dapper zijn. Voor Natan. Voor haar broer, een tiener nog. Natan, de vrolijke jongen met het onstuimige temperament, die hun huis en leven elke dag tot een feest maakte. Natan! De benjamin van de familie. Door iedereen geadoreerd. Hij stond op het punt te sterven!

Ze tilde haar jurk iets op, sloot haar angst buiten en ging verder de duisternis in. Toen ze de laatste lichtstralen achter zich liet, leek de lucht haar in te sluiten en haar keel kneep dicht. Het verstikkende gevoel werd nog versterkt door de stank van dit lijden – uitwerpselen die in de cellen opgehoopt lagen, braaksel en de weeïge, misselijkmakend zoete alcohollucht van de paar fortuinlijken die genoeg geld hadden om de bewakers om te kopen en de verdoving en vergetelheid van wijn aan te schaffen.

Terwijl over Rome de duisternis viel, begon Lea in dit vreselijke labyrint van ondergang en dood naar haar broer te zoeken.

✠ ✠ ✠

In Smyrna nam de spanning in de taveerne toe naarmate de kolossale man Vitas naderde.

'Wie ben jij om te vragen: "wie vraagt dat"?' riep Titus vanuit de hoek. Hij begon terug te gaan in de richting van Vitas. Het was duidelijk dat Vitas deze nieuwe tegenstander niet gemakkelijk zou kunnen verslaan.

De man keurde Titus zelfs geen blik waardig. Hij bleef dreunend in Vitas' richting lopen met zijn ogen gericht op het korte zwaard dat Vitas verdedigend voor zich uit hield.

'Wie ben jij om naar Damianus te vragen?' herhaalde hij.

Iemand riep dronken: 'Scheur hem in stukken, Maglorius! Je handen zijn sterk genoeg!'

Maglorius. Vitas kende die naam.

Een levende legende.

Hoewel Maglorius in de veertig was en de littekens van gladiatorenzwaarden en leeuwenklauwen droeg, straalde hij nog altijd kracht en macht uit. Zijn haar was niet donker, zoals dat van de meeste Romeinen, maar zandkleurig grijs: die kleur getuigde van zijn Icenische afkomst. Volgens de geruchten die onder het gepeupel de ronde deden, had het leger Maglorius gevangengenomen tijdens de eerste opstand tegen de Romeinen van zijn stam in Brittannië en vervolgens naar Rome verscheept om hem te vernederen tijdens het openbare vertoon van Vespasianus' overwinning. Na afloop stuurden ze hem naar de arena's om als gladiator te sterven. Dat had hij echter, zoals zijn aanwezigheid in de taveerne overtuigend bewees, inmiddels al meer dan tien jaar overleefd. Het lukte hem in leven te blijven door anderen te doden.

'Wie ik ben om dat te vragen?' vroeg Vitas onbevreesd. Iedere zenuw tintelde terwijl hij Maglorius waakzaam bekeek, zoals de ene leeuw de andere bekijkt. 'Daar heb jij niets mee te maken.'

'Ik heb tijdens de training in de gladiatorenschool in de loop van het afgelopen jaar zes keer Damianus' leven gered,' zei Maglorius. 'Hij is een van de beklagenswaardigste burgers die de eed ooit afgelegd hebben. Alleen als ik zijn leven opnieuw red, maakt hij enige kans dat hij morgen zijn eerste gevecht in de arena overleeft. Ik denk dat ik het recht heb te vragen wie naar hem op zoek is.'

Vitas grijnsde en zag aan Maglorius' reactie dat hij dat niet verwacht had. 'Omdat iedereen die tegen Damianus vecht, óf een onbetaalde schuld verrekent, óf hem wil straffen voor het verleiden van zijn vrouw of dochter.'

Maglorius gromde instemmend.

Dat had de eerste waarschuwing voor Vitas moeten zijn: dat Maglorius, duidelijk een eenzelvig mens, Damianus het afgelopen jaar had beschermd. Damianus, die gedwongen was de gladiatoreneed af te leggen als gevolg van zijn gokverslaving, maakte veel gemakkelijker vijanden dan vrienden.

Tegen die tijd stond Titus weer naast Vitas. Ook hij hield Maglorius waakzaam in het oog.

'Ik begrijp jou niet,' zei Titus tegen Vitas. 'Toen je jong was, zou je met alle plezier een knokpartij begonnen zijn. Nu geef je alleen nog maar blijk van geduld en volwassenheid. Laten we een beetje pret maken. Eerst vechten, dan praten.'

'Vergeef mijn vriend, Maglorius,' zei Vitas. 'Sinds onze tijd in het legioen gelooft hij dat hij onoverwinnelijk is.'

'Jij lijkt sprekend op Damianus,' zei Maglorius rustig. 'Ben jij de broer waar hij het over had? Vitas? Helemaal uit Rome?'

'Dat ben ik. En dit is Titus Flavius Vespasianus.'

'Een zoon van Vespasianus? Die het bevel voerde over een legioen in Gallië?'

Dat had de tweede waarschuwing voor Vitas moeten zijn. Maglorius vroeg naar Vespasianus' tijd in Gallië en vermeed het veel meer voor de hand liggende verband: Brittannië. Daar was Vespasianus bijna twintig jaar geleden beroemd geworden toen hij dertig veldslagen geleverd, twee stammen onderworpen en twintig steden ingenomen had.

'Ja, Vespasianus is mijn vader,' zei Titus trots.

Maglorius bekeek Titus opnieuw. En glimlachte enigszins. Een gevaarlijke glimlach.

Dat had nog een waarschuwing voor Vitas moeten zijn, maar hij was er te veel op gespitst Damianus te vinden. Te veel op gespitst te voorkomen dat zijn jongere broer zou sterven tijdens zijn eerste gevecht als gladiator. Vitas wist dat Maglorius het bij het rechte eind had wat Damianus' bekwaamheden in het gevecht betrof.

'Ik zal jullie naar Damianus brengen,' zei Maglorius. 'Jullie lijken me wel in staat voor jezelf op te komen, maar ik zou niemand aanraden 's avonds door de straten van een onbekende havenstad te zwerven.' Hij glimlachte weer. 'Dat is te gevaarlijk. Geloof me maar.'

Vitas haalde zijn schouders op.

'Maar laten we eerst nog wat drinken,' zei Maglorius. 'Ik ben niet van plan ook maar ergens heen te gaan met een droge keel.'

✠ ✠ ✠

Terwijl de vrouw doorging met het knippen van zijn haar en de jongen met het aanbrengen van make-up, luisterde Helius naar de slaaf. Hij hield zijn ogen dicht, alsof de oude man een harpist was die een prachtige melodie ten gehore bracht. Ja, dat was precies hoe Helius bij deze drie slaven wilde overkomen: volstrekt kalm.

'Dit is een kopie van iets uit de archieven,' begon de slaaf langzaam voor te lezen. 'Als keizer Tiberius dit belangrijk genoeg vond om het in de senaat ter stemming te brengen, moet u hiervan weten en een einde maken aan de verdrukking die u over onschuldige mensen hebt gebracht.'

'Was dat het gedeelte dat aan Nero gericht is?' vroeg Helius, nog altijd met gesloten ogen. Hij sprak op een toon alsof de boekrol geen enkele betekenis had, alsof die vervloekte Griekse graffiti achterop niet meer dan een curiositeit was.

'Ja,' zei de slaaf enigszins afwezig. Aan zijn geconcentreerde blik op de boekrol was duidelijk te zien dat hij met bijzonder veel interesse vooruitlas.

'En wat daarna komt, is uit de archieven?' vroeg Helius. 'Een zaak die door Tiberius voor de senaat gebracht is.'

'Daar ziet het wel naar uit,' antwoordde de slaaf.

'Ga door,' zei Helius met een wuivend gebaar. 'Jullie allemaal.'

De slaaf las de rest voor aan Helius, de jonge slaaf en de slavin. Helius was geconcentreerd op de inhoud van de brief. Hij was er zich niet van bewust dat de jongen en de vrouw opgehouden waren met hun zorg voor hem, zozeer gingen ze op in wat ze hoorden. Pas toen de slaaf de boekrol begon op te rollen, deed Helius zijn ogen open en merkte hij dat ze aandachtig hadden geluisterd.

'Uitstekend,' zei Helius. Hij was trots op het feit dat hij uiterlijk kalm bleef. Inwendig beefde hij. Als Nero hiervan hoorde –

Nee, beval hij zichzelf streng. Denk niet aan de gevolgen. Denk alleen aan wat er nu gedaan moet worden.

'Weet niemand behalve Tigellinus van deze boekrol?' vroeg hij.

'Ik ben de hele tijd bij hem geweest,' antwoordde de slaaf. 'Vanaf het ogenblik dat de jonge Jood gearresteerd werd tot onze aankomst in het paleis. Totdat ik dit aan u voorlas, was Tigellinus de enige die de rol geopend heeft.'

Helius stond op en sprak alle drie de slaven toe. 'Wacht hier tot ik terugkom.' Hij merkte hun verblufte blik op. Zijn haar was nog niet helemaal geknipt en zijn make-up was ook nog niet klaar. 'Ik heb iets verkeerds gegeten,' zei hij terwijl hij de kamer uitliep; hij trok de deur dicht.

Dat had hen moeten alarmeren. Een man als Helius verklaarde zelden zijn gedrag tegenover mensen als zij.

Verderop in de gang trof Helius een paar soldaten aan. 'In mijn slaapvertrek,' vertelde hij hun, 'zullen jullie een man, een vrouw en een jongen vinden. Ik hoorde hen bespreken hoe ze mij konden vermoorden.'

Beide soldaten richtten zich op. Als slaven erover spraken hun meesters te vermoorden...

'Ja,' zei Helius. 'Ga naar binnen en snijd hun tongen af. Onmiddellijk. Sleep hen vervolgens naar de Tiber, onthoofd hen en ontdoe je van de lijken. Zeg hierover niets tegen anderen. Vooral niet tegen Nero. Als hij gelooft dat er binnen het paleis weer een complot dreigt, is er niemand meer veilig.'

De soldaten salueerden.

Het laatste complot tegen Nero had een meedogenloos, zes maanden durend bloedbad tot gevolg gehad.

'Het zal gebeuren,' zei de eerste soldaat.

'Goed,' antwoordde Helius. 'Heel goed. Denk eraan: als ik hier geruchten over hoor, weet ik wie daarvoor verantwoordelijk is. En dan zal Tigellinus zorgen dat jullie op dezelfde manier gestraft worden.'

'Het zal onmiddellijk gebeuren,' benadrukte de tweede soldaat. 'En we zullen niets zeggen.'

Ze keerden zich om en gingen in looppas naar het slaapvertrek van Helius, naar de slaaf, de vrouw en de jongen, die zich er niet van bewust waren hoe spoedig en hoe wreed hun leven beëindigd zou worden.

Helius liet een zucht ontsnappen. Dit zou tenminste garanderen dat niemand anders van de boekrol wist! Hij zou Tigellinus in de tuin opzoeken en ze zouden in kaart brengen hoe ze te werk moesten gaan.

Helius voelde aan zijn gezicht. Hij verwachtte niet dat door deze zaak het vermaak dat Nero voor hen in petto had, uitgesteld hoefde te worden. Helius hoopte dat hij genoeg make-up op zijn gezicht had om er behoorlijk uit te zien voor de festiviteiten van vanavond.

Maar eerst moest hij Tigellinus spreken.

✠ ✠ ✠

Aristarchus stak zijn handen uit naar zijn dochter. Zijn eerstgeborene. De baby die hij wilde doden door haar te vondeling te leggen.

'Nee,' jammerde Paulina.

'Als vader heb ik daar het recht toe,' zei hij. 'Je kunt me niet tegenhouden.'

Haar zussen konden haar niet helpen. Zij kenden de plaats van de vader in zijn eigen gezin. Hij kon het pasgeboren kind het recht om grootgebracht te worden ontzeggen. Hij kon ervoor kiezen het kind te verkopen, te doden of aan de elementen bloot te stellen. En als hij voor te vondeling leggen koos, kon hij de baby vlak voor zijn huis of op een openbare plaats achterlaten.

'Alsjeblieft,' smeekte Paulina. Hoewel ze uitgeput was, gaf de wanhoop haar nieuwe kracht. 'Laat me mijn kind houden.'

Aristarchus glimlachte tevreden. Hij bedacht dat de goden hem misschien een dienst bewezen hadden door het geheim van zijn vrouw juist vanmiddag onder zijn aandacht te brengen.

'Misschien mag je haar van mij wel grootbrengen.' Hij zweeg even.

De zachte geluidjes van de baby aan de borst doorbraken de stilte.

'Doe afstand van die Christus,' zei hij. 'Dan mag de baby blijven leven.'

'Dat kan ik niet.' Paulina begon te huilen. 'Hij heeft zijn leven gegeven om het mijne te redden.'

'Dan wordt de baby te vondeling gelegd. Vanavond. Op het plein voor de tempel van de keizer. Onder het standbeeld van de goddelijke Nero. Dan zal heel Smyrna weten dat ik de keizer vereer ondanks de dwaasheid van mijn vrouw.'

Paulina probeerde te spreken, maar het lukte niet. Ze hield de baby met een arm stevig tegen zich aan en streelde het hoofdje met haar andere hand.

'Jullie zijn allemaal getuige,' zei Aristarchus met zijn armen over elkaar. 'Vertel het aan iedereen die luisteren wil. Ik doe afstand van deze baby als teken van mijn loyaliteit aan de goddelijke keizer.'

'Nee! Nee!' riep Paulina weer tussen het snikken door.

'Je krijgt nog één kans,' zei Aristarchus. 'Wil je afstand doen van Christus?'

Paulina hield de baby nog krampachtiger vast.

'Het gaat mis!' zei de vroedvrouw. 'Ze...'

De vroedvrouw wees. Onder de baarstoel vormde zich een plas bloed, een donkere, onheilspellende cirkel.

De zussen gingen snel lakens zoeken om de bloeding te stelpen.

'Wat is je antwoord?' vroeg Aristarchus dringend aan Paulina.

Ze was niet in staat antwoord te geven. Ze zakte bewusteloos in elkaar, terwijl ze haar baby nog altijd stevig vasthield.

'Ziedaar,' zei Aristarchus. 'Ik heb gesproken. Laat het gebeuren zoals ik bevolen heb.'

VESPERA

Toen ze Natan eindelijk vond, verwachtte Lea dezelfde wanhoop te zien als ze in de andere cellen vol gevangenen gezien had toen ze daar ingespannen naar binnen tuurde. Het was moeilijk geweest haar broer te ontdekken in het halfduister.

De gevangenen die in deze cel verzameld waren, waren echter anders dan zij die tot de arena veroordeeld waren als straf voor moord, roof of brandstichting. Deze mensen waren niet verstijfd van angst of dronken. Ze zaten ook niet te jammeren. In plaats daarvan zaten ze rustig hand in hand geestelijke liederen te zingen. Er waren mannen, vrouwen en een stuk of twaalf kinderen. Het opgewekte gezang leek hun cel te verlichten, alsof elk van hen een kaars vasthield.

Natan merkte haar aanwezigheid onmiddellijk op en haastte zich naar haar toe. Het was maar een paar stappen; hij probeerde haar door de tralies heen te omhelzen.

'Natan!' Lea begon te huilen.

'Zusje, zusje,' zei Natan en streelde haar haren.

Het duurde even voordat het tot Lea doordrong dat haar broer haar troostte, terwijl ze in deze situatie toch verwacht had dat zij hem zou moeten troosten. Op de een of andere manier was hij veranderd, volwassen geworden.

'Waarom ben jij hier?' vroeg hij. 'Dit had je niet moeten riskeren.'

'Er kwam een boodschap dat je Kaleb moest spreken. En hij is…'

'Nou?' vroeg hij met een spoor van zijn vroegere ongeduld; hij was altijd al ongeduldig geweest. 'Waar is hij? Is alles in orde thuis?'

Ze knikte. Dat was vandaag al de tweede keer dat ze tegen een geliefd familielid loog. Het was helemaal niet in orde thuis. Hun vader was woedend omdat Natan het Joodse geloof had verraden en diepbedroefd omdat dit zijn zoon het leven zou kosten. Kaleb, hun oudste broer, deelde die woede en dat verdriet. Hij had dapper geprobeerd Natan en zijn vader met elkaar te verzoenen nadat Natan zijn geloof in Jezus van Nazaret als de beloofde Messias had beleden. De maanden voor Natans arrestatie waren bijna even ondraaglijk geweest als de dagen die op die arrestatie volgden.

'Waar is Kaleb?' vroeg Natan. 'Ik wilde niet dat jij hierheen zou komen. Dat verwachtte ik ook niet. Het is te gevaarlijk.'

'Kaleb is bij de keizer geroepen,' zei Lea. Ze wist dat het omgekeerde het geval was. Kaleb had om een onderhoud met de keizer gevraagd; hij had haar in vertrouwen genomen zodat ze er beiden om konden liegen tegen hun vader. En nu gaf ze die leugen door aan Natan.

'Bij de keizer geroepen? Of gearresteerd?'

Lea fronste haar voorhoofd en greep even naar haar keel. 'Nee. Niet gearresteerd. Kaleb heeft het geloof van onze voorouders niet de rug toegekeerd.'

Natan sloot een ogenblik zijn ogen. 'Ik zou zo graag willen dat jij het begreep. Wij keren het geloof van onze voorouders niet de rug toe. Jezus is de vervulling van de wet en de profeten, en van de beloften van God.' Hij deed zijn ogen open. 'Het spijt me. Dat heb je me al zo vaak horen zeggen. Ik blijf bidden dat jij en Kaleb dit geloof zullen vinden.'

Lea begreep het niet. Hier was Natan. In een vreselijke cel. Oog in oog met een afgrijselijke dood. En hij bad dat anderen zijn geloof zouden delen? Toch was dit niet de tijd of plaats om opnieuw de bekende discussie aan te gaan die hun gezin zo uiteengescheurd had voor Natan gearresteerd werd.

Ze klampte zich aan de tralies vast en wilde dat ze haar broertje kon omhelzen. Hij was zo knap. Zo jong. Hij verdiende niet te sterven.

'Natan,' zei ze zachtjes, 'je hebt ons laten berichten dat je Kaleb nodig hebt. Hij is nu bij de keizer. Kan ik je in zijn plaats helpen?'

'Nee,' zei Natan. 'Ik wil dat je zo snel mogelijk naar huis gaat.'

'Nu ben ik hier.' Lea hield de tralies van de cel krampachtig vast. 'Ik weiger te vertrekken als je me niet laat helpen.'

Natan perste zijn lippen op elkaar. 'Vooruit dan. Alleen omdat het zo belangrijk is.'

'Moet ik iets voor je meebrengen?'

Hij schudde zijn hoofd. 'Er zijn brieven in ons huis. Als ze door iemand van de overheid gevonden worden, zijn jullie allemaal in gevaar. Jij moet ervoor zorgen dat ze zo veilig worden verstopt dat ze na honderd keer huiszoeking nog niet gevonden worden. Als jullie mijn geloof niet delen, moeten jullie er ook niet voor gestraft worden.'

'Kan ik die brieven niet beter vernietigen?'

'Er zijn bar weinig kopieën van. En ze zijn hard nodig om de gelovigen in Rome te troosten. Het geloof in de opgestane Christus is het enige wat ons hoop geeft in alle verdrukkingen.'

Ze wees op de gevangeniscel. Hulpeloos. Hopeloos. 'Zelfs hier?'

Hij keek haar vol meegevoel recht aan. 'Wij zijn bereid dreigende wapens, verscheurende leeuwen en de tunica molesta onder ogen te zien, omdat we Christus volgen. We zijn er volkomen van overtuigd dat wij, net als onze Meester, op een dag uit het graf zullen opstaan met een tot leven gewekt, verheerlijkt lichaam.'

Lea boog haar hoofd. Wreef over haar gezicht. Hoe kwam het dat het geloof van haar broer hem zo vastberaden en zo blij maakte?

Ze sloeg haar ogen op en keek hem weer aan. 'De brieven?'
'Binnenkort komt iemand de brieven halen. Hij zal zich identificeren door je een Grieks woord te laten zien en een wachtwoord te zeggen: "Het Lam dat vóór het begin van de wereld geslacht is, zal het Beest vernietigen." Begrijp je dat? Alleen als hij jou dat wachtwoord geeft en je het Griekse woord laat zien, kun je hem vertrouwen.' Hij sprak verder, meer tegen zichzelf dan tegen haar: 'We moeten scherpzinnig zijn als slangen, maar de onschuld van een duif behouden.'

De vloer van de cel bestond uit aarde. Natan knielde neer en gebruikte zijn wijsvinger om een Grieks woord van drie letters te krabbelen. Lea kon het nog net onderscheiden. 'Hier is het woord,' zei hij. 'Onthoud de symbolen goed, want het is Grieks en ik weet dat jij alleen Hebreeuws kunt lezen.'

Terwijl Lea op het punt stond te vragen wat het betekende, werd ze door een ruwe hand bij de schouder gepakt en met een ruk omgedraaid. Ze ontdekte dat ze tegenover een bijna onnatuurlijk magere man stond. De man was gekleed in gescheurde kleren die zo sterk naar kattenpis roken dat de stank haar zelfs in deze duistere, onwelriekende gang overweldigde.

'Laat haar met rust!' riep Natan en probeerde de man door de tralies aan te raken.

'Je moet met mij praten,' siste de man, terwijl hij haar uit Natans greep trok.

'Nee,' zei Lea. 'Ik ben hier bij –'

'Luister naar mij,' beval de man. Hij wees op de gevangenen in de cel. 'Dan zal ik hun hoop geven.'

✠ ✠ ✠

Het bier van de taveerne was bijna ranzig en zat vol spikkeltjes die op kraakbeen leken. Vitas kon en wilde ze niet verder identificeren. Hij had de ene na de andere mok onder tafel omgekeerd, in het vertrouwen dat niemand zou merken dat er wat meer vloeistof op de smerige vloer lag.

Vitas deed dit niet omdat hij een gevoelige maag had. Hij had maanden onder oorlogsomstandigheden geleefd; dan leerde elke soldaat voedsel of drank niet al te zorgvuldig inspecteren. Hij was op zijn hoede voor alcohol, want hij had ontdekt dat die hem geen genot meer schonk. Te veel alcohol bracht hem ook geen tijdelijk genot meer. Integendeel: als hij ontremd raakte, kreeg hij last van de pijn die hij met zoveel moeite diep achter zijn stoïcijnse façade opgesloten hield.

Sinds de tweede en laatste opstand van de Iceni, een paar jaar geleden, toen de Romeinse soldaten zich op een helling hadden opgesteld onder leiding van Suetonius...

Vitas stond zijn gedachten niet toe verder af te dwalen. Want met die gedachten zouden de verschroeiende beelden komen waardoor hij – zelfs nu hij al vier jaar uit Brittannië weg was – soms opeens midden in de nacht rechtop in bed zat. Die beelden zouden vragen oproepen, nu nog versterkt door de uitdagingen waarvoor een tiener die Natan heette hem had geplaatst. En dat terwijl die arrestatie een routinekwestie had moeten zijn.

Vitas wilde die beelden en die vragen niet!

Het was veel beter om aan zijn plicht te denken. Plicht ten opzichte van het Romeinse rijk, de enige stabiele factor in zijn wereld, een zaak die veel nobeler was dan het zwakke houvast van een individu. Het was beter, vooral hier in Smyrna, om te denken aan zijn plicht tegenover zijn vader; aan de belofte die hij zo kortgeleden aan diens sterfbed had gedaan, terwijl hij zelfs niet zeker wist of zijn vader hem in de laatste ogenblikken van zijn leven had kunnen horen.

Daarom had Vitas toegekeken terwijl Titus enthousiast zat te drinken, en gezien dat Maglorius ook toekeek.

Maglorius was een van de beroemdste gladiatoren van Rome.

Vitas vroeg zich af waarom iemand van zijn kaliber hier zat. Te midden van de laagste klasse. Toch vastbesloten om alleen te blijven. Had deze man ook zijn demonen? Herinneringen waaraan hij niet kon ontsnappen? Misschien zelfs een afkeer van zichzelf? Vitas voelde onmiddellijk sympathie voor de gladiator. Maar al te vaak kon Vitas 's avonds zijn eigen gezelschap niet verdragen en toch zelfs in een grote groep niet aan zichzelf ontsnappen.

Maglorius had elke poging tot conversatie weggewuifd. Uiteindelijk kondigde hij aan dat ze Damianus konden vinden in de villa die hij van een plaatselijke landeigenaar huurde.

Hun vertrek uit de taveerne was veel minder dramatisch dan hun binnenkomst. Omdat Maglorius aan hun zijde stond, werd er onmiddellijk een pad voor hen vrijgemaakt tussen de tafels. Ze vertrokken zonder dat iemand een vinger naar hen uitstak.

Nu liepen de drie mannen over de hoofdweg die voorbij de huizen leidde in de richting van de heuvels. Op de top van die heuvels splitste de weg zich; als ze tot daar doorliepen, zouden ze kunnen kiezen om in noordelijke richting naar Pergamum of in zuidelijke richting naar Efeze te reizen. Hun tocht zou niet lang duren, had Maglorius beloofd, want de villa stond halverwege de heuvels. Ze wandelden in de nachtelijke windstilte door de stad.

De haven lag achter hen. Als Vitas achterom gekeken had, zou hij de klip gezien hebben die de haven afschermde van de Aegeïsche Zee: puntige rotswanden, afstekend tegen het maanlicht en de zilveren weerschijn van het water.

Zijn aandacht was echter gericht op een meelijwekkend gejammer ergens voor hen uit, dat heel af en toe ophield en daarna opnieuw begon. Het kwam uit de buurt van de tempel van Nero. De maan stond boven de tempel en wierp zijn licht in westelijke richting naar de zee, zodat het gezicht van het enorme standbeeld van de keizer onheilspellend overschaduwd werd.

Maglorius bleef hen in de richting van de tempel leiden.

'Ik dacht dat je zei dat Damianus in een villa woonde,' zei Titus, terwijl hij op een groepje zwak verlichte huizen links boven hen wees. ‘Hij zou nooit in een tempel zijn, behalve als hij vond dat de tempelprostituees aandacht tekortkwamen.’

‘Voordat we naar Damianus gaan,’ zei Maglorius, ‘moet ik iets afhandelen in de tempel.’

‘Ik niet,’ antwoordde Titus ongeduldig. ‘Tenzij het te maken heeft met die prost –’

Vitas legde een hand op de arm van zijn vriend. ‘Ik weet niet wat zijn verplichtingen zijn, maar ik heb daar zelf ook iets af te handelen.’

Het jammeren nam toe en ebde weer weg. Vitas werd erheen getrokken, gedreven door motieven die hij niet al te zorgvuldig wilde bekijken.

‘Jij?’ vroeg Titus. ‘Wat dan? Jij bent nooit godsdienstig geweest.’

Misschien was Vitas al onder invloed van het beetje bier dat hij met moeite had binnengekregen. Het vreselijke, ijle geluid uit de duisternis herinnerde hem aan andere jammerklachten die in zijn geest weergalmden, jammerklachten die hem elke nacht achtervolgden in de rusteloze uren voordat hij de slaap kon vatten. Hoe hecht hun vriendschap ook was, dit wilde Vitas liever niet aan Titus vertellen.

Daarom antwoordde hij eenvoudig: ‘Ik heb genoeg van de dood.’

En ook van het leven, dacht hij. Af en toe kon hij de ironie hiervan inzien. Hij was als oorlogsheld uit Brittannië teruggekeerd naar Rome. Terug naar de rijkdom van zijn familie en een macht die iedere man zou begeren, terug naar een keur aan mooie vrouwen die door die rijkdom en macht werden aangetrokken. Maar het leek allemaal leeg. Afmattend zelfs.

‘Genoeg van de dood?’ herhaalde Titus. ‘Bij de goden – je bent een Romein! Een van de favorieten van Nero. De dood is je handelsmerk. Wat is er met jou aan de hand?’

‘Wist ik het maar,’ zei Vitas. Hij wachtte niet op antwoord, maar marcheerde doelbewust in de richting van het meelijwekkende geluid.

Titus haalde hem in en greep hem bij de schouder. 'Dit is gewoon een baby die achtergelaten is als vondeling.'

'Als ik iets kan doen om te helpen, zal ik dat doen.'

'En de Romeinse wet breken? Jij, de zelfbenoemde bewaker van alle glorieuze Romeinse tradities? Ben je krankzinnig?'

'Ik hoor een baby om hulp roepen.'

'Wat ga je doen? Elk kind ter wereld redden?'

Als Titus hem gewoon had laten gaan in plaats van hem uit te dagen met die laatste twee vragen, had Vitas misschien slechts een paar stappen genomen. Vitas zou zichzelf die vragen gesteld hebben en omgekeerd zijn omdat hij de nutteloosheid van zijn zelfopgelegde taak moest erkennen. Maar Vitas was al onderweg en hij was te koppig om tegenover Titus toe te geven dat hij ongelijk had.

Dus liet hij Maglorius en Titus achter en liep verder over het enorme, lege plein in de richting van de tempel en het standbeeld van Nero. Hij kon niet weten hoe drastisch en onomkeerbaar zijn volgende daden de richting van zijn leven zouden veranderen.

✠ ✠ ✠

'Ik hoop maar dat je al begonnen bent met het martelen van de Jood die jou die boekrol gegeven heeft,' zei Helius tegen Tigellinus.

Helius was bijna een kop kleiner dan de breedgeschouderde, baardige man naast hem. Ze stonden in de vestibule van het paleis.

Toortslicht flakkerde over het gezicht van Tigellinus. Zijn ogen verdwenen in de schaduw van zijn zware wenkbrauwen. 'Nee,' antwoordde hij.

Een ander zou misschien op nadere uitleg gewacht hebben. Dankzij jarenlange ervaring in het converseren met Tigellinus wist Helius echter dat hij korte antwoorden kon verwachten.

'Waarom niet?' vroeg hij. 'Als de inhoud werkelijk uit de archieven afkomstig is, moeten we die boekrol verwijderen. De publieke opinie is aan het veranderen. Als Nero ontdekt dat we hadden kunnen voorkomen dat deze informatie de senaat bereikt, kost dat ons de kop. Als de Jood weet waar die boekrol te vinden is, moet hij ons dat vertellen.'

Helius wreef over zijn slaap. Hij stelde zich de veelomvattende archieven voor. Wat zou het moeilijk zijn die te doorzoeken naar de specifieke rapporten die in de boekrol genoemd werden! En hij zou het zelf moeten doen, want als hij het aan een van de schrijvers vroeg, zou hij het evengoed aan iedereen kunnen verkondigen. Maar als het bekend werd dat Helius in de archieven rondsnuffelde, zouden er geruchten ontstaan.

Hij kreeg hoofdpijn. 'Erger nog,' vertelde hij Tigellinus, 'het gepeupel zou deze kennis meteen aangrijpen. We hebben nog geluk als onze kop wordt afgehakt. Nero gooit ons in de arena.'

'Die Jood is helemaal niet van plan om dat obscure senaatsrapport openbaar te maken. Niet nadat ik hem gewaarschuwd heb dat zijn vader en zusje zullen sterven als dat ooit zou gebeuren.'

'Waarom zou hij dan zoveel moeite doen en risico nemen door jou die boekrol aan te bieden?'

'Hij wil onderhandelen,' zei Tigellinus.

'Onderhandelen?'

'Praat zelf maar met hem.'

Helius ijsbeerde. 'Wij onderhandelen niet.'

'Nee,' zei Tigellinus. 'Ik verzeker je dat hij het paleis niet levend zal verlaten. Maar het kan waardevol zijn als hij gelooft dat we onderhandelen.'

Helius lachte even. 'Natuurlijk. Nog een lichaam zonder hoofd in de Tiber.' Meteen fronste hij zijn wenkbrauwen. 'En Vitas?'

Tigellinus begreep hem. 'Vitas is in Asia op zoek naar zijn broer. Ik sta ervoor in dat hij hier niets over hoort.'

'Goed,' mompelde Helius. 'Heel goed. Konden we het probleem met Vitas maar zo makkelijk oplossen als met die Jood.'

'Moet ik het blijven zeggen?' zei Tigellinus. 'We hoeven alleen maar af te wachten. Binnenkort is Nero zijn angst vergeten en herinnert hij zich de belediging weer.'

Helius en Tigellinus hadden deze discussie al vele malen gevoerd in de weken nadat Vitas in de tuinhut Nero openlijk getrotseerd had en de gevangen christenen had vrijgelaten. Omdat de omgeving van Rome de laatste paar jaar ongewoon vaak door aardbevingen werd getroffen, zou Nero uiteindelijk concluderen dat Vitas die nacht door toeval beschermd was, niet door goddelijk ingrijpen. En aangezien Nero's vernedering over zijn eigen lafheid aan hem knaagde, zou die emotie uiteindelijk sterker zijn dan zijn dankbaarheid voor Vitas omdat die hem tegen de leeuw beschermd had. Dan zou Vitas zijn onaantastbare positie aan het hof verliezen en konden Helius en Tigellinus hem op de een of andere manier afmaken. De principes van die man kwamen hun bijzonder slecht uit.

Tigellinus tikte Helius op de schouder en onderbrak zijn gedachten. Hij wees naar de ingang van de kamer vlakbij. 'De Jood zit daar binnen. Je zult merken dat zijn voorstel interessant en misschien zelfs waardevol is.'

Helius knikte.

Tigellinus greep hem stevig bij de schouder en gromde een laatste waarschuwing. 'Houd je drift in toom. Denk aan onze belangen.'

✢ ✢ ✢

'Krankzinnig,' mompelde Titus tegen Maglorius toen Vitas in de duisternis verdween. 'Hij is krankzinnig geworden. In Brittannië stonden we schouder aan schouder en doodden mannen, vrouwen en kinderen. Hij was een harteloze, ijskoude soldaat, een van de beste. Toch is hij veranderd sinds we teruggekomen zijn. Ik begrijp het gewoon niet.'

'Zijn jullie in Brittannië geweest?' vroeg Maglorius bijna onhoorbaar. 'Vitas en jij?'

'Natuurlijk, natuurlijk. Toen de Iceni voor de laatste keer in opstand kwamen. Koningin Boudicca had het zuiden van Brittannië opgeruid. Als Suetonius niet zo capabel geweest was, zou het Romeinse rijk de hele provincie kwijt geweest zijn. Daar heb je vast wel over gehoord, mag ik aannemen.'

'Inderdaad.' Maglorius sprak met ijzige kalmte. 'Namen jullie deel aan de zegetocht in Rome?'

'In de voorste gelederen.'

'Voerden jullie gevangenen mee? Toekomstige slaven van het Romeinse rijk, voer voor de arena's?'

'Wat is een zegetocht anders?' Titus luisterde niet bepaald goed naar de klank van de stem van de gladiator.

'Hebben jullie in Brittannië tegen Icenistrijders gevochten en hun gezinnen afgemaakt?'

'Zij kwamen in opstand.' Alsof dat voldoende verklaring was.

'Ook ik nam deel aan de Icenische opstand,' zei Maglorius. 'De eerste. Ik nam ook deel aan een zegetocht naar Rome. Maar niet als Romeins soldaat.'

Titus haalde zijn schouders op. 'Elke strijd kent winnaars en verliezers. Hèt Romeinse rijk verliest nooit. Trouwens, ik weet zeker dat jij als beroemd gladiator een prima leven hebt. Anders zou je nooit zo van het leven hebben kunnen genieten.'

'Mijn vrouw is gestorven door de hand van een Romeins generaal. Mijn zoon, die nauwelijks meer dan een baby was, ook. Als hij was blijven leven, zou hij nu een man van jouw leeftijd geweest zijn.'

Deze keer haalde Titus zijn schouders niet op. Dat kon hij niet. Want Maglorius had hem snel aan zijn schouder omgedraaid en hield hem met een gespierde onderarm tegen de nek in een dodelijke omhelzing.

'Wat jou het meest zou moeten doen,' zei Maglorius bijna fluisterend, terwijl hij met zijn andere hand een mes tegen Titus' ribben hield, 'is dat mijn vrouw onze zoon in haar armen hield toen die generaal hen met één houw van zijn zwaard allebei ter dood bracht. Als een voorbeeld voor mijn volk. Ik was gevangen en kon alleen maar toekijken en de man haten die dat deed. Vespasianus. Jouw vader.'

Maglorius stootte hard genoeg toe om met de punt van het mes de toga van Titus te doorboren en bloed te laten vloeien. 'Het zal je dus niet verbazen,' vervolgde Maglorius, 'dat ik lang op dit moment gewacht heb.'

✠ ✠ ✠

'Ik ben de bestiarius,' zei de magere man tegen Lea. Zijn mond was een zwart gat geworden, zijn voortanden waren allang afgebrokkeld door tandbederf. Hij keek Lea met grote ogen aan toen ze hem niet begreep, alsof hij verwacht had dat ze aangenaam verrast zou zijn omdat hij zich verwaardigde met haar te spreken.

'De beestenman,' legde hij zichtbaar geïrriteerd uit. 'Verantwoordelijk voor alle dieren hier. En ik heb een probleem waar jij me bij kunt helpen.'

Hij had Lea bij de gevangeniscel vandaan getrokken om onder vier ogen met haar te spreken. Het enige dat haar van vluchten weerhield, was dat hij haar hoop beloofd had.

'Vandaag is de eerste dag van de spelen,' zei hij. 'Die lawaaiige menigte schreeuwt om sensatie en ik had geen keus: ik moest mijn beste menseneters vanmiddag al de ring insturen. Nu zijn ze verzadigd. Het duurt dagen voor ze weer zin hebben iemand aan te vallen.'

'Menseneters?'

'Leeuwen,' zei hij ongeduldig. 'Heb jij je hele leven in een grot gewoond?'

Lea huiverde bij het zien en horen van de man, bij de gedachte aan de menseneters die hulpeloze slachtoffers in de arena aanvielen. Haar broer…

Weer dwong ze haar gedachten een andere kant op.

'Voor het schouwspel van morgenmiddag heb ik alleen maar ongetemde leeuwen,' vervolgde de beestenman. 'Heb je enig idee hoe moeilijk het is om die te interesseren voor de aanval?' Hij wees met zijn duim achter zich in de richting van de gevangenen. 'Wilde leeuwen weten niet dat zij voedsel zijn.'

Lea kon niet voorkomen dat de tranen haar in de ogen sprongen. Zíj. Deze man had het over Natan die slechts door een paar ijzeren tralies van de vrijheid gescheiden werd. Hoe was het mogelijk dat hij morgen…

'Die nieuwe leeuwen zitten al weken in kooien. Ze zijn zo van slag dat ze nauwelijks gegeten hebben,' vervolgde de beestenman. 'Sommige leeuwen zijn bijna te zwak om aan te vallen. Als je ze dan plotseling loslaat in de stralende zon, met het geschreeuw van de lawaaiige menigte – nou, dan worden ze zo angstig dat sommige gewoon gaan liggen.'

Hij grimaste. Zijn gezicht zag eruit als een lelijk masker. 'Het is rampzalig als de leeuwen bang zijn voor de christenen. Ik moet senatoren vermaken, weet je.' Hij ging zachter praten. 'Wie is dat daarbinnen, de jongen met wie je sprak?'

'Mijn broer,' fluisterde Lea.

'Nou, daar kun je mee helpen. Praat met die mensen. Naar mij willen ze niet luisteren. Ze praten alleen maar over opstanding en zingen liederen, alsof de slachting morgen een groot feest voor hen is. Vertel hun wat ik voorstel, dan zal ik zorgen dat jouw broer gespaard wordt, samen met de kinderen.'

'Gespaard?'

'Hij moet als slaaf verkocht worden natuurlijk. Maar dat is toch veel beter dan voor de leeuwen geworpen worden?'

Ze knikte.

'Luister dan goed,' begon hij. En hij vertelde haar wat hij wilde.

✠ ✠ ✠

Vlak bij hen, in een weelderig ingerichte kamer midden in het keizerlijk paleis in Rome, zaten Helius en Lea's oudste broer Kaleb in het overvloedige licht van een groot aantal toortsen en dure lampen tegenover elkaar.

'Mijn broer Natan wordt morgen voor de leeuwen gegooid,' zei Kaleb.

'Ik weet zeker dat hij dat verdient,' zei Helius. 'Je kent het Romeinse rechtssysteem: volstrekt rechtvaardig en onpartijdig.'

Helius zat in een grote stoel. Geen bewakers. Geen slaven. Dit moest een gesprek onder vier ogen zijn. Maar het zou prettig geweest zijn slaven vlakbij te hebben om hem koelte toe te waaien; zelfs nu in de avond was het hier nog niet koel genoeg.

Terwijl Helius de knappe, zwartharige jonge Jood tegenover hem bekeek, bedacht hij met de spijt van een kenner hoe jammer het was dat zo'n fraai exemplaar zou moeten sterven.

'Natan werd gearresteerd omdat iemand aan de autoriteiten gerapporteerd had dat hij christen is,' zei Kaleb. 'Een zekere Vitas heeft hem langdurig ondervraagd.'

Helius maakte een wuivend gebaar, alsof hij ongeduldig werd. De laatste maanden had Vitas vrij veel christenen verhoord; hij probeerde te ontdekken of zij werkelijk een bedreiging voor het Romeinse rijk vormden, zoals Nero beslist had. Helius had deelgenomen aan de ondervraging van Natan, omdat Vitas probeerde te bewijzen dat christelijke overtuigingen niet tot landverraad leidden.

'Zoals ik al zei,' antwoordde Helius, alsof hij Natan helemaal niet kende, 'verdient jouw broer zijn straf. Nero heeft volkomen duidelijk gemaakt dat de christenen landverraders zijn. Wat heeft deze brief daarmee te maken?'

Hij hield de boekrol, gemarkeerd met het Griekse drieletterwoord dat christenen overal in de stad op openbare plaatsen schreven, omhoog.

'Dat was de enige manier die ik kon bedenken om bij Nero op audiëntie te gaan.'

'Ik dien als plaatsvervanger van Nero,' zei Helius. 'Waarom wilde je deze audiëntie?'

'Ik houd van mijn broer,' zei Kaleb eenvoudig.

'Wat ontroerend.'

'Mijn vader is een beroemde Jood, Hezron genaamd,' vervolgde Kaleb. 'Een man die beschouwd wordt als de grootste rabbi onder de Joden van Rome. Een uitmuntend geleerde, een wijze oude man met jarenlange ervaring in het debatteren. Ik volg hem zo goed mogelijk na en velen vinden dat ik al bijna zijn gelijke ben in geleerdheid.'

'Verrukkelijk.'

'Ik zeg dit niet om te pochen, maar om u te laten weten dat ik mijn belofte kan inlossen. En dat mijn reputatie voldoende geloofwaardigheid heeft in invloedrijke kringen.'

'Ik heb je belofte nog niet gehoord.'

'Eerst,' zei Kaleb, 'wil ik uw erewoord dat u mijn broer uit de arena zult vrijlaten als ik succes heb.'

'Natuurlijk,' loog Helius gladweg. 'Maar dan ga ik ervan uit dat wat je daarvoor in ruil geeft, de moeite waard is.'

'U hebt het materiaal uit de archieven,' antwoordde Kaleb, 'en u weet hoe belastend dat voor Nero zou kunnen zijn.'

Helius haalde zijn schouders op.

Kaleb glimlachte vol zelfvertrouwen. 'Elke rijke handelaar is op de hoogte van een eenvoudig feit. Als er geen behoefte lijkt te zijn aan een bepaald goed, moet je die behoefte creëren. Dan wordt de verkoop gemakkelijk. Ik heb in de archieven datgene gevonden wat die behoefte creëert. Daaruit alleen al zou u kunnen opmaken dat ik een uitmuntend geleerde ben.'

'Ik heb niets te vrezen van de archieven.'

'Waarom ben ik dan nog in leven?' vroeg Kaleb. 'U moet wel denken dat ik iets van waarde bezit.'

'Je moet wel heel veel van je broer houden om dit risico te lopen.'

'Als ik u het bewijs lever waardoor die kwestie uit de archieven zinloos wordt,' zei Kaleb, 'laat hem dan leven.'

Helius keek Kaleb met grote ogen aan.

'Ja,' zei Kaleb. 'Ik kan voor u bewijzen dat Jezus van Nazaret – die de christenen Christus noemen – niet goddelijk was.'

✠ ✠ ✠

De baby was naakt op het koude plaveisel vlak voor het standbeeld van Nero bij de tempel in Smyrna gelegd. Vitas knielde neer en zag in het maanlicht dat het een meisje was.

Hij was volkomen in verwarring.

Wat deed hij hier? De vader die besloten had dit kind aan de elementen bloot te stellen, deed in de ogen van de Romeinse wet niets verkeerd. Vitas had dozijnen baby's gezien die te vondeling gelegd waren bij openbare gebouwen; hij was altijd in staat geweest hun langzaam wegstervende gehuil te negeren.

Wat deed hij hier? Iets anders doen dan de stervende baby negeren, ging in tegen eeuwenlange tradities. En hoe kon hij dit kleine meisje redden, zelfs als hij haar nu meteen oppakte?

Het gehuil van de baby sneed door zijn hart.

Wat deed hij hier? In Rome was het hem vier jaar lang gelukt in een cocon te leven, omringd en afgeschermd door de weelde van zijn rijkdom, vastbesloten niet naar buiten te stappen in een wereld vol tragedies. Als vooraanstaand lid van Nero's hofhouding had hij zich grote inspanning getroost om beleidsmaker te blijven en elke betrokkenheid bij het uitvoeren van de plannen die mannen en vrouwen de dood instuurden, te vermijden.

Wat deed hij hier bij deze baby? Waarom bekommerde hij zich om het kind?

Er kwam hem een beeld voor de geest: een jonge Jood, Natan genaamd. Gearresteerd door soldaten, uit het huis van zijn kleine Joodse familie gehaald en meteen voor het triumviraat gesleept: Helius, Tigellinus en Vitas, de drie mannen die de feitelijke machtsbasis vormden die Nero ondersteunde. Die jonge Jood was volslagen onbevreesd geweest voor de porrende speren van de soldaten en de hardvochtige vragen van Helius en Tigellinus. De voorgenomen ondervraging van de jongen was echter bijna een gesprek tussen gelijken geworden. Vitas voelde zich op een gegeven moment zelfs bijna een leerling aan de voeten van een leermeester: hij probeerde te begrijpen uit welke bron de jongeman zoveel kracht en vrede kon putten in aanwezigheid van de vreeswekkende macht van Rome. Kracht en vrede. Twee dingen die Vitas wilde bezitten.

Wat deed hij hier op het plaveisel, op zijn knieën voor de snel verzwakkende baby?

Sinds de dag van Natans arrestatie kon Vitas niet ontsnappen aan de vragen die Natan gesteld had. Vragen over de ziel en de zin van het leven. Vragen over een man genaamd Jezus die door Pontius Pilatus gekruisigd was tijdens Pilatus' onhandige pogingen Judea te regeren.

Vitas wilde zijn leven in aparte vakken verdeeld houden, want dan kon hij de pijn veilig opbergen. Toch was hij zich sinds de arrestatie van Natan te veel bewust geworden van het lijden van anderen. Hij ergerde zich over die groeiende zwakheid en over het feit dat de dromen die na zijn terugkeer in Rome bijna verdwenen waren hem de laatste tijd weer begonnen te achtervolgen.

Wat deed hij hier?!

Als hij de baby meenam, overtrad hij de wet.

Als hij de baby niet meenam, zou het kind zeker binnen het uur sterven.

Als hij de baby meenam, hoe zat het dan met alle andere lijdende kinderen in de wereld? Titus had gelijk. De taak was overweldigend, onuitvoerbaar.

Maar als hij opstond en het meisje hier achterliet, waar ze nog altijd lag te jammeren, zouden haar kreten zich dan niet bij de andere jammerklachten in zijn dromen voegen?

Vitas zuchtte. Hij had geld genoeg. Misschien...

Hij nam de baby in zijn armen en probeerde het bibberende kleine meisje te verwarmen. Terwijl hij haar vasthield, worstelde hij met de vraag wat hij moest doen. De baby werd even stil.

Voetstappen maakten hem attent op het feit dat iemand hem van achteren naderde. 'Wat doe jij hier, als ik vragen mag?' De strenge stem behoorde aan een vrouw.

Vitas stond onhandig op omdat hij de baby nog steeds vasthield. Die begon weer te jammeren.

Hij draaide zich om.

'Ik... ik...' Vitas had geen antwoord, uiteraard. Want dit was precies wat hij zich afvroeg sinds hij bij de baby aangekomen was.

Door de schaduw die het standbeeld over de vrouw wierp, kon hij haar gezicht niet duidelijk zien. Ze was lang, leek jong. En ze was blijkbaar verontwaardigd, want ze had haar armen over elkaar gevouwen.

Die houding schokte Vitas. Het was nacht. De vrouw was alleen. Ze zou bang moeten zijn. Haar moed intrigeerde hem.

'Heeft Aristarchus je gestuurd?' Ze stevende naar voren en trok de baby uit zijn armen. Het maanlicht scheen plotseling op haar gezicht. Hij had gelijk gehad. Ze was jong. Misschien een paar jaar jonger dan zijn broer Damianus. Een meisje dat onlangs vrouw geworden was; ze had iets in haar houding wat hij niet kon definiëren. Iets wat zijn hart raakte.

'Is het nog niet genoeg dat de baby te vondeling gelegd is?' vroeg ze streng. 'Of ben je hier om ervoor te zorgen dat haar dood sneller komt?'

'Nee, ik...'

De vrouw wikkelde de baby in een deken die ze bij zich droeg, boog haar hoofd en begon half neuriënd te zingen. Het sussende geluid werkte; het huilen van de baby veranderde in hongerig kermen.

'Ben jij de moeder?' vroeg Vitas. Hij was volkomen verbijsterd door de onverwachte loop der gebeurtenissen.

'Ga weg,' zei ze. 'Volg me niet.' Daarna begon ze over het plein terug te lopen in de richting vanwaar ze gekomen was.

Plotseling doken drie mannen op uit het duister onder de pilaren aan de voorgevel van de tempel. Ze renden naar de vrouw toe.

Vitas hoorde hen eerst en zag toen hun snelle nadering – en de silhouetten van de zwaarden in hun handen.

'Nee!' riep de vrouw.

Zonder bij de onbezonnenheid van zijn daad stil te staan sprong Vitas naar voren.

✠ ✠ ✠

'Je broer.' In aanwezigheid van Kaleb wendde Helius een diepe zucht van verveling voor. 'Leg die christenen eens aan mij uit. Zijn ze niet gewoon een randverschijnsel van jullie godsdienst?'

'Nee.' Kaleb verloor zijn koele waakzaamheid. 'Het zijn godslasteraars. Ze geloven dat de Messias al gekomen is. Dat niet alleen, maar ze beweren dat Jezus de enige echte Zoon van God was, dat Hij in feite aan God gelijk was.'

'Dus je broer heeft gekozen te sterven voor dezelfde Jezus die volgens jou een bedrieger is?'

'Ja,' antwoordde Kaleb zacht.

'Houd je nog steeds van hem, hoewel dit verdeeldheid zaait in jullie familie?'

'Ja.'

'Het komt mij merkwaardig voor dat mensen zoveel overhebben voor deze man Jezus en voor wat Hij leert,' zei Helius. 'In mijn jarenlange ervaring heb ik nog nooit een dergelijke toewijding aan welke filosofie dan ook gezien. Vertel eens, wat zou de oorzaak zijn dat je broer het Joodse geloof opgeeft en jullie familie dit aandoet? Uit alles wat ik over Joden weet, blijkt dat jullie liever sterven dan je God laten beledigen. Toch keren je broer en honderden anderen hun familie de rug toe en veroorzaken grote onenigheid en tegenslag. En ja, ze aanvaarden moedig executie vanwege hun geloof. Wat maakt hen toch zo vastberaden?'

Helius besefte dat hij zijn gedachten had uitgesproken op een manier die te veel onthulde. Hij wuifde elk antwoord dat Kaleb zou kunnen geven bij voorbaat weg. 'Het is mijn taak om Nero te beschermen,' ging hij snel verder alsof hij zijn blunder daarmee verklaarde. 'Het is mijn taak te garanderen dat hij niet met verontrustende vragen wordt geconfronteerd. Hij heeft miljoenen onderdanen en de hele wereld te besturen. Hij zou zich over dit soort zaken geen zorgen moeten maken.'

Helius ging zachter praten. Hij muntte uit in het veinzen van oprechtheid en dat wist hij. 'Ik zal openhartig zijn. Het kwam ons goed uit de christenen als zondebok voor de Grote Brand van

Rome te gebruiken. Maar nu begint er gemopper te komen uit medeleven omdat ze zo wreed gedood worden.'

Helius schudde met de boekrol. 'Dus jouw bewijs zou voor Nero van waarde kunnen zijn. Wat stel je precies voor?'

'Ik heb verschillende brieven verzameld die onder de volgelingen van Jezus circuleren,' zei Kaleb. 'Ik heb voldoende kennis en bekwaamheid als Joodse geleerde en rabbi om daaruit te bewijzen dat die Christus zelf een leugenaar en een valse profeet was.'

'Dat hoef je mij niet te bewijzen,' zei Helius. 'Ik ben geen gelovige.'

'Ik stel voor dat u een Joodse rabbi zoekt die een gelovige is,' antwoordde Kaleb. 'Laat mij met hem debatteren alsof dit een Romeins gerechtshof is en u de rechter bent die in deze zaak uitspraak moet doen. Maak een proces-verbaal op zoals van elke andere zaak die voor de rechter gebracht wordt. En maak de processtukken beschikbaar voor het publiek als ik mijn standpunt bewezen heb. Zodra is bewezen dat de aanspraken van de christenen belachelijk zijn, zullen ze niet langer een bedreiging voor de keizer vormen.'

Kaleb was volkomen serieus en bijzonder naïef. Helius vond dat aantrekkelijk.

'Dan,' vervolgde Kaleb in zijn naïviteit, 'zult u geen reden meer hebben om mijn broer in de arena te laten sterven.'

'Je voorstel is niet onverdienstelijk,' gaf Helius toe. 'Ik zal erover nadenken.'

'Alstublieft!' zei Kaleb. 'Mijn broer wordt morgen voor de leeuwen gegooid!'

'Het zal tijd kosten om een tegenstander voor je te vinden.'

Kaleb schudde zijn hoofd. 'Er zit al een gerespecteerde rabbi in uw gevangenis; hij is christen. Zijn naam is Zabad. Laat hem voor de tegenpartij spreken. Morgen.'

'Je hebt hier goed over nagedacht.'

'Ik houd van mijn broer.'

'Genoeg om met Zabad overeen te komen dat hij die zogenaamde rechtszaak verliest, veronderstel ik.' Helius wist dat hij als goed onderhandelaar moest doen alsof het idee hem tegenstond.

'Ik verwachtte al dat u dat zou denken.'

'En?'

'Er is een manier om te garanderen dat elke partij eerlijk debatteert,' zei Kaleb. 'Bied de winnende partij de vrijheid aan. En de andere partij de dood.'

✠ ✠ ✠

Het verraad van Maglorius was zo plotseling dat Titus er volkomen door verrast werd. Om zijn leven te redden, probeerde Titus met de hak van zijn sandaal op Maglorius' tenen te stampen. Terwijl Titus zijn voet optilde, schopte Maglorius tegen het been waar hij op stond. Titus wankelde om zijn evenwicht te behouden en was niet in staat zijn plan uit te voeren. Hij slaagde er al evenmin in de greep van de enorme onderarm om zijn nek losser te maken.

'Denk je dat ik niet op de hoogte ben van elke truc die een stervende man uitprobeert om zijn dood te vermijden?' vroeg Maglorius. 'Ga je goden met waardigheid tegemoet.'

Titus zakte slap tegen de onderarm om zijn nek. Alsof hij door verstikking buiten westen geraakt was.

Maglorius haalde het mes bij Titus' ribben weg en stak het in zijn billen, zodat Titus met een gil weer overeind kwam.

'Nog een boodschap die ik aan je vader moet overbrengen?' vroeg Maglorius.

'Ik kan... gewoon niet geloven... dat het lot zo tegen mij is,' bracht Titus hijgend uit. 'Hoe groot is de kans om de enige man in het hele Romeinse rijk tegen te komen die –'

'Jullie hebben een gezegde,' gromde Maglorius. 'De inimico non loquaris sed cogites.'

Wens je vijand het kwaad niet toe, maar beraam het.

'Het was... geen... toeval?' Titus kon nauwelijks spreken, zo groot was de druk op zijn keel.

'Het was geen toeval. Toen Damianus bij de gladiatorenschool kwam en over zijn broer en diens vriend Titus, de zoon van Vespasianus, sprak, wist ik dat ik Damianus koste wat kost in leven zou moeten houden in de hoop dat jullie hem op een dag zouden bezoeken. Dus zeg eens: wat zal ik je vader schrijven in de brief die na je dood bij hem bezorgd zal worden?'

'Hij zal je hiervoor laten kruisigen,' bracht Titus uit.

'Vannacht sterf jij, en morgen zal ik de dood in de arena zoeken om mezelf te bevrijden van de herinnering aan het sterven van mijn vrouw en kind. Dus spreek je laatste woorden voordat ik je lijk aan de voet van het standbeeld van de keizer achterlaat om de wereld te laten weten dat ik eindelijk wraak heb kunnen nemen op het Romeinse rijk.'

Titus probeerde zich los te wringen, maar hij wist dat het de man die het mes tegen zijn ribben hield volkomen ernst was. En dat hij heel wel in staat was hem in een oogwenk te doden. Dus werd hij zelf ernstig. 'Zeg mijn vader dat ik zielsveel van hem hield, al heb ik dat nooit in zijn aanwezigheid uitgesproken.'

'Zoals je wilt.'

Titus sloot zijn ogen om zich voor te bereiden op het mes tussen zijn ribben.

Toen hoorden ze een schreeuw.

'Help! Titus! Ik heb je nodig!'

'Dat is Vitas!' riep Titus uit. 'Mijn vriend is in gevaar!'

Maglorius liet de dodelijke steek achterwege.

'Ik heb mijn leven aan hem te danken,' zei Titus. 'Als je enig begrip van eer hebt, laat me dan los. Alsjeblieft. Laat me eerst mijn schuld aan hem inlossen; daarna kun je me doden.'

Het geluid van rennende voetstappen kwam naderbij.

Het was een vrouw die belemmerd werd door een last in haar armen. Ze struikelde op het hobbelige plaveisel en viel. Met haar eigen lichaam beschermde ze de baby tegen de val. Ze gilde van pijn terwijl ze op haar schouder terechtkwam, vlak naast Maglorius en Titus.

'Achter me,' hijgde ze. 'Drie tegen één.'

'Ik smeek je,' zei Titus tegen Maglorius. 'Je hebt me niet om mijn leven horen smeken, maar ik smeek je: laat me mijn vriend mogen helpen!'

Voordat Maglorius kon antwoorden, zaten ze midden in het gevecht.

✠ ✠ ✠

'Ik begrijp niet waarom je niet wilt instemmen met de overeenkomst die de bestiarius je aanbiedt.' Lea was opnieuw in tranen. Ze had het aanbod aan Natan overgebracht en hij had op zijn beurt met de anderen gesproken. Nu stond hij weer voor haar.

'De kinderen zullen gered worden,' zei Natan. 'Maar ik wil geen slaaf worden.'

'Als je slaaf wordt, ben je tenminste nog in leven. Dan kan onze familie je op de een of andere manier vrijkopen.'

'Zou ik in vrede kunnen leven,' antwoordde hij, 'met de wetenschap dat ik van alle mannen en vrouwen in deze cel de enige ben die de kans ontloopt staande te blijven tegenover verdrukking?'

'Het gaat om je leven!'

'Wie gevangenschap moet verduren, zal in gevangenschap gaan,' fluisterde Natan. Hij had zijn beide handen door de tralies gestoken en om haar gezicht gelegd. 'En wie door het zwaard moet sterven, zal sterven door het zwaard. Hier komt het aan op de standvastigheid en trouw van de heiligen.' Hij legde uit: 'Dat zijn de woorden van Johannes, de laatste discipel van onze Verlosser. We leven in de grote verdrukking en hij heeft ons troost gegeven.'

'Ik begrijp het niet,' pleitte Lea, terwijl ze de polsen van haar broer vastpakte en zijn handen tegen haar wangen gedrukt hield. 'Ik heb uitgelegd hoe je het kunt regelen zodat je morgen niet voor de leeuwen gegooid hoeft te worden. Je kunt je bestemming veranderen.'

'Wat is onze bestemming?' vroeg Natan. 'Is dat niet de dood?'

Hij beantwoordde zijn eigen vraag. 'Ik ben niet bang om te sterven, Lea. Ik ben bang dat mijn familie nooit zal begrijpen wat geloof in Jezus betekent. Jong sterven is niet echt tragisch. Echt tragisch is een lang leven hebben en het nooit in dienst van de Meester stellen. Als de dood je naar het eeuwige leven leidt...'

'Leef dan! Leef onder ons! Leer ons dat geloof.'

Natan schudde zijn hoofd. 'Ik heb alles gedaan om het jou en vader en Kaleb te laten zien. Meer kan ik niet doen. Als jullie begrijpen dat ik niet bang ben voor de dood, bid ik dat jullie de rest uiteindelijk ook zullen begrijpen.'

'Grijp je kans! We hebben je nodig.'

'Jij bent volwassen. Kaleb is een voortreffelijke jonge rabbi. Vader...'

'... is overmand door verdriet,' vulde Lea aan. En voelt zich volkomen verraden, dacht ze. Zo verraden dat ik hem niet durfde vertellen dat ik vandaag hierheen ging.

Natan haalde diep adem. Ook hij worstelde met zijn tranen. 'Ik ben ook overmand door verdriet. Maar als ik geroepen ben om een getuige te zijn in de arena, samen met de andere gelovigen, kan ik mijn Verlosser niet verloochenen. En als vader ook wil geloven, is hij slechts één hartslag van mij verwijderd.'

'Eén hartslag?'

'Zijn laatste hartslag. Ik wilde dat ik je kon laten begrijpen hoe dringend en noodzakelijk het is. Tussen ieder van ons en het einde der tijden staat niets meer dan onze laatste ademtocht op aarde. Dan zullen we in triomf verenigd worden.' Natan sloot zijn ogen. 'Of gescheiden door de laatste strijd, als God die zielen vernietigt die Hem afgewezen hebben. Johannes heeft ons het visioen van die tijd gegeven.'

Natan deed zijn ogen weer open. 'Je moet geloven, Lea. We moeten aan dezelfde kant staan als God de levenden en de doden oordeelt. Dat weet ik zo zeker dat ik geen angst voor morgen heb.'

'Alsjeblieft! Ik smeek het je. Maak gebruik van het aanbod van de bestiarius. Het gaat om je leven! Niets kan belangrijker zijn.'

'Het geloof is belangrijker.' Natan begon door de tralies heen Lea's haar te strelen. 'De anderen hebben ingestemd met wat de bestiarius vroeg. De kinderen worden gespaard. Dat is veel meer dan we hadden kunnen verwachten. Zij zullen gespaard worden en zich het geloof van hun ouders herinneren. Verheug je daarover.'

'Dat kan ik niet.'

'Dan vraag ik dit van jou: zorg ervoor dat de bestiarius zijn woord houdt.'

'Hoe dan?' vroeg Lea.

Natan legde uit wat de anderen hem hadden verzocht.

'Dat kan ik niet!' riep ze.

'Je móet,' zei hij. 'Denk aan de kinderen. Niet aan mij.'

Lea huilde; Natan bleef eenvoudig haar hand vasthouden tot hij haar uiteindelijk moest smeken hem achter te laten en naar hun ouderlijk huis terug te gaan.

✠ ✠ ✠

In Brittannië had Vitas de laatste verdediging tegen koningin Boudicca overleefd, toen zij met dertigduizend krijgers het legioen aangevallen had. Hij had schouder aan schouder met andere soldaten staan inhakken op en steken naar telkens nieuwe golven aanvallers. Hij was geen lafaard. Maar hij wist dat hij het nu waarschijnlijk zou verliezen als hij op het plein bleef.

Daar beneden waren twee anderen die hem konden helpen in het gevecht. Dus vond hij het geen schande om na de eerste aanval die de drie achtervolgers van de vrouw en de baby had afgeleid, zelf achter haar aan te vluchten, de heuvel af, in de hoop dat hij hen naar Titus en Maglorius zou lokken. Dan zouden de kansen gelijk zijn.

In het heldere maanlicht zag het eruit alsof Maglorius achter Titus stond en een mes tegen de zijde van zijn vriend hield.

De vrouw lag op de grond de baby te wiegen.

Toen stapte Maglorius, alsof hij een beslissing nam, abrupt bij Titus vandaan en keerde zich in de richting van de heuvel, zijn mes klaar om toe te steken.

En Titus pakte zijn korte zwaard.

De achtervolgers hadden hem bijna ingehaald toen hij bij hen kwam. Vitas was nog in volle vaart en zijn voorste voet raakte dezelfde ongelijke stenen waar de vrouw over gestruikeld was. Ook hij wankelde; zijn schouder beukte tegen Maglorius.

Maglorius viel op zijn knieën.

Op dat moment zwaaide de eerste achtervolger met zijn zwaard naar Maglorius.

Maglorius kreunde van pijn en probeerde op te staan.

Titus had al een tegenaanval ingezet. De volgende ogenblikken waren een verward geheel van waanzinnig op elkaar inhakkende zwaarden.

Vitas overwoog niet elke stoot en afweermanoeuvre. Want denken zou aarzelen betekenen, en aarzelen zou resulteren in de dood. Hij vertrouwde op zijn instinct en jarenlange zware training als Romeins soldaat.

Bijna onmiddellijk werd de achtervolgers duidelijk dat deze mannen geen burgers waren van wie te verwachten viel dat ze zouden terugdeinzen voor een aanval.

'Genoeg!' schreeuwde een van hen. En vluchtte.

De andere twee draaiden zich onmiddellijk om.

Vitas leunde voorover met zijn handen op zijn knieën en hijgde; zijn longen brandden van ademnood.

Titus zocht steun naast hem en zei, naar adem snakkend: 'Ze komen vast terug. Zag je dat het stadswachters waren?'

'Ik zie geen lafheid in een weloverwogen, verstandige aftocht,' bracht Vitas uit. Hij keerde zich naar Maglorius om te zien of die daarmee instemde.

Maglorius zat op zijn knieën en hield krampachtig zijn zij vast. Zijn tunica was doorweekt met bloed. Hij staarde woordeloos naar Titus en Vitas.

Titus pakte het mes op dat Maglorius had laten vallen. Hij

kwam dichter bij de gevallen man. Het bloed stroomde tussen Maglorius' vingers door. Hij zwaaide heen en weer terwijl hij naar Titus en het mes keek.

'Dit is van jou,' zei Titus ernstig en overhandigde Maglorius zijn mes. 'Bedankt dat je me toestond mijn vriend te helpen.'

'We moeten gaan!' zei de vrouw. 'Die mannen zijn gestuurd door Aristarchus.'

Titus en Vitas reageerden niet.

'Hij is de schatbewaarder van Smyrna,' zei ze. 'Dit is zijn dochter. Hij moet geweten hebben dat ik zou proberen haar te redden.'

'Een stadsbestuurder.' Titus vloekte.

'Ze weten niet wie wij zijn,' zei Vitas. 'Wij hebben niets te vrezen.' Hij keek de vrouw doordringend aan. 'Maar jij wel. Zeker als hij mannen naar de tempel gestuurd heeft om je op te wachten.' Vitas kwam tot een beslissing. Aan de vrouw vroeg hij: 'Hoe heet je?'

Ze boog haar hoofd. 'Sophia.'

'Kun je een voedster voor de baby vinden?'

Ze knikte.

'Blijf dan bij ons tot we bij de villa van mijn broer aankomen,' zei Vitas. 'Daar is de baby veilig. Ik zal op haar passen terwijl jij de voedster en een dokter haalt.'

Ze aarzelde.

'Luister,' zei hij. 'Mijn broer is wel de laatste die de autoriteiten zouden verdenken van het verbergen van een baby.'

Nog een aarzeling, toen een trage knik.

'Vitas,' protesteerde Titus. 'Een baby. Dat is onze zorg toch niet!'

'Maglorius,' zei Vitas, zijn vriend negerend, 'jij wijst ons de weg naar Damianus' villa.'

Maglorius gromde; het was duidelijk dat zelfs dat hem moeite kostte.

'Maar Vitas, Maglorius –'

Vitas viel Titus in de rede. 'Help me eens.' Hij leunde voorover en drapeerde Maglorius' arm over zijn schouder. Hij stond op en liet de bloedende man tegen zich aan leunen.

'Vooruit dan maar,' zei Titus alweer goedgehumeurd, en ondersteunde Maglorius aan de andere kant. 'Met een beetje geluk vinden we een dokter die bekwaam genoeg is om je in leven te houden. En als ík geluk heb, ben ik de stad uit voor jij genoeg opknapt om je eed van wraak op mijn vader te vervullen.'

JUPITER

HORA QUINTA

Lea had opnieuw tegen haar vader gelogen en een excuus bedacht om het huis uit te komen. Haar vader had alleen iets gemompeld en gewuifd toen ze vertrok. Hij werd afgeleid door bezorgdheid om Kaleb. Er was een brief van Helius gebracht waarin stond dat Kaleb was uitgenodigd om 's nachts in het paleis te blijven, maar geen enkele Jood vertrouwde Nero.

Ze vond een zitplaats ergens midden in het amfitheater. De stank van bier en wijn was overweldigend; de meeste mensen om haar heen waren dronken en terwijl ze zich verdrongen om de activiteiten beter te kunnen zien, knoeiden ze drank op hun eigen en elkaars kleren.

Lea voelde zich ellendig: ze was hier om getuige te zijn van de dood van haar broer en er zelfs voor te zorgen dat het een spectaculaire dood zou zijn. Dat had zij haar broer beloofd. Het was een schrale troost dat door haar daad – en de daden van de mannen en vrouwen die ermee hadden ingestemd de beestenman te helpen – twintig kinderen diezelfde dood bespaard zou worden.

Wist ze maar precies wanneer Natan de arena in gestuurd zou worden! Dan hoefde ze de wreedheid daar beneden niet langer dan noodzakelijk te verdragen.

Een stier en een beer werden losgelaten. Beide dieren hadden een leren halsband om en die halsbanden zaten met een lange ijzeren ketting aan elkaar vast. Bijna onmiddellijk draaide de stier zich om en viel de beer aan.

De beer ging brullend op zijn achterpoten staan en mepte met een enorme voorpoot ter verdediging. De stier werd door zijn eigen vaart meegesleept tot ver voorbij de beer en toen hij het einde van de ketting bereikte, rukte het gewicht van de beer hem achteruit, terwijl de beer door diezelfde kracht op zijn rug viel. De beer tierde nog meer van woede en krabbelde overeind. De stier snoof en schudde zijn kop. Bloed stroomde uit een wond in zijn nek.

Maar dit gevecht was niet de feitelijke attractie.

Aan de rand van de arena dwongen drie bewakers, gewapend met speren en zwepen, een man naar het midden van de zandvlakte. Deze man droeg alleen een lendendoek en hij was gewapend met een lange stok met een haak aan het eind. Zijn opdracht was de ketting tussen de stier en de beer los te maken.

Hij was zichtbaar bang; herhaaldelijk probeerde hij zich achter de bewakers langs in veiligheid te brengen.

Het publiek jouwde hem uit. Ondanks zichzelf kon Lea haar blik niet losrukken van het schouwspel. De bewakers lieten hun zwepen knallen en hakten met hun zwaarden naar de man.

Uiteindelijk begon hij aan zijn opdracht. In hun woede merkten de stier en de beer zijn zwakke pogingen om hen te scheiden niet eens op.

✠ ✠ ✠

In de verte kon Vitas het gekrijs van de meeuwen in de haven van Smyrna horen. Het was het eerste geluid dat tot hem doordrong in Damianus' gehuurde villa, waar hij op een aantal kussens had liggen rusten. Al snel nadat ze de vorige avond aankwamen, waren Damianus en Titus vertrokken met de belofte dat ze een dokter zouden sturen. De dokter was gearriveerd, maar zij waren niet teruggekomen. Vitas kon alleen veronderstellen dat ze op jacht waren naar de genoegens die, naar zij verwachtten,

Romeinse mannen met beurzen vol goudstukken niet geweigerd zouden worden.

Hoewel het een stralende ochtend was, drong er weinig zonneschijn door de ramen, want Damianus had er lappen stof voor gedrapeerd zodat Vitas kon uitslapen.

Deze villa was veel kleiner dan de woning die Vitas had bemachtigd. Toch was dit huis, gezien het feit dat Damianus de gladiatoreed had moeten afleggen om aan schuldeisers te ontkomen, aanmerkelijk beter dan Vitas verwacht had. Het verbaasde hem dat zijn broer zich deze villa kon veroorloven. De meeste andere gladiatoren hadden tijdens de week van festiviteiten die aan het evenement van vandaag voorafgingen, in een smerige herberg gelogeerd.

Maglorius lag op een deken tegen de muur aan de overkant, bijna geheel bedekt door een laken dat ter hoogte van zijn middel vol bloedvlekken zat. Hij was bewusteloos; zijn gezicht was rood aangelopen en zijn ademhaling ging moeizaam. Vitas had de dokter de halve nacht aan hem zien werken; het snijden en hechten was nog bemoeilijkt door het flauwe licht dat de olielampen gaven.

In een andere hoek van de kamer stond een gevlochten kooi met zwaluwen. De kleine vogels fladderden van de ene naar de andere kant van de kooi en piepten geschrokken toen Vitas door de kamer ijsbeerde. Hij vond het vreemd dat Damianus interesse in zwaluwen had, maar hij had geen tijd gehad ernaar te vragen voordat zijn broer samen met Titus vertrok.

Er werd op de buitendeur geklopt; Vitas hoopte dat het Sophia was. Ze was hen naar de villa gevolgd om te weten waar die stond en had toen de baby bij hen achtergelaten terwijl ze een voedster ging halen. Bij haar terugkomst was de dokter er al. Ze was snel weer vertrokken, zonder te vertellen waarheen, en had Vitas de voedster en de baby toevertrouwd.

Tijdens de veel te korte tijd dat ze samen in de villa waren, had Sophia snel de gebeurtenissen van de vorige dag verteld. Hoe Aristarchus haar vriendin Paulina tot een onmogelijke keuze gedwongen had, hoe Paulina was bijgekomen en haar oudste zus had gesmeekt hun dienstmeisje Sophia te zoeken en haar te vragen de baby te stelen. Daarna was Paulina weer bewusteloos geraakt.

Er werd nogmaals op de deur geklopt. Vitas liep erheen, met zijn hand op het gevest van zijn zwaard. Hij vroeg wie er aanklopte; de stem die antwoord gaf, was niet van Sophia en evenmin van een stadswachter.

Het was Damianus.

Vitas deed de deur open en kneep zijn ogen dicht tegen het zonlicht.

'Broer!' zei Damianus, niet helemaal dronken, maar beslist niet nuchter. 'Leeft Maglorius nog?'

Vitas knikte en besloot er niet op te wijzen dat Damianus niet midden in de nacht op vrouwen en wijn uitgegaan zou zijn als hij echt zo bezorgd was. 'De dokter die jij aanraadde, is uitstekend.'

'De beste die we voor jouw geld konden krijgen,' zei Damianus. 'En ik verzeker je dat we daar geen duit van besteed hebben aan de wijn die we zonder jou genoten hebben. Wat de vrouwen betreft...'

Damianus was verscheidene jaren jonger dan Vitas. Zijn lichaam was ondanks stelselmatig misbruik nog altijd slank en gespierd. Zijn haardos vertoonde een mengeling van blond en rood haar en onder zijn neus die verschillende malen gebroken en nooit behoorlijk gezet was, lag de grijns die vrouwen onweerstaanbaar schenen te vinden. De onderste helft van zijn linkeroor was verdwenen, en zijn rechterpink was krom door een breuk die niet goed geheeld was.

Vitas glimlachte verdraagzaam naar zijn broer; zo had hij hem al zo vaak gezien: vrolijk van de drank. Toen fronste hij, omdat hij opeens Damianus' verwijzing naar vrouwen begreep.

Achter Damianus strompelde Titus door de deuropening, met in iedere hand een wijnzak geklemd. Drie zwaar opgemaakte vrouwen met blonde pruiken op en doorzichtige japonnen aan, overduidelijk prostituees, volgden Titus naar binnen.

'Edepol nunc nos tempus est malas peioris fieri,' kondigde Titus met grote plechtigheid aan.

Nu is het tijd dat stoute meisjes nog stouter worden.

'Hoe eerder hoe beter,' zei een van de vrouwen op plagende toon.

De drie vrouwen verspreidden zich om de villa te bekijken en kirden bewonderend over de dure kunstwerken en meubels.

'Wat is dat?' vroeg een van de vrouwen terwijl ze door een poortje naar een aangrenzende kamer gluurde.

'Nee,' zei Vitas snel. 'Laat hen met rust.'

'Hen?' vroeg Damianus en probeerde scherp te zien. 'Heb je al andere vrouwen? Broer, hoe –'

'De voedster en de baby,' zei Vitas. 'Heeft Titus niet verteld dat we die hier zouden verbergen?'

'Hij was niet in de stemming om te luisteren,' zei Titus. 'Hij had zijn gedachten bij andere zaken en ik ben hem met alle plezier gevolgd.' Hij zwaaide lichtjes heen en weer terwijl hij op de prostituees wees. 'Zie je wel? Ik heb de juiste keus gemaakt, of niet soms?'

Damianus leunde tegen een muur om overeind te blijven. 'Titus, meer wijn! Eet, drink en wees vrolijk, want morgen kan ik sterven.' Hij boerde en wapperde met zijn handen in een overdreven theatraal gebaar. 'Kán ik sterven? Ik zal zeker sterven. Vandaag al. Nu Maglorius halfdood is, zal niemand me rugdekking geven in de arena. Die baby die jij gered hebt, kost mij de kans om te overleven.'

Nog een boer en een plotselinge slingerbeweging richting Vitas. 'Hoe haal je het trouwens in je hoofd? Een baby! Waarom bewaar jij je energie niet voor een grote meid?'

Vitas probeerde de vrouwen weg te krijgen bij de deuropening om de voedster rust te geven. Hij draaide zich om en zei over zijn schouder: 'Nee, Damianus. Vanmiddag komt er geen eind aan je leven.'

'Titus,' zei Damianus, 'meer wijn!'

Hij pakte de wijnzak die Titus aanbood, hield die scheef

en nam een flinke teug. 'Ja, vanmiddag komt er wel een eind aan mijn leven. Laat me je verzekeren, broer, dat ik een meelijwekkend slechte gladiator ben. Sluit een weddenschap in mijn nadeel af, dan profiteer jij tenminste van mijn onvermogen. Maar bewaar wat geld voor de begrafenis, want mijn recente kapitaal is opgegaan aan mijn villa en deze vrouwen.'

'Heb je hem dat ook niet verteld, Titus?' vroeg Vitas.

Titus slurpte aan de andere wijnzak en schonk Vitas daarna een scheve grijns, terwijl de wijn langs zijn kin droop. 'Geen denken aan. Ik weet niet waar hij het geld vandaan heeft voor wijn en vrouwen om de laatste uren van zijn leven te vieren, maar ik ben niet van plan de pret voortijdig te beëindigen.'

Hij wees op de vrouwen. 'Kijk toch eens. Zou je die weg willen sturen? Ze hebben beloofd dat ze zo lang blijven als we maar willen.'

De vrouwen wierpen hun wellustige blikken toe. Een van hen kwam naar Vitas toe en duwde hem op een paar kussens.

'Om de waarheid te zeggen,' begon Vitas en probeerde op te staan, 'sta ik erop dat –'

Ze duwde Vitas weer naar beneden en ging op zijn schoot zitten. Ze sloeg haar armen om zijn nek en probeerde zijn oor te kussen.

'Hé, hé, houd daarmee op. Laat hem uitspreken.' Damianus kneep zijn ogen half dicht. 'Wat weet jij over de arena wat ik niet weet?'

'Drink nog wat wijn,' moedigde Titus Damianus aan. 'Er is later nog meer dan genoeg tijd om het je te vertellen.'

'Later sterf ik in de arena,' zei Damianus. Hij haalde zijn schouders op. 'Misschien is het niet zo'n slecht idee om me nog meer te bezatten. Met een beetje geluk zie ik het zwaard dat me doodt niet eens.'

Titus knipoogde naar Vitas. 'Kom op, vriend. Luister naar je broer en doe niet zo stoïcijns. Eet, drink en wees vrolijk.'

Terwijl de vrouw op Vitas' schoot opnieuw zijn oor begon

te kussen, sloeg een van haar vriendinnen een arm om Titus' middel.

Vitas keek op en zag Sophia in de deuropening staan. Zonder een woord marcheerde ze langs hem heen naar de kamer waar de voedster zich bevond.

'Sophia!' Vitas worstelde om overeind te komen, maar het kussen was dik en zacht en de vrouw boven op hem was zwaar, zodat hij niet genoeg kracht kon zetten.

Een paar tellen later kwam Sophia tevoorschijn met de voedster, een zware vrouw die de baby vasthield.

'Wacht!' smeekte Vitas.

Sophia schonk hem een blik vol gloeiende minachting en negeerde hem terwijl ze de binnenplaats opliep.

Eindelijk lukte het Vitas de vrouw met de blonde pruik op de grond te duwen. Hij haastte zich langs Titus en Damianus, die hem met open mond van verbazing nastaarden.

Hij stormde door de deuropening en achtervolgde Sophia, de voedster en de baby de trap af die naar de straat leidde. 'Wacht!' riep hij weer. 'Het is anders dan je denkt.'

✠ ✠ ✠

Diezelfde ochtend inspecteerde Helius in een kamer van het keizerlijk paleis met een zekere mate van tevredenheid de drie andere aanwezigen.

Een van hen was een slaaf die zijn schrijfstift klaar hield om verslag van het debat te doen alsof het een wettelijke rechtszaak was. De man had uiteenstaande tanden en was klein en gedrongen. Helius vond zijn dichte wenkbrauwen weerzinwekkend. Hij had de slaaf gekozen om twee redenen. Deze man muntte beslist uit in het notuleren van gesprekken. Het was ook iemand die Helius aanstootgevend lelijk vond. Aangezien Helius en Tigellinus het erover eens waren dat geen levend wezen mocht doorvertellen wat er vanmorgen in deze kamer gebeurde, had Helius besloten dat het efficiënt zou zijn – als er toch een slaaf geëxecuteerd moest worden – te garanderen dat de wereld een lelijk mens armer werd. Zelfs Vitas zou niet te weten komen wat er gebeurd was.

De tweede man was Kaleb, die de hulp van slaven had verzocht om hem te fatsoeneren voor deze gelegenheid. Dat was iets wat Helius natuurlijk prijzenswaardig vond; de duidelijke intelligentie en goede manieren van deze man bezorgden hem enige spijt over het lot dat hij de man had toebedacht.

De derde man heette Zabad. Ook hij was een Jood, verrassend genoeg met rood haar en een rode baard. Hij was midden in de dertig. Net als Kaleb was Zabad een gerespecteerd rabbi. Met één verschil: Zabad was een volgeling van Christus geworden. Hij en zijn gezin – een vrouw en twee dochters onder de zes jaar – waren gearresteerd. Zijn gezin zat op dit moment in de gevangenis. Helius had Zabad beloofd een einde aan de vervolging te zullen maken als Zabad met succes de goddelijkheid van Christus beargumenteerde. In dat geval zou het namelijk geen opruiing zijn een andere persoon dan de keizer goddelijk te verklaren: als deze persoon werkelijk goddelijk wás.

Helius had natuurlijk gelogen. Hij hoopte dat Kaleb overtuigend zou zijn. Dan zou Helius vol trots het verslag naar Nero brengen en de keizer geruststellen. Hij zou Nero verlossen van zijn onzekerheid die werd veroorzaakt door de vastbeslotenheid van de christenen liever te sterven dan hun geloof in Christus op te geven.

Aan de andere kant: als Kaleb het er niet goed vanaf bracht, was Helius niet van plan Nero zelfs maar te laten weten dat dit debat plaatsgevonden had.

Ja, het was een schrandere politieke zet. Terwijl de twee Joden voor hem tegenover elkaar op kussens gingen zitten, feliciteerde Helius zichzelf met zijn genialiteit. Geen wonder, vertelde hij zichzelf, dat hij de op een na machtigste man van het Romeinse rijk was.

✠ ✠ ✠

In het amfitheater stortte de ten dode gedoemde slaaf zich in het strijdgewoel tussen de beer en de stier. Hij stuitte tegen de zijkant van de stier af toen die zich snel omdraaide om de beer aan te vallen. Dit zorgde voor wellustige instemming bij de dronken toeschouwers.

Lea boog haar hoofd en sloot haar ogen. Maar toen het enthousiaste geschreeuw nieuwe hoogten bereikte, kreeg haar nieuwsgierigheid de overhand.

De beer was gevallen en de stier was te zeer uitgeput om meer te doen dan hem in het zand rond te duwen. De veroordeelde man maakte van de gelegenheid gebruik door met zijn stok de ketting los te maken van de halsband van de stier. De ketting viel op de grond. De man stapte achteruit en keek zoekend rond naar de bewakers die hem naar voren geduwd hadden.

Ze waren weg.

De arena was leeg. Op de stier, de beer en de man die ze bevrijd had na.

Enkele seconden later besefte de stier dat hij vrij was. Zijn monsterlijke kop draaide in de richting van de man die achteruit stapte.

Ook de beer was weer bijgekomen en begon overeind te krabbelen.

Beide dieren ontdekten een nieuw doelwit voor hun woede.

De man vluchtte weg, maar kon nergens heen, als een muis in een kom. Hij bereikte de muur aan de rand van het zand en probeerde omhoog te klauteren, maar kon nergens houvast vinden. Op het laatste moment dook hij opzij en de aanvallende stier raakte de muur met een ontzagwekkende dreun.

Een toeschouwer had zich over de muur gebogen om de veroordeelde te beschimpen; nu werd hij door de kracht van de klap van de muur gegooid en in het zand geslingerd. Het publiek schreeuwde daarop nog geestdriftiger. Een nieuw slachtoffer! Wat een onverwachte bron van genot!

Nu kwam de beer naderbij.

De mannen renden in verschillende richtingen.

Lea kon het niet langer aanzien. Opnieuw boog ze haar hoofd. Er werd bier in haar nek gemorst, maar dat negeerde ze.

De minuten schenen eindeloos, maar uiteindelijk stierf het lawaai van het publiek weer weg.

Ze keek even op en zag dat slaven de lijken van beide mannen wegsleepten. Boogschieters stapten het zand op om de dieren te doden. De toeschouwers om haar heen begonnen manden met voedsel open te maken.

Lea had zich voorgenomen sterk en moedig te zijn, maar dat deze mensen zo onverschillig stonden tegenover de gevechten op leven en dood die zich voor hun ogen afspeelden, doorbrak de barrière die ze tegen haar emoties probeerde op te werpen. Ze huilde geluidloos, zich heel erg bewust van de rode doek die ze opgevouwen onder haar japon verborgen had. Maar al te snel zou ze daarmee naar haar broer moeten zwaaien als hij daar beneden in datzelfde zand stond.

En maar al te snel zou dat een veel ergere verschrikking teweegbrengen dan het spektakel waar ze zojuist getuige van was geweest.

✠ ✠ ✠

Sophia werd op haar schouder getikt terwijl ze de trap van de villa naar de straat afliep. Ze draaide zich om en zag Vitas.

'Laat me het uitleggen,' zei hij.

Zijn knappe gezicht wekte onmiddellijk haar woede op. Wat een façade! Hij was net als alle andere Romeinse mannen, alleen geïnteresseerd in lichamelijk genot. Ze was gek geweest vannacht. Gek om zichzelf wijs te maken dat hij anders was, gek om te geloven dat hij een nobele man was met zuivere bedoelingen, gek om te denken dat een man met zijn rijkdom niet alleen uit was op een pleziertje, maar echt interesse had in een slavin als zij.

'Ik wens niet met je te spreken,' zei ze. Welke problemen haar in de toekomst ook wachtten, ze zou ze zelf moeten aanpakken.

Ze zou niet langer hopen op redding van de kant van een man als hij. Alle vrouwen bezwijmden waarschijnlijk voor hem, en het was duidelijk dat hij hen als speelbal gebruikte.

'Alsjeblieft,' smeekte Vitas. Hij stak zijn hand uit en raakte haar schouder aan.

Ze wist dat hij geen held was; haar woede kwam tot het kookpunt en veroorzaakte een ondoordachte reactie. De hele nacht had ze over hem gedroomd, en hij had de nacht doorgebracht in gezelschap van een prostituee! Ze gaf hem een felle klap in zijn gezicht. 'De groeten.'

Ze stevende naar de straat, waar vier forse slaven klaarstonden met een draagstoel met gesloten gordijnen. Achter zich hoorde ze gelach; dat verbaasde haar zo dat ze zich omdraaide.

Vitas wreef over zijn pijnlijke wang. 'Dank je,' zei hij, nog altijd lachend.

'Dank je?'

'Ik kan geen andere reden voor je woede bedenken dan jaloezie.'

'Vergeet het maar.' Ze zorgde dat haar stem ijzig bleef.

'Je weet toch welke pleziertjes de gemiddelde Romein najaagt?'

'Wat jij doet, kan mij niet schelen.' Nog steeds ijzig.

'Waarom dan die woede?'

'Omdat...' Ze zweeg. Hij had gelijk. Wat kon het haar schelen als een Romein de nacht doorbracht met een prostituee? Tenzij ze om hem gaf, zoals hij probeerde te suggereren. Dat zou ze nooit toegeven! Ze sprak met meer klem. 'Omdat ik me zorgen maak over de baby van mijn vriendin. Wie weet wat voor dingen daar gingen plaatsvinden...'

'Mijn vriend en mijn broer waren net aangekomen. Met die vrouwen. Ik was bezig te zorgen dat ze vertrokken toen jij verscheen. Geloof me alsjeblieft.'

Ze haalde haar schouders op. Ze gunde hem de voldoening niet te weten dat zij romantische gedachten gekoesterd had. Wat maakte het ook eigenlijk uit? Zij ging bij Paulina in dienst om haar met de baby te helpen; hij ging terug naar Rome.

'Ik dacht dat jij een slavin was,' gooide hij eruit.

'Als jij je beter voelt door mij naar beneden te halen – ga je gang. Maar dat zegt meer over jou dan over mij.'

Hij wees op de draagstoel en probeerde bijna stotterend zijn opmerking te rechtvaardigen. 'Je hebt mij verteld dat je een bediende in het huis van Aristarchus was. Reis je altijd zo?'

Sophia bleef koeltjes. 'Paulina zit daarbinnen. Ze is ziek. Aristarchus heeft al echtscheiding aangekondigd en haar uit zijn huis gestuurd, en ze kon alleen bij mij terecht. Tot ik jou met je vrouwen zag, hoopte ik dat –'

'Het zijn mijn vrouwen niet,' zei Vitas. 'En ik zal hen wegsturen.'

Deze man was een lastpost. Ze verwenste hem, maar anderzijds voelde ze zich ook prettig in zijn nabijheid. Nu daagde ze hem uit en merkte dat ze daar plezier aan beleefde. 'Waarom zouden ze luisteren als het jouw vrouwen niet zijn?'

'Omdat... omdat...'

Ja, het was plezierig om te zien dat deze sterke, zelfverzekerde man onzeker werd. Alsof hij haar gevoelens deelde, misschien. Sophia prentte zichzelf in dat ze niet opnieuw moest beginnen met dromen.

'Alsjeblieft,' zei hij, 'laat me je helpen.'

'Jij hebt je eigen leven,' zei ze. 'Ik heb het mijne.'

'Laat de bedienden je vriendin naar binnen brengen,' zei hij. 'We zullen een dokter laten halen.'

Voordat ze een goede reden kon bedenken om te weigeren, kwam een half dozijn gewapende mannen achter de top van de heuvel vandaan.

Stadswachters!

Voordat zij kon reageren, stapte Vitas brutaalweg tot voor de draagstoel en wachtte de komst van de wachters af. Hij zette zijn benen schrap en sloeg zijn armen over elkaar.

Sophia ging naast hem staan. Ze was geen hulpeloze vrouw.

Toch was ze blij dat Vitas de leider aansprak toen de wachters arriveerden. Het was een soldaat van middelbare leeftijd met een opvallende moedervlek onder zijn linkeroog.

'Goedemorgen.'

'Ga opzij,' zei de leider effen. 'We zijn hier om die draagstoel terug te brengen naar de schatbewaarder.'

'Jullie weten niet zeker wie de passagier van die draagstoel is,' zei Vitas.

Sophia bleef zwijgen, omdat ze wist dat ze dit als slavin moest doen.

'Zeker wel,' antwoordde de soldaat. 'Aristarchus heeft haar laten volgen. En de vrouw en de baby achter je zijn genoeg bewijs dat hij weet waar hij zoeken moet. Aan de kant!'

'En als ik dat niet doe?'

De oudere man zuchtte. 'Je bent in de minderheid. En Aristarchus zou desnoods nog twintig man kunnen sturen.'

Dat was allemaal waar. Zolang ze met hun speren op Vitas' buik wezen, zou elke actie die hij ondernam zinloos zijn.

Sophia kon zich niet beheersen. Ze pakte Vitas krampachtig bij zijn elleboog.

Vitas stapte tandenknarsend opzij en probeerde Sophia achter zich te duwen.

Zij wrong zich los en ging vlak voor de hoofdwachter staan. 'Alstublieft,' zei ze tegen hem, 'laat ons met rust.'

Hij schudde zijn hoofd, onverbiddelijk. 'Jij mag achterblijven. Maar Aristarchus wil zijn voormalige echtgenote terug. En de baby.'

Een van de jongere wachters, nauwelijks meer dan een jongen, kon de gelegenheid om er nog een schepje bovenop te doen niet weerstaan. 'Hij gaat de baby zelf doden! Daar kun je niets tegen doen.'

'Houd je mond,' zei de hoofdwachter op vermoeide toon. 'Een vrouw aan het huilen maken is geen teken van mannelijkheid.' Hij gebaarde naar de anderen. 'Neem de vrouw met de baby mee.' Wijzend op de slaven die bij de draagstoel stonden, zei hij: 'Volg ons als je leven je lief is.'

'Jij mag achterblijven,' had de soldaat gezegd. Aristarchus wilde Sophia dus niet als slavin houden. Ze kon eindelijk terugkeren naar Jeruzalem. Ze kon haar familie gaan zoeken. Haar moeder en zusje. Toen haar vader drie jaar geleden gestorven was, had hij schulden nagelaten die alleen betaald konden worden als een van hen als slavin verkocht werd. Sophia had dat geaccepteerd en was meegenomen naar Asia. En nu was ze vrij om terug te keren?

Een ogenblik dacht ze over die vrijheid na. Als ze bleef, kon Vitas haar misschien helpen naar Jeruzalem terug te keren. Ze bande die gedachte uit. Paulina, de vrouw die ze tot geloof gebracht had, had haar nodig. De baby had haar nodig. Zonder van Vitas afscheid te nemen, begon Sophia resoluut de draagstoel en de wachters te volgen.

Toch kon ze de verleiding niet weerstaan nog eenmaal achterom te kijken, vlak voordat de hele stoet over de top van de heuvel was.

Haar hart sprong op: Vitas rende achter hen aan!

✠ ✠ ✠

Onder Helius' ogen begon Zabad met zachte, overredende stem rechtstreeks tot Kaleb te spreken. 'Alsjeblieft, mijn vriend, beschouw dit als meer dan een debat. Wat jij verkiest te geloven over Jezus heeft consequenties voor de eeuwigheid.'

Helius onderbrak hem scherp. 'Dit gesprek heeft veel directere consequenties. De man die Nero behaagt, blijft in leven.'

Zabad toonde geen vrees. 'Ons bestaan is veel meer dan alleen ons leven op aarde. Als u daar ook maar een ogenblik over zou nadenken, zou u –'

'Genoeg!' Helius wees naar Kaleb. 'Begin. Maak ons duidelijk waarom deze Jezus van Nazaret geen echte god is.'

Kaleb knikte en richtte zich tot Zabad. 'Ik zou het willen

hebben over de veronderstelde opstanding van Jezus. Tenslotte is, zoals jullie beroemde zieltjeswinner Paulus terecht zegt, jullie geloof zinloos als er geen opstanding is.'

'Daarmee staat of valt alles. De opstanding negeren of verloochenen is Jezus zelf verloochenen. Ook ik wil graag dat we deze zaak behandelen. Dus, vertel me alsjeblieft: waarom werd Jezus gedood?' vroeg Zabad.

'Wat maakt dat uit?' vroeg Kaleb. 'Niet zijn dood baart ons zorgen, maar de bewering dat Hij weer tot leven gekomen is en te midden van zijn volgelingen gewandeld heeft.'

'Durf je mijn vraag niet te beantwoorden?'

'Natuurlijk wel.'

'Waarom werd Jezus gedood?' herhaalde Zabad.

Helius werd ongeduldig. 'De rechtszaak is ons bekend. Romeinen zijn bijzonder scrupuleus als het om de wet gaat en Pilatus wist dat de zaak politieke gevolgen zou kunnen krijgen. Hij heeft de rechtszaak zorgvuldig laten vastleggen. Kort samengevat: Jezus werd gekruisigd vanwege opruiing. We kunnen dat onderwerp laten rusten.'

'Opruiing,' herhaalde Zabad. 'Het is waar dat deze aanklacht door de religieuze leiders naar voren gebracht werd. Als de rechtszaak u bekend is, zult u weten dat de aanklacht niet bewezen kon worden en dat Pilatus gedwongen was de wil van de religieuze leiders te doen, anders was er een rel ontstaan.'

Zabad wendde zich weer tot Kaleb. 'Waarom was de religieuze gevestigde orde er zo op gebrand Jezus te laten doden?'

Kaleb haalde zijn schouders op. 'Hij maakte er ten onrechte aanspraak op de Messias te zijn. Ik leg de nadruk op "ten onrechte".'

'Was die aanspraak onterecht?' wierp Zabad tegen. 'Tenslotte komt er om de paar jaar wel een waanzinnige uit de hitte van de woestijn om aanspraak op die titel te maken. Tientallen hebben dat vóór Jezus gedaan. Tientallen na Hem. Weinig mensen nemen daar notitie van, behalve om zich met hun optreden te vermaken.'

Kaleb stak zijn hand op. 'Ik zou er zó zes kunnen noemen die vanwege die aanspraak gekruisigd zijn.'

'Door Rome. En alleen omdat ze in feite gewapende volgelingen verzamelden om tegen Rome in opstand te komen. De Joodse religieuze gevestigde orde weigerde – en weigert – in de meeste gevallen die aanspraken te honoreren door enige aandacht aan hun praatjes te schenken. Toch werden alle autoriteiten uit de tempel ingezet om de dood van Jezus te regelen. Dus ben je met mij eens dat Jezus – anders dan de anderen die er aanspraak op maakten de Messias te zijn – werkelijk een bedreiging vormde voor de Joodse leiders?'

Kaleb vertrok geen spier. 'Ik neem aan van wel.'

'We zijn het er over eens dat Jezus een bedreiging vormde,' zei Zabad. 'Omdat Hij een goede leraar was?'

'Zeker.'

'Je weet dat dat niet juist is. Goede leraren worden verwelkomd en geprezen onder ons volk. Sprak Jezus een van onze leerstellingen tegen?'

'Hij...'

'Jij weet even goed als ik dat Hij geen enkele leerstelling tegensprak. Hij kende onze wetten volledig. Hij verklaarde keer op keer dat Hij gekomen was om de wetten te vervullen, niet om ze te vernietigen. Dus waarom vormde Hij een bedreiging?'

Kaleb veranderde enigszins van houding, maar antwoordde niet.

'Dan zal ik voor je antwoorden,' zei Zabad. 'Hij vormde een bedreiging omdat Hij wonderen deed die zijn aanspraak bevestigden. Zo eenvoudig is het. Hij genas verlamden en melaatsen. Wekte een man op uit de dood. Hij vroeg wat makkelijker was: iemands zonden vergeven of hem laten lopen; dat ging over een man die zijn hele leven verlamd was geweest.'

Zabad wachtte een tijdje voordat hij verderging. 'Je kunt proberen die wonderen te ontkennen, maar je weet dat die man inderdaad zijn slaapmat oppakte en wegwandelde. Je weet dat er nog steeds voldoende getuigen in leven zijn die dit wonder en ook andere officieel kunnen bevestigen. Jezus had een macht die niet van deze wereld was. Die macht maakte Hem zo gevaarlijk dat de tempelautoriteiten Hem moesten doden. Stem je in met die vaststelling? Of moeten we hier een echte, wettelijke rechtszaak van maken en de getuigen laten halen?'

'Daar hebben we geen tijd voor!' snauwde Helius. 'Ga door.'

Zabad glimlachte kalm. 'Geef je dus toe dat je op dat punt ongelijk had?'

'Omwille van het betoog, ja.' Kaleb bleef kalm en vol zelfvertrouwen; hij wuifde het protest dat Helius blijkbaar wilde indienen weg.

'Laat me dan hier de nadruk op leggen,' antwoordde Zabad. 'Ik ga er nu verder van uit dat wij het erover eens zijn dat Jezus wonderen gedaan heeft zoals officieel bevestigd is door honderden getuigen, en dat zijn aanhang daardoor groeide totdat Hij – anders dan alle anderen die aanspraak op de messiastitel maakten – zo'n bedreiging voor de tempelautoriteiten vormde dat ze gedwongen waren Hem te doden. Voor de goede orde: ben je het hierover met me eens?'

De slaaf met de schrijfstift keek op. Het gesprek was hem blijkbaar gaan interesseren.

'Ja,' zei Kaleb. Nog altijd kalm, nog altijd vol zelfvertrouwen.

'Nu we dit samen hebben vastgesteld,' zei Zabad, 'ben ik bereid de zaak van Jezus' opstanding te behandelen. Kun je me verzekeren dat Hij werkelijk dood was voordat Hij van het kruis af werd gehaald?'

'Dat is mijn vraag aan jou. Over de opstanding kan niet gedebatteerd worden tenzij we er allebei zeker van zijn dat Hij dood was. En daar heb ik mijn twijfels over.'

'Uitstekend,' zei Zabad. 'Dan wil ik jouw twijfels aan de orde stellen. Romeinse soldaten zijn erop getraind zich ervan te verzekeren dat niemand een kruisiging overleeft. Nooit. Zou je denken dat ze een uitzondering voor Hem gemaakt hebben?'

'Misschien waren ze omgekocht.'

'Door een rondreizende leraar die afhankelijk was van de goedgeefsheid van degenen die naar zijn leer luisterden? Waar zou Hij of waar zouden zijn volgelingen genoeg geld vandaan halen? En waarom zouden de soldaten hun leven riskeren voor een omkoopsom, hoe hoog ook? Een kruisiging is een openbare gebeurtenis – en deze kruisiging des te meer. Als jij een van de dienstdoende soldaten was, zou jij dan riskeren dat iemand rapporteerde dat Hij niet aan het kruis gestorven was?'

Zabad nam een slok water uit een stenen beker en ging verder. 'Daarom breken de soldaten de benen van het slachtoffer aan het kruis, als er enige twijfel bestaat. Zodra het lichaamsgewicht niet meer ondersteund kan worden, treedt binnen enkele minuten verstikking op. Lees de ooggetuigenverslagen. De soldaten zagen dat Jezus dood was en namen niet de moeite zijn benen te breken. Ze doorboorden zijn zijde met een speer. Water en bloed stroomden naar buiten. Zou een man die nog leefde dat overleven? Zou een man die nog leefde –'

Kaleb wuifde met zijn hand. 'Ik ben bereid toe te geven dat Hij dood was toen Hij van het kruis gehaald werd.'

'Dat is een belangrijk punt. Ik wil me ervan vergewissen dat je niet gaat beweren dat Hij in het graf weer op krachten kwam.'

Helius interrumpeerde. 'Ik wel. Wat jij ook zegt – soldaten zijn omkoopbaar. Een man met zijn aanhang zou zeker volgelingen gehad kunnen hebben die bereid waren geld in te zamelen om zijn leven te redden. Een man aan het kruis zou gemakkelijk kunnen doen alsof hij dood was als de soldaten medeplichtig waren. Al zeggen de getuigen dat er bloed en water uit zijn zijde stroomden: een man kan aanzienlijk bloedverlies overleven, en zoals je betoogde, hebben de soldaten de benen niet gebroken om zich ervan te vergewissen dat verstikking plaatsgevonden had. Als de wond in zijn zijde snel genoeg verbonden werd...'

'Laten we die mogelijkheid eens overwegen. Laten we aannemen dat Jezus de uren aan het kruis overleefd heeft – hoe onwaarschijnlijk dat ook is – en dat zijn volgelingen het op de een of andere manier klaarspeelden genoeg geld bij elkaar te bedelen in de paar uur die ze die vrijdagochtend hadden, en dat niet een van de tientallen mensen die ze moesten benaderen het omkopen verraden heeft.'

Helius keek Zabad doordringend aan. 'Ja, laten we dat eens overwegen.'

Zabad knikte. 'Het lichaam van deze man was geschopt, met de zweep geslagen en kapot gegeseld na een illegale rechtszaak waarvoor Hij de hele nacht wakker had moeten blijven. Vervolgens met spijkers aan een kruis gehangen en geschonden door een speer. Suggereert u dat – als Hij dat op de een of andere manier overleefd heeft – iemand die zo gebroken en verscheurd is, zonder hulp de enorme steen heeft weggerold waarmee zijn graf verzegeld was?'

'Vrienden, misschien,' zei Helius. Hij was niet van plan geweest hierin verwikkeld te raken, maar hij kon zich niet inhouden.

'Nogmaals: lees de verslagen. Al zijn vrienden waren gevlucht en zouden pas na zijn opstanding overtuigd raken van zijn goddelijke staat. Waarom zouden ongewapende boeren de goedgetrainde wachters bij het graf aanvallen? En als ze dat deden, hoe speelden ze het klaar om hen te verslaan? En zelfs als dat gebeurd was, hoe zouden ze dit geheim kunnen houden? Diezelfde argumenten kunnen gebruikt worden tegen degenen die zeggen dat Jezus dood was, maar dat zijn lichaam uit het graf gestolen is. Nee, alle bewijzen en logica wijzen erop dat Hij daar als dode man binnenging en dat een macht die ons begrip te boven gaat Hem het leven en de kracht gaf om dat graf zonder hulp te verlaten.'

Kaleb glimlachte. 'Zoals je al benadrukt hebt, moeten we de verslagen lezen. Ik heb ze zorgvuldig bestudeerd. De eerste getuigen van dat zogenaamd lege graf waren vrouwen. Je begrijpt toch zeker de draagwijdte van dat feit?'

'Omdat het getuigenis van een vrouw in onze Joodse gerechtshoven van zo weinig waarde wordt geacht dat een man die betrapt wordt op het plegen van een misdaad, niet veroordeeld kan worden als alle getuigen vrouwen zijn?'

'Precies.'

'Dat bevestigt de waarheid van de verhalen des te meer. Geen enkel weldenkend mens die vastbesloten is een verhaal te vervalsen, zou ervoor kiezen vrouwen als getuigen te noemen.'

Kaleb had geen weerwoord.

Helius begon te denken dat het debat zo rampzalig zou verlopen dat Nero er niets aan had.

'Vertel eens,' zei Zabad tegen Kaleb, 'jij, als Jood en als rabbi, hebt zeker wel gehoord van Jakobus, de broer van Jezus, die in Jeruzalem woonde en een paar jaar geleden gestenigd is?'

'Inderdaad.'

'Dat is dezelfde Jakobus die als broer van Jezus ontkende dat Jezus de Messias was en die door Hem in verlegenheid gebracht werd. Later gaf Jakobus zijn leven voor dat geloof, was bereid te sterven voor het idee dat een van zijn familieleden God is. Je moet je wel afvragen wat ervoor nodig is om iemand zo van gedachten te laten veranderen. Die vraag zal ik voor je beantwoorden. Jakobus zag dat zijn broer uit de dood opgewekt was. Waaruit putten de discipelen van Jezus de kracht om gevangenis, bedreigingen en zelfs de dood te weerstaan, terwijl ze zich in de nacht van zijn veroordeling gedroegen als angsthazen? Het antwoord is hetzelfde. Ze hebben Jezus na zijn opstanding ontmoet,' concludeerde Zabad.

Helius sprak Kaleb toe. 'Ik stel voor dat je een ander onderwerp vindt om over te argumenteren en dat je de wederopstanding laat rusten. Ik stel bovendien voor dat je het beter aanpakt dan je tot nu toe gedaan hebt.'

Als die reprimande Kaleb al kwetste, liet hij dat niet blijken. 'Natuurlijk. Ik heb de hele avond de tijd gehad om de ooggetuigenverslagen over die man en zijn leer te lezen. Ik zal aantonen dat Jezus van Nazaret zelf, door zijn eigen woorden, bewezen heeft dat Hij een valse profeet was.'

HORA SEXTA

Een verwachtingsvolle stilte kwam over het publiek in het amfitheater. Ze wisten dat de leeuwen nu aan de beurt waren.

Lea vond de stilte bijna onnatuurlijk. Er waren vijftigduizend toeschouwers en toch was het volkomen stil, alsof iedereen tegelijk had besloten zijn adem in te houden.

In deze absolute stilte weergalmde het metalige geluid van ijzeren hekken die openzwaaiden.

Lea kreunde inwendig van ellende. Ze was nog nooit eerder bij de spelen geweest, maar ze wist wat dit geluid betekende. Haar sidderende angst bleek terecht toen de eerste mannen en vrouwen plotseling het zand op geduwd werden. Toen nog meer. En meer. In totaal meer dan twintig.

Geen gejuich.

Geen gebrul.

Alleen de bloeddorstige vreugde die veroorzaakt werd door het kijken naar de christenen die, gekleed in de huiden van zebra's en antilopen, over het zand strompelden.

Na hun lange gevangenschap was het zonlicht te veel voor hen. Allemaal sloegen ze, zonder mankeren, de handen voor de ogen en schuifelden blindelings voort. Sommigen gingen rechtop staan en haalden diep adem alsof ze vastbesloten waren deze laatste minuten van hun leven te genieten van de eenvoudige weelde van frisse lucht en zonneschijn op hun huid.

Lea zag haar broer meteen. Hij stond het fierst rechtop van allemaal; verscheidene vrouwen waren achter hem gaan staan alsof hij bescherming kon bieden tegen het onvermijdelijke.

Toen ze zich weer enigszins konden oriënteren, begonnen de mensen een gesloten groep te vormen.

Het was nog steeds stil; het woedende getier van de bestiarius was op de tribunes duidelijk te horen. Hij stond bij een van de donkere openingen van de tunnels onder de tribunes tegen de christenen te schreeuwen.

Toeschouwers begonnen te mopperen. Maar Lea wist waarom de bestiarius zo razend was. Haar broer en de mannen en vrouwen bij hem deden het enige wat de aanval van de leeuwen kon vertragen.

Ondanks het gemopper was er nog altijd een atmosfeer van verwachting; de spanning leek een fysieke kracht op het publiek uit te oefenen. Toen klonk er weer gerinkel van ijzeren tralies.

De leeuwen werden losgelaten.

✠ ✠ ✠

De stadswachters arriveerden bij Aristarchus met Vitas tien passen achter zich; die afstand had hij de hele weg aangehouden terwijl hij hen door Smyrna volgde.

'Wie is dat?' vroeg Aristarchus streng, terwijl hij op Vitas wees.

Vitas negeerde hem. De slaven waren gestopt voor de ingang van de villa en Vitas wilde niet dat ze de binnenplaats betraden, waar hij hen niet langer zou kunnen volgen.

'Breng de draagstoel naar het huis,' beval Vitas de slaven. Hij sprak Sophia scherp toe: 'En jij, zorg ervoor dat de vrouw in de draagstoel gerieflijk kan zitten; laat daarna een dokter halen.'

Aristarchus was blijkbaar zo verbijsterd dat het even duurde voordat hij zijn stem terugvond. Toen hij eindelijk sprak, piepte hij van verontwaardiging. 'Dat zijn míjn slaven! Hoe durf jíj hun bevelen te geven?'

‘Wat onbeleefd van me,’ zei Vitas met een brede grijns. Hij had de hele reis de tijd gehad om zijn strategie te bepalen. ‘Ben ik werkelijk vergeten hen eerst van je te kopen?’

‘Natuurlijk heb je hen niet gekocht. En ik ben ook werkelijk niet van plan –’

‘Vijftigduizend sestertiën per slaaf,’ zei Vitas in de wetenschap dat dit driemaal zo veel was als Aristarchus zou verwachten. ‘Behalve natuurlijk voor de Joodse slavin. Die heeft al bewezen dat ze te koppig en onafhankelijk is om veel waard te zijn. Je mag van geluk spreken dat ik je van haar verlos; ze is bij de koop inbegrepen.’

Sophia hapte naar adem, maar besloot blijkbaar dat dit niet het juiste moment was om te protesteren.

‘Ik zie heus wel wat je denkt te bereiken,’ zei Aristarchus. ‘Je probeert je problemen af te kopen.’

Vitas haalde zijn schouders op. ‘Nihil tam munitum quod non expugnari pecunia possit.’

Niets is zo goed beveiligd dat geld het niet kan veroveren.

‘Je vergist je. Deze slaven zijn voor geen enkele prijs te koop. Ik ben van plan jou te laten arresteren en de Joodse slavin te laten afranselen. Tegen de ochtend zal de hele stad weten dat hun schatbewaarder een besluitvaardig en machtig man is.’

‘Wees voorzichtig,’ waarschuwde Vitas. Hij nam Aristarchus terzijde en begon zacht te praten. Hij had al besloten dat Sophia niet in hem geïnteresseerd mocht zijn vanwege zijn rijkdom of achtergrond. ‘Heb je informatie ingewonnen over mijn familie? Heb je enig idee hoe dicht ik bij de keizer sta?’

Aristarchus leek te krimpen.

‘Ik zal je op de hoogte brengen,’ zei Vitas. ‘Ik ben een van de drie mannen in Rome die rechtstreeks tegenover Nero verantwoording afleggen. Mijn naam is Gallus Sergius Vitas.’

‘Die naam zegt me niets. Je bluft.’

‘Het is geen bluf; jij hebt veel meer te verliezen dan ik te winnen heb door te bluffen. Beslis jij maar of je die gok wilt wagen.’

'Hoe dan ook,' zei Aristarchus wat minder schril dan tevoren, 'ik heb het recht om die baby te vondeling te leggen. Het recht om van mijn vrouw te scheiden. Het recht om te beslissen wat ik met mijn slaven doe.'

'Heb ik goed begrepen,' begon Vitas, die wist dat hij er in geslaagd was het strijdlustige mannetje uit zijn evenwicht te brengen, 'dat het allemaal begonnen is toen je vrouw weigerde de keizer te aanbidden?'

'Mijn voormálige vrouw,' benadrukte Aristarchus. 'Ik ben schatbewaarder. Als man met connecties zul jij zeker begrijpen dat mijn positie afhankelijk is van mijn reputatie. Smyrna zelf is afhankelijk van de welwillendheid van de goddelijke keizer. In mijn huis is geen ruimte voor iemand die tot de sekte van Christus behoort.'

'Ach ja,' zei Vitas. 'Laat me je dit vragen: zou de keizer, nu je de echtscheiding hebt uitgesproken, het niet even gepast vinden als je vrouw en baby gewoon uit Smyrna vertrokken?'

'Mijn vrouw moet gestraft worden,' zei Aristarchus. Hij deed een stap bij Vitas vandaan om een openbare verklaring af te leggen. 'De stad en de keizer moeten weten dat ik niemand tolereer die weigert de keizer te aanbidden. Als jij echt bent wie je zegt te zijn, vraag ik je Nero over mijn keuze in te lichten.'

'Om je vrouw te straffen wil je de baby doden?'

'Een meisje. Ik heb geen zin de nalatenschap van mijn toekomstige zoons met een dochter te delen.'

'En als het meisje door een patriciërsfamilie in Rome geadopteerd wordt?'

'Waarom toon je eigenlijk zoveel interesse?' Aristarchus bekeek hem ineens heel anders.

Vitas besefte dat het een vergissing was geweest te onthullen wat hij in werkelijkheid wilde. 'Ik ben een barmhartig man,' zei hij. Het werd tijd wat meer pressie uit te oefenen. 'Die barmhartigheid leidt er bijvoorbeeld toe dat ik jou flink wat problemen probeer te besparen.'

'Poeh!'

'Vanmiddag beginnen de spelen waar Smyrna zo beroemd door is. Waarom zou ik hier anders zijn, samen met duizenden bezoekers?'

'Jouw gepraat begint me te vermoeien,' zei Aristarchus.

'Een van jouw beschermheren heeft een aanzienlijke som uitgegeven om een team gladiatoren uit Rome hierheen te halen.' Meteen na hun aankomst in Smyrna, de vorige dag, had Vitas met de eigenaar van de gladiatoren onderhandeld over Damianus, dus was hij helemaal op de hoogte van wat er voor de plaatselijke arena op financieel gebied geregeld was.

'Als mijn geheugen me niet bedriegt,' zei Vitas, 'heeft de munerarius afgesproken vijftienduizend sestertiën te betalen voor elke gladiator die morgen overleeft en zestigduizend voor elke man die sterft.'

'Wat dan nog?' snauwde Aristarchus.

'Het feit dat ik in de positie ben dat te weten, zou een waarschuwing voor je moeten zijn om in mijn nabijheid op je tellen te passen.'

Stilte. Vitas had weer doel getroffen. Hij ging door. 'Toch weet ik zeker, schatbewaarder, dat je er volledig van op de hoogte bent dat één gladiator een veel hogere prijs bedongen heeft voor zijn aanwezigheid in Smyrna. Een beroemde gladiator die niet eenmaal verloren heeft in dertien jaar. Overal in de stad heeft zijn naam een opvallende plaats in de aankondigingen die op de muren geschilderd zijn.'

'Maglorius,' zei Aristarchus met een zweem van ontzag.

'De mensen in de stad zullen hogelijk teleurgesteld zijn als hij niet in de arena verschijnt, zoals beloofd.'

'Wat?'

'Arme man,' zei Vitas. 'Als je geluk hebt, ben je misschien nog in staat een rel te voorkomen. Aan de andere kant: als het bericht dat jij verantwoordelijk bent voor zijn verwondingen iedereen bereikt, betwijfel ik of je nog lang schatbewaarder zult zijn. Je mag van geluk spreken als het gepeupel je leven spaart.'

'Wat?'

'Ze kunnen wel beslissen zich te vermaken door jou in de arena te gooien. Ik heb begrepen dat mensen vaak veel langer blijven leven dan je zou denken, zelfs nadat een leeuw hun de ingewanden uit het lijf getrokken heeft.'

'Wat?'

'Ik zie,' zei Vitas, 'dat je wachters verzuimd hebben je volledig te informeren over de gebeurtenissen van de afgelopen nacht. De Joodse slavin en de baby zijn vanaf het plein bij de tempel van Nero naar Maglorius gevlucht. Hij zat op zijn knieën, onbeschermd, toen jouw wachters hem met hun zwaarden raakten.'

Aristarchus keerde zich tegen de wachters. 'Is dat waar?'

'We... we waren aan het vechten,' stotterde een van hen. 'Het was donker. Hoe konden wij weten wie die man was?'

'Dus iemand zat op zijn knieën toen jullie hem aanvielen?'

'Ja, maar –'

'De dokter van de gladiatoren is midden in de nacht urenlang bezig geweest Maglorius weer aan elkaar te hechten,' viel Vitas hem in de rede. 'Dat kun je makkelijk genoeg laten bevestigen. Maglorius zelf, mijn vriend en ik kunnen getuigen dat de wachters hem aanvielen.'

'Ik ben verloren,' kreunde Aristarchus.

'Niet als we allemaal beloven te zwijgen,' zei Vitas. 'Je wachters zullen wel beseffen dat het verstandiger is jou en zichzelf te beschermen tegen de woede van het gepeupel. Wat je voormalige vrouw en deze slaven betreft: als die vanmiddag op een schip naar Rome zitten, hoe zouden ze de brave burgers van Smyrna ook maar een woord hierover kunnen influisteren?'

Het kostte Aristarchus weinig tijd om tot een besluit te komen. 'Vijftigduizend sestertiën per slaaf is een royaal aanbod. Dat accepteer ik.'

'Mooi,' zei Vitas. 'Zorg dat het geld over een uur hier in de villa klaarligt. Niet later, want dan wordt het moeilijk voor mij om tegen zonsondergang te vertrekken, zoals beloofd.'

'Ben je gek?' krijste Aristarchus. 'Dat was het bedrag dat je mij bood!'

‘Dat héb ik geboden,’ zei Vitas, ‘maar ik ben van gedachten veranderd. Ik heb besloten dat dat het bedrag is dat jij mij gaat bieden.’

Vitas mocht deze man niet. Hij wist dat het kinderachtig was, maar hij wilde hem straffen. En als de man zoveel van geld hield, zou Vitas hem dat afnemen.

‘Jij verwacht dat ík jóu ga betalen voor míjn slaven?’

‘Als ik je goed genoeg kende om je te vertrouwen, zou ik misschien papieren van je bankiers als betaling aannemen,’ zei Vitas. ‘Maar nu ik het een en ander van je karakter weet, moet ik wel zilver of goud eisen.’

‘Jij verwacht dat ik jou ga betalen voor mijn slaven? Niets daarvan!’

‘Aha, je wilt nog wat langer onderhandelen.’ Opnieuw was Vitas zich ervan bewust dat het kinderachtig van hem was zo te genieten van de verwarring van de ander. ‘Daar heb ik geen probleem mee. Zestigduizend sestertiën per slaaf. De Joodse slavin is natuurlijk nog steeds niet genoeg waard om over te marchanderen.’

‘Zestigduizend! Nooit!’

‘Wat jammer,’ zei Vitas, tevreden met zichzelf en vermaakt over Sophia’s verontwaardigde reactie op zijn belediging. ‘Ik neem aan dat het plezier van het kijken hoe de leeuwen je verscheuren in de arena onze mislukte onderhandelingen wel goed zal maken. Tenzij je nog verder wilt onderhandelen.’

‘Ik... Ik...’

‘Vijfenzestig per slaaf,’ zei Vitas. ‘Laten we dit zo lang mogelijk rekken.’

‘Goed! Goed! Vijfenzestig.’

‘Goed zo,’ zei Vitas. ‘Stuur Paulina en de slaven met de draagstoel maar naar mijn schip in de haven. Je zult het zonder probleem kunnen identificeren, want het draagt de vlag van de keizer. Het goud en zilver verwacht ik daar binnen een uur.’

‘Als je maar uit Smyrna verdwijnt,’ snauwde Aristarchus.

‘Natuurlijk.’ Vitas bleef ernstig kijken en verborg zijn triomf.

Vooral omdat hij wist dat hem nog steeds problemen te wachten stonden. Aristarchus' woede was nog niets vergeleken met de uitbarsting die hij van Sophia verwachtte zodra ze alleen waren. Maar hij had al besloten welke tactiek hij op haar zou toepassen.

✠ ✠ ✠

'Jezus was geen valse profeet,' zei Zabad. 'Daar zet ik mijn leven voor op het spel.'

Kaleb snoof. 'Jouw gebrek aan inzicht bewijst niets behalve jouw gebrek aan inzicht.' Hij stond van zijn kussen op en stapte vlak voor Helius in het rond terwijl hij Zabad bleef toespreken. 'Je hebt grote nadruk gelegd op de getuigen van de wonderen van Jezus en de getuigen van de opstanding. Zijn wij het dus eens over het belang en de waarheidsgetrouwheid van die getuigen?'

'Zonder twijfel,' antwoordde Zabad. 'Wij zijn nog van dezelfde generatie als degenen die getuigen van Hem geweest zijn. Alleen een dwaas zou beweringen doen die tegengesproken kunnen worden door andere levende getuigen.'

'Verschillende brieven over Jezus doen de ronde; gisteravond heb ik er een paar van bestudeerd. Ik heb een van die boekrollen bij me. Een brief geschreven door een volksgenoot, een Jood die Matteüs heet. Een van de discipelen van Jezus. Je zult ermee instemmen dat weinig mensen van zo dichtbij kunnen getuigen.'

'Inderdaad,' zei Zabad.

'Dus we zijn het erover eens dat wat Matteüs vastgelegd heeft als uitspraken van Jezus, betrouwbaar is.'

'Daarover zijn we het eens. Getuigen hebben veel van die gebeurtenissen bevestigd. Getuigen die nu nog in leven zijn.'

'Ik zal aannemen dat je vertrouwd bent met de inhoud van de brief,' vervolgde Kaleb. 'Zo niet, dan kun je een kopie lenen om naar te verwijzen...'

'Ik ben ermee vertrouwd.' Zabad glimlachte enigszins. 'Deze

brief was zo overtuigend dat ik daardoor begonnen ben na te denken over Jezus als de Zoon van God. Na veel gebed heeft de Geest van God mij de ogen geopend en geloofde ik. Mijn gezin en ik staan nu oog in oog met de dood vanwege ons onwankelbare geloof. Dus zal ik de waarheidsgetrouwheid van deze brief niet betwisten, en ja, ik ben ermee vertrouwd.'

'Uitstekend,' zei Kaleb. 'Je zult je herinneren wat Matteüs getuigt over het onderwijs van Jezus op de Olijfberg vlak voor zijn kruisiging.'

'Vlak voor zijn kruisiging én opstanding.'

'Probeer je mijn vraag te omzeilen?'

'De rede van Jezus op de Olijfberg. Die vond plaats vlak nadat Jezus het tempelterrein verliet. Hij wendde zich tot zijn discipelen en voorspelde ze dat geen steen op de andere zou blijven. Ze waren zo verbijsterd dat ze even later, terwijl ze op de Olijfberg uitrustten en de heerlijkheid van de tempel bekeken, vragen gingen stellen.'

'Dan ken je zijn antwoord op hun vraag wanneer het zou gebeuren, toen ze vroegen aan welk teken ze zijn komst en de voltooiing van deze wereld konden herkennen?' vroeg Kaleb.

'Dat ken ik,' antwoordde Zabad. 'En daar ben ik uit de grond van mijn hart dankbaar voor. Het einde van de tijd is aangebroken, zoals Daniël predikte en zoals Jezus bevestigde.'

Helius snoof. 'Suggereer je nu dat er een einde aan de tijd komt?'

'Natuurlijk zal dat eens gebeuren,' zei Zabad kalm. 'Maar dat is niet wat ik bedoel. "Het einde", "het einde van de dagen" en "het einde van de tijd" zijn uitdrukkingen die in onze Schriften gebruikt worden. Ze kunnen verschillende dingen betekenen. De geschiedenis bewijst dat elk tijdperk een begin en een einde heeft. Volken komen en gaan. Zelfs de Romeinen begrijpen dat het einde van een eeuw niet noodzakelijk het einde van de tijd betekent. En ik zeg u dat binnenkort een slecht tijdperk zal eindigen met de verwoesting van de tempel en van het heersende gezag in Jeruzalem, dat Jezus als Zoon van God verworpen heeft.'

'Goed dan,' zei Helius, opeens weer geïrriteerd. 'Misschien kunnen we het debat over vaktermen achter ons laten en doorgaan.'

'Dit is veel belangrijker dan alleen een debat over vaktermen,' deelde Zabad Helius mee. 'Door de dood en opstanding van Jezus is een nieuwe tijd aangebroken. Een tijd waarin geen offers op de tempelberg vereist zijn. Het verbond tussen God en Israël werd verbroken door het verwerpen van zijn Zoon.'

'Alleen als Jezus de Messias is, zoals jij beweert,' wierp Kaleb tegen.

'Dat is Hij,' zei Zabad. 'Jezus heeft het verbond tussen God en Israël vernieuwd en vervuld en nu roept God alle mensen op zich te bekeren en het goede nieuws te geloven, namelijk dat Jezus de Heer van allen is.' Zabad wendde zich weer tot Helius. 'Hij roept ook u op tot zijn verbond toe te treden.'

'Zoals ik al duidelijk maakte, ben ik niet geïnteresseerd in de vaktermen van dit debat.' De irritatie van Helius grensde aan woede. 'En ik ben zeker niet bereid iemand anders dan Nero goddelijk te noemen.' Helius wees op Kaleb die opgehouden was met ijsberen. 'Jij blijft mijn geduld op de proef stellen. Ik wil bewijs dat Jezus een valse profeet was. Geef me een goede reden om geen soldaat binnen te roepen en je te laten onthoofden.'

✠ ✠ ✠

Eén leeuw stapte plotseling op het zand, uit de vertrekken onder de tribunes opgejaagd door een slaaf met een toorts. Toen nog een leeuw. Een derde. En een vierde. Meer en meer. Ze bewogen als muizen die onder opgetild stro vandaan komen, maar zagen eruit als monsterlijke beesten; vrouwen in het publiek vielen flauw bij de gedachte aan hun bloeddorstigheid.

De leeuwen renden paniekerig rond. Verscheidene probeerden op de muren te springen, zodat de toeschouwers die over de rand leunden om een beter uitzicht te hebben, uiteenstoven. Een paar jonge mannetjesleeuwen botsten tegen elkaar op; dit veroorzaakte gevechten waarbij ze grauwend en met veel primitief vertoon van woede over elkaar heen buitelden.

Nog altijd hadden de leeuwen de groep mannen en vrouwen in het midden niet opgemerkt, want de christenen bleven bewegingloos staan. Lea – die de uitleg van de bestiarius aan de gevangenen gehoord had – wist dat de gevangenen stilletjes uit elkaar moesten gaan en enigszins moesten bewegen om de leeuwen te laten weten dat zij levende prooi waren. De bestiarius had zorgvuldig uitgelegd dat ze de leeuwen zouden intimideren als ze in een grote groep bleven staan. Als vrouwen in de groep begonnen te gillen, zouden deze wilde leeuwen, die al zo van slag waren door het zien en ruiken van de arena, zelfs bang worden.

Eén leeuw begon in het zand te graven, misschien omdat hij het bloed van een eerder slachtoffer rook. Een andere leeuw begon achter een leeuwin vlak bij hem aan te sluipen.

Omdat er niets gebeurde, begonnen een paar mensen in het publiek te joelen.

Lea stond voor de moeilijkste beslissing in haar jonge leven. Ze moest kiezen: het leven van haar geliefde broer verlengen of kinderen in slavernij sturen. Met haar verstand wist ze welke keuze ze moest maken. Omdat er geen keuze was. Haar broer zou sterven, of het nu binnen vijf minuten was of over een half uur. Als de kinderen niet als slaven verkocht werden, zouden ook zij voor de leeuwen gegooid worden.

Toch kon haar hart de spanning nauwelijks verdragen en de beslissing van haar verstand leek zonder betekenis tegenover de emoties die haar overspoelden.

Hoe kon ze doen wat ze moest doen?

✠ ✠ ✠

'Homerus keert terug,' sprak Damianus laconiek terwijl hij opkeek van het diptiek dat hij zat te lezen.

'Ben je alleen?' vroeg Vitas. Vier slaven vergezelden hem. 'Hoe zit het met je vrouwen?'

Damianus maakte een wuivend gebaar. 'Jij weet hoe je een feestje moet bederven, dat zeker. Titus hoorde genoeg van wat daar buiten gebeurde om achter je aan te strompelen. En al dat gekreun van onze gevallen held de gladiator bedierf de stemming nog meer. Ik heb iedereen weggestuurd.'

'Wat jammer nou,' zei Vitas grijnzend. Hij gaf de slaven instructie Maglorius naar buiten te dragen, naar de draagstoel die weer voor de villa stond.

'Waar is Titus?' vroeg Damianus terwijl hij alle activiteit afkeurend bekeek. 'Waar ga je met Maglorius naartoe?'

'Vlak nadat ik de onderhandelingen met de schatbewaarder afgerond had, haalde Titus me in,' antwoordde Vitas. 'Hij wacht beneden bij het schip tot jij en ik met Maglorius arriveren.'

Het bewegen van de vier slaven deed de zwaluwen in paniek door hun gevlochten kooi fladderen.

'Rustig maar,' zei Damianus sussend tegen de vogels. 'Rustig. Dit duurt niet lang.' Hij vuurde een afkeurende blik op Vitas af. 'Het duurt niet lang, klopt dat?'

'Zeker,' antwoordde Vitas. 'Ik betwijfel of je veel in te pakken hebt.'

'Ik kan Smyrna niet verlaten,' zei Damianus. 'De gladiatoreneed...'

'Wat een eergevoel!' merkte Vitas met een ironische glimlach op. 'Ik kan je wel vertellen, broertje, dat ik trots op je ben. Je bent bijna volmaakt – op je zwakte voor gokken na.'

'Eergevoel?' Damianus wreef over zijn voorhoofd en zuchtte. 'Heb jij enig idee hoe meedogenloos een man die de eed verzaakt, achtervolgd wordt? En zijn lot is veel, veel erger dan alles wat hem in de arena zou kunnen overkomen.' Hij gooide Vitas het diptiek toe. 'Hier, dit is van Maglorius. Als hij in leven blijft, zal hij het graag willen hebben.'

Vitas woog het diptiek in zijn hand, vanzelfsprekend nieuwsgierig naar de inhoud.

De meeste correspondentie was gevoerd met inkt op dunne

plaatjes hout met gaatjes, die aan elkaar gebonden konden worden. Maar een diptiek bevatte dikkere stukken hout, bestreken met bijenwas waarin de schrijver de woorden kraste met een schrijfstift. Dit systeem was veel duurder; daarom werden diptieken gewoonlijk gebruikt voor belangrijke documenten, wettige documenten. Waarom zou een gladiator een dergelijk document ontvangen?

Vitas bekeek het wat nauwkeuriger. 'Het zegel is verbroken.'

'Natuurlijk.'

'Heb jij het verbroken?' vroeg Vitas.

'Zodra de boodschapper vertrok.'

'Sommige mensen zouden dat illegaal vinden, immoreel, en –'

De slaven hadden Maglorius meegenomen. Vitas en Damianus bleven samen achter bij de kooi met zwaluwen.

'Niet zo streng, broer,' zei Damianus. 'Maglorius kán wel lezen en schrijven, maar hij laat me het liefst alles voorlezen. Hij is een krijger uit een primitieve stam, weet je nog? En dit –' Damianus wees op het diptiek – 'dit is een hartstochtelijke liefdesbrief. Heel amusant. Niet alleen is die vrouw verliefd op hem, maar bovendien is ze getrouwd.'

'Geen interesse,' zei Vitas. 'Bespaar me de details.'

Damianus grijnsde schurkachtig. 'De vrouw begint met het uitspreken van haar onvergankelijke liefde voor Maglorius, die ze al koesterde voordat ik de gladiatoreneed aflegde.'

'Genoeg,' zei Vitas. 'Dat zijn mijn zaken niet.'

'Als je wist wie haar echtgenoot is, zou je wel meer willen weten, denk ik!' Damianus wachtte even.

'Goed dan!' Vitas grijnsde terug in de wetenschap dat zijn broer een spelletje met hem speelde. 'Wie?'

'Lucius Bellator. Zijn vrouw, Alypia, is verliefd op Maglorius. En dat is al vijf jaar het geval.'

'Bellator! Zijn familie is al bekend sinds Rome gesticht werd! En hijzelf heeft pas een begerenswaardige politieke functie ontvangen. Hij wordt overgeplaatst naar Judea om toezicht te houden op het inzamelen van de belasting daar. Alsof hij nog niet rijk genoeg is!'

'Heb ik gelijk of niet?' vroeg Damianus. 'Zou jij niet afgeluisterd hebben, als je mij was? En zou jij deze brief niet gelezen hebben?'

'Ik zou wel in de verleiding komen,' zei Vitas. Maar niet genoeg om het zegel te verbreken. Nu had hij het diptiek en hij zou ervoor zorgen dat niemand anders dan Maglorius dat te zien kreeg.

'Laat ik je dan nog meer vertellen,' zei Damianus. 'Ze spreekt van haar liefde en smeekt hem veilig terug te keren, want ze verklaart dat er genoeg tijd gepasseerd is om hem als lijfwacht in hun huis te kunnen opnemen zonder de verdenking van haar bejaarde echtgenoot te wekken. Verder is ze eindelijk in staat hem iets van groot belang te onthullen...'

'Nee,' zei Vitas ferm. Hij voelde zich al enigszins schuldig omdat hij tot zover naar het geroddel had geluisterd. 'Ik heb geen tijd en ik heb zelf ook belangrijk nieuws voor jou.'

'Maar echt, het is fantastisch! Het feit alleen al dat Maglorius niet eens wist dat –'

'Nee!'

Damianus haalde zijn schouders op. 'Jij je zin.'

'Ik zal zorgen dat hij het krijgt,' zei Vitas. 'Iemand die zo taai is als Maglorius, zal wel helemaal opknappen, verwacht ik.'

'Is er nog wat wijn?' vroeg Damianus. 'Ik heb mijn best gedaan te vergeten dat ik vandaag mijn beschermer in de arena kwijtgeraakt ben. Al dat gepraat over Maglorius herinnert me eraan wat er vanmiddag gaat gebeuren als ik voor de leeuwen gegooid word.'

'Ben je niet benieuwd waarom ik naar Smyrna ben gekomen?'

'Ik weet zeker dat jij, als aardige, fatsoenlijke grote broer, hierheen gekomen bent om te zorgen dat mijn verminkte lijk naar Rome teruggebracht wordt, aangezien je evenmin als de rest van de wereld wist dat ik de bescherming van Maglorius verkregen had. Nu hij bijna dood is, zal je bezoek ironisch genoeg dat doel alsnog kunnen dienen. En opnieuw zal de wereld zien dat jij wijs gehandeld hebt.' Damianus grijnsde. 'Ach, ik klaag niet. Ik ben als enige verantwoordelijk voor de gokschulden waardoor ik de gladiatoreneed moest afleggen.'

Vitas kende zijn broer goed genoeg om te begrijpen dat deze geforceerd nonchalante houding slechts camouflage was. Toch was Vitas nog niet in staat het nieuws dat hem naar Smyrna had gebracht aan zijn broer te vertellen.

Hij ging naast hem staan. 'Vertel me eens wat die vogels te betekenen hebben.'

Damianus kuchte en negeerde de vraag. 'Vitas, ik weet zeker dat je deze taak op je genomen hebt om vader te helpen. Denk erom dat je hem vertelt dat ik hem of zijn opvoeding niet de schuld geef van mijn verkeerde beslissingen. Kijk maar naar jou. Een zoon om onder alle omstandigheden trots op te zijn.'

'Damianus –' Vitas sprak nu heel zacht – 'onze vader is dood.'

✠ ✠ ✠

'Bewijs dat Jezus een valse profeet was,' herhaalde Kaleb de woorden van Helius. 'Ik zal u het bewijs geven. Volgens Matteüs heeft Jezus gezegd: "Ik verzeker jullie: deze generatie zal zeker nog niet verdwenen zijn wanneer al die dingen gebeuren."' Kaleb keek Zabad doordringend aan. 'Staat dat niet in de boekrol?'

'Ja, en nog meer.' Zabad knikte en citeerde uit zijn hoofd: 'Pas op dat niemand jullie misleidt. Want er zullen velen komen die mijn naam gebruiken en zeggen: 'Ik ben de messias,' en ze zullen veel mensen misleiden.'

Zabad haalde even adem en wilde Jezus verder citeren, maar Kaleb viel hem in de rede en sprak Helius toe. 'Voordat hij er zijn voordeel mee doet, zal ik toegeven dat deze profetieën van Jezus waarheid bevatten. Ik weet zeker dat u op de hoogte bent van Theudas, die een groot aantal mensen overhaalde hem naar de Jordaan te volgen en beloofde dat hij de rivier in tweeën zou splitsen zodat ze erdoor konden gaan. En van Dositheus, de Samaritaan, die zich voordeed als de wetgever die Mozes beloofd heeft. En van de vele valse messiassen ten tijde van procurator Felix.'

'Ja,' snauwde Helius tegen Kaleb. 'Ik ben zeker op de hoogte van de Joodse revolutionairen. Waarom is Zabads redenering zo sterk en die van jou zo zwak?'

'Nog even geduld,' zei Kaleb. 'Jezus voorspelde op de berg ook het volgende: "Jullie zullen berichten horen over oorlogen en oorlogsdreiging. Laat dat je dan niet verontrusten, die dingen moeten namelijk gebeuren, al is daarmee het einde nog niet gekomen. Het ene volk zal tegen het andere ten strijde trekken en het ene koninkrijk tegen het andere, en overal zullen er hongersnoden uitbreken en zal de aarde beven: dat alles is het begin van de weeën."'

Helius keek Kaleb woedend aan. 'Nog even geduld? Ik dacht dat jij verondersteld werd te bewijzen dat Jezus ongelijk had! Het tegengestelde lijkt het geval. Als Jezus deze dingen voorspeld heeft, maakt dat de zaak tegen jou sterker. Tijdens de lange regering van Tiberius hadden we vrede. Nu plotseling, sinds de dood van Jezus, is er weer onrust.'

Kaleb haalde zijn schouders op. 'De wereld die wij kennen, is voortdurend in oorlog, aangezien het Romeinse keizerrijk zijn grenzen uitbreidt en verdedigt. Oorlogen tegen de krijgers in Brittannië. Tegen de Galliërs. De Parten. Rome heeft een enorme hongersnood te verwerken gehad in de laatste tien jaar. Aardbevingen lijken dagelijks voor te komen, over de hele wereld verspreid. Oppervlakkig gezien lijkt Jezus opmerkelijke voorspellingen gedaan te hebben.'

Helius kon het bijna niet verdragen. 'Oppervlákkig gezien? Heb je geen idee hoe je over deze zaak moet debatteren? Oorlogen, aardbevingen en hongersnoden – wanneer zal de wereld die niet onder ogen hoeven zien? Ik durf te wedden dat het over duizend jaar nog niets veranderd is.'

Kaleb stak een hand op, alsof hij Helius het zwijgen wilde opleggen. Dat gebaar maakte Helius nog kwader en hij begon te koken van woede.

Kaleb negeerde Helius. 'Zabad, ben jij bereid te stellen dat Jezus al deze voorspellingen specifiek op deze generatie betrok?'

'Natuurlijk,' zei Zabad. 'Duidelijker kan het niet. Jezus zei dat alles op deze generatie betrekking had en zelfs nu de wereld rijker en beschaafder is dan ooit, vinden er nog altijd hongersnoden en oorlogen plaats.'

'Ga met die man in discussie!' zei Helius. 'Stem niet met hem in. Bij de goden – ik ben al half bereid zelf die Christus te gaan volgen door de onbeholpen manier waarop jij dit behandelt.'

Kalebs ogen glansden triomfantelijk en hij grijnsde naar Helius. 'Ik wil in herinnering brengen dat we het er allemaal over eens zijn dat de waarheid van de profetieën van Jezus op de Olijfberg van geen enkele betekenis is, tenzij álle gebeurtenissen die Hij voorspelde ook uitkomen, en niet slechts een paar.'

'Jij bent een stommeling,' deelde Helius Kaleb mee. 'Ik denk dat ik bevel geef je onmiddellijk te executeren.'

'Ik wil dat Zabad nader uitleg geeft van de volgende profetie van Jezus op de Olijfberg,' eiste Kaleb met stemverheffing. 'Herinner jij je deze nog? "Ik verzeker jullie: geen enkele steen zal op de andere blijven, alles zal worden afgebroken."'

'Dat heeft Jezus inderdaad gezegd,' zei Zabad.

'Met andere woorden: de tempel zal verwoest worden?' zei Kaleb.

'Ja,' antwoordde Zabad.

Kaleb wendde zich tot Helius en boog. 'Alstublieft. Het bewijs dat Jezus een valse messias is.'

'Noem je dat bewijs?' Helius kon nauwelijks spreken van woede.

'Als er ook maar één profetie onjuist is, is Hij niet goddelijk,' zei Kaleb. 'En deze profetie, zijn meest buitensporige, is duidelijk een valse profetie.'

Kaleb wendde zich weer tot Zabad. 'Ben je het met me eens dat de hele Joodse bevolking van Jeruzalem op leven en dood zou strijden om te voorkomen dat heidenen het allerheiligste schenden?'

'Natuurlijk.'

Kaleb grijnsde breed en deed geen moeite zijn triomf te verbergen. 'En daaruit blijkt duidelijk dat jullie Jezus een valse profeet is. De generatie die leefde toen Hij sprak, is bijna uitgestorven. Toch staat de tempel nog altijd stevig op zijn fundamenten.'

'Deze generatie is nog niet voorbij,' wierp Zabad tegen. 'Hoe onwaarschijnlijk het ook mag zijn: ik geloof dat de waarheid van de profetieën van Jezus zal worden bewezen voordat de getuigen van deze woorden allemaal overleden zijn.'

'Hoe groot zijn de stenen van de tempel?' vroeg Kaleb.

'Elke steen is tweemaal zo hoog als een mens. Tien passen lang. Twee passen breed.'

'Zo groot dat er tientallen mensen nodig zijn om er een te verplaatsen.'

'Zo groot,' zei Zabad, 'dat het tientallen jaren geduurd heeft om de tempel te voltooien. Dat maakt de profetie van Jezus juist zo stoutmoedig.'

'Stoutmoedig?' vroeg Kaleb. 'Ik zou eerder zeggen: ronduit belachelijk. Op de berg Sion stroomt een beek die voldoende water levert om elke bezetting te doorstaan. Die massief stenen muren staan hoog op de rotsen. Er is genoeg voedsel in de stad aanwezig voor tien jaar. En degenen die daar binnen zijn, zouden zo vurig strijden dat zelfs het machtige Romeinse rijk hen op geen enkele manier zou kunnen verslaan. Mee eens?'

'Mee eens,' zei Zabad.

'En geloof je nog steeds dat de profetieën van Jezus binnen deze generatie vervuld zullen worden?'

'Dat geloof ik.'

Kaleb sprak Helius aan. 'U bent een verstandig politicus. U weet even goed als iedereen dat de autoriteiten die Jeruzalem en de rest van het land beheersen, nauw met de Romeinen samenwerken. Kunt u een reden bedenken waarom de invloedrijke Joden ooit een opstand vanuit hun eigen volk zouden toestaan?'

'Nee, geen enkele,' zei Helius. Hij ontspande zich enigszins, alsof hij eindelijk begreep waar Kaleb met de discussie naartoe wilde.

'U kent Nero als geen ander,' zei Kaleb. 'Denkt u dat hij tijd en energie zou verspillen door daar legioenen heen te sturen om een tempel te vernietigen als de Joden hem daar geen reden toe geven?'

'Nooit.'

'Ik stel,' verkondigde Kaleb, 'dat de tempel een van de wereldwonderen is. Indrukwekkend. Onneembaar. Zo onneembaar dat zelfs áls het machtigste rijk dat de wereld ooit gekend heeft, zou proberen hem te verwoesten, dat rijk verslagen zou worden. Ik stel dat het Romeinse rijk geen logische reden heeft om dat zelfs maar te proberen. En de generatie tot wie Jezus zich richtte, is bijna voorbijgegaan.'

'Uitstekend,' zei Helius. 'Als de tempel binnen deze generatie niet valt, was Jezus blijkbaar een valse profeet. En een valse profeet kan niet beweren door God geïnspireerd te zijn, laat staan zijn volgelingen laten geloven dat hij de Zoon van God is.'

'Deze generatie is nog niet voorbijgegaan,' zei Zabad.

Kaleb negeerde hem en sprak tegen Helius. 'Ziet u? Nero heeft de macht. Niet die Jezus. Als Nero beslist de tempel niet te verwoesten, bewijst Nero dat Jezus een valse profeet is.'

Helius deelde Kalebs gevoel van triomf. Ja! Dat waren woorden waar Nero verrukt over zou zijn.

'Goed gedaan,' zei Helius tegen Kaleb. 'Dat is dus geregeld. Zabad en zijn gezin zullen in de arena sterven.'

'En mijn broer?' vroeg Kaleb. 'Wordt hij vrijgelaten?'

'Natuurlijk,' loog Helius. Zinloos om hier een scène te veroorzaken. Hij zou het vertrek verlaten en de soldaten naar binnen sturen om Kaleb en de andere rabbi te laten afvoeren voor onmiddellijke executie. De schrijver ook, want Helius wilde geen getuigen in leven laten.

Helius was blij dat hij nu iets had om Nero gerust te stellen. Hij begon plannen voor de avond te maken. Eerst wijn, zoals altijd, daarna –

Opeens realiseerde hij zich dat Zabad ook opgestaan was en zich rechtstreeks tot hem richtte.

'Nero's dood is ophanden. Dat is door God besloten,' zei Zabad. 'En door mensen geprofeteerd. Bereid u voor om de Rechter van hemel en aarde onder ogen te komen, de Koning der koningen, de Heer der heren.'

✠ ✠ ✠

Op de een of andere manier vond Lea de kracht om van haar zitplaats in de arena op te staan. En toen vond ze op de een of andere manier de kracht om haar arm te heffen en met een helderrode doek te zwaaien.

Bijna honderd meter verderop hief haar broer zijn handen ten hemel, alsof hij God om genade smeekte. Die beweging toonde Lea dat hij de hoofddoek gezien en het signaal begrepen had.

De kinderen waren weggehaald en verkocht, zoals beloofd. Dat had haar broer willen weten, dat de bestiarius de overeenkomst was nagekomen. En nu zouden de mannen en vrouwen die op het zand samenschoolden ook hun afspraak nakomen.

Lea's ogen vulden zich met tranen. Ze wenste dat de aanblik haar bespaard kon blijven. Maar haar broer had haar laten beloven dat ze zou toekijken met evenveel dapperheid als hij zou tonen wanneer de leeuwen dichterbij kwamen. Dus keek ze toe terwijl de mannen en vrouwen uiteengingen, langzaam, om de leeuwen niet aan het schrikken te maken. Ze begonnen allemaal lichtjes te slingeren en met de handen op en neer te bewegen om de leeuwen op hun aanwezigheid attent te maken.

Meteen stopten de beesten hun stompzinnige rondjes en reageerden ze door in elkaar te duiken.

Het publiek werd stil toen het ogenblik van verschrikking naderde. In deze stilte steeg een geluid vanaf de zandvlakte op. Pas na een paar tellen drong het tot Lea door dat haar broer begonnen was een lofzang te zingen. Anderen op het zand deden met hem mee; hun stemmen zwollen aan tot een koor.

Deze waardigheid en kalmte waren niet de reactie die het publiek verwacht had en de menigte bleef stil, nu van verbazing. De woorden van de lofzang werden duidelijker naarmate de mannen en vrouwen met meer blijdschap zongen.

Een paar mensen in het publiek begonnen boos te fluiten. Toen klonk er honend boegeroep en de tijdelijke betovering was gebroken.

Een paar leeuwen slopen dichterbij.

Lea's adem stokte toen haar broer naar voren stapte en de zebrahuid die hem bedekte, liet vallen. Hij viel op zijn knieën en vouwde zijn handen in gebed.

De stoutmoedigste leeuw sprong plotseling naar voren.

En Lea verbrak haar belofte.

Ze draaide haar hoofd weg en sloot haar ogen op dat laatste ogenblik, terwijl de leeuw zich met uitgestrekte klauwen op haar broer stortte.

✠ ✠ ✠

'Nee,' zei Damianus tegen zijn broer. Die ontkenning werd blijkbaar gevolgd door begrip. 'Vader? Dood?'

'Ja. Een paar dagen nadat jij naar Smyrna vertrok. Hij stierf alleen. In zijn slaap. Ik heb gehoord dat het een pijnloze dood was.'

Een tijdlang zwegen beiden in gedeeld verdriet; de stilte werd alleen verbroken door het rusteloze gefladder van de vogels in de kooi.

'Goed dan,' zei Damianus. Hij zuchtte. 'Dat vereenvoudigt het regelen van mijn begrafenis waarschijnlijk. Ik zou er niet te veel aan uitgeven als ik jou was. Drink wat wijn ter ere van mij, dat is voldoende.'

'Ik zal wat wijn mét jou drinken, broer. Op het schip dat vanmiddag naar Rome terugkeert.'

'Ik heb je toch gezegd dat de gladiatoreneed bijzonder serieus genomen wordt. Als ik Smyrna ontvlucht, staat er de rest van mijn leven een beloning op mijn hoofd.'

'Nee. Gistermiddag heb ik je vrijgekocht. Dat was een bepaling in vaders testament.'

'Bij de goden!' Damianus' gezicht lichtte op. 'Heeft hij dat toch nog gedaan? Terwijl hij zo kwaad op me was?'

'Hij hield van je. Enorm veel. Jij en ik erven samen het landgoed.'

'Ik geloof je niet!'

Vitas knikte.

'Je bent een sukkel,' zei Damianus grinnikend. 'Je had een paar dagen later in Smyrna moeten aankomen in de verwachting dat ik dood zou zijn; dan zou het hele landgoed nu van jou zijn.'

'Zou jij niet hetzelfde gedaan hebben om mij te redden?'

Damianus knikte. 'Zonder aarzeling. Maar dwing me nooit meer toe te geven dat ik zo van je houd.'

'Je bent vrij, broer. Ga terug naar Rome. Je bent opgeleid als advocaat. Je kunt opnieuw beginnen als gerespecteerd man.'

Damianus snoof. Hij gebaarde naar de vogels in de kooi. 'Zodat ik net zo'n leven kan leiden als zij? Goed gevoed, veilig, maar in de gevangenis?'

'Je was gekluisterd door je gladiatoreneed.'

'Jij hebt geen idee wat het is om op het scherp van de snede te leven, is het wel?'

'Ik heb in Brittannië gevochten.'

'Maar je diende daar niet omdat je het leven tot op de bodem wilde proeven. Je diende uit loyaliteit aan het Romeinse rijk.'

'Bestaat er een andere beweegreden?'

Damianus schonk hem een scheve grijns. Hij tikte tegen zijn

neus. Toonde zijn kromme pink. Raakte zijn ingekeepte oor aan. 'Wat dacht je van avontuur?'

'Ga in Rome op avontuur; het schip ligt te wachten.'

Damianus ijsbeerde door de kamer. 'Ik ga wel.'

'Uitstekend,' zei Vitas.

'Maar nu nog niet,' zei Damianus. 'Ik heb te veel plezier in een bepaald spel dat ik speel.' Hij wees op de kooi met zwaluwen.

'Alsjeblieft,' zei Vitas. 'Die spelen van jou lopen altijd verkeerd af. Ga nu.'

'Uit Smyrna vertrekken?' vroeg Damianus. 'De stad van de spelen? Nu, als voormalig gladiator? Denk aan de vrouwen die klaar staan om te bezwijmen als ze mij zien. Vooral nu ik rijk ben en niet echt hoef te vechten om mijn reputatie waar te maken.'

'Het schip is klaar om uit te zeilen,' zei Vitas. 'Alsjeblieft! Je weet dat je door gokken in moeilijkheden komt.'

'Nee,' zei Damianus. 'Ik kom in moeilijkheden door mijn zucht naar opwinding. Gokken is toevallig een van de geschiktste manieren om die opwinding te vinden.'

'Ik heb iets anders voor je,' zei Vitas rustig.

'Luister! Dit plan is onfeilbaar. Deze zwaluwen komen uit Efeze. Ik heb een afspraak met bepaalde gokkers daar die graag enorme hoeveelheden sestertiën verwedden op de kleuren van de wagenmenners. Veel van hen wedden ook op wagenrennen hier in Smyrna en zijn daarbij afhankelijk van koeriers die de resultaten komen vertellen.'

Damianus hoefde de kleuren niet uit te leggen; die waren sinds lang traditie in Rome. Er waren vier partijen: de blauwen, de groenen, de witten en de roden – de kleuren die de wagenmenners droegen. Deze partijen leidden tot grote rivaliteit en die rivaliteit leidde tot grootschalig gokken. Zoals Damianus had gedaan.

'Titus is ook op het schip,' zei Vitas. 'Keer terug naar Rome. Hij en zijn vader zullen voor je instaan. Denk aan de politieke loopbaan die voor je ligt.'

'Fatsoenlijkheid is saai,' zei Damianus. 'Ik zal je over de zwaluwen vertellen. Mijn kennissen in Efeze hebben ook een kooi, met zwaluwen die in Smyrna geboren zijn. En we helpen elkaar.'

'Helpen?'

'Zodra ik weet welke partij de wagenrennen van die dag gewonnen heeft,' zei Damianus, 'verf ik een zwaluw in die kleur en laat hem vrij. Lang voordat de koerier in Efeze aankomt, is die zwaluw al op zijn nest gearriveerd en heeft mijn kennissen gewaarschuwd op welk team ze moeten wedden. Zij doen natuurlijk hetzelfde voor mij. Alle paarden waar ik de afgelopen week op gewed heb, waren winnaars.' Damianus grijnsde nogmaals. 'Hoe zou ik me deze villa anders kunnen veroorloven?'

'Dat plan van jou zal uiteindelijk ontdekt worden. Als je telkens wint, gaat dat opvallen.'

'Dat ben ik met je eens,' zei Damianus. 'Maar morgen om deze tijd zou ik dood zijn, óf met de rest van de gladiatoren naar Rome terugkeren. Tot die tijd had ik Maglorius nog die me beschermde. Dus heb ik alles zo snel mogelijk uitgegeven. Heel plezierig, mag ik wel zeggen.'

'Wanneer keer je dan naar Rome terug?'

'Kijk maar hoeveel zwaluwen er nog in de kooi zitten,' antwoordde Damianus.

Vitas zuchtte. Hij dacht aan het schip. Aan Paulina en de baby die hij gezworen had te zullen onderhouden. Aan de Joodse slavin die hem betoverde, die hij het hof wilde maken op dezelfde manier als hij een Romeinse vrouw met een hoge maatschappelijke status het hof zou maken.

Vitas wist dat zijn broer geen duimbreed zou wijken. En de anderen zaten te wachten. 'Ik heb veel over je situatie nagedacht,' zei hij. 'Ik ken je bijna even goed als jij jezelf kent.'

'Ik leef met je mee,' grinnikte Damianus.

'Een maand geleden,' zei Vitas, 'zijn er twee slaven uit Nero's paleis ontsnapt. Dat is niet in het openbaar afgekondigd, omdat ze het klaarspeelden er met een aanzienlijke hoeveelheid sieraden vandoor te gaan. Blijkbaar was Nero nogal zorgeloos geweest in hun nabijheid.'

'Aantrekkelijke jonge jongens, neem ik aan, als Nero snuisterijen voor hun neus heeft laten bengelen.'

'Spoor hen voor me op,' zei Vitas. 'Ik denk dat je dat even opwindend zult vinden als gokken, en je hebt meteen een excuus om de achterbuurten af te stropen – die jou schijnen aan te lokken als een Sirene op een rots.'

'Geen slecht idee,' zei Damianus. 'Helemaal niet slecht. Ex-gladiator wordt slavenjager.' Nog een scheve grijns. 'Ik kan me voorstellen hoe aantrekkelijk dat is voor het soort vrouwen dat ik interessant vind.'

'Je doet het dus?'

Damianus knikte. 'Over een maand of zo kom ik bij jou in Rome.'

Vitas zuchtte. Hij liep naar de vogelkooi. Tilde die op. Bracht hem naar het open raam. Trok de tralies van de kooi uit elkaar. Hield hem voor het raam tot alle vogels de vrijheid hadden gevonden.

'Ik ga andere zwaluwen zoeken,' zei Damianus. 'Al was het maar uit principe. Je weet dat ik er een hekel aan heb als iemand zegt wat ik moet doen.'

'Je hebt twee uur,' zei Vitas. 'Daarna vertrekt het schip.'

Terwijl Vitas de villa verliet, kwam hij drie mannen tegen. Ze waren niet fors, maar wel gewapend met stukken hout en boze gezichten. Ze wierpen een blik op hem, maar passeerden zonder hem iets te doen.

Vitas draaide zich om en zag dat ze de buitenste binnenhof van de villa ingingen. Dat verbaasde hem niets. Welke zaken zouden ze anders af te handelen hebben op dit uur van de ochtend?

Vitas schudde zijn hoofd en liep door. Nu Damianus de helft van het familiebezit geërfd had, kon hij hen terugbetalen. En een paar blauwe plekken zouden hem geen kwaad doen; een aanmoediging om de weg naar fatsoen in te slaan.

Twee minuten later hoorde Vitas geschreeuw achter zich.

'Vitas! Vitas!' Het was Damianus, in volle vaart. Zijn toga wapperde achter hem aan en zijn sandalen waren niet vastgemaakt. 'Vitas! Wacht! Vertel eens waar ik dat schip van jou kan vinden!'

✠ ✠ ✠

'Wat?' Helius beval de schrijver zijn schrijfstift te laten rusten.

'Luister wat Jezus verkondigde,' zei Zabad. 'Meteen na de verschrikkingen van die dagen zal de zon verduisterd worden en de maan geen licht meer geven, de sterren zullen uit de hemel vallen en de hemelse machten zullen wankelen. Dan zal aan de hemel het teken zichtbaar worden dat de komst van de Mensenzoon aankondigt, en alle stammen op aarde zullen zich van ontzetting op de borst slaan als ze de Mensenzoon zien komen op de wolken van de hemel, bekleed met macht en grote luister.'

Helius wierp een vragende blik op Kaleb. 'Komen op de wolken? Denk je dat die Jezus op het punt staat terug te komen?'

'Zabad citeert uit de boekrol van Matteüs.' Kaleb uitte een vermoeide zucht. 'Als u een Jood was, zou u vertrouwd zijn met die beeldspraak. "Komen op dc wolken" is een bekende Joodse uitdrukking die door onze profeten gebruikt wordt om de majesteit en autonome macht van God uit te drukken. Zijn komst op de wolken kan vertaald worden als oordeel voor degenen die Hem weerstand bieden en zegen voor degenen die de knieën voor Hem buigen.'

'Ben je daar zeker van?' vroeg Helius.

'Dat is algemeen bekend. Jesaja, bijvoorbeeld, gebruikte dezelfde uitdrukking om Gods wraak op Egypte te beschrijven. Toen hij profeteerde dat God grimmig, in brandende toorn, zou komen om het land Babel te verwoesten, zei hij: "De zon is verduisterd als ze opkomt, het licht van de maan is verdwenen." Al die beelden worden door onze oude profeten vaak gebruikt om Gods oordeel en wraak te beschrijven.'

'Grimmig, in brandende toorn?' vroeg Helius aan Zabad.

'Uit onze profeet Daniël.' Zabad citeerde: 'In mijn nachtelijke visioenen zag ik dat er met de wolken van de hemel iemand kwam die eruitzag als een mens. Hij naderde de oude wijze en werd voor hem geleid. Hem werden macht, eer en het koningschap verleend, en alle volken en naties, welke taal zij ook spraken, dienden hem. Zijn heerschappij was een eeuwige heerschappij die nooit ten einde zou komen, zijn koningschap zou nooit te gronde gaan.'

'Genoeg!' schreeuwde Helius.

Als Nero ook maar iets zou horen over een god die op het punt stond het oordeel over hem uit te spreken, zou het leven in het paleis ondraaglijk worden. Nero sliep de ongemakkelijke slaap van een man met een slecht geweten. Hij zag overal complotten.

'Beweer je dat die Jezus terug zal komen om deze generatie te oordelen?'

Helius wendde zich tot Kaleb. 'Ik heb uitleg nodig.'

Kaleb schudde zijn hoofd. 'Het betekent geen letterlijke, lichamelijke terugkeer. Het betekent dat Gods straf Jezus en zijn dood zou wreken.'

'Straf?' vroeg Helius. Nero was al veel te paranoïde. Dit mocht niet naar buiten komen! 'Welke –?'

'Als de tempel niet valt – en dat gebeurt niet, vanwege alle redenen die ik zojuist aangevoerd heb – zijn alle andere profetieën evenmin geloofwaardig,' antwoordde Kaleb. 'Dat heb ik zojuist vastgesteld.'

'Ja,' zei Zabad, 'als de tempel niet valt, is Jezus een mislukte profeet. Maar deze generatie is nog niet voorbij. De tempel zal vallen, als een oordeel, op de dag en het uur waarvan alleen God weet. En op een dag zal Jezus werkelijk terugkeren om de levenden en de doden te oordelen.'

'Ik kan die religieuze onzin niet verdragen,' zei Helius.

'U hebt ook een waarschuwing ontvangen,' vertelde Zabad hem. 'Een goddelijke openbaring zoals gegeven is aan de laatste discipel.'

'De laatste discipel?' Helius wendde zich tot Kaleb. 'Wie is die laatste discipel?'

Kaleb haalde zijn schouders op.

'Nero begon met de Verdrukking na de Grote Brand, maar zijn tijd zal ingekort worden,' zei Zabad. 'Hij zal verslagen worden door het Lam. De Christus tegen de antichrist.'

'Het Lam?' herhaalde Helius. Geen enkele voorspelling van Nero's nederlaag mocht de keizer ooit ter ore komen. Zijn stem klonk luid en zijn vraag aan Kaleb werd dringender: 'Vertel me wie die laatste discipel is!'

'Nero is ten ondergang gedoemd,' zei Zabad, alsof Helius niet gesproken had. 'En in zijn ondergang zult u delen. Toch is het niet te laat om uw ziel te redden.'

Aan de muur hing een toorts, onaangestoken omdat het klaarlichte dag was. Zabad pakte die. Met het beroete uiteinde tekende hij met grote letters één enkel Grieks woord op de muur.

Nog voordat Zabad klaar was, wist Helius welke symbolen het zouden zijn.

Dat was het Griekse woord dat de christenen overal in de stad neerschreven.

Gedreven door onberedeneerde woede kwam Helius tot de beslissing die hij later keer op keer zou betreuren. Als hij Kaleb had laten leven, dan had hij de senaatsverslagen die zo'n bedreiging vormden, kunnen vinden. Als hij Zabad had laten leven, dan had hij hem kunnen martelen om meer over de openbaring van de laatste discipel te ontdekken.

In plaats daarvan riep hij de bewakers.

'Dood hen!' schreeuwde Helius terwijl zij de kamer binnenstormden. 'Dood hen allemaal!'

Terwijl Kaleb en de onschuldige schrijver doodsbang en nietbegrijpend terugdeinsden, vertoonde Zabad een vreemde, vredige glimlach en wachtte de zwaarden rustig af.

Hij stierf een paar ogenblikken later onder de letters die hij op de paleismuur had gekrabbeld. Letters die ook als getal functioneerden. Letters die opgeteld maar één uitkomst hadden.

Zeshonderdzesenzestig.

ACHTTIEN MAANDEN
NA HET BEGIN VAN
DE GROTE VERDRUKKING
[66 NA CHRISTUS]

JUDEA

Houd de profetie van dit boek niet geheim,
want de tijd is nabij.
Wie onheil aanricht
zal nog meer onheil aanrichten,
en wie onrein is
zal nog onreiner worden.
Wie goed doet
zal nog meer goed doen,
en wie heilig is
zal nog heiliger worden.

ñ Openbaring 22:10-11

13 AB

HET DERDE UUR

'Geen kik, of u sterft,' fluisterde een stem in haar oor.

Koningin Bernice schrok wakker van die stem en de druk van een scherp voorwerp tegen haar hals.

De lampen in haar slaapvertrek in het paleis in Jeruzalem waren gedoofd. Ze sliep onrustig en had een kinderlijke angst voor het donker; daarom had ze er een gewoonte van gemaakt verschillende lampen, gevuld met voldoende olie, tot zonsopgang te laten branden. Haar gordijnen waren dicht, zoals ze haar bedienden altijd opdroeg. Hoewel de zon al uren op was, bleef het hier bijna volkomen donker.

Ze kon de indringer niet zien.

'Dit mes is het bewijs,' ging het hese gefluister door, 'dat ik ten einde raad ben. Ik geef niets om mijn eigen leven. Als u de bewakers roept, sterft u samen met mij.'

Zijn adem kriebelde in haar oor en ze voelde de warmte ervan op haar gezicht. Die schokkende intimiteit was even angstaanjagend als het mes. Hoe had hij het klaargespeeld door het labyrint van gangen in dit slaapvertrek in het hart van het paleis terecht te komen?

'Op uw zij,' beval de stem.

'Wie ben jij?' fluisterde ze.

'Ik heb nog nooit een vrouw geslagen,' zei hij. 'Maar vanmorgen ben ik bereid tot doden. Doe wat ik zeg.'

Langzaam rolde ze op haar zij. Ze sliep in een zijden nachtgewaad dat zich nu strak om haar benen wikkelde.

Was deze man een sluipmoordenaar? Een sicarius van de Zeloten, vastbesloten een lid van de familie Herodes te straffen voor de collaboratie met Rome? Waarom had hij haar dan niet gedood terwijl ze sliep?

De indringer zat op zijn knieën naast haar bed. Hij pakte haar linkerarm en trok die verontrustend zachtzinnig naar voren.

Koningin Bernice voelde dat iets strak om haar pols getrokken werd. Een strop, gemaakt van een leren koord?

'Ik houd mijn mes niet langer tegen uw keel,' fluisterde hij, 'maar als u gilt, zal ik u doden, lang voordat uw bewakers arriveren.'

Hij tastte met één hand naar haar andere arm. Daardoor wist ze dat het geen loos dreigement was: hij hield het mes blijkbaar in zijn andere hand.

Weer het strakke gevoel van een smalle band, nu om haar andere pols. Hij had de stroppen van tevoren geknoopt, alles zorgvuldig voorbereid, besefte ze. Dat besef verhoogde haar angst; een rilling trok door haar hele lichaam.

Hij trok de strop strak en haalde het leren koord toen nauwer aan zodat haar handen slechts een paar centimeter van elkaar verwijderd waren.

'Nu op uw buik,' beval hij.

Ze rolde een kwartslag om tot haar hele gewicht op haar vastgebonden handen rustte; de knokkels van haar vingers drukten in haar onderbuik.

Zwijgend bond hij haar voeten op dezelfde manier vast met van tevoren geknoopte leren lussen.

'Wat wil je?' Ze voelde haar stem beven terwijl ze die vraag fluisterde.

Zonder te antwoorden pakte hij haar op en tilde haar op zijn schouder.

Verwachtte hij met haar het paleis te kunnen verlaten? De gangen wemelden van de bewakers. Toch had hij op de een of andere manier tot zo ver in het paleis weten te komen, hield ze zichzelf voor. Misschien was hij werkelijk van plan met haar te ontsnappen...

Nee.

Hij liep een aantal stappen bij het bed vandaan, maar niet in de richting van de uitgang van haar slaapvertrek. Het leek hem geen enkele moeite te kosten. Zijn kracht joeg haar nog meer angst aan. Hij bracht haar naar de muur aan de andere kant van het vertrek. Daar zette hij haar neer in een zittende houding: haar rug gesteund tegen de muur, haar benen vooruit, haar handen in haar schoot. Een paar kleine uitsteeksels van de muur prikten in haar rug.

'Zit u goed?' fluisterde hij. Aan het geluid te horen hurkte hij naast haar.

'Mijn rug,' zei ze. 'De muur doet me pijn...'

'Ik zal een kussen van de andere kant van de kamer halen. Maar ik zeg het nog eens: als u om hulp roept, dood ik u voordat de bewakers arriveren. Begrepen?'

Ze knikte in het donker.

'Ik wil het u horen zeggen,' fluisterde hij. 'Begrijpt u het?'

'Ik begrijp het.'

Hij stond op. Ze voelde de luchtverplaatsing en verbaasde zich vaag over de verhoogde gevoeligheid van haar zintuigen. Ze hoorde het lichte klikken van de zolen van zijn sandalen. Naar het bed... en terug.

'Leun voorover,' zei hij.

Dat deed ze.

Met een hand greep hij haar bij de schouder. Met de andere liet hij het kussen achter haar glijden.

Wie was deze man? Hij was bereid haar te doden – waarom wilde hij zorgen dat ze prettig zat? Een mengeling van angst en nieuwsgierigheid maakte haar tot het uiterste gespannen.

'Ik heb dorst,' zei ze smekend. In al die jaren waarin ze met de laagste begeerten van mannen geconfronteerd was, had ze het instinct van een verleidster ontwikkeld. Dat instinct zei haar nu dat hij meer met haar zou meevoelen naarmate hij meer voor haar deed. 'Er staat een kruikje naast mijn bed.'

'U moet stil zijn. Daar hangt uw leven van af,' waarschuwde hij.

'Dat beloof ik.'

Opnieuw die onzichtbare, voelbare beweging. Opnieuw het klikken van sandalen. Opnieuw zijn terugkomst.

In het donker vond hij haar arm en bewoog de kruik langzaam naar beneden tot die haar handen bereikte.

Bernice dronk. Haar dorst was heel reëel geweest, een gevolg van haar angst.

Even kwam ze in de verleiding de kruik niet neer te zetten, maar tegen de muur te slingeren in de hoop dat het geluid van de klap een bewaker zou alarmeren. Dat ging snel over. Aan handen en voeten gebonden was ze volkomen hulpeloos. Binnen een seconde zou hij in het donker haar keel vinden en die doorsnijden.

'Wie ben jij?' vroeg ze terwijl hij de kruik van haar aannam. 'Wat wil je?'

'We hebben ruim voldoende tijd om te bespreken wat er te bespreken valt.'

Ruim voldoende tijd. Dat betekende dat hij op de hoogte was van haar gewoontes. In ieder geval wist hij dat ze elke dag uren na zonsopgang in bed bleef liggen, voor het daglicht verborgen door de gordijnen voor haar raam, en totale afzondering eiste tot ze zelf de deur van haar slaapvertrek opende en een bediende riep.

Hoe angstaanjagend dit ook was, toch kwam haar koninklijke zelfbeheersing enigszins terug doordat hij geen poging had gedaan haar kwaad te doen.

'En wat zullen we bespreken?' vroeg ze.

'Het oordeel. Over u.'

✠ ✠ ✠

Eindelijk kreeg Simeon Ben-Aryeh de man met de rode lap aan zijn staf in het oog. Zijn instinctieve afkeer van Romeinen, die al in hem smeulde vanaf het moment dat koningin Bernice hem deze opdracht gaf, werd nog versterkt door de trage, zelfverzekerde manier waarop deze man liep.

Gallus Sergius Vitas.

Ben-Aryeh zat op een deken op een steenworp afstand van de buitenste poort van Herodes' fort. Hij was halverwege de vorige ochtend in Sebaste aangekomen en had zich afgevraagd hoeveel dagen de Romein nodig had om hier te arriveren. Het was niet met zekerheid te voorspellen wanneer zijn schip in Caesarea zou binnenlopen, onmogelijk om in Sebaste er achter te komen wanneer Vitas de boodschap zou ontvangen dat hij naar Ben-Aryeh op zoek moest gaan.

Tijdens het langdurige wachten op Vitas was Ben-Aryeh blijven zwijgen, want hij wilde niet dat zijn accent verried dat hij een Jood was. Vooral niet hier in het bolwerk van Samaria. Ben-Aryeh had uur na uur naar de man uitgekeken – terwijl de zon warmer werd, tot de droge lucht zijn longen bij elke ademhaling schroeide, toen de zon weer daalde en een kilte naliet die zijn oude beenderen naar een extra deken deed verlangen.

De beweging van de zon had Ben-Aryehs eenzaamheid te midden van de menigte nog benadrukt. Hij kon echter zijn smeulende afkeer en wrevel steeds weer opzijzetten door met vreugde te denken aan de majestueuze poëzie van Gods vragen aan Job: 'Waar was jij toen Ik de aarde grondvestte? Vertel het me, als je zoveel weet. Wie stelde haar grenzen vast? Jij weet dat toch? Wie strekte het meetlint over haar uit? Waar zijn haar sokkels verankerd, wie heeft haar hoeksteen gelegd, terwijl de morgensterren samen jubelden en Gods zonen het uitschreeuwden van vreugde? Heb jij ooit de morgen ontboden, de dageraad zijn plaats gewezen, om de uiteinden van de aarde te pakken en de goddelozen van haar af te schudden?'

Ben-Aryeh had genoeg tijd gehad om zich door de overpeinzingen over het pad van de zon te laten leiden naar de andere heerlijkheden van de enige en waarachtige God. Om voorbij de muren van de stad te kijken naar de heuvels die er aan alle kanten omheen oprezen: lappen groen met de witte stippen van schapenvachten in de verte. Om de drukte bij de gemeenschappelijke bron te bekijken en te overdenken dat al wat leeft afhankelijk is van zoiets eenvoudigs en gewoons als water. Om de ingewikkelde grillen van een spreeuw in zijn vlucht te volgen en zich erover te verwonderen dat de vogel zo zorgeloos bewoog boven de problemen en inhaligheid van de mensen die van 's morgens vroeg tot 's avonds laat bedrogen en ruziemaakten op de markt achter de bron.

Elk ogenblik van bezinning over weer een ander aspect van de schepping was een ogenblik van vreugde voor Ben-Aryeh. De God van de Joden was een machtige God, en Ben-Aryeh had die God zijn leven lang vol overgave gediend.

Zo diende hij zelfs nu zijn luisterrijke God door Gods heerlijkheid te overdenken; zo kon hij het wachten verdragen en de taak die hem was opgedragen vervullen, en dat verlichtte – enigszins – zijn ergernis en aversie tegen een man die hij niet kende.

Wat deze man betrof, die hij nu eindelijk ontdekte, de Romein die een wandelstaf droeg waaraan hij een rode lap geknoopt had om zich te identificeren... Kon zo'n heiden – verknocht aan het genot van eten en drinken en het najagen van het vlees dat Romeinen boven de zaken van de ziel stelden – ook maar in de verte begrijpen dat iedere ademtocht van een mens een ademtocht was die hem door God geschonken werd?

Ben-Aryeh wist dat de man naar hem op zoek zou zijn, maar zag geen reden om van zijn deken op te staan. Hij was in het voordeel en dat zou hij gebruiken om zo veel mogelijk over die man te weten te komen.

Waar was het gevolg van die man? vroeg Ben-Aryeh zich af. Iemand die zo belangrijk was, zou zeker niet reizen zonder een omvangrijk gevolg. Een andere man, veel kleiner en duidelijk Joods, volgde op korte afstand met de teugels van twee ezels in de hand. Was dat alles? En had de Romein er werkelijk voor gekozen van Caesarea naar hier te reizen op zoiets nederigs als een ezel?

Toch leek er niemand anders bij hem te zijn. Geen lijfwachten. Geen dragers met kisten vol bagage. Geen slaven of pluimstrijkers die hem op de voet volgden.

Hij droeg een eenvoudige tunica en geen zichtbare sieraden. Hij leek zich ontspannen te bewegen tussen vreemdelingen in een vreemde stad in een vreemd land. Wie hem goed gadesloeg, zou echter opmerken dat hij de wandelstaf niet vasthield als een hulpmiddel om voort te sjokken, maar zo dat hij er gemakkelijk plotseling mee zou kunnen zwaaien ter verdediging of ten aanval. Zijn kleding was weliswaar anders dan Ben-Aryeh verwacht had van een Romein met politieke macht, maar zijn parate houding voldeed wel aan Ben-Aryehs verwachtingen van een man die eens een militaire held geweest was.

De man liep voorbij de bron die het sociale middelpunt van de stad vormde en wendde bescheiden zijn blik af toen de vrouwen naar hem opkeken. Terwijl hij passeerde, wierpen verschillende vrouwen elkaar een veelbetekenende blik toe.

Ja, gaf Ben-Aryeh met tegenzin toe, hij was ook een knappe man. Uit het kortgeknipte donkere haar bleek duidelijk dat hij niet veel aandacht aan zijn eigen uiterlijk besteedde en niet geïnteresseerd was in het feit dat hij aantrekkelijk was; een man met een kalme, waardige persoonlijkheid die vanzelf de aandacht van het schone geslacht trok. Ben-Aryeh twijfelde er geen moment aan dat de man daar bij elke gelegenheid zijn voordeel mee deed.

Twee in lompen geklede kleine jongens renden uitbundig lachend achter elkaar aan. De voorste jongen draaide zich om om iets te roepen en botste tegen de benen van de man; hij viel achterover en begon te snikken. Terwijl de tweede jongen zenuwachtig vluchtte, knielde de man neer, legde zijn staf op de grond, zette met beide handen de jongen overeind en klopte hem af. Daarna pakte hij zijn staf weer op en wandelde weg zonder om te kijken. De jongen deed zijn hand open, schreeuwde van verrukking en rende naar zijn vriendje om hem iets te laten zien. Een geschenk van de Romein? Een munt?

De man was nu veel dichterbij. Hij bestudeerde de mannen van middelbare leeftijd die in groepjes stonden te roddelen bij de muren van het fort van Herodes.

Ben-Aryeh wist wat de man zocht: een andere man met een rode lap aan een wandelstaf gebonden natuurlijk. Zijn eigen staf lag op de grond, het gebogen uiteinde opzettelijk verborgen onder de rand van de deken waarop hij zat.

Ben-Aryeh zuchtte en trok de wandelstaf onder de deken vandaan. Hij gebruikte hem om overeind te komen.

De man zag de rode lap die aan Ben-Aryehs staf gebonden was en hield zijn pas in.

Hij glimlachte niet.

Hij fronste zijn wenkbrauwen niet.

Hij stond stil en wachtte, en keek met donkere ogen toe terwijl Ben-Aryeh hem naderde.

✠ ✠ ✠

Ben-Aryeh had genoeg vijanden, maar slechts één die hem zozeer haatte dat hij nu overpeinsde hoe bevredigend het zou zijn om stenen op Ben-Aryehs lichaam te horen bonzen tijdens een officiele terechtstelling. Dat was Annas de Jongere – voormalig hogepriester, zo genoemd omdat hij in Jeruzalem even beroemd en gevreesd was als zijn vader Annas.

Op het moment waarop Ben-Aryeh in Sebaste opstond om Vitas te begroeten, reed Annas, zijn doodsvijand, onopvallend gekleed op een ezel de stad uit over de geleidelijk dalende weg van Jeruzalem naar Caesarea.

Annas had de poorten van Jeruzalem een paar mijl achter zich gelaten. Tijdens die korte reis had hij het gebladerte zien veranderen van verschoten rood en bruin naar levendig groen. De grond was hier minder rotsachtig, de rotshellingen langs de weg werden steeds minder steil tot Annas het stadje Givat Shaul naderde, waar de weg naar Caesarea zich splitste en in noordelijke richting de weg naar Sebaste begon.

Ben-Aryeh had uitgekeken naar een rode lap aan een wandelstok; Annas tuurde aandachtig de omgeving af naar drie stapels stenen, in een onopvallende driehoek neergelegd.

Annas was zich scherp bewust van zijn kleding, gemaakt van het jute dat de armen droegen. De kleren jeukten in de hitte, maar hij had meer last van het feit dat hij de prestigieuze priestergewaden had achtergelaten waaraan voorbijkomende vreemdelingen hem als man van gewicht hadden kunnen herkennen.

Trots was een wezenlijk deel van zijn psyche; Annas had er geen moeite mee dat toe te geven. Hij was bijvoorbeeld een knappe man en dat wist hij. Zijn gezicht straalde vriendelijkheid uit als hij glimlachte en intimideerde als hij kwaad keek. Ook dit wist hij en hij genoot ervan. Toch was Annas, naast alles wat hij van zichzelf waardeerde, ook trots op zijn vermogen die trots opzij te zetten wanneer dat nuttig was. Vandaag was het belangrijk dat hij er gewoon uitzag als een van de vele reizigers op deze weg.

Toen hij de driehoek van gestapelde stenen zag, rukte Annas aan de halster van de ezel om het dier tot stilstand te dwingen. Gedurende de hele tocht had hij al geprobeerd te beslissen wat hij zou doen als hij de stapels zag die dit gedeelte van de weg markeerden; hij had nog altijd zijn twijfels.

Hij keek naar de kronkelige weg die als een soort greppel met hoge wanden naar de weg hier beneden leidde. De holle weg verdween binnen vijftig meter door een bocht uit het zicht. Dit deel van de weg lag in een kuil en was dus onzichtbaar voor reizigers een halve mijl voor of achter hem. Het wás een goede plek voor een hinderlaag!

Annas voelde zich bespied en vroeg zich af of dat verbeelding was. Hij draaide zich om op de rug van de ezel en keek in alle richtingen uit naar een schildwacht die op de loer liggende struikrovers zou kunnen waarschuwen.

Het was stil, op de wind die door de droge struiken floot na. Gieren vlogen hoog boven zijn hoofd en Annas huiverde bij die aanblik.

Zo dicht bij Jeruzalem. Toch zo volstrekt verlaten.

Zou hij deze gelegenheid ooit opnieuw krijgen? De kans om zich op deze manier van Ben-Aryeh te ontdoen?

Nee, vertelde hij zichzelf. Die oude Jood had een hekel aan reizen. Het zou jaren kunnen duren voor hij Jeruzalem opnieuw verliet. Het kwam er dus zo op aan, dat hij zich geen enkele vergissing kon permitteren. Annas moest zich ervan verzekeren dat de zaak werd afgehandeld zoals beloofd, wat hij daarvoor ook riskeerde. Het was de moeite waard.

Daarom liet hij zijn ezel de weg af rijden, de holle weg in, en liet het dier zelf zijn pad zoeken tussen de keien en stenen van de opgedroogde rivierbedding.

Zodra Annas buiten het zicht van de weg kwam, ontdekte hij dat hij omsingeld was door bandieten, elk gewapend met een wrede grijns en een kromzwaard.

✠ ✠ ✠

Op haar dertiende was ze gedwongen tot een huwelijk met haar oom; op haar twintigste was ze een kinderloze weduwe en verhuisde ze terug naar het isolement in het paleis van de familie Herodes. Wrede, onbewezen geruchten beweerden dat haar broer haar als vrouw wenste – of als zijn vrouw met haar omging; dat hing ervan af aan welk gerucht je geloof hechtte.

Ze was koningin Bernice, achterkleindochter van Herodes de Grote, vrijwel zeker een van de mooiste vrouwen onder de Joden, maar zeker de meest gehate en minst gerespecteerde.

En misschien de eenzaamste.

Zonder kinderen. Zonder echtgenoot. Zonder een echte vriend of vriendin die naar haar gedachten en zorgen wilde luisteren. Weliswaar werd ze omringd door allerlei weelde waaruit ze in een opwelling kon kiezen, maar haar rijkdom en rang vormden letterlijk en figuurlijk een barrière tussen haar en alle andere mensen die hun vreugden, triomfen en kwellingen met elkaar deelden.

Er waren nachten – want overdag en 's avonds kon ze zichzelf afleiden met feesten en het uitgeven van haar rijkdom – waarin Bernice speelde met het idee weg te lopen, te doen alsof ze een ontsnapte slavin was en zich in de maalstroom van het leven te storten. Maar ze wist dat het slechts fantasieën waren, omdat ze zichzelf te zwak vond voor een dergelijke sprong over de muur.

Toch knaagde de eenzaamheid al zo lang aan haar ziel dat ze een religieuze gelofte had afgelegd: ze zou vasten en bidden tot Pesach. Die gelofte had ze gedaan omdat ze hoopte op een sprankje spiritualiteit, hoopte op iets wat haar onbehaaglijkheid zou kunnen verlichten.

Wat ze niet verwacht had, was een bezoeker bij zonsopgang, halverwege de dertig dagen van deze religieuze gelofte; een bezoeker die haar gewekt had door de punt van een mes in de huid van haar keel te prikken.

Nu stond hij voor haar, en toen hij het gordijn van haar raam opzij duwde zag ze waarom hij in staat was geweest onopgemerkt door de gangen van het paleis te komen. Hij droeg het uniform van een bewaker.

Maar het was geen bewaker die zij kende.

Hij was een jonge man, ergens in de twintig, schatte ze. Met een baard. Een uitgemergeld gezicht met diepliggende ogen. Toch straalde zijn lichaam een fanatieke kracht uit, alsof een innerlijke macht hem de energie van tien mannen gaf.

In zijn rechterhand hield hij het mes waarmee hij haar in het donker bedreigd had. In zijn geopende linkerhand hield hij een ronde steen, bijna even groot als zijn handpalm.

Hij wendde zijn blik af en kuchte.

Bernice keek naar beneden. Hoewel haar nachtgewaad niet teveel van haar lichaam onthulde, was er nog altijd genoeg naakte huid zichtbaar om de jonge man te laten blozen.

Ze vatte dit op als een bemoedigend teken. Niet alleen sprak hij haar met respect toe, maar hij was bovendien bekommerd om haar zedigheid. Misschien zouden deze gevangenschap en het oordeel dat hij beloofd had niet haar dood betekenen.

Bernice trok haar nachtgewaad recht, zo goed als ze kon met vastgebonden polsen.

'Waarom ben je hier? Wat je hiermee ook denkt te winnen, de bewakers zullen het uiteindelijk te weten komen. En dan...'

'Dan volgt mijn executie?' Hij stelde de vraag met een treurige glimlach. 'Mijn leven is minder belangrijk dan de reden van mijn komst.'

'Hoe heet je?'

Bernice moest een band met deze jonge man krijgen. Bij hem in het gevlij komen. Wat maar nodig was om haar eigen leven te redden.

Hij antwoordde door de ronde steen in haar handpalm te leggen en haar vingers er omheen te sluiten.

'Hoe heet je?' herhaalde ze.

'Dat zult u snel genoeg ontdekken,' zei hij. 'Houd de steen voor u uit.'

Van haar stuk gebracht – wat een onbekende sensatie voor haar was – tilde Bernice haar handen op en hield ze voor zich uit.

'Zwaar?' vroeg hij.

'Nee.' Het optillen en omhooghouden van de steen kostte weinig moeite. Het was een kleine bal die bijna helemaal door haar vingers bedekt werd.

'Mooi.' Hij nam het mes in zijn andere hand. 'Ziet u, ik heb een eenvoudige opdracht voor u. Als u faalt, beroof ik u van het leven.'

Opnieuw die zenuwslopende kalmte. Het was lichter geworden en de ogen van de indringer verdwenen niet langer in de schaduwen van zijn oogkassen. Ze zag zijn standvastige blik.

'En wat is mijn opdracht?' vroeg Bernice.

'U luistert naar mijn verhaal.'

'Is dat alles?'

'Blijf de steen voor u uit houden terwijl ik spreek.'

'Is dat alles?' vroeg Bernice opnieuw.

'Dat is alles. Maar u moet de steen omhoog houden tot ik mijn verhaal helemaal verteld heb. Als u hem laat vallen of niet meer voor u uit kunt houden voordat ik klaar ben, zal ik uw beul worden.'

✠ ✠ ✠

Ben-Aryeh kwam langzaam naar Vitas toe. Ben-Aryeh was nog geen oude man, maar zijn been stak van het lange stilzitten. Dat herinnerde hem eraan dat maar al te snel de dagen zouden komen dat de sterren en de maan niet langer zouden stralen in zijn ogen. Het was goed voor een mens, bracht Ben-Aryeh zich in herinnering terwijl hij aan de opdracht begon die hij in Jeruzalem met tegenzin aanvaard had, om zijn Schepper te dienen in de dagen van zijn jeugd, want als het zilverkoord werd weggenomen, de gouden lamp werd gebroken en het stof terugkeerde naar de aarde, ging zijn ziel terug naar God, die hem had gegeven.

'Jij bent de man,' zei de man. Het was geen vraag.

Ben-Aryeh keek strak terug. Zwijgend. Wrokkig. 'Ik zag een vierde dier, angstaanjagend, afschrikwekkend en geweldig sterk, met grote ijzeren tanden,' zei hij na een tijd. 'Het vrat en vermaalde alles, en wat overbleef vertrapte het met zijn poten.'

Ben-Aryeh had deze passage uitgezocht vanwege de ironie. Deze Romein besefte natuurlijk niet dat hij citeerde uit een profetie van Daniël over zijn eigen volk. De manier waarop de Romeinen voortdurend de Joden verslonden, was de vervulling van die eeuwenoude woorden.

Ben-Aryeh voegde eraan toe: 'Het verschilde van alle dieren die daarvoor verschenen waren, en het had tien horens.'

'Gegroet,' zei de man. Zonder zich voor te stellen. Alsof hij zich, net als Ben-Aryeh, ergerde aan mensen die spraken omdat ze zichzelf zo graag hoorden. Ze hadden ieder een wandelstaf met een rode lap. Ze hadden de wachtwoorden uitgewisseld. Het was dus niet nodig zich voor te stellen, want ze hadden al over elkaar gehoord van de verschillende boodschappers door wie ze geïnstrueerd waren.

Ben-Aryeh wist natuurlijk dat de Romein Gallus Sergius Vitas heette.

Die zou eveneens de naam van Ben-Aryeh weten.

Ben-Aryehs instinctieve afkeer van de Romein verminderde door die zwijgzaamheid. Enigszins.

'Je hebt iets voor mij,' zei Vitas.

Ben-Aryeh droeg een leren zak aan een riem over zijn schouders. Zwijgend stak hij daar zijn hand in; hij vond de smalle, stevig dichtgebonden boekrollen. Volgens zijn instructies moest hij ze allebei aan Vitas afgeven. Hij overhandigde ze aan Vitas en bekeek hem opnieuw.

Vitas wierp een blik op beide zegels. Dat beschouwde Ben-Aryeh niet als beledigend. Een man die het zegel van een boodschap niet onderzocht, was een dwaas.

Ben-Aryeh had verwacht dat Vitas de boekrollen zou opbergen, misschien zou teruglopen naar de man die voor de ezels zorgde en ze in een van de reistassen zou stoppen om later te lezen. In plaats daarvan verbrak Vitas het zegel van de eerste boekrol, die van koningin Bernice. Hij keek hem vluchtig door en knikte.

Voordat hij het zegel van de tweede boekrol verbrak, ging hij iets bij Ben-Aryeh vandaan staan; hij las de andere boekrol snel door. Toen begon hij opnieuw en las hem langzamer. Ten slotte rolde hij de boekrol weer op en stak hem in zijn tunica. 'Bedankt.'

Ben-Aryeh knikte kort, nieuwsgierig wat Vitas van de brief had verwacht. Ben-Aryeh had zelf zijn vermoedens over de tweede boekrol.

Hoewel koningin Bernice degene was die hem aan Ben-Aryeh had overhandigd, droeg het zegel het merk van een Romein die in een van de weelderigste grote huizen in de stad woonde. Een oudere man, Bellator genaamd. Romes controleur van de stedelijke belastingen, die minder dan zes maanden geleden in Jeruzalem aangekomen was. De Bellator die, naar het scheen, koppig alle geruchten over zijn vrouw en een ex-gladiator die hij als lijfwacht in dienst had, negeerde.

'Ik hoop dat we hier zo min mogelijk tijd hoeven spenderen,' zei Vitas tegen Ben-Aryeh. 'Ik moet onmiddellijk naar Jeruzalem vertrekken.'

Nu was Ben-Aryeh werkelijk nieuwsgierig. Als de boekrol geen bureaucratische noodzakelijkheden van de ene Romeinse ambtenaar aan de andere bevatte – zoals hij aanvankelijk gedacht had – welke persoonlijke zaak was dan zo dringend geworden dat de man niet eens probeerde dit te verbergen?

✠ ✠ ✠

Annas, gevangen in de holle weg met de bandieten die zijn ezel insloten en hem zwijgend van top tot teen opnamen als wolven die een lam omsingelen, dwong zichzelf hen met minachting te bekijken. Dat was een manier om zijn angst in bedwang te houden. Hij merkte op dat veel mannen een of meer tanden misten. De wind waaide zijn kant op en de stank van hun lichamen overweldigde hem.

Hij kon zijn vrees niet helemaal onderdrukken en was heel blij dat hij zijn priesterkleding niet droeg. Annas haalde zijn vingers door zijn lange, dikke haar, een gebaar dat hij onbewust maakte wanneer hij onder druk stond; zoals altijd herinnerde dit hem aan zijn knappe uiterlijk en dat stelde hem gerust.

'Ik ben niet de man die jullie zoeken,' zei hij.

'Maak jij soms uit wat we zoeken?' grauwde de dikste bandiet. Het was de grootste man die Annas ooit gezien had; hij tikte ongeduldig met de zijkant van zijn zwaard tegen zijn been. 'Misschien leggen we je om vóór we op zoek gaan naar goud en zilver.'

De leider knikte en drie bandieten kwamen naar voren. Voordat Annas zijn mond kon openen om te protesteren, stompten ze hem zo hard en snel tegen zijn benen en borst dat hij van de ezel tuimelde. Hij viel op zijn rug, languit op de grond. Een vierde bandiet zette zijn voet op Annas' hals en begon flink druk uit te oefenen. Scherpe stenen prikten in zijn rug.

Annas kokhalsde en zwaaide wild met zijn armen, tot hij besefte dat tegenspartelen nog meer druk op zijn nek veroorzaakte.

De leider kuierde naar Annas toe en zette de punt van zijn zwaard op diens onderbuik. Als hij op het zwaard leunde, zou dit Annas doorboren en hem aan de grond vastpinnen.

'Heb je goud?' vroeg de leider. 'Vertel het nu en bespaar ons de moeite van het zoeken.'

Annas probeerde te spreken, maar de voet op zijn keel verstikte hem.

De leider wierp de bandiet een geïrriteerde blik toe en de druk werd lichter. 'Heb je goud?' herhaalde de leider. 'Spreek nú, of sterf.'

✠ ✠ ✠

De man met het mes glimlachte bedroefd. Hij gebaarde naar de steen in haar hand. 'Het lijkt of die moeiteloos omhoog te houden is, nietwaar?'

'Hoe heet je?' vroeg Bernice opnieuw. Ze beantwoordde de glimlach van de man. Misschien kòn ze zo zijn afstandelijke kalmte doorbreken.

'Mattias. Maar dat is niet belangrijk. De naam van mijn dorp evenmin. Wél belangrijk is dat ik ooit geloofd heb dat iemands daden enige invloed hebben in deze wereld.'

De steen begon warm te worden door de aanraking met haar huid. Het was een gladde steen; hij voelde prettig aan.

'Op de wegen bij ons dorp werden regelmatig mensen door struikrovers overvallen,' vervolgde Mattias. 'Al snel durfde bijna niemand meer te reizen. We ontvingen ook geen bezoek. We hoorden dat veel andere kleine dorpen met hetzelfde gevaar te kampen hadden. Een paar weken geleden nam ik op me naar Caesarea te gaan om Gessius Florus om hulp te vragen. Ik ging mijn eigen dorp rond om de anderen te vertellen wat ik van plan was en zamelde geld in voor de onkosten. De meeste mensen in het dorp gaven graag een bijdrage. Iedereen wenste me het beste. Ik ging naar Caesarea. Ik probeerde een audiëntie bij procurator Florus te krijgen.'

'Hij had geen medelijden,' zei Bernice. Ze was volledig op de hoogte van Florus' corruptie.

'Ik kreeg geen gehoor. Zijn bedienden namen mijn zilver aan en beloofden dat ik hem te spreken zou krijgen. Maar dat was een loze belofte; later hoorde ik dat hij niet eens aanwezig was. In de tijd die ik in Caesarea doorbracht, kwam ik meer te weten over de man die Rome had gestuurd om ons te regeren.'

Mattias staarde naar het lemmet van zijn mes terwijl hij sprak. 'Albinus, de vorige procurator, was een dief. Ik hoorde dat Albinus, toen hij te weten kwam dat Florus zijn plaats ging innemen, de gevangenissen had leeggemaakt door van iedereen smeergeld aan te nemen; alleen degenen die de doodstraf verdienden, werden niet vrijgelaten. Het was zijn schuld dat ons land werd geteisterd door struikrovers. En Florus –'

Hij zuchtte. Toen stond hij op en trok het bewakersuniform uit. Daaronder droeg hij de fris gewassen kleding van een eenvoudige boer. Hij gooide het uniform op een hoop in de andere hoek van de kamer.

'Worden uw armen moe?' vroeg hij terwijl hij met het mes losjes in zijn linkerhand vlak voor Bernice heen en weer liep.

De spanning in haar armen begon enigszins voelbaar te worden. Ze voelde een trilling in de spieren aan de onderkant van haar bovenarmen.

'Florus,' zei Mattias alsof hij zijn eigen verhaal niet onderbroken had, 'was zo inhalig dat het gedrag van Albinus erbij verbleekte. Ik hoorde dat Florus samenwerkte met de struikrovers die Albinus vrijgelaten had; hij kreeg een deel van de buit. Kortom: zelfs als ik bij hem op audiëntie geweest was, zou mijn verzoek om patrouillerende soldaten op de wegen bij ons dorp belachelijk gemaakt zijn. Daarom besloot ik…'

Mattias bleef bij het raam staan en keek uit over Jeruzalem. Minutenlang zweeg hij.

Bernice maakte gebruik van zijn onoplettendheid en liet haar armen in haar schoot zakken. Tot haar verbazing voelde ze dat dit haar spieren enorm ontlastte. Wie had kunnen denken dat het omhooghouden van zo'n kleine steen zoveel moeite zou kosten?

'Een stad van grote pracht...' zei Mattias tegen zichzelf. 'En dat uitzicht op de tempel! Zo schitterend! Ik wilde dat mijn kinderen op een dag –' Zijn stem stokte. Hij bleef onbeweeglijk staan, alsof hij zijn zelfbeheersing probeerde te herwinnen.

Bernice hield hem nauwlettend in het oog, klaar om bij de minste beweging de steen op te tillen voordat hij zich naar haar omkeerde.

'Als Rome niet kan helpen,' zei hij, nog altijd de andere kant op kijkend, 'zouden de koning en koningin van ons eigen volk misschien tussenbeide kunnen komen. Want als de bevolking van Judea tevreden is met haar regering, blijft daar vrede. En als er vrede in Judea is, stuurt Judea jaarlijks zijn bijdrage aan Rome. En als de keizer tevreden is met de ontvangen belastingen, zal de keizer graag het koninklijk huis zijn gezag blijven verlenen. Ik ben maar een boer, maar heb ik de politieke situatie goed ingeschat?'

Hij draaide zich om met het mes nog steeds in zijn hand.

Ze kreeg haar armen op tijd omhoog.

Hij keek naar haar handen om zich ervan te verzekeren dat zij de steen nog voor zich uit hield.

'Wat je zegt, is waar,' antwoordde Bernice. Ze keek strak naar de steen in haar handen. Die steen was haar leven. En misschien werd hij haar dood. 'Maar als je een audiëntie met mij of mijn broer wilde hebben, is dit geen goede manier.'

Hoewel ze haar armen had laten rusten, begonnen ze onmiddellijk weer te trillen. Ze hoopte dat Mattias die trilling niet zag.

'Ik ben bang dat het voor die audiëntie te laat is,' antwoordde hij. Zijn stem was toonloos. 'Veel, véél te laat.'

Tegen de muur zittend verplaatste Bernice haar gewicht.

Hij merkte het. 'Uw armen. Hoe lang kunt u de steen nog zo naar voren houden? Tot ik alles gezegd heb wat ik moet zeggen?'

'Je verhaal,' zei ze. Ze was nu zover dat ze zich vertwijfeld realiseerde dat hij het verhaal moest afmaken. Snel! 'Waarom ben je hier als je geen audiëntie wilt hebben?'

'Dit is niet de audiëntie die ik in gedachten had toen ik naar mijn dorp terugkeerde om verslag uit te brengen van de gebeurtenissen in Caesarea. Ik wilde mijn gezin zien, uitrusten bij mijn vrouw en mijn twee kinderen. Daarna wilde ik naar Jeruzalem komen. Maar de dag na mijn terugkeer viel een bende struikrovers ons dorp openlijk aan. Ze werden geleid door een zekere Johannes, uit het dorp Gischala. Ik bid God dat hij op een dag gestraft wordt.'

'Ben je daarom hier? Omdat die Johannes uit Gischala je dorp heeft overvallen?'

'Het was geen overval. Het was een waarschuwing aan de andere dorpen. Ziet u, de mensen in mijn dorp hadden zich verenigd. Onze poging om een beroep op Florus te doen, was mislukt. Maar dat was niet belangrijk. Ons verzet tegen de struikrovers was de reden waarom Johannes van Gischala ons dorp binnenviel.'

Mattias zweeg. Hij liep weer naar het raam en staarde naar de tempel terwijl hij weer begon te spreken. 'En aangezien ik de leider van dat verzet was, bestormde Johannes uit Gischala mijn huis. Met tien man bij zich. Hij wilde me niet alleen straffen, maar hij wilde dat mijn lot een waarschuwing voor anderen zou zijn.'

Omdat hij weer over de stad uitkeek, liet Bernice haar handen in haar schoot vallen. Haar armen voelden zo slap als plukken doorweekt gras in de regen. Het was ongelooflijk dat het gewicht van een kleine steen haar spieren zozeer forceerde.

'Tien mannen,' zei Mattias. 'Gewapend met korte zwaarden. Beseft u wat dat betekent? Korte zwaarden. Romeinse legerwapens.

Joodse struikrovers, bewapend door Rome. Tien, plus hun leider. Tegen mij, mijn vrouw en mijn twee kinderen. Ze bonden me vast, precies zoals u vastgebonden bent.'

Hij keerde zich van het raam af. Snel. Te snel.

Bernice probeerde haar handen op te tillen voordat hij het merkte, maar de beweging trok zijn aandacht.

Hij knielde naast haar neer en plaatste de punt van het mes onder haar kin. 'U hebt gefaald. Mijn verhaal is nog niet afgelopen. Toch kon u het gewicht van de steen niet verdragen. U hebt uw dood zelf op uw geweten.'

✠ ✠ ✠

De geluiden van de markt van Sebaste drongen door tot de binnenhof waar Vitas en Ben-Aryeh stonden, in de schaduw van het fort van Herodes. Terwijl Vitas zwijgend toekeek, haalde Ben-Aryeh de bewaker over een officier te zoeken die hun toestemming kon geven de gevangenen te bezoeken.

Eigenlijk wilde Vitas zich niet laten ophouden, maar onmiddellijk naar Jeruzalem vertrekken. In de boodschap die hij bij aankomst in Caesarea van koningin Bernice had ontvangen stond echter dat hij naar Sebaste moest gaan en samen met Ben-Aryeh in de gevangenis proberen zo veel mogelijk te weten te komen van de mannen die ze daar moesten opzoeken.

Tot Ben-Aryeh hem de boodschap van Maglorius, met het zegel van Bellator erop, bezorgde, had Vitas gedacht dat zijn bezoek aan Jeruzalem niet zo dringend was. Maar dat was veranderd toen hij de waarschuwing van Maglorius las.

Terwijl Ben-Aryeh redeneerde, observeerde Vitas hem en probeerde hem in te schatten. Hoewel Ben-Aryeh er bedrieglijk nietig en als hij liep zelfs enigszins lachwekkend uitzag, was hij stevig gebouwd, zag Vitas. Hij had korte, kromme benen die niet pasten bij zijn gespierde bovenlichaam, alsof dit eigenlijk aan een veel langere man toebehoorde. Zijn gezicht was niet bijzonder knap. Dat was nog een milde omschrijving; vooral de vreemd hoekige jukbeenderen en neus vielen op. Toch leek de kracht van een leeuw in hem te schuilen. Vitas constateerde dat dit een man was die respect verdiende.

De bewaker vertrok om zijn officier te zoeken en Ben-Aryeh leunde op zijn staf; de rode lap was inmiddels verwijderd. 'Het zou makkelijker geweest zijn als je die soldaat duidelijk gemaakt had dat je door Nero naar Judea gestuurd bent. Dan zouden we hier niet hoeven te wachten.'

'Fama malum quo non aliud velocius ullum,' zei Vitas.

'Ah, Latijn,' zei Ben-Aryeh. 'Spreken we niet langer Grieks, onze gemeenschappelijke taal? Goed dan. Laat mij in het Hebreeuws antwoorden. Dan zijn we gauw uitgepraat, en misschien kan ik dan de tijd die ik met je doorbreng nog wel verdragen ook.'

'Het spijt me,' zei Vitas. 'Dat gezegde ontglipte me. Ik zei dat niets sneller reist dan het gerucht.'

Maar Vitas had iets ontdekt: deze argwanende oude Jood verstond geen Latijn, of gaf er de voorkeur aan die indruk bij Vitas te wekken. Vitas zou blijven opletten om erachter te komen wat in werkelijkheid het geval was.

'Ben jij, Nero's rechterhand, bang voor geruchten?' vroeg Ben-Aryeh.

'Ik heb liever dat Florus niet weet dat ik hier ben.'

'Je bent dus geen officiële afgezant van Nero?' vroeg Ben-Aryeh.

De man deed alsof hij verbaasd was, dacht Vitas. Door middel van voorafgaande correspondentie had Vitas geregeld dat koningin Bernice hem in alle zaken in Judea zou helpen. Ben-Aryeh was klaarblijkelijk hier omdat zij hem naar Vitas gestuurd had. In de boekrol van koningin Bernice had alleen gestaan dat Vitas, als hij meer te weten wilde komen over het Romeinse bestuur van Judea, rechtstreeks van de Joden uit Caesarea moest horen waarom ze in Sebaste gevangenzaten. Wist Ben-Aryeh dat ook al? Wist Ben-Aryeh welke redenen Vitas de koningin had gegeven voor zijn reis door deze provincie?

Ongeacht wat Bernice Ben-Aryeh verteld heeft, dacht Vitas, hij heeft op het marktplein gezien dat ik alleen reis en is vast en zeker al tot de conclusie gekomen dat er geen officiële delegatie is. Wat betekende dat die oude vos de vraag alleen stelde om te kijken hoeveel Vitas wilde onthullen.

'Dit fort,' zei Vitas, in de wetenschap dat hij door de vraag te vermijden Ben-Aryeh ook een soort antwoord gaf, 'is door Herodes gebouwd. Indrukwekkend. Tegen wie moest hij beschermd worden?'

Ben-Aryeh volgde Vitas' blik op de hoge muren van dikke blokken steen niet. 'Hij heeft zijn eigen zoons hier gevangengezet. Alexander en Aristobulus. Dat was lang nadat hij hun moeder Mariamne vermoord had. Een van de vijanden van Herodes schreef een vervalste brief waaruit bleek dat zijn zoons betrokken waren bij een poging tot revolutie. Dus liet hij hen wurgen. Herodes wilde ook dat de eerstgeborene van elk gezin gedood werd op de dag van zijn eigen dood, zodat het hele land in rouw zou zijn.'

Nu keek Ben-Aryeh eindelijk omhoog naar de muren. 'Tegen wie moest hij beschermd worden? Tegen zijn eigen volk. Ben je nog steeds onder de indruk?'

'Alleen van de haat in jouw stem.'

'Jullie, Romeinen, hebben de politiek in ons land goed geregeld. Jullie geven onze koning zijn macht. Onze koning heeft op zijn beurt het gezag de post van hogepriester naar willekeur te vergeven en dat weer te herroepen. Onze religieuze leiders kunnen de koning dus niet dwarszitten zonder Rome dwars te zitten, en zo blijft Judea hulpeloos tegenover jullie omdat onze koning en onze religieuze leiders altijd met elkaar overhoop liggen. Heb je enig idee hoeveel priesters Herodes afgeslacht heeft, geholpen door het zwaard van de keizer?'

'Minstens tweehonderd tijdens drie verschillende bloedbaden.'

Ben-Aryeh keek Vitas kwaad aan. 'Dus nu laat je me een lezing over Joodse geschiedenis houden terwijl je denkt dat je de antwoorden weet?'

'Rome houdt er uitgebreide archieven op na,' zei Vitas. 'De Joden hebben een fascinerende geschiedenis.' Hij schonk Ben-Aryeh een laconieke glimlach. 'Ze lossen zelden iets op door te discussiëren, naar het schijnt.'

'Ons bloedvergieten komt voort uit het feit dat de Romeinen zich met onze zaken bemoeien.' Ben-Aryeh keek weer kwaad. Hij wendde zijn blik van Vitas af om duidelijk te maken dat het gesprek afgelopen was.

Vitas genoot van de stekeligheid van de oude man. Hij vond het verfrissend na jaren tussen de pluimstrijkers in het keizerlijk paleis.

'Ik ben van plan onmiddellijk nadat we uit de gevangenis komen naar Jeruzalem te vertrekken,' deelde hij Ben-Aryeh mee.

'Dat heb je al eerder verteld. Ik ben niet dom en m'n geheugen is ook nog in orde.'

Vitas bleef beleefd. 'Ik herhaal het om je te laten weten dat je gerust met mij mee mag reizen, als jouw zaken hier ook afgehandeld zijn.'

Ben-Aryeh zei bits: 'Mijn zaken bestaan uit het bezoeken van de mannen in de gevangenis. Dat heb ik uitgesteld omdat ik op jou moest wachten.'

'Moest?'

'Wat Rome wil, krijgt Rome ook,' zei Ben-Aryeh, naar een punt achter Vitas kijkend. 'Jij zette Bernice onder druk en zij zette op haar beurt mij onder druk. Als ik haar tevredenstel, zijn er minder moeilijkheden in de tempel. En dat maakt het gemakkelijker om God te dienen.'

'Ik bied mijn excuses aan voor het verzoek van Bernice. Deze omweg over Sebaste was niet mijn idee. Ook ik ben hier op haar aanraden.'

Ben-Aryeh draaide zijn hoofd om Vitas onderzoekend aan te kijken, alsof hij probeerde uit te maken of Vitas de waarheid sprak.

'Je had de gevangenen kunnen bezoeken terwijl je op mij wachtte,' vervolgde Vitas.

'Niets reist sneller dan het gerucht. Net als jij heb ik liever niet dat Florus van mijn aanwezigheid weet voordat ik goed en wel op weg naar huis ben. Maar ik heb niet de bescherming van Nero, zoals jij, dus mijn vrees is gerechtvaardigd. Waarom vrees jij hem eigenlijk?'

'Misschien is het geen vrees,' zei Vitas. Vervolgens herhaalde hij, hoewel hij wist dat Ben Aryehs wrok elk gesprek tot een schermutseling zou maken, zijn uitnodiging aan de oude Jood om mee te reizen naar Jeruzalem. 'Tenslotte, als je geen reden hebt om hier te blijven en als je weg wilt zijn voordat Florus ontdekt wat –'

'Ik regel mijn eigen reis wel. Ik prefereer eenzaamheid boven jouw gezelschap.'

Vitas glimlachte. 'Bespeur ik daar een belediging?'

'Romein, werk me niet op de zenuwen. We zouden niets hebben om over te praten. En bovendien: ik zou niet willen dat iemand mij met een Romein samen zag.'

'Natuurlijk niet,' zei Vitas geamuseerd.

'Luister naar mij, Romein.' Ben-Aryeh wees met de punt van zijn staf naar de zon. 'Je kunt niet voor het vallen van de nacht in Jeruzalem zijn. En ik ben niet van plan samen met jou in een herberg te overnachten.'

'Het is volle maan. Ik heb begrepen dat de weg duidelijk gemarkeerd is. Ik reis vannacht door.'

'Een volle maan geeft evenveel licht voor struikrovers als voor reizigers,' wierp Ben-Aryeh tegen.

'Waarom ben je zo bezorgd als je niet met mij meereist?'

'Een dode Romein, vooral iemand van jouw politiek kaliber, zal alleen maar meer problemen voor de Joden veroorzaken.'

'Wat heeft Bernice je over mij verteld?' vroeg Vitas.

'Dat is niet van belang.'

Omdat Ben-Aryeh inmiddels genoeg bij het gesprek betrokken was om Vitas aan te kijken, trok Vitas vragend een wenkbrauw op.

'Wat zij me vertelt,' antwoordde Ben-Aryeh op zijn onuitgesproken vraag, 'weiger ik te geloven.'

'Omdat ze in het verleden gelogen heeft?' vroeg Vitas. 'Of heeft ze al eerder tegen jóu gelogen?'

'Romein, je bent een dwaas als je deze hele reis alleen gemaakt hebt zonder te weten of je haar kunt vertrouwen.'

'Ik hoef haar niet te vertrouwen. Zoals je zei: het is in haar belang Rome tevreden te stellen. Voor zover noodzakelijk, zal ze me helpen.'

'Voor zover noodzakelijk. Moet ik daaruit opmaken dat je meer wilt dan je tegenover haar kenbaar gemaakt hebt?'

De oude man speelde een spelletje met hem, en Vitas had er plezier in. 'Wat heeft ze je over mij verteld?'

Terug bij af.

'Dat is niet van belang,' antwoordde Ben-Aryeh.

'Natuurlijk,' zei Vitas, 'omdat je haar niet gelooft. Blijkbaar geloof je mij evenmin.'

'Jij bent een Romein. Met rijkdom en politieke macht. Waarom zou het jou iets kunnen schelen wat Florus de Joden aandoet?'

'Dat heeft ze je dus verteld – dat ik hier ben om zijn wijze van regeren te onderzoeken.'

Ben-Aryeh gromde een onverstaanbaar antwoord.

'Als je haar én mij niet gelooft, waarom ben je dan hier om mij te helpen?' Vitas genoot ook van de gelegenheid om zélf direct te kunnen zijn. In Rome sprak een wijs man dubbelzinnig. Directheid kon dodelijk blijken te zijn als Nero besloot dat wat gezegd was hem niet beviel, terwijl spitsvondigheid altijd ruimte liet om achteraf te onderhandelen over wat er eigenlijk gezegd wás.

Ben-Aryeh haalde zijn schouders op. 'Wat heeft Bernice je over mij verteld?'

'Dat is niet van belang.'

'Romein, misschien vind je zelf dat je grappig bent, maar ik niet.'

'Goed,' zei Vitas met een glimlach, 'dan heb ik je tenminste nog een reden gegeven om alleen te reizen.'

✠ ✠ ✠

'Als je mij doodt,' hijgde Annas vanuit zijn hulpeloze positie, 'zal Florus je laten kruisigen.'

De naam Florus had op de bandietenleider de uitwerking van een klap in het gezicht. Hij knipperde met zijn ogen. Klonk minder zelfverzekerd toen hij sprak. Hij gebaarde verwoed dat de man die Annas op de grond hield, opzij moest stappen. De leider hielp Annas overeind.

Annas probeerde zijn opluchting te verbergen.

'Wat weet je van Florus?' vroeg de bandiet.

'Dat hij jullie opdracht gegeven heeft hier in een hinderlaag te wachten op een oude Jood,' zei Annas.

'En wat dan nog?'

'Ik ben hier om aan Florus te bevestigen dat jullie zijn opdracht gehoorzamen en klaarstaan.'

'We zijn hier, of niet soms?' zei de leider. De anderen gingen verveeld weg. Annas was blijkbaar geen prooi. Ook geen gevaar. 'Vertel hem dat maar.'

'Dat zal ik doen,' zei Annas, bijzonder blij dat de naam Florus de mannen onmiddellijk respect inboezemde. 'Herhaal de instructies voor mij.'

De leider haalde zijn schouders op. 'Vandaag, morgen of overmorgen komt een jonge man vanuit Jeruzalem over de weg hier langs. We zullen hem herkennen omdat hij een ezel en een veulen meevoert, allebei zonder zadeltassen. Hij heeft een wandelstok bij zich en legt die naast de drie stapels stenen om ons te laten weten dat hij degene is die we verwachten. We moeten hem laten passeren. Op de terugweg naar Jeruzalem zal hij in gezelschap zijn van een oude man, en we moeten ons ervan verzekeren dat er geen andere reizigers bij hen in de buurt zijn. En dan...'

De leider hield zijn hoofd schuin en keek Annas doordringend aan. 'Is Florus soms van gedachten veranderd over wat we daarna moeten doen?'

'Nee.' Annas glimlachte. 'Doe waar jullie goed in zijn.'

✠ ✠ ✠

Mattias pakte het haar van koningin Bernice vast en trok haar hoofd achterover. Haar hals werd ontbloot, als de hals van een lam op het altaar.

'Ik... Ik...' Bernice was gewend dat bedienden doodsbang voor haar waren. Nu kon ze haar stem niet eens vinden.

'Probeer het nog eens,' zei Mattias. 'Houd de steen voor u uit. Zolang hij omhoog blijft, laat ik u leven. Als hij valt, snijd ik uw keel door.'

'Alsjeblieft...' zei ze hees.

Hij drukte harder met de punt van het mes. 'Doe wat ik zeg!'

Bernice tilde de steen op. Nu voelde hij aan als een van de enorme rotsblokken van de tempelmuur.

Onmiddellijk begonnen haar handen te beven.

Maar haar leven hing er van af!

Ze vond nieuwe kracht. Een zacht gekreun ontsnapte haar toen ze zich tot het uiterste inspande om haar armen omhoog te houden. Toch begonnen ze tegen haar wil weer te zakken.

'Dat is een wrede marteling, hè?' fluisterde Mattias, terwijl hij nog harder aan haar haar trok en haar keel streelde met het lemmet van zijn mes. 'U weet dat u uiteindelijk niet in staat zult zijn de steen vast te houden. Toch wilt u zo wanhopig graag blijven leven dat u zich tot het uiterste inspant om hem nog één ademtocht lang omhoog te houden.'

Hij had gelijk. Al haar gedachten werden opgeslokt door de steen, door het zoeken naar energie om de dood uit te stellen. De tranen rolden over haar wangen. Haar gekreun werd luider.

Hoe lang kon ze de kleine steen nog voor zich uit houden?

Toen nam ze een besluit. Als ze door de handen van deze kalme waanzinnige moest sterven, zou ze zorgen dat hij gelijk met haar de dood vond. Met haar laatste kracht zou ze haar bewakers roepen.

De steen viel naar beneden toen haar armen het begaven.

Ze deed haar mond open om te schreeuwen.

Toch was hij sneller. Hij klemde met zijn vereelte handpalm

haar mond dicht om het geluid te smoren. 'Ja,' zei hij. 'Nu bent u dood.'

Met zijn hand over haar mond trok hij haar hoofd tegen zijn borst. Hij raakte haar strottenhoofd met de hele lengte van het lemmet aan.

Ze was volkomen hulpeloos.

Oog in oog met de dood, met haar hoofd tegen zijn ribben, hoorde ze het kloppen van zijn hart. Ze rook zijn lichaam en zijn kleding; het was geen onaangename geur. Ze zag het blauw van de hemel door het raam. Proefde de koperen smaak van angst. En vroeg zich verwonderd af waarom dood en vergetelheid plotseling zo eenvoudig leken.

Toch sneed het mes niet door haar huid.

'Ik wil u niet dood hebben,' deelde Mattias mee. Zonder enige waarschuwing duwde hij haar weg. Ongedeerd. 'Zeg niets om de bewakers te roepen, anders vermoord ik u echt voordat ze komen.'

Haar eigen hart bonkte zo luid dat ze verwachtte dat de bewakers alleen al op dat geluid zouden afkomen. 'Wat is dit? Welk gewelddadig spelletje speel je?' Ze was kwaad. In verwarring. Opgelucht.

'Voor u is het maar een spelletje. Omdat u nog leeft.' Hij sloot zijn ogen. 'Ik wil dat u zich mijn kleine gezin voorstelt. Sober en eenvoudig. Maar vol liefde. Mijn vrouw, een dochter van vier, een zoon van twee.'

Mattias keek naar haar. Door haar heen. Alsof hij in haar ziel tuurde. 'Hebt u ooit een slapend kind opgetild om het ergens anders neer te leggen?'

Bernice schudde haar hoofd.

'Dat is iets wonderbaarlijks. Het kind is zo vol vertrouwen dat het blijft slapen. Je staat op met het kind in je armen en het kind slaat zijn armen om je nek. Vertrouwen en liefde. Veel meer waard dan dit paleis. Dat was mijn bezit.'

Mattias ging naast haar zitten, alsof hij het gewicht van zijn eigen last niet langer kon dragen. Hij zakte in elkaar met zijn armen om zijn benen. Zijn stem klonk gesmoord. 'Die dag namen Johannes van Gischala en zijn tien mannen mij en mijn gezin gevangen. Hij gaf mij de steen die u vasthield. Beloofde dat mijn dochter zou blijven leven zo lang ik de steen omhoog kon houden.'

Mattias tilde zijn hoofd op. Tranen stroomden in zijn baard. 'Ik hield die steen voor me uit en smeekte om het leven van mijn kind. Zij had mij nog nooit bang gezien en mijn angst bracht haar in paniek. Ik kon alleen naar haar kijken, mijn kleine meisje. Ze probeerde naar voren te rennen zodat ik haar kon vasthouden en troosten zoals ik dat altijd gedaan had. De struikrovers hielden haar tegen. Ik stond daar in de wetenschap dat zij niet langer zou leven dan ik de steen omhoog kon houden. Toen mijn ene arm zwak werd, pakte ik die krampachtig vast met mijn andere arm. Toen beide armen hun kracht verloren en de steen viel...'

Zijn smart maakte hem het spreken onmogelijk. Hij worstelde om zijn zelfbeheersing te hervinden.

'Bedenk, koningin der Joden,' zei hij ten slotte, 'hoezeer u verlangde uw eigen leven te behouden toen u dacht dat ik u zou doden als u de steen neerlegde. U moet nog iets weten. Een ouder zou met vreugde honderdmaal zijn leven geven om zijn kind te redden. Hoezeer u ook wilde leven, ik verlangde met oneindig veel meer wanhoop dat mijn dochter niet gedood zou worden. Toch haalden ze, toen mijn armen het begaven, voor mijn ogen het mes over de keel van mijn dochtertje. Haar bloed stroomde voor mijn voeten, terwijl zij hijgend om mijn hulp riep tot ze niet langer kon.'

Mattias sloeg zijn ogen op naar Bernice. 'Kunt u mijn smart bevatten? Toen? Nu?'

Ze knikte, vervuld met afgrijzen en smart om wat de man te verduren had gekregen.

'Mijn zoon –' zei Mattias. 'Eerst lieten ze mijn armen uitrusten. Toen legden ze de steen weer in mijn hand. Vertelden me dat hij in leven zou blijven zo lang ik de steen voor me uit kon houden. U zult nooit weten hoe ondraaglijk de pijn in mijn spieren was terwijl ik bleef worstelen om mijn armen ervan te weerhouden mij en het leven van mijn zoon te verraden.'

Zijn stem werd ijzig. 'U weet de onvermijdelijke afloop. Zijn bloed voegde zich bij het bloed van mijn dochter. Toen voegde het bloed van mijn vrouw zich bij dat van hen beiden. Op de grond waar we gespeeld en liedjes gezongen hadden. Toen gebeurde het wreedste: ze lieten mij vrij om verder te leven met de herinnering hoe ik mijn gezin in de steek gelaten heb. Hoe ze mij aankeken terwijl de struikrovers hun kelen opensneden. Ze wilden dat ik in leven zou blijven zodat anderen zouden horen wat er gebeurt met mensen die tegen hen in opstand komen.'

Bernice haalde diep adem. Besefte toen dat ze veel te lang haar adem ingehouden had.

'Daarom ben ik hier, mijn koningin. Om wat uw volk is aangedaan, wat u heeft laten gebeuren.'

'Ik... Ik...'

'Verzin elke verontschuldiging die u maar wilt. Als u blind bent voor wat Florus doet, bent u blind uit eigen vrije wil. Terwijl u in het paleis in weelde leeft, roepen de zonen en dochters van Abraham in het hele land om hulp. Ik beschuldig u ervan dat u de benarde toestand van uw volk negeert. Daarom ben ik hier.'

'Heeft Ben-Aryeh je gestuurd?' vroeg ze. Haar stem was nauwelijks meer dan een fluistering. Als iemand in Jeruzalem een manier had kunnen vinden om deze man in haar slaapvertrek te krijgen, was het Ben-Aryeh wel. 'Als hij het was, vertel hem dat het me spijt. Dat ik nu de overeenkomst zal nakomen die we twee jaar geleden gesloten hebben. Vertel hem dat ik iemand naar de christenen zal sturen om te bewijzen dat hun beweringen over de Nazarener onjuist zijn. Vertel hem dat ik –'

'Niemand heeft me gestuurd,' zei hij fel. 'Ik ben hier vanwege de herinnering aan het sterven van mijn gezin. Ik ben hier omdat Florus onderweg is naar Jeruzalem en ik wil dat u hem ontmoet. Zoek een manier om de Romeinen te dwingen ons, Joden, te verlossen van het onrecht. U bent koningin. U hebt die macht.'

Mattias liet zijn woede even snel weer varen. Zakte terug in zijn smart en boog zijn hoofd. Zonder de tranen van zijn gezicht te vegen krabbelde hij overeind. Keek uit over de stad. Sprak met zijn rug naar haar toe.

'Ik ben een Jood. God hoort mijn roepen. Maar Hij kan mijn verdriet niet wegnemen. Als Hij in zijn wet zelfmoord toestond, zou ik die dag mijn leven beëindigd hebben. Ik heb niets om voor te leven. Erger nog: leven doet mij nog de meeste pijn. Wie ben ik zonder mijn vrouw en kinderen? Wie ben ik, levend met de wetenschap hoe en waarom ze gestorven zijn? Ik wil het leven niet, maar kan het niet zelf beëindigen. Toch verlang ik naar de dood.'

'Wat je ook wilt,' zei Bernice, 'ik zal het voor je doen. Je zult geen straf krijgen voor de manier waarop je mij je verhaal gebracht hebt. Ik zal op zoek gaan naar wraak, naar gerechtigheid. Je huis zul je terugkrijgen. Je dorp zal schadeloosgesteld worden. Die Johannes uit Gischala zal sterven.'

'Wat ik van u wil, is een belofte,' zei Mattias. 'De belofte dat u eindelijk uw plicht als koningin aanvaardt, de plicht om uw volk te helpen. We hebben allen te veel geleden. We zijn mishandeld door de Romeinen. Genegeerd door onze leiders. Help ons! Zorg dat Florus de struikrovers straft in plaats van hen aan te moedigen.'

'Dat beloof ik.'

Ja, Florus was op weg naar Jeruzalem. Met een leger. Maar ze vermoedde dat hij met zo veel man verscheen als onderdeel van zijn politiek om over Judea te heersen. Ze zou hem een uitnodiging voor een maaltijd sturen. Hem vleien. Hem bedreigen. Doen wat nodig was om haar volk te helpen.

Bernice dacht terug aan soortgelijke beloftes die ze jaren geleden aan Ben-Aryeh gedaan had om een andere reden. Beloftes die ze nu wilde vervullen. 'Dat beloof ik,' zei ze. 'En ik wil meer doen.'

'Meer? Dan vraag ik u nog één ding.'

'Wat je maar wilt.'

'Roep uw bewakers.'

'Wat?'

'Roep hen naar uw slaapvertrek.'

'Je zult geen straf krijgen,' herhaalde Bernice.

'Roep hen.'

Dat deed ze.

'Harder!' beval hij.

'Bewakers! Bewakers!'

Voetstappen klonken in de gang.

Voordat de deur openging, trok Mattias een lap uit de band om zijn middel. Hij deed die snel om haar mond heen en knoopte hem achter haar hoofd vast.

Toen ging de deur met een ruk open. Vier bewakers stonden in de deuropening.

Mattias hief zijn mes op alsof hij Bernice wilde doden. Aarzelde toen. En bleef in die houding staan terwijl hij wachtte tot de bewakers de meest voor de hand liggende conclusie trokken.

De bewakers haastten zich naar voren en hieven hun zwaarden.

'Nee!' schreeuwde Bernice in de lap. Maar haar pogingen om de bewakers tegen te houden waren zinloos. Ze zagen haar leven in gevaar en hadden daar maar één antwoord op.

De zwaarden gingen omlaag.

HET VIERDE UUR

Annas de Jongere zag de volledige omvang van het leger dat Florus verzameld had en was woedend, ondanks de voldoening dat Florus de afspraken met betrekking tot de bandieten was nagekomen. In de tempel, bij ondergeschikten, gaf hij gewoonlijk zonder aarzeling lucht aan zijn veelvuldige driftbuien. Maar hier in het open landschap, aan alle kanten omringd door heuvels in plaats van tempelmuren, was hij gedwongen zijn woede te verbergen. Tegenover de gezamenlijke discipline en wapenrusting van twee cohorten Romeinse soldaten waren zijn persoonlijke kracht, reputatie en macht als voormalig hogepriester van de verheven tempel irrelevant, wist hij.

De infanterie passeerde en de ruiters kwamen de weg naar Jeruzalem op. Ze torenden op hun volledig uitgeruste rijdieren hoog boven Annas uit en het ergerde hem nog meer dat hij op een ezel zat en niet op een van de schitterende hengsten uit de tempelstallen.

Hij had meer dan vijf mijl afgelegd vanuit Jeruzalem op de hoofdweg naar Caesarea. Nu de bergen achter hem lagen, was de weg breed en veilig. Op elk moment kon je achterom of vooruit kijken en gerustgesteld worden door het zien van minstens een dozijn andere reizigers. Sommigen wandelden; anderen reden op paarden, ezels of kamelen. Sommigen zaten op karren of strijdwagens. Sinds de vorige middag, toen het leger zijn kamp had opgeslagen op een dagmars van Jeruzalem, hadden de mensen die doorreisden naar de stad voldoende tijd gehad om te berichten dat het in aantocht was.

Een leger!

Nu hij door de menigte soldaten van de weg geduwd werd en gedwongen was zijn koppige, trage ezel over de hobbelige grond ernaast te laten sjokken, voelde Annas zijn woede groeien. Hij hield zich rustig tot de achterhoede naderde. Daar zat Florus, de Romeinse procurator van Judea, in een strijdwagen met de teugels van het paard in handen. Aan elke kant liepen slaven mee met parasols om hem tegen de zon te beschutten.

Annas kwam van zijn ezel en trok onmiddellijk Florus' aandacht.

Florus snauwde een bevel tegen een centurio in zijn buurt. Het bevel werd herhaald en beide cohorten soldaten stopten, waarbij ze strak in formatie bleven.

Voor Annas was dit enigszins een balsem op de wonde: zijn aanwezigheid was in ieder geval genoeg om een Romeins leger tot staan te brengen.

Toen Annas naar de strijdwagen stapte, stuurde Florus de slaven weg. Nog een teken dat hij, Annas, niet de eerste de beste was! Ze hadden iets belangrijks te bespreken en dat moest onder vier ogen gebeuren.

Florus was een grote man, een voormalig soldaat. Zijn politieke scherpzinnigheid en zijn macht als procurator van Judea waren gebaseerd op een eenvoudig systeem: intimideer wie geïntimideerd kan worden, koop de rest om en kom snel te weten tot welke categorie je tegenstander behoort. De atletische houding en gratie die hij als actief soldaat bezeten had, waren verloren gegaan in de loop van jaren vol overvloed. Zijn gezicht was rood aangelopen en zijn neus vertoonde gesprongen adertjes. Hoe breed zijn schouders ook waren, zijn bovenlichaam werd gedomineerd door de enorme buik die zijn toga spande. Zijn haar was dik voor een oudere man – hij was in de vijftig – maar hij had het zwart laten verven. In combinatie met de diepe rimpels en onderkinnen maakte deze ijdelheid dat hij eruitzag als een karikatuur van zichzelf.

'Buitengewoon,' merkte Florus meesmuilend op toen ze alleen waren. 'De profeet is afgedaald van zijn berg.'

Het had geen enkele zin te proberen Florus uit te leggen dat een tempelpriester geen profeet was, want hij leverde dit onnozele commentaar elke keer dat hij Annas tegenkwam; dit maakte Annas nog kwader. Daarom liet hij zijn poging tot zelfbeheersing schieten. 'Een leger maakte geen deel uit van onze overeenkomst – zeker niet een leger van deze omvang.'

'Waar blijven je gebruikelijke kruiperige nuanceringen?'

Annas slikte het scherpe, obscene woord dat hem als eerste te binnen schoot, in. Hij wist dat hij in de ogen van Florus niet veel méér was dan de ezel waarop hij vanuit Jeruzalem het leger tegemoetgekomen was. Bovendien was Annas zich intens bewust van het feit dat Florus grote macht uitoefende. Hoe hoog Annas' rang onder de Joden ook was, Florus zou niet aarzelen hem onmiddellijk te laten doden. Vooral niet hier, waar geen enkele getuige het verhaal dat Florus wenste te verzinnen zou tegenspreken.

Aan de andere kant: Florus bezat een ongebreidelde macht in Judea en was in staat hèm ook macht te verlenen. Dat was de worst die hij Annas voorhield. Annas bleef het spelletje meespelen uit verlangen naar macht.

'Je kruiperige nuanceringen?' herhaalde Florus en trok zijn wenkbrauwen op.

'Het is warm vandaag,' zei Annas. 'Ik weet zeker dat u uw tijd niet wilt verspillen.'

'Waag het niet te raden wat ik wel of niet wil!'

Annas' ruwe juten kleding jeukte. Hij voelde een druppel zweet op de punt van zijn neus. Hij weerstond de impuls die weg te vegen.

Florus wenkte een van de bedienden. 'Geef die man de parasol,' snauwde hij, 'en ga dan weer weg.'

Annas nam de parasol van de slaaf aan; het feit dat Florus zo attent was, verbaasde hem. Het was heerlijk tegen de zon beschut te zijn.

'Geef me schaduw terwijl we spreken,' zei Florus opnieuw meesmuilend en speelde nonchalant met de teugels in zijn hand. 'Dan hoef ik me geen zorgen te maken over de lengte van ons gesprek, nietwaar?'

Annas voelde hoe zijn maag onwillekeurig protesteerde. Hij was een voormalig hogepriester en zou op een dag die positie opnieuw bekleden!

'Geef me schaduw,' herhaalde Florus.

Nog altijd aarzelde Annas.

'Denk aan alles wat je geriskeerd hebt en alles wat je te verliezen hebt als ik in Jeruzalem één woord zeg over onze afspraak,' zei Florus rustig. 'Geef me schaduw.'

Uiteindelijk schuifelde Annas naar voren en hield de parasol boven de strijdwagen. Hij kneep zijn ogen tot spleetjes toen de brandende hitte van de zon hem weer trof.

Florus glimlachte quasi-waarderend. Hij pakte een leren waterzak en dronk er met grote teugen uit. 'Zo,' zei hij hartelijk toen hij klaar was, 'vertel me nu nog maar eens wat onze afspraak was. Niet over die oude Jood die jij wilt laten overvallen, maar de afspraak die voor mij van belang is.'

'Daar was de komst van een leger als dit naar Jeruzalem niet bij inbegrepen!'

'De openbare demonstraties die jij tegen mij georganiseerd hebt, waren bijna te veel. Als ik die zonder een of andere symbolische straf over mijn kant laat gaan, riskeer ik dat jullie je angst voor mij verliezen en echt in opstand komen. Of nog erger: Nero zou er lucht van kunnen krijgen en mij hier weghalen omdat ik te zwak ben.'

'Zeventien talent zilver!' zei Annas. 'Uit de schatkist van de tempel! Geschenken van ons volk aan God. We waren vijf talent overeengekomen; uw soldaten hebben er zeventien genomen! Wat nog erger is: ze zijn een hele middag bezig geweest op het tempelplein, voor het oog van het hele volk, het zilver in te laden.

Als we niet zo heftig geprotesteerd hadden, zouden de mensen gedacht hebben dat het een samenzwering met u was.'

'Jouw familie en de tempelbeambten zweren al tientallen jaren met Rome samen,' merkte Florus op. 'Zijn de Joden werkelijk zo stom dat jullie demonstraties tegen ons hun aandacht daarvan kunnen afleiden?'

Annas gaf geen antwoord.

'Luister,' zei Florus. 'Ik verschijn met dit leger in Jeruzalem. Jij en die stroman van jou, de hogepriester, gaan stoer doen en brutaal optreden. Dat doe ik ook. Jullie krijgsmacht is niet groot genoeg om mij weg te sturen. En de mijne is niet groot genoeg om deze stad echt onder controle te houden. Dus neem ik, als er zo veel stoer gedaan en brutaal opgetreden is dat beide partijen schijnen te winnen, het leger mee terug naar Caesarea, en jouw volk zal geloven dat jij hen opnieuw beschermd hebt. Het feit dat ik besloten heb een leger mee te brengen om de voorstelling interessant te maken, is van geen enkel belang. In principe houd ik me aan onze afspraak, of niet soms?'

'Als daarbij twee talent van dat zilver voor mij apart gehouden wordt, wel.'

'Suggereer je dat ik dat vergeten ben?' Florus' glimlach verdween; hij keek Annas doordringend aan. 'Of dat ik dat zilver van jou ga stelen?'

'Ik zeg het alleen hardop om mezelf tevreden te stellen.'

Florus dronk nog meer water en bood Annas nadrukkelijk niets aan. Niet dat die iets uit die waterzak geaccepteerd zou hebben. Elke fatsoenlijke Jood walgde van varkens – en Florus was beslist familie van die viervoeters. Het zou zijn of hij uit een trog dronk.

'Er zit me iets dwars,' zei Florus. 'Je hebt enorme moeite gedaan om me hier buiten tegemoet te komen. We hadden dit alles gemakkelijk in de privacy van het paleis kunnen bespreken. Daar had je me gerust kunnen bezoeken; dat wordt juist van je verwacht.'

'Ik kom hier om u te waarschuwen. Ik stuur nooit een boodschapper; zelfs nu wil ik geen uitzondering maken.' Annas wilde geen enkele communicatie met Florus vastleggen in een boekrol die in verkeerde handen zou kunnen vallen. Dat zou zijn carrière en zijn leven verwoesten.

'Waarschuwen?'

'Het bericht van uw komst heeft Jeruzalem natuurlijk al bereikt. Voor de stadsmuren zal een delegatie uw leger opwachten. Men is van plan u door toejuichingen te honen. Ik zeg dit alleen omdat er een echte rel zou kunnen losbarsten als uw soldaten de gelederen verbreken en hier met geweld op reageren. Elke escalatie zou het zowel voor u als voor mij moeilijk maken om gewoon stoer te doen en brutaal op te treden, zoals u dat noemt.'

'Dat begrijp ik,' zei Florus. Hij richtte zijn blik op de horizon en toen weer op Annas. 'Dat begrijp ik zeker.'

'Er is nog iets,' zei Annas. 'Een zaak van belang die we bij andere gelegenheden al besproken hebben.'

'Ja?'

'Gallus Sergius Vitas is eindelijk gearriveerd.'

'Vitas!' Florus schoot zo plotseling naar voren dat de strijdwagen uit balans raakte; hij moest aan de teugels rukken om het paard op zijn plaats te houden.

'Volgens mijn spionnen is hij nu in Sebaste,' zei Annas. 'Samen met Ben-Arych. Uw vijand heeft zich bij de mijne aangesloten.'

✠ ✠ ✠

'Denk je dat je vandaag sterft?' vroeg Quintus Valerius aan zijn zus. 'Ik wil heel graag kijken. Ik heb nog nooit iemand zien sterven. Ik weet alleen wat jij en Maglorius me over de arena verteld hebben.'

Quintus was klein voor een zevenjarige. Zijn haar was bijzonder donker, al sinds zijn geboorte. Hij droeg een lichtblauwe tunica en veterlaarzen van soepel leer. In elke hand hield hij een kort houten zwaard. Hij stond in de zon, naast de schaduw van de muur van de binnenhof, en kneep zijn ogen tot spleetjes terwijl hij Valeria aankeek en op haar antwoord wachtte.

'Laat me je verzekeren dat mijn dood geen schouwspel zal zijn,' antwoordde Valeria. 'Dievegges, moordenaressen en slavinnen zijn de enige vrouwen die in de arena sterven.' Valeria zweeg even en zuchtte dramatisch. 'Nee, mijn dood zal waardig zijn.' Nog een stilte. 'En tragisch... bijzonder tragisch.'

Op haar vijftiende was Valeria al begonnen haar gezicht met kalk te poederen en haar lippen en wangen te kleuren met de droesem van rode wijn. Toen al had ze er als een volwassen vrouw uitgezien. Nu, op haar twintigste, was haar schoonheid verbazingwekkend. Ze kleedde zich dienovereenkomstig. Haar roomkleurige overkleed was van zijde, met kanten versieringen langs de zoom. Op een rustbank in de schaduw leunde ze achterover, met haar blote voeten opgetrokken; haar elegante sandaaltjes stonden naast haar op de mozaïekvloer van de binnenplaats.

'Gaat het vandaag gebeuren?'

Een van Quintus' karakteristieke eigenschappen was zijn vasthoudendheid. Hij bezat een bekoorlijke mengeling van naïviteit en zelfvertrouwen. Valeria was dol op hem. Ze vond het ook amusant dat hij, hoe intelligent hij ook was voor een kind van zeven, de dood niet helemaal begreep. Voor hem was de dood eenvoudig een andere manier om op reis te gaan, wist ze. Niet anders dan wanneer ze werkelijk uit Jeruzalem vertrok en naar Rome ging om te trouwen met een oude man die ze nog nooit gezien had – waartoe haar ouders haar wilden dwingen. Quintus begreep niet hoe definitief de dood was. Hij was even dol op haar als zij op hem. Als hij werkelijk zou begrijpen dat ze voorgoed weg zou zijn als ze eenmaal dood was...

Bij die gedachte fronste Valeria haar wenkbrauwen. Haar vader en stiefmoeder begrepen de consequenties van de dood maar al te goed; toch waren ze bereid werkloos toe te zien terwijl ze in hun huis wegkwijnde omdat ze zich doodhongerde.

Valeria stak haar kin vooruit. Ze zou hen leren! Vooral haar stiefmoeder – nauwelijks tien jaar ouder dan zijzelf – die blijkbaar alleen vanwege zijn rijkdom met haar vader getrouwd was. Was de wet maar anders! Romeinse vrouwen vielen nu eenmaal volkomen onder het gezag van hun vader.

'Ga je vandaag dood?' vroeg Quintus weer. 'Ik wil het echt niet mislopen.'

'Misschien,' antwoordde Valeria en probeerde te verbergen dat ze op dit moment eerder geamuseerd was dan boos op haar ouders. Dat effect had Quintus met zijn ernstige, onschuldige vragen altijd op haar. Hij leidde haar af van haar zorgen.

'Misschien?' Quintus leek lichtelijk teleurgesteld. 'Weet je het niet zeker?'

Valeria deed alsof ze er eens over nadacht. 'Ik voel me wel heel zwak. Maar aangezien dit voor mij de eerste keer is, heb ik niet genoeg ervaring om de symptomen te beoordelen. Misschien voelt een mens zich al dagen op de rand van de dood, voordat het werkelijk zover is.'

'Dagen?' herhaalde Quintus. 'Zo lang kan ik niet wachten.'

'Dagen,' zei ze beslist. 'Misschien zelfs weken.'

'Ik geloof dat ik liever mijn polsen zou doorsnijden en mijn aderen openmaken,' zei Quintus plechtig. 'Ik moet er niet aan denken één maaltijd over te slaan, laat staan dat ik dagen en dagen zonder eten zou moeten.'

'Wat weet jij nu van aderlating?'

Quintus snoof verontwaardigd. 'Ik ben geen kleuter meer, voor het geval je het vergeet! Ik kan goed luisteren als vader en moeder met elkaar praten. Het enige waar ze vorige maand over spraken, was het feit dat Nero onze oom in Rome verzocht heeft zelfmoord te plegen en dat hij daarna zijn landgoed in beslag heeft genomen.'

'Wisten ze dat jij in de buurt was toen ze dat gesprek voerden?'

'Natuurlijk niet. Dan was ik toch nooit iets te weten gekomen!' Hij schudde zijn hoofd over Valeria's domme vraag. 'Ik weet genoeg om de voorkeur te geven aan een aderlating in een stoombad. Eerst wijn drinken tot je slaperig wordt. Dan verticale sneden vanaf de binnenkant van de pols. Pijnloos. Zonder je familie te belasten met al die onzekerheid, zodat ze zich afvragen wannéér je de hongerdood zult sterven. Het is moeilijk plannen maken als niemand weet wanneer je dood gaat.'

'Neem me niet kwalijk,' zei Valeria geamuseerd. 'Ik zal proberen ervoor te zorgen dat mijn zelfmoord jou goed gelegen komt.'

'Dank je,' zei Quintus. 'Ik houd er niet van om jou en moeder te horen ruziemaken.'

'Als je groot was, zou je beseffen dat het juist om die ruzies draait. Hoewel ik de dood boven Rome verkies, zou ik het liefst weer gaan eten. Bedenk eens hoe weinig zin het voor mij heeft als vader pas van gedachten verandert wanneer mijn levensbloed al in een plasje aan mijn voeten ligt! Zodra het vlees van je pols doorgesneden is, wordt het moeilijk de schade te herstellen.'

Quintus leek dit te overdenken terwijl hij met de rug van zijn rechterhand over zijn voorhoofd wreef. Hij had zijn ludis, het houten oefenzwaard, nog steeds stevig vast.

'O,' zei hij ten slotte. 'Nu begrijp ik het.'

Valeria's broertje had nog een karakteristieke eigenschap waar ze dol op was: geen enkel onderwerp nam zijn aandacht lang in beslag.

Zoals nu.

Blijkbaar vond hij dat hij genoeg had nagedacht over het gearrangeerde huwelijk dat zij beslist wilde vermijden. Zonder enige waarschuwing keerde hij zich om, schreeuwde een strijdkreet en voerde een aanval uit op een grote houten paal die in het midden van de binnenplaats bevestigd was – een oefenapparaat voor gladiatoren dat een palus genoemd werd. De paal was hoger dan hij zelf. Hij viel erop aan met de vrolijke felheid van een fret die op een muis afschiet.

Zijn houten zwaarden zagen eruit als de oefenzwaarden van een gladiator. Alleen waren ze in miniatuur nagemaakt, zodat zijn kleine vingers het gevest konden omklemmen. De oudste zoons van rijke Romeinen waren gewend dat aan al hun grillen tegemoetgekomen werd; Quintus had zelfs geëist dat zijn naam in het blad van elk zwaard gegrift zou worden.

'Dood aan de retiarius!' riep Quintus.

Hij hakte op zijn zwijgende tegenstander in, rammelde de paal afwisselend met beide zwaarden af en sprong daarna achteruit alsof hij een tegenaanval ontweek.

Triomfantelijk hief hij zijn armen en wees met zijn kleine houten zwaardjes naar de blauwe hemel boven zijn hoofd. 'Ik ben de grootste van alle dimachaeri die ooit een arena betreden hebben!'

Toen het stil was, riep Valeria over de binnenplaats: 'En nu ben je de doodste! Mag ik je eraan herinneren dat een retiarius veel sneller is dan die houten paal – die jij met je grootste klap niet eens kunt schrammen? De retiarius heeft een net, Quintus. Hij zal je eerst verstrikken en dan met zijn drietand doodsteken.'

Quintus liep naar de houten paal en zocht bewijs dat hij wel degelijk schrammen had veroorzaakt. Toen hij geen recente merktekens vond waarvoor hij de eer kon opeisen, keerde hij zich kwaad naar haar om.

'De dimachaeri hebben twee zwaarden, zoals je ziet.' Hij zwaaide er dreigend mee terwijl hij met zijn korte beentjes in haar richting liep. 'Elk zwaard is gemakkelijk in staat de stoot van een drietand te blokkeren. Bovendien heb jij niet gemerkt dat de retiarius zijn net al had uitgegooid, waarbij hij me helemaal gemist heeft. Ik heb hem volkomen uitgeput en zijn drietand op de grond geslagen voordat ik naar voren kwam om hem de genadeslagen toe te dienen.'

Hij hield zijn hoofd schuin. 'Luister.'

'Ik hoor niets,' zei Valeria.

'De toejuichingen van het publiek. In de loop van de tijd heb ik iedereen verslagen. Thraciërs, Samnieten, Galliërs. Dit is de dag waarop de keizer mij de vrijheid schenkt. Ik zal rijk en beroemd uit de arena komen.'

'Dromer. Als je volwassen bent, zul je als toeschouwer in de arena zitten, net als vader, met je ogen knipperend tegen de zon vanwege alle uren die je binnen doorgebracht hebt met geld tellen. Belastingen inzamelen voor de keizer. Je zult wel rijk zijn, maar niet beroemd. De zoveelste gerespecteerde administrateur die de traditie van de Bellatortak van het geslacht Valerius volgt. Vader zou nooit toestaan dat jij je verkoopt aan de arena. Gladiatoren sterven, Quintus. Als aanmaakhout dat verdwijnt als het vuur oplaait.'

Quintus hief zijn zwaarden opnieuw en paradeerde weer als overwinnaar naar het andere eind van de binnenplaats. Hij keerde zich om en riep zijn zus toe: 'En Maglorius dan? Hij was geen aanmaakhout!'

Valeria deed haar mond open om hem van repliek te dienen, maar besefte dat ze geen weerwoord had. Bij de gedachte aan Maglorius glimlachte ze. Hij speelde de hoofdrol in veel van haar dagdromen. 'Eindelijk,' zei ze, 'je eerste overwinning van vanmorgen! Ik moet op dit punt ongelijk bekennen. Maglorius heeft het onmogelijke gedaan.'

Ze stak haar wijsvinger op en riep Quintus toe, even luidkeels als hij naar haar geroepen had: 'Denk er wel aan dat zelfs de grote Maglorius oud geworden is en nu bij onze familie in dienst is! Wat zou jij liever zijn? Meester of vrijgelatene in loondienst?'

Quintus kreeg echter geen gelegenheid om antwoord te geven, en Valeria had onmiddellijk berouw van haar woorden en het volume waarmee ze geroepen had.

Een slavin kwam de binnenplaats op met een dienblad met brood en in dobbelsteentjes gesneden vruchten en een potje honing. Alypia, Valeria's stiefmoeder, volgde de slavin. Achter hen beiden liep Maglorius, de ex-gladiator.

Door de manier waarop ze alledrie naar Valeria keken, wist ze meteen dat haar vraag aan Quintus luid genoeg gesteld was om door Maglorius gehoord te worden.

✠ ✠ ✠

De soldaten begeleidden Ben-Aryeh en Vitas naar de gevangenis diep onder de muren. Nu hij aan alle kanten bewaakt werd door zwaarden en rinkelende wapenrustingen, kreeg Ben-Aryeh het gevoel dat ook hij gevangengezet werd. Hij troostte zich met de gedachte dat hij, omdat dit bezoek vroeg op de dag plaatsvond, onmiddellijk na het gesprek met de gevangenen aan de terugreis naar Jeruzalem kon beginnen en de volgende middag thuis bij zijn geliefde Amaris zou zijn.

Hij liep naar de tralies van de cel. Vijf oude mannen waren dicht op elkaar opgesloten in een kleine cel die naar overjarige azijn rook door hun zweet. Twee van hen kwamen naar voren toen ze Ben-Aryeh zagen; ze herkenden hem onmiddellijk. De andere drie bleven terneergeslagen achter in de cel zitten.

'Verleent Florus ons de vrijheid?' vroeg Abel. Die vraag zei veel over Ben-Aryehs reputatie als onderhandelaar.

Abels hoopvolle blik was nog meelijwekkender door de uitputting op zijn gegroefde gezicht. Hij was kleiner dan Ben-Aryeh, had een kaal hoofd en een scherpe, kromme neus. Ben-Aryeh kende deze man, zoals hij de anderen kende. Allen waren vooraanstaande Joodse inwoners van Caesarea.

'Ik heb niet de kans gekregen met hem te spreken,' zei Ben-Aryeh. Hij was niet gekomen om hen vrij te krijgen, maar het leek hem niet het juiste moment om hun dat te vertellen.

Hij sprak nadrukkelijk alleen over zichzelf om duidelijk te maken dat hij op geen enkele manier met Vitas samenwerkte. De mannen in de cel bleven zich tot Ben-Aryeh richten, waarschijnlijk in de veronderstelling dat Vitas slechts een bediende was.

'Florus is twee dagen geleden uit Sebaste vertrokken,' snoof Tadmor, een man met dik, grijs haar, die in zijn jeugd bijzonder sterk geweest moest zijn. 'Toen wij in Caesarea waren, kwam Florus hierheen, naar Sebaste. Toen wij uit Caesarea hierheen kwamen om Florus te spreken, zette hij ons in de gevangenis en keerde terug naar Caesarea. Hij speelt een spelletje. Verwijdert de leiders uit de stad om de terugkeer naar zijn paleis veilig te stellen.'

Het was Florus niet om veiligheid te doen. Dat wist Ben-Aryeh. Toch was dit niet het juiste moment om hun dat te vertellen.

Tadmor schudde zijn hoofd en trok een lelijk gezicht. 'Florus! Ik bid dat hij binnenkort zal sterven – een langzame dood, onder ondraaglijke pijnen.'

'O, ja,' antwoordde Ben-Aryeh. 'Zo kun je zéker op barmhartigheid rekenen! Beledig vooral de procurator in het bijzijn van soldaten die elk woord van ons gesprek aan hem moeten overbrengen.'

Een van de soldaten verplaatste zijn gewicht van zijn ene naar zijn andere voet. Ben-Aryeh vatte dat op als een onwillekeurige instemming: zijn veronderstelling was juist geweest. Hij onderdrukte een tevreden glimlach.

'Florus heeft ons onrechtvaardig behandeld,' zei Tadmor. 'Het kan me niet schelen wie te weten komt wat wij zeggen.'

Het kon Ben-Aryeh wél schelen. Hij wist dat Florus niet de enige was aan wie verslag van dit gesprek gedaan zou worden. Nee, de Joden van de tempel waren verdeeld – zelfs tegenover deze vijand.

Vitas bleef waakzaam zwijgen.

Tadmor schudde zijn vuist tegen de soldaten achter Ben-Aryeh. 'Florus heeft al besloten wat hij met ons gaat doen. Wat wij zeggen, maakt geen enkel verschil – zelfs een argument van de grote Ben-Aryeh niet!'

Ben-Aryeh negeerde het sarcasme in Tadmors stem. Als hij in Tadmors schoenen stond, zou hij ook in een vreselijk humeur zijn en iedereen een veeg uit de pan geven.

'We hebben in Jeruzalem geruchten gehoord over de gebeurtenissen in Caesarea,' zei Ben-Aryeh. 'Ik begrijp dat jullie geloven dat de rellen door Florus georganiseerd werden.'

'Geloven?' barstte Tadmor uit. 'Dat is geen kwestie van geloof! Het is een feit!'

‘Kun je die geruchten bevestigen? Daarvoor ben ik gekomen.’

‘Je kent onze synagoge,’ zei Tadmor. Alleen hij leek nog de energie te hebben om woedend te zijn. Abel was achter in de cel bij de andere drie gaan zitten; zijn gebogen hoofd en schouders drukten verslagenheid uit. ‘En je weet dat de grond ernaast het eigendom is van een Griek.’

‘Ook dat jullie hem herhaaldelijk geld geboden hebben voor dat lapje grond – veel meer dan het waard is,’ zei Ben-Aryeh.

‘Je zou bijna denken dat die Griek in dienst van Florus is,’ zei Tadmor. ‘Niet alleen weigerde hij telkens opnieuw ons zijn grond te verkopen, maar hij begon ook werkplaatsen op óns terrein te bouwen. Toen we hem ervan beschuldigden ons te willen beledigen, lachte hij ons uit. Daarna gaf hij toe dat dat precies zijn bedoeling was. Erger nog: hij liet opzettelijk maar een heel smal pad over om bij ons gebedshuis te komen. Een paar van onze jongens –’

‘Ik ben trots op hen!’ Abel had de kracht gevonden hem in de rede te vallen. ‘Op hun leeftijd zouden wij hetzelfde gedaan hebben.’

‘Heethoofden,’ zei Tadmor. ‘Geweld lost niets op. Ze probeerden de arbeiders tegen te houden. Zonder succes. Dat veroorzaakte een rel, maar Florus stuurde er soldaten heen om de Griek te beschermen.’

‘Daar had hij gelijk in,’ zei Ben-Aryeh. ‘We moeten ons aan de wet houden.’ Deze wijze raad was vooral voor de oren van de soldaten bestemd.

‘Abel geloofde in een andere oplossing,’ zei Tadmor. ‘Die was duur en volkomen zinloos.’

‘We waren er allemaal vóór!’ Abel stond op en zakte toen weer ineen. ‘Ik ben niet alléén verantwoordelijk.’

‘Acht talent zilver,’ bevestigde Ben-Aryeh. ‘Dat was de oplossing.’

‘Dus dat heb je gehoord,’ zei Tadmor tegen Ben-Aryeh. ‘Acht talent! Florus stemde ermee in dat geld aan te nemen om de bouwers tegen te houden.’

'Sommigen zouden het een omkoopsom noemen,' merkte Ben-Aryeh op. 'En een flinke som ook.'

Acht talent!

'Hoe dan ook, Florus nam het met plezier aan.' Tadmors stem klonk bitter. 'En hij trok zich met evenveel plezier terug in Sebaste, zodat de relletjes de volgende sabbat volkomen uit de hand liepen.'

Tadmor beschreef de situatie tot in de details. Toen de Joden bij de synagoge arriveerden om hun God te aanbidden, werd de ingang bijna versperd door een sterke jonge Griek die een pot ondersteboven voor zich op de grond gezet had. Op die pot offerde hij vogels met een spottende grijns op zijn gezicht; hij wist dat deze ontheiliging onaanvaardbaar zou zijn voor de Joden. Dat deze jonge Griek hun reactie goed had ingeschat, werd duidelijk toen ze hem aanvielen. Meteen sprongen andere Grieken uit hun schuilplaats tevoorschijn om hem te verdedigen. Binnen enkele seconden was de situatie geëscaleerd. De oudere Joden, die het ergste vreesden, hadden hun kostbare exemplaar van de Wet gegrepen en waren naar Narbata gevlucht, ongeveer zeven mijl verderop. Daarvandaan hadden ze een delegatie naar Sebaste gestuurd.

'Zoals je ziet,' besloot Tadmor zijn verhaal, 'zijn wij die delegatie. Toen we hier arriveerden om Florus te herinneren aan de acht talent zilver die hij had aangenomen om ons te beschermen, gooide hij ons in de gevangenis wegens diefstal van een exemplaar van de Wet uit onze synagoge! Nog nooit heeft iemand ons zó geprovoceerd! Hoe denkt die man de vrede te kunnen bewaren?'

Ben-Aryeh had medelijden met deze oude mannen. Medelijden met hun fysieke toestand. En nog meer medelijden omdat ze zo weinig van Florus begrepen.

'Bedenk eens wat er tijdens de vorige Pesach gebeurd is,' zei Ben-Aryeh zachtjes. 'Begrijp je het niet? Florus denkt er niet over de vrede te bewaren. Integendeel. Ik vrees dat hij oorlog wil.'

'Oorlog?' herhaalde Tadmor.

Ben-Aryeh knikte.

Door een oorlog in Judea zouden alle wreedheden die Florus sinds het vertrek van Albinus gepleegd had, verborgen blijven. Als Rome afgeleid werd door problemen die door de Joden veroorzaakt werden, zou Florus niet strafrechtelijk vervolgd worden.

'Mijn advies is dan ook: gebruik alle invloed die jullie hebben om de mensen in jullie stad ervan te weerhouden weer tegen hem in opstand te komen,' zei Ben-Aryeh. 'Jullie mogen geen relletjes meer toestaan. Het hele land is van jullie afhankelijk. Geef Florus geen enkel excuus om zijn soldaten op ons los te laten.'

Dit was niet alleen Ben-Aryehs advies, maar het gezamenlijke advies van alle leiders van Jeruzalem. Bernice had hem weliswaar verzocht Vitas in Sebaste tegemoet te gaan, maar dat gezamenlijke advies was de voornaamste reden van Ben-Aryehs komst: de leiders van Caesarea aanraden tot elke prijs de vrede te bewaren. Als er oorlog uitbrak, zou Jeruzalem daar het meest onder te lijden hebben.

'Je hebt het nog niet gehoord.' Tadmor leek geamuseerd, vreemd genoeg; hij keek Ben-Aryeh aandachtig aan.

'Zit er meer achter die gebeurtenissen?'

'Ach, ja.' Tadmor streek over zijn baard. 'Jij bent al die tijd onderweg geweest. Je hebt het nog niet gehoord. Als ik het vertel, moet je jouw advies aan ons in gedachten houden. En kijk in Jeruzalem maar eens of je de mensen de zelfbeheersing die je zo gemakkelijk lijkt te prediken, kunt opleggen. Kijk maar of je een rel in je eigen stad kunt voorkomen.'

'Wij zullen ons aan de wet houden.' Opnieuw sprak Ben-Aryeh niet zozeer tegen Tadmor als wel tegen de soldaten die dit gesprek uiteindelijk aan Florus zouden doorvertellen.

'We zullen zien of jullie je aan de wet houden,' zei Tadmor. 'Als Florus op oorlog uit is, zoals jij zegt, verklaart dat de boodschap die we vandaag uit Caesarea kregen. Gisteren is Florus met twee cohorten weggemarcheerd naar Jeruzalem. Die soldaten zouden daar vandaag moeten arriveren.'

✠ ✠ ✠

Gallus Sergius Vitas! Hier in Judea?

Florus keek over het wiel van de strijdwagen doordringend naar Annas. Die probeerde niet eens zijn zelfvoldane blik te verbergen; hij genoot er zichtbaar van hem deze informatie te leveren. Florus hield de teugels in een lus om zijn handen en drukte die tegen zijn benen om beven te voorkomen.

Gallus Sergius Vitas.

Florus had natuurlijk van de familie Vitas gehoord. Ze waren trots op hun afstamming die terug zou gaan tot de stichting van Rome. Florus had deze Vitas in verschillende hoedanigheden in Rome ontmoet; hij haatte en wantrouwde hem vanwege zijn eerlijkheid.

Insperata accidunt magis saepe quam quae speres, dacht Florus. Wat je niet hoopt, gebeurt vaker dan wat je hoopt.

Als er één invloedrijk man in Rome was van wie Florus gehoopt had dat hij nooit een stap in Judea zou zetten, was het Gallus Sergius Vitas wel. Oorlogsheld. Patriciër van onbetwistbaar nobele afstamming. In de gunst zowel bij Nero als bij de senaat. Voor geen van beide een bedreiging. Een man die bekendstond om zijn integriteit en onwrikbare loyaliteit aan het Romeinse rijk. Elk verslag dat hij uitbracht, zou beschouwd worden als onpartijdig, als de absolute waarheid.

Vitas had ook niet op een slechter tijdstip kunnen komen, in aanmerking genomen wat Florus voor Rome te verbergen had.

Judea was een achterlijk gat, maar in het bezit van schatten die geplunderd konden worden – zoals eerdere procurators ontdekt hadden. Het was ver van het keizerlijk hof verwijderd en Rome was al honderd jaar gewend aan onophoudelijke klachten van de Joden. Dat betekende dat de klachten die door een nieuwe procurator veroorzaakt werden, niet meteen opvielen. Kortom: zo lang een behoorlijke hoeveelheid belastinggeld van Judea naar Rome bleef stromen, kon een corrupte procurator een enorm fortuin verdienen, vrijwel ongehinderd door de Romeinse wet.

Maar Florus was veel te inhalig geweest – nog meer dan zijn voorganger Albinus – en met zijn laatste misstappen was hij te ver gegaan. Zo ver, in feite, dat Florus wanhopig op zoek was naar een manier om al zijn daden van de afgelopen anderhalf jaar te verheimelijken. Hij had allang een onderzoek voorzien en een aanzienlijk bedrag opzijgezet om elke afgezant van de keizer te kunnen omkopen.

Elke afgezant behalve Vitas.

Dankzij de informatie die Annas via zijn uitgebreide netwerk van spionnen verzameld had en aan hem doorgegeven, wist Florus dat Vitas niet van plan was dit bezoek in het openbaar te brengen, maar zonder er ruchtbaarheid aan te geven. Wat had dat te betekenen? Dat Nero reeds zijn twijfels had over wat er in Judea gebeurde?

Insperata accidunt magis saepe quam quae speres. Bij elke andere man dan Vitas en op elk ander tijdstip zou Florus geen enkel risico lopen door Nero gestraft te worden. Niet de wreedheden tegen de Joden zouden Nero's weerzin oproepen, maar het feit dat Florus de Joden veel meer belastinggeld afgeperst had dan hij naar Rome stuurde.

Toch kon Florus misschien nog nét ontsnappen aan de straf van Rome. Het leger dat voor hem uit liep, was de oplossing voor zijn probleem.

Dat wist Annas natuurlijk niet, maar hij was een sukkel. Hij geloofde werkelijk dat hij het zilver dat Florus hem beloofd had, zou ontvangen! Annas was ook dom genoeg om te geloven dat Florus vanwege de uiterlijke schijn een leger had meegenomen. Zijn waarschuwing dat de soldaten de gelederen niet moesten verbreken omdat dat een rel bij de stadsmuren zou veroorzaken, werd door Florus bijzonder gewaardeerd. Nu kon hij een centurio met vijftig ruiters vooruit sturen met de opdracht al het mogelijke te doen om de Joden op te hitsen. Dan zouden de Joden verantwoordelijk lijken voor de rel die daar hopelijk op zou volgen; zo zou het gerapporteerd worden.

Morgen zou Florus twee cohorten in de stad hebben. Hij was van plan nog twee cohorten naar binnen te krijgen. Dan zou het machtsevenwicht in Jeruzalem doorslaan in Florus' voordeel en kon hij zich verzekeren van zó veel opschudding in het land dat niemand hem nog kwalijk zou nemen dat hij de Joden zo wreed behandeld had.

Maar als Vitas binnen korte tijd genoeg informatie verzamelde... en als Vitas lang genoeg in leven bleef om die informatie naar Rome te brengen...

Bij die gedachte voelde Florus iets rommelen onder in zijn enorme lichaam; hij kreeg kramp in zijn ingewanden. Hij maakte zichzelf wijs dat het geen angst was, maar iets wat hij de vorige avond gegeten had. Hij vertrouwde het eten dat in een legerkamp gekookt werd nooit helemaal; dit was de prijs die hij betaalde voor zijn vertrek uit de luxueuze accommodatie van Caesarea.

'Sebaste? Is Vitas in Sebaste?' vroeg hij aan Annas. 'Jij verzekerde me...' Hij zweeg om zijn lippen af te likken. Zijn mond was droog – té droog. En hier boven in de bergen kwam dat niet door de hitte. 'Je verzekerde me dat hij van plan was naar Jeruzalem te gaan en niets van het platteland zou zien.'

Florus verzweeg de rest. Dat Vitas niets zou zien van de verwoesting die Florus onder de mensen op het platteland had aangericht. Dat hij geen geruchten zou horen die aangaven hoeveel rijkdom Florus van de Joden gestolen had.

'U weet dat Ben-Aryehs assistent hem voor mij bespioneert,' zei Annas.

Florus knikte ongeduldig. Annas wist altijd wel een manier te bedenken om over zijn afspraken te kunnen opscheppen.

'Na de vorige keer dat ik u gesproken heb, hoorde ik van hem dat Ben-Aryeh op een of andere manier bij Bernice in de schuld staat. Daarom was hij gedwongen Vitas in Sebaste te ontmoeten, op haar verzoek.'

'Bernice en Vitas? Dat is nieuw voor me.'

'Voor mij ook,' zei Annas. 'Ik heb het kortgeleden gehoord van Ben-Aryehs assistent, die zijn gesprek met Bernice afgeluisterd heeft. Er woont een ex-gladiator in Jeruzalem, een vriend van Vitas. Die ex-gladiator heeft als tussenpersoon gediend, zodat ambtenaren van de regering niet beseften dat Bernice Vitas helpt.'

'Wat heeft zij daarbij te winnen? Van Vitas?'

'De rechterhand van Nero?' was Annas' weerwoord.

Florus gromde instemmend. Die man zou zeker nuttig kunnen zijn voor koningin Bernice.

'De echte vraag is: wat wil Vitas van koningin Bernice in ruil voor zijn politieke gunsten?' vroeg Annas.

Florus gromde weer. 'En dat ga jij voor me uitzoeken?'

'Daarom hebt u mij nodig, weet u nog?'

Annas kreeg te veel zelfvertrouwen. Dat betekende dat hij vermoedde dat Florus van slag gebracht werd door de naam Vitas.

'Misschien weet jij nog dat ik bij gelegenheid een soldaat bevel geef een man open te splijten,' zei Florus. 'Waarop ik op het ene eind van zijn darmen stap en hem dwing weg te wandelen terwijl de rest van zijn darmen als een koord achter hem uitrolt.'

'Die verhalen heb ik gehoord,' zei Annas, niet zo kalm als hij wilde schijnen.

Florus genoot van zijn kleingeestige wraak. 'Het zou je verbazen hoe ver een man op die manier nog kan lopen. En hoe lang het duurt voor hij sterft. Het kan best vermakelijk zijn; soms proberen ze alles er weer in te proppen. Eén man –'

'Ja, ja,' zei Annas. 'Die verhalen heb ik gehoord.'

Annas haalde zijn vingers een aantal maal door zijn lange, dikke haar. Florus vond dat een irritante gewoonte van hem.

'Ik wil weten wat Vitas in Judea zoekt,' zei Florus bevelend. 'Nog beter: ik wil hem dood hebben. Zorg dat iemand hem in Jeruzalem vermoordt.'

'Een moord in Jeruzalem zou nogal verdacht zijn, vindt u niet?' merkte Annas op. 'Aan de andere kant: u hebt al bandieten klaarstaan voor Ben-Aryeh. Waarschijnlijk reist Ben-Aryeh met Vitas samen vanuit Sebaste. Stuur hen gewoon het bevel dat ze Vitas ook doden. In Rome zal het lijken of hij slachtoffer is geworden van een willekeurige roofoverval, dat weet ik zeker.'

'Vitas... dood,' stemde Florus na een ogenblik nadenken in. 'Dat klinkt me als muziek in de oren.'

✠ ✠ ✠

'Denk er wel aan dat zelfs de grote Maglorius oud geworden is en nu bij onze familie in dienst is! Wat zou jij liever zijn? Meester of vrijgelatene in loondienst?'

Valeria's stiefmoeder Alypia stond naast Maglorius. Maglorius droeg Valeria's halfbroer Sabinus, een jongetje van ongeveer een jaar oud, op de arm. Alypia en Maglorius keken Valeria recht aan.

Het feit dat het Valeria speet dat Maglorius de belediging gehoord had, gaf zijn hoge status in hun huishouden aan. Om de gevoelens van een andere bediende – slaaf of niet – zou ze zich niet bekommerd hebben.

In het verleden zou Maglorius misschien in woede uitgebarsten zijn; daar was hij beroemd om geweest, zelfs toen hij nog hun slaaf was. Ook dit wees op zijn hoge status in dit huis. Iedere andere slaaf zou afgeranseld zijn voor een dergelijk gedrag, maar hij had dit regelmatig ongestraft gedaan.

Maar Maglorius was in de loop van de afgelopen weken veranderd. Hij leek meer vrede te hebben; zijn ingehouden woede was verdwenen. Nu glimlachte hij eerst naar Sabinus; daarna wendde hij zich tot Valeria en zei rustig: 'Stultus est qui stratum, non equum inspicit...'

Na jaren tussen de Romeinen sprak hij bijna accentloos Latijn. Zijn dapperheid en bekwaamheid hadden hem naar arena's over de hele wereld gevoerd, waaronder die in Smyrna. Daar had hij een aanval met zwaarden overleefd voordat hij zich terugtrok als gladiator en bij de familie Bellator onder contract ging als lijfwacht.

Zijn opmerking op dit moment schokte Valeria diep. 'Stultus

est qui stratum, non equum inspicit.' De man die het zadeldek inspecteert in plaats van het paard, is dom.

'M – Maglorius,' stotterde Valeria, 'ik bedoelde niet...'

'...stultissimus qui hominem aut veste aut condicione aestimat,' eindigde hij. Zijn mondhoeken krulden enigszins omhoog terwijl hij zijn antwoord op haar vraag aan Quintus voltooide; zo liet hij Valeria merken dat hij niet werkelijk boos was.

'Ja,' zei Alypia en herhaalde het spreekwoord dat Maglorius uitsprak, alsof Valeria te stompzinnig was om het zonder hulp te begrijpen. 'De man die het zadeldek inspecteert in plaats van het paard, is dom; het domst is de man die een ander beoordeelt naar zijn kleding of omstandigheden.'

Maar Valeria had de hulp van haar stiefmoeder niet nodig. Ze had heel goed begrepen wat Maglorius bedoelde. Meester, slaaf of vrijgelatene in dienst van rijke mensen – dat waren slechts uiterlijke omstandigheden.

Valeria voelde haar wangen branden; ze werd in verlegenheid gebracht door Maglorius' vriendelijke berisping wegens haar ondoordachte vraag aan Quintus. Maglorius en de manier waarop hij aandacht aan haar schonk – ze kon nooit precies definiëren wat haar zo raakte, maar heimelijk wenste zij vaak dat hij een deftige Romein was en zij een vrouw uit een ander gezin. Maglorius behandelde haar altijd met respect. Ze hield ook van de manier waarop hij Quintus liefde toonde, alsof Quintus zijn eigen zoon was. Maglorius die voor Quintus speelgoed uit hout gesneden had. Maglorius die haar betoverd had met verhalen over verre landen en nobele krijgers. Maglorius die zo zachtaardig omging met Sabinus, de baby die hij nu in zijn armen hield.

'Als Maglorius een beter mens was,' vervolgde Alypia schalks, 'zou hij natuurlijk nalaten Latijn te spreken op een manier waaruit zijn barbaarse komaf blijkt. Onteerd soldaat, slaaf, gladiator, vrijgelatene, en nu lijfwacht. Zijn arrogante houding maakt op niemand indruk.'

Valeria wist niet wat haar stiefmoeder bezielde, de laatste weken. Ook zij was veranderd. Alypia was prikkelbaar en de opmerkingen die ze over Maglorius maakte, waren bijna hatelijk. Ze begon Sabinus lomp te behandelen en liet het aan bedienden en slaven over voor het jongetje te zorgen. Maglorius negeerde haar hatelijkheden gewoon en richtte zijn aandacht meer op de kleine jongen.

Hij draaide zich om en liep bij Alypia vandaan.

'Kom terug,' zei Alypia. 'Je hebt mij niet verteld welk verzoek de boodschapper uit het koninklijk paleis voor je had. '

'Dat is voor u niet van belang,' zei hij.

'Dus de geruchten die ik hoor over jou en koningin Bernice berusten op waarheid?' vroeg Alypia bitter.

Valeria schrok ervan. Maglorius en koningin Bernice? Die gedachte vervulde haar met wanhoop. Bernice was de mooiste vrouw van Jeruzalem. Hoe zou Maglorius haar kunnen weerstaan als die geruchten op waarheid berustten?

'Mijn zaken met Bernice zijn voor u niet van belang,' zei Maglorius weer.

Alypia wuifde hem weg, ogenschijnlijk verveeld door de discussie. Valeria wist wel beter. Als haar stiefmoeder een discussie niet kon winnen, deed ze altijd alsof het haar helemaal niet kon schelen.

Maglorius liep, nog steeds met Sabinus op zijn arm, naar Quintus en mompelde een paar aanwijzingen over het gebruik van de houten zwaarden. Zo te zien probeerde Quintus de nieuwe bewegingen met plezier uit.

Alypia stuurde de slavin, die discreet in de hoek van de binnenplaats stond, naar Valeria.

De slavin zette het dienblad met eten op de rustbank naast Valeria en boog vluchtig voordat ze snel van de binnenplaats liep om te ontkomen aan de ruzie die gegarandeerd zou volgen.

'Eet,' beval Alypia haar stiefdochter.

Alypia was dertig. Van nature had ze even donker haar als Valeria, maar zoals veel Romeinse vrouwen droeg ze een blonde pruik, gemaakt van het haar van slavinnen uit Noord-Gallia. Aan al haar vingers droeg ze fraai bewerkte gouden ringen; haar oorbellen bestonden uit trosjes smaragden kralen. Om elke pols was een gouden armband in de vorm van een slang geschoven. Haar rijkdom en haar positie als echtgenote van een hooggeplaatst Romeins ambtenaar waren onmiskenbaar.

'Eet,' beval ze opnieuw.

'O, moeder,' zei Valeria terwijl ze opstond en haar armen om Alypia's hals sloeg, 'dank je wel! Wat heerlijk dat je me bevrijdt uit de slavernij van een gearrangeerd huwelijk!'

'Dat doe ik beslist niet.' Alypia trok zich los uit de omhelzing van haar stiefdochter en duwde Valeria terug op de rustbank.

Valeria wendde verbazing voor. 'Ik begrijp het niet. Je vroeg me of ik wil eten!'

'Dat was geen verzoek. Het was een eis.'

'Maar, Alypia,' – Valeria hield haar gemaakt verbaasde toon vol – 'je weet wat ik gezworen heb. Ik zou eerder verhongeren dan dat ik me naar Rome laat sturen om met een oude man te trouwen. Waarom vraag je of ik wil eten als dat nog steeds van me verwacht wordt?'

'Speel geen spelletjes met me,' zei Alypia.

Valeria liet haar aanstellerij varen. 'Het is geen spelletje! Ik zou nog liever sterven dan tegen mijn wil trouwen.'

Terwijl ze sprak, voelde Valeria dat het water haar in de mond liep bij de aanblik van het brood, de honing en het fruit.

'Kind, kind,' zei Alypia.

'Blijkbaar ben ik geen kind, anders zou je niet van me verwachten dat ik nu al trouw.'

'Als je geen kind was, zou je wel accepteren hoe de wereld in elkaar zit. Een vrouw moet een goed huwelijk sluiten. Binnen het huwelijk kan een man overgehaald worden te doen wat zijn vrouw wil, zonder dat de man weet dat hij geleid wordt. En een echtgenote kan ook genot vinden buiten het huwelijk.'

Valeria sloot haar ogen. Ze wist wat haar stiefmoeder hierna zou aanhalen. Geen enkele Romeinse vader zou toestaan dat zijn kind – laat staan zijn dochter – hem voorschreef wat hij moest beslissen. Romeinse vrouwen waren hulpeloos tenzij ze trouwden. Een Romeins huwelijk was gewoon een zakelijk contract, dat vaak verbroken werd als iets anders beter gelegen kwam. Romeinen vreesden het idee van allesoverheersende liefde en maakten de liefde belachelijk.

Toch...

Wat voelde ze voor Maglorius? Dat was een diep en hevig gevoel, een emotie die ze tot elke prijs verborgen moest houden. Een emotie...

Ze werd uit haar dagdroom wakker geschud door een klap in haar gezicht.

'Luister naar me, kind!'

Valeria was verbijsterd. Nooit eerder had haar stiefmoeder haar geslagen. Valeria bracht vol ongeloof haar hand naar haar gezicht en raakte zachtjes haar wang aan die gloeide van de pijn.

'Ik ga me niet verontschuldigen,' zei Alypia. 'Het is dwaas dat je weigert te eten.' Ze glimlachte onaangenaam. 'Tenslotte: het domst is de man die een ander beoordeelt naar zijn kleding of omstandigheden. Accepteer wat het leven je biedt – net als Maglorius, die held van je.' Het woord 'held' droop van sarcasme.

'Net als Maglorius weiger ik een leven van leugenachtigheid,' zei Valeria; 'ik wil de mensen om mij heen niet manipuleren om mijn zin te krijgen. Zo zelfzuchtig ben ik niet.'

Alypia kneep haar ogen tot spleetjes en keek haar bijna met haat aan. 'Denk je zo over mij? Vind je me leugenachtig en manipulatief?'

Valeria zweeg; dat was voldoende antwoord.

'Vind je me leugenachtig en manipulatief?' herhaalde Alypia. 'Wat dat betreft kun je bij Maglorius nog wel eens voor verrassingen komen te staan. Hij...' Ze zweeg plotseling.

'Hij... wat?'

Alypia keek naar de hoek van de binnenplaats waar Maglorius naast Quintus op zijn hurken zat.

'Hij... wát?' drong Valeria aan. 'Als je hem ergens van gaat beschuldigen...'

'Zwijg, kind,' siste Alypia. 'Jij hebt alles. Rijkdom, een goede maatschappelijke positie; alles wat je hartje begeert.'

'Moet ik me door een oude man laten aanraken alsof een hagedis over mijn huid kruipt?' vroeg Valeria. 'Weerzinwekkend! Jij wilt dat ik mijn lot accepteer omdat dat precies is wat jíj gekozen hebt. Als jij niet gelukkig kunt zijn, gun je niemand –'

Ditmaal had Valeria haar ogen open. Ze zag dat haar stiefmoeder haar hand ophief. Valeria aanvaardde de klap uitdagend; ze raakte haar pijnlijke wang niet aan. Ze keek haar stiefmoeder welbewust een paar tellen doordringend aan. Toen leunde ze voorover, tilde het dienblad met eten op en keerde het om. De schalen braken kletterend in stukken op de vloer van de binnenplaats.

✠ ✠ ✠

Ben-Aryeh haalde Vitas vlak voor de stadspoort van Sebaste in. Hij ontdekte dat Vitas zelfs geen knecht had om hem met de twee ezels te helpen. 'Je reist alleen,' zei Ben-Aryeh.

Vitas was bezig een van de ezels te bestijgen. De tweede ezel zat met een touw aan de eerste vast. 'Op deze twee na.' Vitas wees op de ezels. Glimlachte. 'Aandachtige luisteraars, allebei.'

'Hoe zit het met de knecht met wie ik je op de markt zag?'

'Iemand die ik in de stad gevonden had. Hij paste op de ezels terwijl ik op zoek ging naar jou.'

'Ik begrijp het,' zei Ben-Aryeh. Hij wierp een blik vooruit, naar de plaats waar de weg om de hoek van een kale heuvel verdween. Hij kon er niet omheen: Florus was in Jeruzalem! Zo snel mogelijk in Jeruzalem komen was belangrijker dan zijn trots.

'Ik wil graag met je meereizen,' zei Ben-Aryeh. Hij verwachtte dat de Romein hem eraan zou herinneren dat hij nog geen uur geleden had gezegd dat hij niet samen wilde reizen en een aantal beledigende redenen had opgesomd waaróm hij dat niet wilde.

Vitas was verrassend hoffelijk. 'Ik ben blij dat je van gedachten veranderd bent. Neem jij dan deze ezel. De andere heeft de gewoonte zijn poten hard neer te zetten, alsof hij weet hoe hij iemand rugpijn kan bezorgen.'

'Suggereer je dat ik te oud ben om – ?'

'Je bent mijn gast,' zei Vitas. 'Zo eenvoudig ligt het.'

Opnieuw hoffelijkheid terwijl Ben-Aryeh beslist onbeschoft wilde zijn. Ben-Aryeh hoopte dat de Romein hem snel weer reden zou geven om hem niet te mogen.

Ze vertrokken uit Sebaste.

Samen.

HET ZEVENDE UUR

Voor haar afspraak met Maglorius had koningin Bernice haar gezicht smoezelig gemaakt met stof en vet en haar haar strak vastgebonden. Ze had loszittende mannenkleding aangetrokken en haar hoofd en gezicht zo goed mogelijk bedekt. Het was Griekse kleding; omdat Griekse mannen gladgeschoren waren, paste het feit dat ze geen baard had goed bij haar vermomming.

Ze voelde zich enigszins belachelijk omdat ze zich zo vermomde, alsof het een kinderspel betrof. Of althans wat zij zich voorstelde bij kinderspel. Haar eigen jeugdherinneringen bestonden uit het voortdurend geadoreerd worden door verschillende bedienden; ze was nooit alleen of met andere kinderen samen geweest. Toch zag ze geen andere mogelijkheid om te bereiken wat zij noodzakelijk vond.

Er liepen duizenden mensen over de voorhof van de heidenen; ze gokte erop dat niemand enige reden zou hebben haar al te nauwkeurig te bekijken. Toen ze door de zuilengang van Salomo liep, voelde ze zich desondanks kwetsbaar en onbeschut, omdat ze geen bedienden of lijfwachten bij zich had. Het was een ontzagwekkend lange, overdekte zuilengang met honderden pilaren en bogen – ongeveer vierhonderd meter van noord naar zuid langs de oostgrens van de Tempelberg.

Zoals afgesproken stond de man die ze zocht in de schaduw onder de vijfde boog vanaf de zuidoostelijke hoek. Hij had twee lege kooien voor tortelduiven bij zich, ook volgens afspraak, en leunde tegen een van de marmeren pilaren die de boog ondersteunden.

Omdat Bernice gewoon een van de vele mensen op de drukke voorhof van de heidenen was, verwachtte ze niet dat Maglorius haar meteen zou opmerken. Nu ze wist dat hij er op het afgesproken tijdstip stond en niet uit ongeduld was vertrokken, ging ze langzamer lopen. Ze gunde zich de tijd om hem goed te bekijken, iets wat ze bij elke gelegenheid met plezier deed.

De kalmte van zijn hoekige gezicht intrigeerde haar onmiddellijk. Toen ze dichterbij kwam, werd ze weer aangetrokken door de fascinerende geschiedenis die op zijn gezicht geschreven stond. Zijn wangen en voorhoofd droegen littekens van reeds lang genezen wonden, die als schuine strepen lichtere huid afstaken tegen zijn gebruinde gezicht. De suggestie van kracht in zijn stille waakzaamheid riep hartstocht bij haar op, een hartstocht die ze onmiddellijk onderdrukte.

Toen ze vlakbij was, sprak hij tegen haar. 'U doet het niet best als man,' zei hij. 'Loop niet zo elegant.'

Het had haar niet moeten verbazen dat Maglorius haar vermomming doorzag. 'Bedankt dat je met deze ontmoeting instemde.'

'U zei dat u belangrijke informatie hebt.'

Gewoonlijk vond ze het leuk om hem uit te dagen, maar nu was het inderdaad dringend; daarover had ze niet gelogen. Daarom kwam ze meteen ter zake. 'Het gaat om Florus,' vertelde ze. 'Hij is op weg naar Jeruzalem, met een leger.' Ze verklaarde niet hoe ze wist wat Florus van plan was, want Maglorius was een van de weinigen die wisten dat Bernice spionnen had die verslag uitbrachten over alle activiteiten van de procurator.

'Dat weet de hele stad.' Hij glimlachte vriendelijk, zodat zijn volgende woorden niet als een berisping klonken. 'Ik zie niet in waarom deze informatie dringend is.'

'Ik heb jou nodig om me te beschermen als we ons voegen bij de mensen die Florus en zijn leger gaan begroeten.'

'Ik heb nooit de indruk gehad dat u zich overmatig om de Joden bekommerde,' zei Maglorius.

Koningin Bernice haalde diep adem. Worstelde met het medelijden, het berouw en de woede die haar dreigden te overweldigen als ze zich herinnerde hoe en waarom Mattias in haar slaapvertrek gestorven was.

'Ik kan je verzekeren dat dat veranderd is.'

✠ ✠ ✠

Vitas en Ben-Aryeh gingen zwijgend op weg.

Toen ze Sebaste een eind achter zich gelaten hadden, doorbrak de Romein de stilte met een vraag. 'Zou Jeruzalem kunnen vallen?'

'Beslist niet!' zei Ben-Aryeh, meteen beledigd. 'Jeruzalem! Heb je haar heerlijkheid gezien? Sommigen noemen haar het achtste wereldwonder. De tempel ligt op een top van een berg die op zich al een fort is. Hoe durf je zo'n vraag te stellen! Als je denkt dat Florus met een paar cohorten dat zou kunnen... kunnen...'

Het kwam zelden voor dat Ben-Aryeh niet uit zijn woorden kwam, maar die omhooggevallen Romein deed alsof Jeruzalem zomaar een buitenpost van het Romeinse rijk was – dat was een schandaal!

'Ik denk ook niet aan Florus,' antwoordde Vitas, alsof hij diep in gedachten verzonken was en zich niet bewust was van Ben-Aryehs reactie. 'Maar aan degene die opdraait voor de rotzooi die hij zou kunnen veroorzaken.'

'Stuur vijf legioenen,' vuurde Ben-Aryeh dapper terug, omdat hij geloofde dat dit gesprek met nationale trots te maken had. 'Of zelfs vijf erbij. Tien legioenen zouden de stad kunnen belegeren; Jeruzalem zou twintig jaar standhouden. De stadsmuren kunnen niet doorbroken worden. De stad heeft een waterbron die niet uitgeput raakt. En de voedselvoorraden in de stad zijn voldoende voor jaren.'

'Wat ik bedoel, is –'

Ben-Aryeh was blij dat hij weer kwaad op deze Romein was en wilde zich niet laten onderbreken. 'Elke Joodse man in de stad zou zijn leven geven om de tempel te beschermen. Jullie, Romeinen, denken dat jullie alles kunnen veroveren, maar er is geen stad in het Romeinse rijk die zo lang en zo dapper zou strijden om jullie te weerstaan.'

'Ik begrijp het,' zei Vitas mild toen Ben-Aryeh zweeg om op adem te komen. 'Je bent op de hoogte van het feit dat het Romeinse rijk veldslagen kan verliezen, maar nog altijd geen oorlog verloren heeft?'

'Judea zou volkomen verwoest kunnen worden,' antwoordde Ben-Aryeh, 'maar Jeruzalem zal standhouden. Denk eraan dat je spreekt over de woning van de enige waarachtige God! Ik stel voor dat we deze discussie beëindigen voordat –'

'Nu begrijp ik waarom jullie geschiedenis zo vol opstanden is,' zei Vitas. Hij grijnsde, wat Ben-Aryeh nog kwader maakte. 'Hier zijn twee volwassen mannen niet in staat een middag door te brengen zonder politiek geharrewar.'

'Genoeg! Wat jij politiek noemt, is voor ons een kwestie van diep geloof. God zal zijn heilige huis instandhouden tot Hij de beloofde Messias gezonden heeft.' Ben-Aryeh bracht zijn ezel tot stilstand. Hij gaf Vitas minstens twintig meter voorsprong voordat hij zijn eigen ezel weer opporde om te gaan lopen.

Zo, dacht Ben-Aryeh, ik blijf de hele reis op deze afstand. Hij was tevreden toen Vitas zich half omdraaide en de scheiding opmerkte.

'En ik ben niet van plan dichterbij te komen,' riep Ben-Aryeh.

'Wat je wilt,' zei Vitas goedgehumeurd.

Nog meer reden om de Romein te haten. Niets leek hem van slag te kunnen brengen. Toen vroeg hij iets; Ben-Aryeh hoorde het maar half. 'Wat zeg je?' moest hij wel roepen.

'Ik stelde een vraag over jullie profeten. En de tempel.'

'Dat weet ik,' zei Ben-Aryeh. Hij porde zijn ezel in de ribben. 'Ik wil alleen zeker weten of ik het goed gehoord heb.'

Hij haalde Vitas weer in, terwijl hij besefte dat hij zijn belofte om op afstand te blijven brak en dat hij opnieuw gedwongen werd zijn trots te overwinnen. Maar als deze Romein werkelijk gevraagd had wat Ben-Aryeh dacht...

'Mijn vraag was deze,' zei Vitas. 'Wat is de "verwoestende gruwel" waar de profeet Jezus over spreekt?'

'Válse profeet!' siste Ben-Aryeh venijnig tussen zijn opeengeklemde tanden door. 'Voor respectabele Joden was Hij een valse profeet!'

De kracht van zijn woede ontging Vitas niet. Toch zette hij door. 'Door naar die gruwel te verwijzen, verwijst deze Jezus naar Daniël. Een andere profeet van jullie; klopt dat?'

Wie is deze Romein? Ben-Aryeh kon hem alleen maar aangapen.

Vitas haalde zijn schouders op. 'Als iemand expert is op dit gebied, ben jij het wel, dacht ik.'

Ben-Aryeh tuurde naar de horizon. Zijn gedachten vlogen echter naar een gruwelijk beeld dat voor zijn volk maar al te vertrouwd was. Lijden. Bloedvergieten. Drieënhalf jaar groteske, afgrijselijke martelingen die de Joden waren opgelegd door een Syrische despoot: Antiochus Epifanes. Nog erger: de gruwel die het allerheiligste van hun dierbare tempel onteerd had – een heidens afgodenbeeld van Zeus, opgericht op het heilige altaar.

'Is er iets?' Vitas' oprechte bezorgdheid drong tot Ben-Aryeh door, dwars door zijn gedachten.

'Jij kunt dat niet begrijpen. Ik heb geen behoefte mijn adem te verspillen aan de uitleg.'

'Ik begrijp het. Parels voor de zwijnen.'

Ben-Aryeh knarste met zijn tanden; uit de meesmuilende uitdrukking op Vitas' gezicht maakte hij op dat Vitas direct verwees naar een beroemde uitdrukking van Jezus. 'Hoe komt het dat je zo veel weet over die valse profeet?'

'Die verwoesting waar Jezus over spreekt...'

Plotseling werd Ben-Aryehs woede overschaduwd door een akelig voorgevoel in zijn maag – als de wetenschap dat de dood van een geliefde ophanden was. Kon de geschiedenis zich herhalen? Was Jezus, toen Hij naar de gruwel verwees, in feite zo brutaal geweest te suggereren dat dit de Joden opnieuw zou overkomen? Kon zo'n apocalyps werkelijk opnieuw plaatsvinden? Zou er iemand verschijnen die nog verachtelijker was dan Antiochus? Stonden de Joden op de rand van de afgrond van wéér drieënhalf jaar verwoede vijandelijke pogingen om de tempel te ontheiligen?

'Mijn vragen schijnen je kwaad te maken,' zei Vitas, zijn gedachten weer onderbrekend.

'Jíj maakt me kwaad, wat je ook doet.'

'Het maakt niet uit of het water drie of dertig meter diep is; verdrinken doe ik toch, nietwaar?'

'Wat?'

'Als ik toch niets kan vragen zonder je kwaad te maken, kan ik net zo goed alles vragen wat ik wil, zonder me zorgen te maken over de gevolgen.'

'Waarom zou je vragen stellen?' vroeg Ben-Aryeh. 'Waarom laat je dit onderwerp niet rusten?'

'Ik ben met een opdracht belast, weet je nog? Misschien heb je de naam van mijn opdrachtgever zelfs onthouden. Een zekere Nero. Ik zou in mijn plicht tekortschieten als ik niet zo veel mogelijk te weten wilde komen over de Joden. En Bernice heeft me verteld dat jij een van de grootste nog levende geleerden bent.'

'Mm. Vraag dan maar.'

'Ik heb boekrollen over het leven van Jezus gelezen, geschreven door een Jood die Matteüs heet. Bevatten de profetieën van Jezus ook maar enige waarheid?'

Ben-Aryeh trok zich aan het haar en knarste met zijn tanden.

'Misschien moet ik maar weer voor je uit gaan rijden,' zei Vitas. 'Die vraag gaat jouw verstand te boven, zo te zien.'

✠ ✠ ✠

In de windstille middaghitte was de stofwolk zichtbaar, lang voordat de Romeinse infanterie, de paarden en de strijdwagens de laatste heuvel tussen Jeruzalem en het Kidrondal, waren overgestoken.

Een menigte van ongeveer vijfhonderd mensen stond in de schaduw van de olijfbomen buiten de stad te wachten. Achter hen waren de stadspoorten en het indrukwekkende bouwwerk van de tempel te zien.

Sommigen waren dronken; zij kwamen uitsluitend omdat een confrontatie met Florus een verzetje beloofde. Anderen waren altijd bij dit soort volksoplopen aanwezig. Zij hadden de vorige dag de eerste manden tevoorschijn gehaald om koperen muntjes voor Florus in te zamelen. Ze dienden de religieuze gevestigde orde en werden betaald om de stemming van de menigte op te hitsen zoals het de priesters en de leiders van de stad uitkwam. Velen waren echter oprecht kwaad over de gebeurtenissen van de vorige dag.

Bernice zat op de wortels van een olijfboom, goed overschaduwd door de wirwar van eeuwenoude grijze takken boven haar. Vlakbij, maar wel zo ver weg dat ze niet bij elkaar leken te horen, zat Maglorius in kleermakerszit op een rieten mat. Ze hadden een plek buiten de menigte gezocht om enige privacy te hebben.

Bernice vroeg Maglorius de gebeurtenissen van gisteren wat beter te vertellen.

'Ik ben geen Jood,' antwoordde hij.

'Maar je kent de zaken van deze stad even goed als iedereen.'

'Ik vind het opmerkelijk,' zei Maglorius, 'dat u gisteren niet genoeg geïnteresseerd was om informatie in te winnen over de soldaten bij de tempel. Maar nu...'

'Vertel het me,' zei ze. 'Waarom ik het wil weten is míjn zaak.'

Maglorius leek niet verontrust door de scherpte in haar stem. Hij vertelde wat hij wist. De vorige dag waren twee dozijn soldaten op bevel van Florus in formatie vanuit de burcht Antonia, hun garnizoen, om de tempelmuren heen gemarcheerd, door de hoofdingang over de voorhof van de heidenen. Op de voor heidenen voorgeschreven afstand van het allerheiligste waren ze blijven staan. Daar hadden ze toezicht gehouden op het beladen van muilezels en paarden met de zeventien talent zilver die uit de schatkamer van de tempel gehaald werden.

Dit schouwspel had de volle aandacht getrokken van alle mannen en vrouwen in de open voorhof; het wisselen van geld, het kopen van offerdieren en elke vorm van aanbidding waren onmiddellijk opgehouden. De korte stilte op de enorme binnenplaats van de tempel – slechts onderbroken door het snuiven van muilezels en paarden en het gesteun van de mannen die de lastdieren belaadden – was griezelig geweest.

Toen begonnen, in opdracht van de hogepriester, twaalf mannen met manden tussen de mensen heen en weer te lopen en luidkeels te roepen om koperstukjes voor 'Florus, de arme bedelaar'. Eerst was die spottende uitdaging begroet met nog meer stilte; iedereen wilde er zeker van zijn dat de soldaten op de binnenplaats zich zouden beheersen.

Eén man, een voormalig hogepriester die Annas heette, had het gewaagd een koperstukje te gooien. Toen de soldaten stoïcijns bleven, had hij er uitdagend roepend nog twee gegooid.

Zijn openlijke ongehoorzaamheid was aanstekelijk. Onmiddellijk was de lucht vol koperstukjes en begonnen meer mensen te roepen: 'Koperstukjes voor Florus, de arme bedelaar!' De openlijke bespotting en de stortvloed van muntjes leidde tot enorme lachsalvo's die weerkaatsten tegen de tempelmuren; Annas nam buigend het applaus voor zijn dapperheid in ontvangst.

'Onze priesters,' zei Bernice bitter. 'Veel van hen zweren al evenzeer met Rome samen als koning Herodes en ik.'

'Dat is een verrassende bekentenis,' zei Maglorius.

'De waarheid. De pijnlijke waarheid.'

'Is die waarheid de reden waarom u hier wilde zijn?' vroeg Maglorius aan Bernice. 'U bent een voor de hand liggend doelwit voor de Sicarii.'

Ze antwoordde niet.

Hij drong aan. 'U riskeert uw leven in de menigte terwijl u niets zou hoeven doen dan in de veiligheid van uw paleis een verslag van de gebeurtenissen afwachten; dat zou u ongetwijfeld krijgen als u daarom verzocht.'

'Jij hebt je leven ook geriskeerd,' was haar weerwoord. 'Als Bellator ontdekt dat jij Vitas dient, zul je zeker gestraft worden.'

Maglorius antwoordde niet.

'Nou...' Bernice hoorde de plagende toon in haar stem, de toon die ze altijd zo goed wist te gebruiken als ze met een man wilde flirten. Ze hield zich in. Zo wilde ze niet langer zijn. Ze wilde kinderen beschermen; kinderen die niet mochten sterven zoals Mattias' zoon en dochter gestorven waren.

'Nou,' begon ze opnieuw, nu wat ernstiger, 'het lijkt erop dat we allebei onze eigen geheimen hebben.'

'De basis van deze samenleving.'

'Dat begrijp ik niet,' zei ze.

'Geheimen. De tempel is er vol van. Geheime tunnels eronder. Geheime gangen met gaten om de gesprekken van anderen af te luisteren. Geheime bijeenkomsten. Spionnen overal in de stad. Geheimen. Geheimen.'

'Ik betwijfel of dat uitsluitend een Joods trekje is, zoals jij suggereert,' zei ze. 'Het feit dat jij hier bent, bewijst al genoeg.'

Nog een lange stilte. Bernice begon zich ongemakkelijk te voelen.

'Ik ben hier,' zei ze uiteindelijk, 'omdat ik er behoefte aan heb weer deel van mijn volk uit te maken. Ik heb te lang gevangengezeten in de weelde van de paleizen van Herodes. Te lang de kwade gevolgen van de Romeinse bezetting genegeerd vanwege de voordelen die de bezetting met zich meebracht. Is dat antwoord voldoende?'

'Als het waar is, wel.'

'Het is waar,' zei ze, terwijl ze dacht aan wakker worden met een mes op haar keel.

Hun gesprek werd onderbroken door geschreeuw. Een paar mannen vlak bij de weg hadden de eerste soldaten over de heuvel zien komen. Overal om hen heen stonden mensen op. Liepen naar de weg.

'Denk eraan,' zei Maglorius tegen Bernice, 'wat er ook gebeurt, ik ben vlakbij. Wat er ook gebeurt, loop niet weg. U bent het veiligst als u mij toestaat in de buurt te blijven.'

Ze knikte als antwoord op zijn instructies en liep daarna langzaam in de richting van de anderen.

Ze was niet lang genoeg om over de schouders van de mannen langs de weg te kunnen kijken. Daarom greep ze de takken van een olijfboom en hees zich, na een discrete blik achterom naar Maglorius en een lichte instemmende knik van hem, in de boom om een beter uitzicht te hebben.

De soldaten marcheerden twee aan twee in een gestaag, hoog tempo. Binnen een paar minuten waren ze zo dichtbij dat Bernice hun borstschilden kon zien, het glanzen van hun korte zwaarden.

Ze zocht hun centurio's, de mannen met een pluim op hun helm, en telde er vijf.

Vijfhonderd soldaten.

En paarden.

En strijdwagens.

Florus, in een felgekleurde strijdwagen, met de teugels in zijn handen, sloot de rij.

De opmars van het leger klonk als een laag, onheilspellend gerommel.

Aanvankelijk kwam het geluid van het applaus niet boven het marcheren van de soldaten uit. Maar naarmate de mensen in het publiek vrijmoediger werden, werd het applaus luider tot het geluid onmiskenbaar was.

Dat was de bedoeling ook.

Opnieuw werd Florus door de Joden bespot.

De Romeinse commandant wachtte tot het grootste deel van het leger de menigte voorbij was. Toen snauwde hij bevelen naar de centurio's; zij gaven op hun beurt scherpe commando's aan hun mannen.

De hele stoet stopte als één man.

'Burgers van Jeruzalem!' riep Florus. 'Luister!'

Hij was een forse man. Zijn bovenlichaam stak boven de strijdwagen uit. Zijn helm bedekte zijn gezicht voor een groot gedeelte en verborg zijn gelaatsuitdrukking. Zijn wapenrusting beschermde de rest van zijn lichaam. Het was of de stem van een onzichtbare man door de plotselinge stilte van het dal schalde.

'Bespot een man die jullie verachten niet met voorgewende hoffelijkheid!' De stem klonk diep en schor, vol van het gezag van Rome, dat achter hem stond. 'Vandaag beveel ik jullie naar huis te gaan! Morgen zullen allen die Rome, en daarmee de keizer zelf, bespot hebben, gestraft worden. Begrepen?'

Geen antwoord. Geen applaus meer.

'Centurio!' Hij wees op de centurio die het dichtst bij hem stond. 'Laat vijftig ruiters deze mensen voor het leger uit de stad in drijven. Neem iedereen die protesteert gevangen en kruisig hem onmiddellijk langs de kant van de weg. Dit leger zal niet bespot worden terwijl het de stad betreedt.'

Een zacht gemompel ging door de menigte. Sommigen begonnen naar de stad te lopen, nog voordat de ruiters opnieuw hun strakke, goed geoefende formatie gevormd hadden.

Bernice, nog altijd in de boom, voelde een hand om haar enkel.

Maglorius. Hij was recht onder haar komen staan. 'Kom naar beneden,' zei hij. 'Nu. Ik kom onmiddellijk achter u aan. Blijf midden in de menigte.'

Bernice klauterde naar beneden. Ze voegde zich bij tientallen mannen die samen over de weg liepen, langs de bewegingloze soldaten. Een paar mannen spuwden op de grond, maar niemand durfde openlijk een belediging uit te spreken.

Een ogenblik leek het of een paar jongere mannen zouden ontsnappen, maar de aanblik van alle soldaten en de imposante hoogte van de ruiters op hun enorme strijdrossen bleek te angstaanjagend.

Het ogenblik ging voorbij; mensen aan de zijkant van de menigte haastten zich weg. Anderen volgden hen en de oploop verspreidde zich als water dat uit een kom gegoten wordt. Het werd een snelle aftocht; mensen vochten om door de stadspoorten in de veiligheid van Jeruzalem te komen voordat de soldaten hen zouden verwonden.

✠ ✠ ✠

Toen Vitas vooruit reed in de richting van Jeruzalem, bij Ben-Aryeh vandaan, schreeuwde de oude Jood van woede.

'Stop! Nu meteen!' Ben-Aryeh klom van zijn ezel af. Hij graaide naar de teugels van Vitas' ezel, hield die vast en keek Vitas kwaad aan; hun gezichten waren slechts een decimeter van elkaar verwijderd. 'Vraag je naar de profetieën van Jezus?'

'Inderdaad,' zei Vitas.

'Als jij een volgeling van Jezus bent, vertel het dan meteen. Want in dat geval krúip ik liever terug naar Sebaste dan dat ik nog verder met jou samen reis.'

'Ik ben geen volgeling,' zei Vitas. 'Alleen nieuwsgierig. De meeste mensen worden binnen een paar jaar na hun dood vergeten, zelfs door hun beste vrienden. Maar deze Jezus, een man zonder zichtbare rijkdom of politieke macht, lijkt in de loop van de tijd steeds belangrijker te worden.'

'Waar haal je die informatie vandaan?'

'Ik ben een nieuwsgierig mens, Ben-Aryeh.' Vitas keek hem doordringend aan; voor het eerst proefde Ben-Aryeh iets van de innerlijke kracht van deze rustige Romein. 'Ik durf vragen te stellen. Ik ben ook niet bang voor de antwoorden die ik krijg, zo lang het de waarheid is.'

'Maar je bent blijkbaar wel bang voor vragen die jou gesteld worden. Waar haalde je die informatie vandaan? Uit de boekrol?'

'Goed dan. Van een vrouw. Een Joodse. Die vertelde me over die Jezus.' Vitas verbrak het oogcontact met Ben-Aryeh even.

Zo, dacht Ben-Aryeh, ik heb zijn zwakke plek gevonden. Hij spreekt over een vrouw en kijkt de andere kant op omdat hij niet wil dat ik in zijn ziel kijk en zijn verlangen naar haar zie. Misschien was het wel verstandig van deze man dat hij onbekend wilde blijven in Judea, terwijl de komst van elke andere man van zijn stand zou worden aangekondigd en feestmalen zou vereisen. Ja, dacht Ben-Aryeh terwijl de stilte tussen hen bleef hangen, een vrouw...

Ja. Een man die slechts te weten wil komen hoe Florus de bevolking van een bezet gebied mishandelt, besluit niet na het lezen van een boekrol opeens dat hij voor iets anders naar Jeruzalem moet, en wel zo snel dat hij desnoods alleen 's nachts wil reizen.

Een vrouw. Die Vitas wilde opzoeken. Voor wie hij Rome verlaten had. De brief had het zegel van Bellator gedragen. Werkte ze voor het huis van Bellator? Hadden ze elkaar op die manier ontmoet? In Rome, toen de familie Bellator daar woonde?

Tegen wil en dank voelde Ben-Aryeh sympathie voor de Romein. Hij stelde geen vragen als arrogante overwinnaar, maar omdat hij werkelijk de antwoorden wilde weten. En als Ben-Aryeh het goed begreep, was dit een man wiens verlangen om te weten berustte op een van de zuiverste en diepste motieven die een mens kan hebben. Liefde.

'Als je iets over de Joden wilt weten, zal ik je dat vertellen,' zei Ben-Aryeh wat vriendelijker. Hij beminde zijn eigen vrouw zo diep dat hij een ander, zelfs een Romein, het geschenk van de liefde nooit zou misgunnen. 'Al was die Jezus van Nazaret een vreselijke godslasteraar, toch kun je veel over ons volk te weten komen als ik je over Hem, zijn absurde beweringen en de absurde beweringen van zijn volgelingen vertel.'

'Laat maar horen,' zei Vitas.

Ben-Aryeh gaf Vitas de teugels terug. Besteeg zijn eigen ezel weer. Kwam naast de Romein rijden.

'Weet je,' zei Ben-Aryeh, 'hoewel ik volhoud dat Híj niet de Messias was die God ons beloofd heeft, verwachten we wel een

Messias. Maar je moet onze geschiedenis vanaf het begin kennen om dat werkelijk te begrijpen. Weet je zeker dat je dit allemaal wilt horen?'

Vitas knikte.

'Het is goed dat we een lange reis voor de boeg hebben,' zei Ben-Aryeh.

'Ik moet je bekennen dat ik je juist daarom uitnodigde mee te reizen,' zei Vitas. 'Een mens kan niet alles te weten komen door te lezen.'

'Goed,' antwoordde Ben-Aryeh. 'Ten eerste moet je het karakter van de relatie tussen God en mens leren kennen. We hebben gezondigd, te beginnen met Adam, en daarom heeft God ons de vruchten van de levensboom verboden. Hij wil een nieuw Jeruzalem voor ons scheppen waar we allemaal weer in staat zullen zijn van die boom te eten. Al onze geschriften wijzen naar het eind van de tijd en naar dat nieuwe Jeruzalem.'

'Adam?' vroeg Vitas. 'De levensboom?'

Ben-Aryeh sloot zijn ogen en wiegde op de rug van de ezel heen en weer. 'Jullie weten zo weinig.'

'Onderwijs me,' zei Vitas nederig. 'We hebben de tijd.'

'In het begin,' zei Ben-Aryeh alsof hij zich richtte tot een jongen in de synagoge, 'schiep God de hemel en de aarde...'

✠ ✠ ✠

Toen Bernice en Maglorius de stad in kwamen, begon de menigte zich te verspreiden. Bernice keerde zich om. Maglorius liep direct achter haar, zoals hij beloofd had. Nog altijd beschermde hij haar.

Ze scheidden zich van de menigte af en hij begeleidde haar door een smalle zijstraat omhoog naar het paleis.

'Vind je het niet vreemd?' vroeg ze. 'Florus en zijn leger zijn hier al. Toch werd hij pas gisteren openlijk beledigd in de tempel.'

'Ik vroeg me al af of dat u zou opvallen,' zei Maglorius. 'Hij had zijn leger al verzameld en was al onderweg. Vóór het incident.'

'Het was gepland,' zei koningin Bernice. 'Dat hadden mijn spionnen al verteld.'

Ze was kwaad op zichzelf. Tot vandaag had ze er genoegen mee genomen toeschouwer te zijn bij de veldslagen tussen Florus en de Joden. Omdat haar macht en rijkdom uit Rome afkomstig waren, kon het haar niet schelen welke informatie haar spionnen over hem brachten. Maar nu...

'Je weet natuurlijk dat Lucius Bellator geen aanhanger van Florus is,' zei Bernice tegen Maglorius. 'Mijn spionnen zeggen dat Florus op zoek is naar een excuus om zijn soldaten op het volk los te laten. En als het zover komt, wie weet wat er dan gebeurt, zogenaamd als gevolg van een uit de hand gelopen opstootje?'

'U suggereert dat Florus soldaten naar het noorden van de stad zou kunnen sturen met het bevel Bellator te vermoorden?' vroeg Maglorius.

'Ik zeg dat je, als je hun lijfwacht bent, morgen moet doen wat je kunt om de familie Bellator te beschermen.'

14 AB

HET ZEVENDE UUR

'Vertel eens, Romein: waarom haten jullie de Joden?' Ben-Aryeh sprak Vitas toe op een vriendelijke, enigszins plagende toon die in tegenspraak was met de woorden die hij zei.

Ze hadden het grootste deel van de nacht gereisd, waarbij ze ieder uur halt hadden gehouden om uit te rusten, en waren de hele ochtend in een gestaag tempo verdergegaan. Nu waren ze juist door Givat Shaul gekomen, waar de weg uit Caesarea samenkwam met de weg uit Sebaste. Hiervandaan was het nog drie mijl naar Jeruzalem.

Het was een betrekkelijk koele dag; het was 's middags nog altijd aangenaam van temperatuur. Ook de aanblik van het groen van de dadelbomen, dat afstak tegen de heuvels en de blauwe hemel, was aangenaam. Er waren geen incidenten met bandieten geweest en nu, met Jeruzalem zo vlakbij, was Ben-Aryeh veel ontspannener dan hij aan het begin van de reis geweest was.

'Beschuldig je mij van Jodenhaat?' vroeg Vitas zachtaardig. 'Dat vind ik interessant.'

Het gedrag van deze Romein had ook bijgedragen aan Ben-Aryehs ontspannen gemoedstoestand. In de loop van zijn leven had Ben-Aryeh gemerkt dat al bestaande spanningen tussen twee mensen gewoonlijk verergerd werden door de ontberingen van het samen reizen. Bovendien had hij gemerkt dat die spanningen onontkoombaar waren, aangezien hij meestal iets aan te merken had op de reisgewoonten van een ander. Maar Vitas was zo ontspannen, rustig en beleefd, zo'n intelligente gesprekspartner, dat Ben-Aryeh moest toegeven dat de reis in feite heel plezierig geweest was.

Het was alleen jammer dat de man een Romein was.

Maar zelfs dat was inmiddels niet meer zo'n probleem. Ben-Aryeh wist dat de intimiteit van het urenlang samen reizen niet alleen spanningen kan veroorzaken, maar ook mensen snel kan samenbinden als ze één van hart en denken zijn.

'Ik beschuldig jou niet van haat,' zei Ben-Aryeh, 'al heb ik zo mijn bedenkingen over je motieven om naar Judea te komen. De houding van de Romeinen in het algemeen wekt mijn nieuwsgierigheid op.'

Hun gesprekken hadden in de loop van de achterliggende vijfendertig mijl steeds meer onderwerpen omvat en het viel Ben-Aryeh inmiddels gemakkelijker met deze man te praten zonder kwaad te worden of zich beledigd te voelen. Daarom was hij volledig voorbereid op een eerlijk antwoord – wat Vitas ook gaf.

'Het is geen haat.' Vitas grijnsde. 'Eerder minachting en woede.'

'Dat valt mee. Help me herinneren dat ik Jeruzalem verlaat voor de hartelijkheid die ik in Rome mag verwachten.'

'Zeker,' zei Vitas. 'Toen ik jou tegenkwam, besefte ik onmiddellijk dat je goed met vreemdelingen kunt opschieten; waarschijnlijk ben je overal waar je komt ontzettend populair.'

'Mm.'

'Jouw ras is verslagen,' zei Vitas, nu weer ernstig. 'In de ogen van de ontwikkelde Romein –'

'Wij zijn niet verslagen.'

'Kijk,' zei Vitas, nog altijd vriendelijk, 'dat verklaart alles. Jullie land wordt bezet door soldaten van het Romeinse rijk. Jullie betalen belasting aan de keizer, maar toch doen jullie alsof wij niet bestaan. In de ogen van een Romein verliest de bevolking van een onderworpen land het recht op de eigen godsdienst totdat Rome dat recht verleent.'

'Geloof is iets tussen God en het volk. Het valt buiten de wetten en de controle van de overheid.'

'Niet in de ogen van Romeinen. Politiek en godsdienst zijn met elkaar verweven. Wij dienen onze goden voor wat zij ons te bieden hebben.'

'Jullie proberen jullie goden om te kopen,' snoof Ben-Aryeh. 'Ik heb gehoord hoe jullie gebeden zijn. "Als u me dit geeft," zeggen jullie tegen een god, "zal ik u dat-en-dat geven."'

'Zijn de offers in jullie tempel soms geen omkoperij?'

Een paar uur geleden zou Ben-Aryeh nog al zijn stekels opgezet hebben bij een dergelijke vraag. Nu begreep hij dat Vitas een onderzoek instelde, uitsluitend om nieuwe kennis te vergaren.

'Met onze offers,' zei Ben-Aryeh, 'doen we boete voor onze zonden. Daarom mogen we God naderen door een tussenpersoon: de priester. Je zult je herinneren dat ik de relatie tussen God en mensen heb uitgelegd, te beginnen bij de schepping.'

'Inderdaad. En dat is ook iets wat Romeinen niet kunnen begrijpen: aanbidding van iets onzichtbaars zonder een zichtbaar symbool. Dat is de totale afwijzing van iedere andere godsdienst ter wereld. Dat brengt me op een ander punt. De koppige, onbuigzame houding van de Joden, met godsdienstige rituelen die alle andere uitsluiten.'

'Onze God –'

'En de besnijdenis,' zei Vitas. 'Die begrijpen we zéker niet.'

'Ik heb je toch over het verbond verteld,' begon Ben-Aryeh ongeduldig; toen zag hij dat Vitas een glimlach probeerde te verbergen. 'Mm,' zei Ben-Aryeh opnieuw.

'Jullie, Joden, blijven bij elkaar en helpen elkaar tot elke prijs. Jullie blijven een gesloten gemeenschap tegenover buitenstaanders, zelfs als jullie buiten je eigen land wonen. Ik denk dat het bij de menselijke natuur hoort om achterdochtig te zijn tegenover zo'n groep.'

'Heb je enig idee hoe vaak de Joden vervolgd zijn?' vroeg Ben-Aryeh. 'Vanuit ons gezichtspunt is het noodzakelijk elkaar te helpen en op onze hoede te zijn voor buitenstaanders.'

'Op dat punt moet ik ongelijk bekennen,' zei Vitas. 'Ik zal het in gedachten houden terwijl ik door Judea reis.'

De weg voor hen was niet helemaal leeg, maar er waren wel zo weinig reizigers dat Ben-Aryeh de gestalte al van verre herkende. Het was Olithar, zijn assistent. Hij stond een eind verderop te wachten, vlak voordat de weg iets omlaag ging. Hield de halster van een ongezadelde ezel en een veulen vast.

De aanblik van die jongeman riep opnieuw de doodsangst op die Ben-Aryeh de hele reis al probeerde te onderdrukken. Florus had zijn leger naar de stad gebracht. Welke gruwelen hadden zich hier afgespeeld? Welke boodschap was zo belangrijk dat Olithar de stad uit gekomen was om hem te zoeken?

Zijn tijd met Vitas was bijna voorbij. Ben-Aryeh had zo lang mogelijk gewacht met het stellen van zijn vraag, omdat hij eerst een zo goed mogelijke verstandhouding wilde opbouwen. 'Vertel eens eerlijk, Romein,' zei hij nu zacht, 'waarom ben je hier?'

Ben-Aryeh had verwacht een ontwijkend antwoord te krijgen óf meer te ontdekken over de vrouw voor wie Vitas volgens hem naar Jeruzalem gekomen was. Wat hij te horen kreeg, verraste hem.

'Ik heb genoeg van de dood,' zei Vitas even zacht terug.

'De dood overkomt ons allemaal.'

'Ik heb genoeg van doodslag. Vooral van de doodslag die door Rome veroorzaakt wordt.'

Ben-Aryeh besefte dat hij hem niet moest onderbreken; het was alsof Vitas de hele tijd al verlangd had hierover te spreken.

'Ik heb bij een veldtocht in Brittannië gevochten,' zei Vitas. Zijn blik was op een verre heuvel gericht. 'De Iceni kwamen in opstand tegen een slechte gouverneur en werden tijdens die opstand afgeslacht. Aan het einde van mijn veldtocht was ik betrokken bij iets wat...'

Vitas haalde diep adem en zweeg zo lang dat Ben-Aryeh zich afvroeg of hij nog verder zou gaan.

'Na mijn terugkeer in Rome,' zei Vitas, 'verwachtte ik dat ik nooit meer een dergelijke doodslag zou hoeven aanzien. Daarvan verzekerde ik me door mijn politieke carrière zo te organiseren dat ik in het keizerlijk paleis kon blijven.'

Ben-Aryeh vroeg zich af wat Vitas bijna verteld had over het einde van de veldtocht tegen de Iceni en waarom hij van onderwerp veranderd was. Waarom ging hij juist over Rome verder?

Vitas schonk Ben-Aryeh een flauwe glimlach. 'Zelfs in Rome kon ik niet ontsnappen aan doodslag. Misschien weet je al dat Nero een nieuwe groep heeft gevonden om te vervolgen. De christenen. En de doodslag gaat door. Je vraagt me waarom ik hier ben. Ik kan niet langer in Rome wonen en blijven toekijken terwijl dat gebeurt.'

'En toevallig woont een bepaalde vrouw hier in Judea?'

Vitas glimlachte. Dat antwoord was voldoende.

Olithar zag Ben-Aryeh en begon te zwaaien. Hij was een lange, magere man met een dunne baard.

'Mijn assistent,' zei Ben-Aryeh toen hij merkte dat Olithars gezwaai Vitas' aandacht trok. 'Ik denk niet dat het voor een van ons beiden goed is als we samen gezien worden. Ook Bernice zal niet willen dat iemand vermoedt welke afspraken ze met jou en mij gemaakt heeft.'

'Stop dan, alsof je problemen met je ezel hebt,' zei Vitas. 'Ik zal snel doorrijden en mijn hoofd omlaag houden als ik hem passeer, zodat hij mijn gezicht niet ziet. Jij kunt je bij hem voegen en een eind achter me blijven.'

Ben-Aryeh knikte. Olithar zou denken dat Vitas en hij slechts in het voorbijgaan een paar woorden wisselden, wat niet ongewoon was op een drukke hoofdweg als deze.

'Voordat ik ga, zal ik je de waarheid vertellen, vriend,' zei Vitas. 'Als ik op een veilig moment naar Rome kan terugkeren en Nero kan aantonen dat een slechte procurator hem een groot deel van zijn belastingopbrengst afhandig maakt, zal Florus verdwijnen. En als hij verdwenen is, hoeven de Joden misschien niet te sterven zoals de Iceni gestorven zijn. Daarom ben ik hier.'

Ben-Aryeh ving in de ogen van de Romein een glimp op van

iets ongrijpbaars. Een droefheid die naar de oppervlakte kwam voordat de man zijn emotie helemaal kon verbergen.
'Er is meer aan de hand, of niet?' vroeg Ben-Aryeh; hij leefde oprecht mee met de Romein.

'Natuurlijk,' zei Vitas. Hij spoorde zijn ezel aan en zei over zijn schouder, terwijl hij Ben-Aryeh achter zich liet: 'Dat is toch altijd zo?'

✠ ✠ ✠

Koningin Bernice negeerde alle aandacht die zij en haar vijf bedienden trokken terwijl ze door de voorhof van de heidenen liep, langs de afgeschutte gedeeltes voor het vee en de tafels van de geldwisselaars. Ze negeerde het staren, het wijzen, het fluisteren en het incidentele gefluit. Ze reisde liever in de afzondering van een draagstoel en wandelde zelden zo opvallend in het openbaar, want ze wist dat ze deze behandeling kon verwachten.

Vanmorgen moest ze echter de hogepriester spreken en hij had niet gereageerd op de twee boodschappen die ze gestuurd had. Aangezien hij niet naar het paleis wilde komen, was zij gedwongen de Tempelberg te bezoeken, waar haar draagstoel en de mannen die hem droegen niet toegelaten werden.

Op de voorhof van de vrouwen aarzelde ze geen moment. Ze liep rechtstreeks naar de priesters die brandhout voor het altaar aan het uitzoeken waren. 'Ik moet onmiddellijk Ananias spreken,' zei ze bevelend.

Er stonden vier mannen bij de stapel hout. Alle vier gingen rechtop staan, zich ten volle bewust wie hen toesprak.

'Jij,' – Bernice wees de kleinste aan, een man met een moedervlek op zijn linkerwang; deze kleine onvolkomenheid verontreinigde hem, zodat hij alleen ondergeschikt werk mocht doen – 'zeg hem dat koningin Bernice wacht. En herinner hem eraan dat mijn broer de macht heeft hogepriesters te ontslaan en te benoemen wanneer hij maar wil.'

Ze hoopte dat haar onmiskenbare zelfvertrouwen voldoende

was om hem in beweging te brengen voordat hij zich ging afvragen waarom een priester bevelen zou opvolgen van iemand van buiten de tempel.

Gelukkig had haar drieste optreden effect.

De priester slofte weg, de binnenplaats over, de trap op en de voorhof van Israël over, met het altaar dat het allerheiligste erachter beschermde.

Bernice trok zich terug in de schaduw van de galerij langs de buitenmuur van de voorhof van de vrouwen. Nu, vroeg in de morgen, was het al heet.

Ze verwachtte dat Ananias zich door de indirecte bedreiging met ontslag zou laten dwingen haar te ontmoeten. Annas de Jongere had haar broer, Agrippa de Tweede, kwaad gemaakt; door die politieke misrekening had hij het ambt van hogepriester verloren. Weliswaar was dat vijf jaar – en verscheidende hogepriesters – geleden, maar alle hogepriesters waren zich buitengewoon bewust van het feit dat de laatste Herodes niet aarzelde gebruik te maken van de koninklijke macht die Rome hem schonk.

Dat werd opnieuw bewezen toen Ananias – met zijn lange, loshangende ambtsgewaad en lange, grijze baard – haar haastig tegemoetkwam.

‘Hoogheid, uw bezoek komt niet bijzonder gelegen,’ zei Ananias zodra hij voor haar stond.

Ze waren buiten gehoorsafstand voor iedereen in de voorhof van de vrouwen, maar de andere priesters keken intens nieuwsgierig naar hen.

‘Dat is duidelijk,’ antwoordde ze. ‘Blijkbaar had u het vanmorgen ook al te druk om mijn boodschappen te lezen.’

Ze zei het uit de hoogte, minachtend. Dit was niet het juiste ogenblik voor zwakheid of kwetsbaarheid. Ananias was geen bondgenoot en zou dat ook nooit worden, want hij was gewoon een pion van de rijke Sadduceeën.

Toen Annas de Jongere niet langer hogepriester mocht zijn, kwam voorgoed een einde aan de langdurige macht van zijn familie. Sindsdien oefende een kliek uit de hogere kringen invloed op

Agrippa de Tweede uit: hij benoemde degenen die hen het beste van dienst konden zijn. De moedige priester Ben-Aryeh, die al jaren zijn best deed om de tempel te bevrijden van de familie Annas, moest met lede ogen aanzien dat de situatie uiteindelijk zelfs nog erger geworden was. Ben-Aryeh zelf zou nooit een kandidaat zijn voor de functie van hogepriester, want hij was te koppig om die kliek van rijke mannen te dienen.

'Ik heb geen tijd voor boodschappen,' zei Ananias. Hij was een lange, magere man met dik grijs haar dat bij zijn baard paste; de ambtskleding van de hogepriester maakte hem tot een indrukwekkende verschijning. 'Zoals u vast wel gehoord hebt, wordt de burcht Antonia bezet door Florus en vijfhonderd extra soldaten. Hoe we Florus moeten aanpakken – dat is een uiterst dringend probleem.'

'Ik heb ook gehoord dat u en de hogepriester gisteren, toen zijn leger de stad naderde, de mensen er niet van weerhouden hebben hem te beledigen.'

Ananias snoof. 'Zeventien talent zilver zijn de dag daarvoor uit de schatkamer van de tempel genomen! Hoe kon iemand het volk tegenhouden? Natuurlijk reageerden ze zo!'

'U zegt dat u weinig tijd hebt,' zei ze, 'dus zal ik meteen ter zake komen. Het is geen geheim dat u en de hogepriesters voor u de gewoonte hebben mensen te betalen om zich tussen het volk te mengen en hen op te stoken om te handelen volgens uw plannen. Kortom: de mensen gedragen zich zoals u wilt. Of suggereert u dat de priesters werkelijk geen macht hebben over het volk?'

Ananias trok zijn kleding recht. 'Zoals u zegt: ik heb weinig tijd. Florus heeft een delegatie van leiders bij zich geroepen. Ik moet gaan.'

Dat was een poging om haar te overdonderen, wist ze. Op dit moment moest hij heel nieuwsgierig zijn wat zo belangrijk voor haar was dat ze hem eerst twee boodschappen stuurde en nu in eigen persoon verscheen. Ook de Sadduceeën aan wie hij verantwoording aflegde, zouden benieuwd zijn.

'Daarom ben ik hier,' zei Bernice. 'Ik smeek u om precies te doen wat hij verzoekt. Geef hem geen reden om op oorlogspad te gaan.'

'Geeft u mij politiek advies?'

'Het is geen advies. Het is een verzoek. Meer dan een verzoek.'

Nu ze het voornaamste doel van haar ontmoeting met hem bereikt had, zou ze zwakheid tonen. Als dat nodig was om hem te laten weten hoe belangrijk het was, zou ze haar trots inslikken. 'Als u dat wenst,' zei ze, 'zal ik op mijn knieën gaan en u er letterlijk om smeken.'

'Is dit de heerszuchtige, arrogante koningin Bernice die de priesters al tien jaar tegen zich in het harnas jaagt? De koningin Bernice die vanwege haar immorele begeertes door alle goede Joden belachelijk wordt gemaakt?'

Zijn woorden deden pijn. Vooral omdat hij gelijk had.

'Nee,' zei ze en slikte elke poging zichzelf te verdedigen, in. 'Dat ben ik niet meer. We moeten onze geschillen opzijzetten en ons verenigen tegen Florus.'

'Stelt u voor dat we Rome daadwerkelijk bestrijden?'

'Nee. We zouden elk gevecht verliezen. En ons volk zou afgeslacht worden.'

'Ons volk? Sinds wanneer geven de nakomelingen van Herodes iets om de Joden? Die zijn er toch alleen maar om de excessen van het koninklijk huis te ondersteunen?'

Bernice vergat haar trots in bedwang te houden en snauwde zonder erbij na te denken: 'Datzelfde kan van de priesters gezegd worden!'

'Wij dienen God.'

'En jullie leven daar goed van.'

'Ik geloof dat we uitgepraat zijn,' zei Ananias. Natuurlijk: nu hij wist waarom ze om deze ontmoeting had gevraagd, was hij tevreden.

'Alstublieft. Het spijt me. Ik had dat niet mogen zeggen. En u had gelijk. Tot nu toe heeft het koninklijk huis slechts van het volk geprofiteerd. Maar de toekomst hoeft niet gelijk te zijn aan het verleden.'

Ananias leek oprecht verbaasd over haar nederigheid. 'Heeft deze nieuwe politiek de officiële goedkeuring van Agrippa?'

Bernice zei niets.

'Hij is in Alexandrië om de bestuurder te feliciteren met het feit dat Nero hem op die post heeft benoemd. Klopt dat?'

'Hij is in Alexandrië.'

'Een schrandere politieke zet, natuurlijk. Dus ik moet geloven dat dezelfde man die in de gunst probeert te komen bij onze machtige buren, mij nu plotseling door u laat vertellen dat ik het welzijn van boeren boven het welzijn van het koninklijk huis moet stellen?'

'De boeren hebben geen macht. Ze zijn van ons afhankelijk –'

'Dus u spreekt niet namens uw broer. U komt naar mij, de hogepriester, en waagt het mij te vertellen hoe ik mijn zaken met Florus moet afhandelen!'

'Florus zoekt een excuus om zijn soldaten op ons volk los te laten.'

'Dat is duidelijk. Maar hij moet ook verantwoording afleggen aan Rome. Dat zal hem wel een halt toeroepen, na alles wat hij al misdaan heeft.'

'U begrijpt het niet. Als er rellen uitbreken, kan hij de Joden even gemakkelijk de schuld geven als zij hem. En wie zou de keizer eerder geloven? Dus zijn daden – welke excessen hij ook begaat – zijn gemakkelijk te verantwoorden aan Rome.'

'Wat ik niet begrijp, is waarom ú zich plotseling zorgen maakt. De familie Herodes bestaat uit schoothondjes van de keizer. Wat er ook voortkomt uit de problemen tussen Florus en de rest van het volk, in uw leven verandert dat niets. U zult nog altijd van paleis naar paleis fladderen, afhankelijk van het seizoen.' Hij zweeg even en sneerde toen: 'Verwend en genotzuchtig.'

'Alstublieft,' zei Bernice. 'Geef Florus alles wat hij eist. Als het geld is, zal ik u terugbetalen.'

'Hij heeft ons geld al. Weet u nog? Zeventien talent.'

'Alstublieft...' herhaalde ze.

Ananias zuchtte. 'Vreemd genoeg voel ik mee met uw plotselinge verlangen de vrede te bewaren. Maar er is niets te vrezen. Florus zal eisen dat we de onruststokers die hem gisteren beledigd hebben, uitleveren.'

'Wilt u dat doen?'

Nu zuchtte hij van ergernis. 'Ik zal u dit uitleggen zoals ik het aan een kind zou uitleggen. Zo eenvoudig mogelijk.'

'Ik zal luisteren als een kind.'

'De onruststokers die Florus wil hebben, zijn dezelfde mensen die, zoals u zo onkies verwoordde, door ons omgekocht worden om het volk op te hitsen. Wie zou ooit nog voor ons willen werken als we hén uitleveren?'

'Dan verliest u iets van uw macht...'

'Niet macht,' – hij glimlachte – 'maar invloed.'

'Laat het belang van ons volk zwaarder wegen. Alleen deze ene keer. Alstublieft.'

'Uw bezorgdheid is roerend. Werkelijk. Raadselachtig na al uw jaren van zorgeloosheid, maar toch roerend.' Nog een glimlach, nu een echte. 'Uw vrees is misplaatst. Weet u hoe het zal gaan? Wij verzamelen onze leiders en hogepriesters en komen bij Florus, zoals hij verzocht heeft. Hij zal een verontschuldiging eisen. Die zullen we hem binnenskamers geven. Op die manier zal ons volk weten dat we hem in het openbaar getrotseerd hebben. Wij behouden onze macht. Hij behoudt de zijne. Dat hoort allemaal bij het spel dat alle procurators spelen. Het is een subtiele dans die al honderd jaar gedanst wordt. Er zal niets veranderen.'

Bernice dacht aan de informatie die haar spionnen geleverd hadden. 'Ik denk dat u het mis hebt. Ik denk dat hij anders is dan alle procurators die Rome voorheen gestuurd heeft. Hij wil oorlog.'

Ananias fronste zijn wenkbrauwen. 'Oorlog zou hem goed uitkomen als hij ergens op het platteland zou kunnen beginnen. Maar hier zijn te veel invloedrijke mensen die alles wat Florus verkeerd gedaan heeft aan de gouverneur van Syrië zouden kunnen melden. Hij durft hier niet aan een oorlog te beginnen.'

'Maar als hij nu gelooft dat oorlog de gouverneur én Rome zal afleiden van het onderzoek naar zijn zaken in Jeruzalem? Kijk toch eens hoe gemakkelijk hij al die extra soldaten in het hart van de stad heeft gekregen!'

'Hoogheid, misschien moet u terugkeren naar uw eigen, gemakkelijke leventje, waarmee u zo lang tevreden geweest bent. Uw begrip van politiek is te gering om u hierin te mengen. Geloof me: aan het eind van de middag is Florus weer op weg naar Caesarea met zijn leger en het geld dat hij van ons gestolen heeft. Dat is alles waar hij op uit was. Wat ons betreft: wat hij weggenomen heeft, zullen we niet werkelijk missen, want de tempelschatten zijn veel omvangrijker dan hij kan bevatten. En de mensen zullen opnieuw geloven dat we hem een halt toegeroepen hebben. Iedereen zal tevreden zijn.' Ananias zweeg even. 'Verder nog iets?'

Bernice boog het hoofd. Ze wist dat het geen zin had nog langer te proberen hem te overtuigen. Dat was tijdverspilling.

'Goed,' zei hij. 'Geloof me maar. Er zal niets misgaan.'

✠ ✠ ✠

Door enorme bevolkingstoename was Jeruzalem buiten haar beschermende muren gegroeid. Ver van de grote huizen in Jeruzalem, maar nog altijd binnen de bovenstad, waren grote leerlooierijen. Deze industrie floreerde uitstekend dankzij de duizenden schapen, geiten en runderen die voor de tempeloffers geslacht werden. De leerlooierijen waren hier niet alleen gesitueerd vanwege de afstand tot de grote huizen, maar ook omdat de stank bij de meest voorkomende windrichtingen van de stad af geblazen werd. Binnen deze wijk echter kon zelfs de wind de op rotte eieren gelijkende stank, afkomstig van de verschillende stadia van de productie – van het afschrapen van de onbewerkte huiden tot het conserveren van het leer in vaten tannine en het te drogen hangen van het eindproduct – niet volkomen verjagen. De huid en het haar van de mensen die hier woonden, waren ervan doordrongen. Vanwege het gebrek aan beschermende muren en de voortdurende, misselijkmakende stank die erboven hing, was het al snel de woonwijk van de allerarmsten geworden.

Hier werkte Sophia voor een van de grootste leerpakhuizen. Als ongetrouwde vrouw zonder familie had ze weinig keus.

Ze was bezig met het bewerken van een schapenvacht toen Maglorius achter de vaten tannine vandaan kwam; ze was blij dat ze een excuus had om de huid neer te leggen.

Hij was haar nog nooit hier komen opzoeken. Ze glimlachte om zijn onverwachte komst.

Maglorius was in de loop van de voorgaande maanden een goede vriend geworden. Dagelijks dankte ze God voor die vriendschap en voor het feit dat Hij geregeld had dat ze elkaar ontmoet hadden. Dat was zeker geen toeval geweest. Maglorius was een ex-gladiator en zij was een vrijgelaten slavin; ze waren in verschillende delen van de wereld geboren. Toch was ook hij hier in Jeruzalem, na de reis van Smyrna naar Rome waar ze elkaar voor het eerst ontmoet hadden. En dan te bedenken dat ze elkaar letterlijk tegen het lijf gelopen waren op de drukke markt! Gods wegen waren wonderbaarlijk.

'Kom mee,' zei Maglorius zonder zijn gebruikelijke hartelijke glimlach. 'Onmiddellijk.'

Rondom haar waren dozijnen andere mensen aan het werk. De meesten waren oud of op de een of andere wijze verminkt; mensen die in staat waren ergens anders te werken, verlaagden zich gewoonlijk niet tot dit werk.

'Ik kan niet,' zei ze, om zich heen wijzend. 'Ik –'

Maglorius verbaasde haar. Hij deed een snelle stap vooruit en pakte haar bij de elleboog.

Ze deinsde terug. 'Wat doe –'

'Luister,' zei hij op zachte, vertrouwelijke toon. 'Ik heb heel weinig tijd. Kom mee, nu.'

Zijn gedrag had de aandacht van anderen getrokken; ze

begonnen te fluisteren. Sophia voelde zich opgelaten. Maglorius was een aantrekkelijke man en zij was een alleenstaande vrouw. Het was volkomen natuurlijk dat ze bepaalde conclusies trokken.

'Ik kom achter je aan naar de straat; daar kunnen we praten,' zei ze op even zachte toon. 'Maar je doet me pijn.'

Hij maakte zijn greep wat losser, maar liet niet helemaal los; hij leidde haar weg van de vaten en de andere arbeiders. Toen ze de smalle straat bereikten, stopte hij niet, zoals ze verwacht had, maar bleef haar in de richting van de stad leiden.

'Nee,' zei ze en schudde haar arm los. 'Wat bezielt je?'

'Ik zal het uitleggen, maar ik moet bij de markt zien te komen. Met jou.'

'Ik verzet geen stap voordat je me meer vertelt,' zei Sophia. 'Je weet hoe koppig ik ben.'

'Inderdaad,' zei hij.

Hij pakte haar vast en gooide haar over zijn schouder; haar benen lagen over zijn borst, haar haar hing over haar gezicht, zodat ze alleen zijn hielen in de sandalen en de aangestampte aarde van de straat zag.

Ze gilde.

Verscheidene mensen wierpen een blik op hen.

'Ongehoorzame echtgenote,' riep Maglorius. 'Soms heb je geen keus.'

De mannen knikten vol begrip en Maglorius marcheerde door.

'Maglorius!' schreeuwde Sophia. 'Ben je gek geworden?'

Hij negeerde haar.

Ze zwaaide met haar armen en haar hand raakte het gevest van zijn zwaard. Dat trok ze met een snelle beweging los. 'Stop,' zei ze, 'anders snijd ik je open.'

Dat had effect.

Hij stopte, zette haar neer en greep met verbluffende snelheid haar pols beet. Ze trok, maar kreeg zijn arm niet eens in beweging.

'Florus staat op het punt soldaten de stad in te sturen,' zei Maglorius met een vastberaden gezicht. 'Ze hebben bevel alle burgers die ze zien te doden.'

'Hoe weet je dat?' Aan zijn strakke blik zag ze dat hij geloofde wat hij zei. 'Florus zou nooit –'

'Jawel. Kom mee. Nu! Valeria is op de markt en ik moet haar ook nog halen.'

'Maar als dat waar is, zijn deze mensen hier...'

Maglorius draaide zich snel om en stapte naar een oude man met ontstoken ogen, die naar hen stond te kijken. 'Burger,' zei hij, 'ga de wijk door en waarschuw iedereen dat ze een schuilplaats moeten zoeken. Er zijn soldaten onderweg.'

De ogen van de man gingen wijd open. Hij deed zijn tandeloze mond een aantal keer open en dicht en waggelde toen in de richting van een paar mannen die bezig waren afgewerkte huiden in een kar te laden.

Een paar tellen later was Maglorius weer bij Sophia. 'Misschien vertelt hij het door, misschien niet,' zei hij. 'Ik heb onderweg al zo veel mogelijk mensen gewaarschuwd; de meeste lachen me uit.'

'Soldaten...' zei Sophia. 'Niet in Jeruzalem!'

'Dat is precies wat zij tegen me zeggen. Maar het gaat gebeuren. En snel ook.'

Toen hij haar bij de arm pakte, protesteerde ze niet. Als er iets was voorgevallen wat Maglorius zo aangreep, zou het dom zijn niet naar hem te luisteren.

'Ik moet je wat bekennen,' zei Maglorius toen ze de flauwe helling naar de stadsmuren opliepen. 'Als ik de komende dagen niet overleef en als Vitas de stad niet haalt of jou niet vindt, dan –'

'Vitas!'

Weliswaar dankte ze God dagelijks voor haar vriendschap met Maglorius, maar twéémaal per dag vroeg ze haar Vader over Vitas te waken – hoewel ze overtuigd was dat ze hem voorgoed kwijtgeraakt was toen ze weigerde bij hem in Rome te blijven.

'Loop door,' zei Maglorius dringend.

'Vitas?'

Hij zuchtte. 'Het was geen toeval dat ik je op de markt tegenkwam. Ik was naar je op zoek. Ikzelf. En anderen.'

'Op zoek?'

'We hebben weinig tijd. Onderbrekingen maken het nog moeilijker.'

Ze kwamen bij de Efraïmpoort; de tempel torende hoog boven hen uit. Drie jonge mannen stonden bij de poort te lanterfanten; ze bekeken Sophia van top tot teen.

Maglorius liep naar hen toe; ze keken hem brutaal aan.

'Dit is je kans om een held te worden,' zei Maglorius. 'Als jullie de opschudding in de stad horen, zorg dan dat de poort niet gesloten kan worden, zodat mensen deze wijk in kunnen vluchten.'

Ze lachten alledrie.

'Blijf in elk geval in de buurt,' zei hij over zijn schouder terwijl hij weer naar Sophia ging. 'Let op!'

Ze lachten opnieuw minachtend. Maar het viel Sophia op dat ze op hun plaats bleven. Die uitwerking had Maglorius vaak op mensen.

'Vitas?' vroeg ze nog eens. 'Je moet het vertellen!'

'Ik sta in contact met Vitas. Het was volstrekt verboden jou dat te vertellen. Hij heeft me gevraagd je te zoeken en te zorgen dat je altijd veilig bent.'

Ze haastten zich door de smalle straat die naar het hart van de stad leidde. Naar het drukke marktplein.

'Je bent dus geen vriend van mij,' zei Sophia langzaam, terwijl ze dit probeerde te bevatten. Ze was nu een half jaar in Jeruzalem. 'Geen vriend, maar een lijfwacht.'

'Anderen zijn je lijfwacht. Ik ben bijna vanaf het begin je vriend geweest.'

Woedend stond Sophia stil. 'Anderen? Die me bespioneren?'

Hij wendde zich tot haar. 'Twee weken geleden. Toen je tegen zonsondergang onderweg was naar een bijeenkomst van de volgelingen, werd je aangevallen, weet je nog? Twee anderen hielden die man tegen.'

'Bespioneerden ze mij?'

'Om je te beschermen,' zei Maglorius. 'Een deel van mijn belofte aan Vitas. We moeten bij de markt zien te komen. Alsjeblieft.'

'Nee!'

'Valeria is daar. Ik kan niet tussen jullie beiden kiezen. Ik kan jou niet achterlaten en haar helpen, of haar in de steek laten om bij jou te blijven.'

Toen ze de smartelijke uitdrukking op zijn gezicht zag, liet Sophia zich vermurwen om door te lopen. Maar ze was razend. 'Zeg je nou dat Vitas jou heeft ingehuurd om –'

'Ik ben Vitas veel dank verschuldigd. Ik zou nooit voor een Romein werken. Nooit.'

'Je werkt toch voor de familie Bellator,' flapte Sophia eruit. Onmiddellijk ergerde ze zich aan zichzelf. Waarom maakte ze ruzie met Maglorius over zoiets triviaals?

'Nee,' zei hij rustig. 'Ik ben daar vanwege mijn zoon.'

Dat was voor Sophia even verwarrend als de rest van zijn verhaal. 'Je bent niet getrouwd,' begon ze langzaam. 'Je...' Ze hield zich in, omdat ze het plotseling begreep.

'Dat is veranderd,' zei Maglorius snel. 'Dat moet je wel weten. Ik heb een eind gemaakt aan wat verkeerd en bedrieglijk was. Nadat jij me geholpen hebt om gelovig te worden.'

'Dus dat is geen huichelarij? De tijd die je samen met ons doorgebracht hebt in aanbidding? Je geloof in de opstanding?'

'Ik heb je gezocht op verzoek van Vitas. Toen ik eenmaal bescherming voor je geregeld had, was ik niet verplicht tijd met je door te brengen. Dat deed ik uit vrije wil. Eigenlijk weet ik zeker dat Vitas liever zou willen dat je niets van mijn aanwezigheid in Jeruzalem wist.'

Wat het voor Sophia nog moeilijker maakte hem te begrijpen, was het marstempo dat Maglorius afdwong. Ze wilde dat ze de tijd had om te gaan zitten – alleen – om alles in zich op te nemen en er over na te denken wat het te betekenen had.

Vitas? Op weg naar Jeruzalem? Die regelde dat zij beschermd werd? Maglorius? Met een zoon in het huis van Bellator? Hoe wist hij iets over Florus en zijn soldaten? Waarom was hij Vitas dank verschuldigd?

Ze besloot met één vraag te beginnen. 'Vitas – wanneer komt hij in Jeruzalem aan?'

'Als de boodschapper hem in Caesarea bereikt heeft voordat Florus hem vindt en als Vitas naar Sebaste gegaan is zoals Bernice hem verzocht...'

'Bernice? Koningin Bernice? Waarom zou –'

'Judea is ver van Rome,' zei Maglorius ongeduldig. 'Vitas biedt haar politieke gunsten in Rome aan in ruil voor haar hulp hier. Zo gaat het in de wereld.'

'Dus wanneer is Vitas hier?'

'Ik verwacht dat hij vandaag of morgen arriveert. Hij wilde je zelf opzoeken. Maar alles is veranderd door Florus en zijn leger. Vitas kan hier snel zijn. Of niet. Dat weet ik niet. Wat jou betreft: zodra ik je in het koninklijk paleis kan krijgen, ben je veilig. Als Vitas arriveert, kan hij je daar vinden.'

Ze ging langzamer lopen om deze nieuwe informatie te bevatten. In het koninklijk paleis?

Hij pakte haar opnieuw bij de arm. 'Alsjeblieft,' zei hij, 'moet ik het blíjven vragen? Schiet op!'

✠ ✠ ✠

Toen de struikrovers vanuit de kloof naast de weg aanvielen, duurde het verscheidene ogenblikken voordat Ben-Aryeh begreep waar het geschreeuw en de beweging vandaan kwamen. Het geschreeuw was deels afkomstig van Olithar, zijn assistent, die al van de weg af rende, de heuvels in.

Ben-Aryeh zag vier mannen, met kromzwaarden zwaaiend, op zich afstormen. Ze waren opgedoken vanachter grote rotsblokken tegen de bergwand.

Struikrovers!

Hier, bijna in de schaduw van de muren van Jeruzalem! Het was bijna pervers dat struikrovers hem hier zo brutaal aanvielen.

Toch viel het niet te ontkennen dat dit werkelijk gebeurde.

Ben-Aryeh leunde voorover op de ezel en klemde zich vast aan de nek van het beest. De ezel balkte toen hij hem schopte in de hoop de muur van struikrovers te kunnen doorbreken.

Maar dat lukte niet. De ezel draaide opzij en Ben-Aryeh smakte tegen de grond. Hij kreunde van de pijn toen hij met zijn ribben op een ronde steen terechtkwam.

De struikrovers kwamen naar voren en verzamelden zich rondom hem.

Toen Ben-Aryeh omhoogkeek, zag hij dat een van de mannen met een knuppel uithaalde naar zijn hoofd.

HET ACHTSTE UUR

Vitas ontdekte dat hij weer buiten de stad stond.

Op het laatste stuk van de weg naar Jeruzalem, vanaf de top van de Olijfberg, was hij met ontzag vervuld door de indrukwekkende aanblik van de tempel; de witmarmeren muren en de gouden daken waren oogverblindend in het zonlicht.

Hij had zijn blik gericht op de prachtige huizen achter de tempel en een glimp opgevangen van donkergroen gebladerte in de tuinen. En de muren van de stad! Massieve muren boven op steile rotswanden. Alles maakte de indruk van een stad waar de God van Israël werkelijk zou kunnen wonen. Zelfs nu hij in beslag genomen werd door zijn ongerustheid en verlangen naar Sophia, moest hij het erkennen: Jeruzalem was werkelijk het achtste wereldwonder. Hij had erover gelezen, erover gehoord, maar hij was niet in staat geweest ook maar in de verste verte de heerlijkheid ervan te bevatten – tot op dit ogenblik, nu hij de stad eindelijk zag.

Hij was door de stadspoort naar binnen gelopen en moest toen noodgedwongen een wijde omweg om de tempel maken. Nadat hij keer op keer de weg had gevraagd in het labyrint van straatjes, had hij ten slotte de weg gevonden naar de Efraïmpoort.

En stapte weer buiten de stadsmuren.

Opeens was alle rijkdom en weelde verdwenen; vóór hem stonden huisjes en krotten langs straatjes die uit onlangs aangestampte aarde bestonden. En dan de stank!

Vitas trok een lelijk gezicht. Niet van walging, maar van ontzetting.

Deze stank herinnerde hem al te zeer aan zijn tijd in Brittannië; aan met fakkels aangestoken wagens, lijken van paarden en mensen, onthoofde lichamen die aan palen gehangen waren in een vergeefse poging stamgenoten af te schrikken.

Hij sloot zijn ogen en doorstond de steek van wroeging die hij bij elke herinnering aan die dagen in Brittannië voelde. Zelfs zo dicht bij Sophia kon hij er niet aan ontsnappen!

Het ging voorbij en Vitas begon te lopen; af en toe moest hij een stap opzij doen om een koeienvlaai, afkomstig van een van de ossen die de karren met huiden trokken, te ontwijken. Hier in het leerdistrict werd geen belasting betaald voor het schoonhouden van de straten.

Vitas liet de Efraïmpoort achter zich en liep verder de sloppenwijk in.

Dus hier verkoos Sophia te wonen en te werken? Dit had ze gevonden nadat ze geweigerd had in Rome te blijven? Wat dreef haar hiertoe? Ja, ze had hem verteld over haar geloof in de man die door Pilatus gekruisigd was; maar Vitas kon er geen enkel begrip voor opbrengen, hoezeer hij dat ook probeerde.

De misère en smerigheid hier maakten haar keuze nog onbegrijpelijker.

Terwijl hij met grote stappen verderging, verscheen een ironische grijns op zijn gezicht. Sophia had hem uitgelegd dat het volgen van haar geloof betekende: in contact proberen te komen met zieke en arme mensen. Dit was beslist de juiste omgeving om hen te vinden.

Bij elke stap voelde Vitas zich zekerder en onzekerder tegelijk worden. Hij wist steeds zekerder dat hij de juiste beslissing genomen had toen hij uit Rome vertrok om haar te zoeken, maar steeds minder zeker wat haar reactie zou zijn. Tenslotte had ze hem al eens afgewezen!

Hij kon alleen maar hopen dat ze hem met andere ogen zou

bekijken zodra ze besefte dat hij bereid was geweest de halve wereld af te reizen om haar terug te zien.

En er was nog iets. Iets wat Ben-Aryeh en Bernice nooit geloofd zouden hebben: Vitas wilde Florus en zijn misdaden werkelijk ontmaskeren.

Hij had gezien dat de Iceni door de onrechtvaardigheid van de Romeinse overheersing tot opstand gedreven werden. Had de gruwelen gezien die zij moesten ondergaan. Gezinnen die uiteen gescheurd werden. Moeders en zoons...

Dat was het! Opnieuw die steek van wroeging.

Ben-Aryeh en Bernice zouden nooit geloofd hebben dat Vitas zijn macht en invloed wilde gebruiken om te voorkomen dat Rome opnieuw een opstand moest neerslaan en nog een van zijn gewesten zou verwoesten. Maar het was de waarheid.

Misschien zou dat uiteindelijk nog een reden voor Sophia zijn om hem met andere ogen te bekijken.

Met deze onzekere hoop in zijn hart vond Vitas het leerpakhuis dat Maglorius in de laatste boodschap had beschreven.

Hij haalde opgelucht adem.

Wat haar reactie op zijn onverwachte aankomst ook zou zijn, hij kon haar tenminste naar het paleis brengen en beschermen tegen het leger dat de stad binnengekomen was.

Vitas ging de vaten tannine voorbij en stapte een ruimte in waar vrouwen bezig waren afgeschraapte schapenhuiden onder te dompelen in lage vaten met donkere, walgelijke vloeistoffen.

Ze hielden allemaal onmiddellijk op.

Vitas was blij dat hij geen dure kleren droeg. Hij zou zich opgelaten gevoeld hebben door het contrast met de armoede die op de gezichten, in de handen en de kleding van deze vrouwen gegrift stond.

'Ik ben op zoek naar Sophia,' zei hij.

'Net als alle mannen uit de buurt!' giechelde een van de vrouwen.

'Sst,' zei een andere vrouw. Tegen Vitas zei ze: 'Ze was hier, maar ze vertrok met...'

‘Met een forse man,’ krijste de eerste. ‘Een man die ik graag aangenaam bezig zou houden!’

‘Hoe lang geleden?’ vroeg Vitas aan de andere vrouw.

‘Niet lang.’

‘Vlak voordat een paar idioten hier naar binnen kwamen en ons waarschuwden dat de soldaten de stad zouden aanvallen,’ zei de eerste vrouw.

‘Wat?’

De eerste vrouw knikte; haar donkere ogen glinsterden. ‘Die man die Sophia meenam, probeerde de mannen op straat te vertellen dat de soldaten zouden aanvallen.’

‘Hoe zag hij eruit?’

Toen de eerste vrouw klaar was met haar beschrijving, wist Vitas volkomen zeker dat het Maglorius geweest was. En als Maglorius voor een aanval gewaarschuwd had…

‘Hé!’ gilde de eerste vrouw tegen Vitas. ‘Waar ga je naartoe?’

Hij begon plotseling te rennen.

‘Kom terug!’ schreeuwde ze. ‘Jij ziet er nog beter uit dan die andere!’ Haar gelach achtervolgde hem.

Toen rende hij weer in de richting van de stad, onverschillig voor de geschrokken blikken van de mensen op straat.

En toen hoorde hij het geschreeuw in de verte.

✠ ✠ ✠

Valeria stond aan het eind van een steegje over de markt te kijken toen een straatjongen achter haar glipte en zo dichtbij ging staan dat het mes dat hij trok, onzichtbaar bleef voor eventuele toeschouwers.

Valeria gebruikte dit uitkijkpunt om te doen alsof ze zomaar naar de mensenmassa stond te kijken, alsof ze een pelgrim was die overweldigd werd door de diversiteit en het lawaai van de markt. In werkelijkheid had ze zich thuis tussen alle weelde zitten vervelen. Hier was het leven in heel zijn verwarrende realiteit.

Uit het steegje achter haar kwam de lucht van rauw lamsvlees, want in de minder aantrekkelijke zijstraatjes waren de slagers bezig vlees aan haken te hangen en om de vliegen weg te slaan die probeerden op de glimmende karkassen van lammeren en kippen te gaan zitten. Ook vishandelaars zetten hun kraampjes op; de bewegingloze ronde ogen van hun koopwaar staarden omhoog naar de schermen die hen tegen de zon beschutten.

De grote, schaduwrijke zalen aan de hoofdstraat bevatten de meer begerenswaardige artikelen van goudsmeden, juweliers en importeurs. Als ze iets wilde kopen, zou Valeria kunnen kiezen uit een duizelingwekkende hoeveelheid luxeartikelen uit India, Perzië, Egypte, Griekenland, Medië, Arabië en Italië: met edelstenen bezette bekers, zijde, purperen wandbekleding, zalven en parfums.

Naar deze drukte hunkerde ze. Ze wilde niet de vrouw van een rijke oude man worden, een sieraad waarmee hij in het openbaar kon pronken. Ze wilde deel uitmaken van dit leven.

Ze had geluisterd naar een schrijver met een schrijfriet achter zijn oor, die met een pelgrim marchandeerde over de prijs van een brief die de pelgrim aan zijn gezin in Parthië wilde sturen. Ze had het nasale gezeur van de pelgrim vermakelijk gevonden en bedacht hoe ze dit voorval aan een vriendin zou vertellen, als ze ooit een vriendin zou hebben buiten haar beschermde leventje in het grote huis.

Toen voelde ze een ruk aan de beurs die ze droeg.

Tegen de tijd dat ze zich omkeerde en besefte dat de straatjongen de riemen had doorgesneden, was de met vuil besmeurde jongen al weg; hij verdween tussen de mensen op de drukke markt, die niets van de diefstal hadden gemerkt.

Valeria wilde roepen, maar aarzelde. Ze was zonder toestemming uit de villa in de rijke buurt geglipt. Als ze de aandacht trok, zou de straf wel eens erger kunnen zijn dan een gestolen beurs.

Terwijl ze aarzelde en zag hoe de straatjongen ontsnapte, bemerkte ze een flits van beweging. Een man stapte uit een ander steegje, hief zijn arm en hield die horizontaal. De dief, die achterom keek om te zien of hij achtervolgd werd, klapte met zijn nek tegen de arm en viel achterover alsof een reusachtige balk op zijn hoofd gevallen was.

De man greep de jongen bij zijn kraag en tilde hem moeiteloos op.

Maglorius! In eenvoudige boerenkleding, bijna niet te onderscheiden van de meeste andere mannen in deze straat. Tot je beter keek en de stevige spiermassa onder de ruwe stof zag.

Maglorius glimlachte grimmig en sleepte de straatjongen terug naar Valeria.

Een paar mensen leken Maglorius vragen te willen stellen, maar gingen voor hem opzij toen ze zijn vastberaden, boze gezicht van dichtbij zagen.

Maglorius hield de jongen nog altijd met zijn voeten van de grond toen hij bij Valeria aankwam. De smerige jongen knipperde met zijn ogen, blijkbaar nog niet bekomen van de plotselinge, verbijsterende schok van zijn val.

'Jij hebt de beurs van deze jongedame,' zei Maglorius tegen hem. 'Ik raad je aan die aan haar terug te geven.'

Hij was te versuft om dat bevel te begrijpen.

Maglorius schudde hem een paar keer heen en weer. 'De beurs.'

De jongen overhandigde Valeria haar eigendom.

Maglorius hield de jongen stevig in zijn greep. 'Het is je niet voor niets streng verboden de villa te verlaten zonder mij of een van de slaven,' deelde hij Valeria mee. 'Deze schavuit is een van de redenen waarom je niet alleen de straat op mag.'

Valeria reageerde door de beurs te openen en ondersteboven te schudden om Maglorius te laten zien dat hij leeg was.

'En niet voor niets,' pareerde ze, 'verstop ik mijn goud in een andere beurs tussen mijn kleren en gebruik ik deze beurs om dieven te misleiden. Je bescherming is welkom, maar nauwelijks nodig.'

'Dit is een gevaarlijke stad,' gromde Maglorius, alsof hij vergeten was dat hij de dief nog altijd op armlengte van zich af hield. 'Als je al uit de villa wegsluipt, kleedt je dan niet zo dat de hele wereld ziet dat je een Romeinse uit de rijke wijk bent.' Hij schudde zijn hoofd. 'Of kleed je tenminste niet zo dat zelfs een dode nog rechtop zou gaan zitten en je schoonheid zou opmerken. Dat maakt het gevaar alleen maar groter.'

'Gevaar?' Valeria wilde beslist niet toegeven dat zijn compliment haar hart sneller deed kloppen. 'Grieken, Romeinen, Egyptenaren en Parten – iedereen woont in vrede bijeen in Jeruzalem. Je hebt me zelf verteld dat het een van de meest kosmopolitische steden ter wereld is.'

'Elke stad heeft zijn onderwereld,' zei Maglorius. 'Deze ook.'

De straatjongen kuchte om hun aandacht te trekken.

'Een ogenblik,' zei Maglorius tegen Valeria. Hij zwaaide de jongen naar zich toe en keek hem recht in het gezicht. 'Jij probeerde een Romeins burger te beroven,' zei hij. 'Wil je door kruisiging sterven, zo jong al?'

De straatjongen huiverde. Kruisiging was een marteling die dagenlang duurde. Maglorius uitte geen loos dreigement; dit was vaak het lot dat dieven wachtte.

'Of wil je liever aan de arena's verkocht worden? Wilde dieren zullen zo'n lekker hapje wel waarderen. En het publiek zal het prachtig vinden om te kijken hoe je ledematen van je romp gescheurd worden.'

De jongen begon te kronkelen.

'Bang?' vroeg Maglorius. Hij had geen antwoord nodig. 'Mooi zo. Wees niet dom. Ga op zoek naar werk. Niet naar buit.'

Maglorius bleef de jongen vasthouden en haalde een paar munten uit zijn eigen zak. Toen liet hij hem vallen; de jongen bleef bewegingloos van verbazing liggen.

Maglorius stak zijn andere hand uit en liet hem het zilver zien. 'Pak aan.'

De ogen van de jongen gingen wijd open bij de aanblik van een maandinkomen. Hij stak zijn hand uit.

Maglorius omklemde zijn pols. 'Besteed het verstandig en ga werk zoeken in plaats van te stelen. Ga nu weg, voor ik van gedachten verander.'

De jongen probeerde zich los te rukken.

'Nog één ding,' zei Maglorius. 'Als de Romeinse soldaten burgers beginnen aan te vallen, ren dan zo ver mogelijk weg en waarschuw zo veel mogelijk mensen. Begrepen?'

De jongen knikte.

Maglorius liet hem los.

De jongen verdween als een muis die zich tussen de graanzakken verstopt.

'Een maand of twee geleden zou je hem zelf verscheurd hebben, denk ik,' zei Valeria. 'En nu schenk je hem vrijheid en geld? Wat bezielt jou?'

'We moeten van de markt af,' zei Maglorius.

'Vermijd je mijn vraag, Maglorius?'

'Loop met me mee.' Hij pakte haar arm, zodat ze geen keus had.

'Moet ik soms aannemen dat je toevallig in de buurt was?' vroeg Valeria.

'Helemaal niet,' antwoordde Maglorius. 'Loop door. Het is ongepast om je mee te slepen.'

Valeria vond het alarmerend dat hij zo kortaf was, maar ze deed alsof ze het niet merkte. 'Als het niet toevallig was, kom ik tot de conclusie dat je me vanuit onze wijk gevolgd bent.'

'Dat is mijn plicht. Ik ben uiteindelijk de lijfwacht.'

Valeria vroeg zich af welke eindbestemming Maglorius in gedachten had. Ze gingen niet de keienweg op naar het rijke deel van de stad, maar naar beneden. In de richting van de tempel, waar de rook van de brandoffers opsteeg.

Toen Maglorius weer sprak, was het of hij zich inspande onverschillig te klinken. 'Niemand zou verwachten dat een jongedame die drie weken niet gegeten heeft in staat is over de markt te wandelen.'

'Ik ben veerkrachtig en gehard.'

'En bovendien heb je een bediende omgekocht om het grootste deel van elke maaltijd te bewaren en dat midden in de nacht te komen brengen.'

'Hoe weet jij dat?'

'Omdat die bediende mij om toestemming kwam vragen. Maar als je bedrog ontdekt wordt, kan ik niet veel voor je doen.'

Zonder waarschuwing leidde Maglorius haar een andere zijstraat in. Hier waren vlasspinsters geconcentreerd aan het werk. Het was rustiger dan in de hoofdstraat.

Voor hen stond een donkerharige jonge vrouw in armoedige kleding in de schaduw tegenover de vlasspinsters. De vrouw keek naar hen terwijl Valeria Maglorius antwoordde.

'Ik maak me geen zorgen.' Valeria sprak zachtjes. 'Alypia brengt elke dag uren door met slavinnen die voor haar bad, parfum en haar zorgen. Vader is verliefd op zijn cijfertjes. Geen van beiden weet echt wat er in huis gebeurt. Alleen jij.'

'Ook dat is mijn plicht.'

Zijn beschermende houding ontroerde haar; hij leek opeens kwetsbaar. Valeria hield hem staande. Ze deinsde er bijna voor terug. Maar over slechts enkele dagen zou ze naar Rome gestuurd worden om te trouwen; het was inmiddels overduidelijk dat haar hongerstaking geen indruk maakte. Tenzij ze zich werkelijk van het leven beroofde – en dat was ze absoluut niet van plan – zou ze op een schip gezet worden en Maglorius misschien nooit meer zien. Ze wilde dat hij wist wat ze voor hem voelde.

'Ik zie niet in hoe ik kan vermijden dat ik naar Rome gestuurd word,' zei ze. 'Dus laat me je dit alsjeblieft nu vertellen, want misschien krijg ik geen kans meer voordat ik weg moet. Vaak heb ik gewenst dat ik slavin was in een ander huis. Niet de dochter van een stoffige oude man die nauwelijks weet dat ik besta.'

Ze stond op het punt Maglorius te vertellen dat ze als slavin vrij zou zijn om over hem te kunnen dromen zoals een vrouw over een man droomt.

Maar zijn scherpe reactie verraste haar. 'Wees niet zo hard voor Lucius,' zei Maglorius. 'Je beoordeelt hem naar zijn zadeldek: het verleden dat hem gebracht heeft waar hij nu is.'

Ze had nooit over haar vader nagedacht; hij was een oude man. Nooit had ze zich afgevraagd hoe hij als jonge man geweest was; ze was er altijd van uitgegaan dat hij zijn hele leven tussen de belastingverslagen had doorgebracht. 'Suggereer je nu dat hij anders is dan hij lijkt?'

Ze stonden op de plaats waar Valeria Maglorius staande gehouden had. Opnieuw merkte ze de donkerharige vrouw op die naar hen keek en ze voelde vaag jaloezie. Ze was mooi, zelfs in armoedige kleding. En ze leek geïnteresseerd in Maglorius. Té geïnteresseerd.

In de verte klonk geschreeuw en gegil. Maglorius pakte haar arm en trok haar zo krachtig mee dat ze struikelde.

Het gegil hield aan. De vlasspinsters stopten met hun werk en hielden hun hoofd scheef om te luisteren.

'Maglorius!' zei Valeria.

Maglorius negeerde haar en riep naar de donkerharige vrouw: 'Sophia!'

Ze stapte naar voren.

'Het is zoals ik vreesde,' zei Maglorius.

'Wie is dit?' vroeg Valeria.

Opnieuw negeerde Maglorius haar. 'Sophia,' zei hij tegen de vrouw, 'ik wil jullie geen van beiden in gevaar brengen. We zullen naar de andere kant van de stad gaan; dan kan ik jullie op een veilige plek achterlaten.'

✠ ✠ ✠

Ben-Aryeh kwam tot bewustzijn in de greppel naast de weg. Vliegen kropen over zijn gezicht. Hij spuwde wat bloed uit en ging rechtop zitten, terwijl hij langzaam over zijn gezicht wreef.

Zijn ezel was verdwenen.

Ben-Aryeh krabbelde overeind en klauterde uit de greppel naar een hoger punt om hulp te zoeken. De dichtstbijzijnde karavaan was minstens een mijl verderop, net begonnen aan de klim naar Jeruzalem. Voor hem, nog een halve mijl verder, was de stadspoort van Jeruzalem. Maar tussen de karavaan en de poort was niemand.

Niemand in de buurt.

Hij haalde diep adem om zijn evenwicht te herwinnen. Geen gebroken botten, zo te voelen. Zijn hoofd bonsde, maar als dat het ergste was, was God hem werkelijk goed gezind geweest. Wat gestolen was, kon gemakkelijk vervangen worden.

Maar waar was Olithar?

Ben-Aryeh deed een stap naar voren en hield toen zijn hoofd scheef. Hoorde hij het goed? Gedempt gesnik?

'Alstublieft...'

Het was een vrouwenstem. Die kwam achter een van de zware rotsblokken vandaan, aan de andere kant van de weg, daar waar de heuvels begonnen.

'Alstublieft...'

Ben-Aryeh trok zijn sandalen recht. Daarna zijn mantel. Hij begon in de richting van het geluid te klimmen. Het gesnik klonk hartverscheurend; toen hij om het rotsblok heen gelopen was, ontdekte hij waarom.

De jonge vrouw bloedde in haar gezicht. Haar donkere haar was losgetrokken uit de hoofddoek en lag over de grond gespreid op de plek waar ze lag. Haar kleding was gescheurd.

Ze had zich zo klein mogelijk gemaakt, met haar armen om haar opgetrokken knieën geslagen. 'Alstublieft...' Ze klonk verward door het snikken.

Ben-Aryeh haastte zich naar haar toe en gooide zijn mantel over haar heen. Hij knielde neer. Het kon hem niet schelen dat hij verontreinigd werd omdat hij haar bloed aanraakte en dat hij nu een reinigingsritueel van een week zou moeten ondergaan.

De vrouw was geslagen. Waarschijnlijk door dezelfde struikrovers die hem hadden aangevallen.

Ze opende haar ogen toen zijn schaduw op haar viel. Ze rilde van angst en snikte nog harder.

'Mijn kind,' zei hij, 'ik ben een Sadduceeër. Een tempelpriester. Ik ben hier om je te helpen, niet om je kwaad te doen.'

Had hij maar water! Maar de waterzakken waren aan zijn ezel vastgemaakt. En die was verdwenen.

Ze stak haar naakte armen naar hem uit.

'Mijn kind,' herhaalde hij. 'Mijn kind.'

Ze klampte zich aan hem vast terwijl hij haar overeind trok; hij lette er zorgvuldig op dat zijn mantel haar bedekte, zodat haar zedigheid behouden bleef.

Samen strompelden Ben-Aryeh en de gewonde vrouw van de heuvel af naar de weg. Ze kwamen zo langzaam vooruit dat de karavaan achter hen inmiddels veel dichter bij hen was.

'We zullen hier wachten,' zei hij, op de wagens wijzend. 'Daar moet iemand zijn die water heeft. En je kunt uitrusten terwijl je in een van die wagens naar de stad gebracht wordt.'

'Nee! Alstublieft niet!'

'Mijn kind...'

'Het is al erg genoeg dat u, een volkomen vreemde, mijn schande ziet! Hoeveel mannen zouden er in die karavaan zijn? Kooplieden die zich amuseren over het verlies van mijn onschuld!'

'Maar –'

'Ik kan wel lopen. Help me. In de stad heb ik vriendinnen. Breng me tot aan de stadspoort, verder niet.'

Ze klampte zich smekend aan hem vast tot hij toegaf; toen deed ze de eerste strompelende stappen in de richting van de stad, terwijl ze zich aan zijn mantel vasthield.

'Straks gaat het beter,' zei ze. 'Dat beloof ik.'

HET NEGENDE UUR

'Dit is absoluut onaanvaardbaar,' zei Ben-Aryehs assistent Olithar tegen koningin Bernice. 'De afspraak tussen Ben-Aryeh en u was: volkomen discretie. Door een boodschapper naar de tempel te sturen brengt u die discretie in gevaar en plaatst u ook mij in een kwaad daglicht.'

Vlakbij zat Vitas op een kussen zijn ongeduld te verbijten. Hoewel hij al een half uur geleden de openbare voorhof van het koninklijk paleis bereikt had, was hij nog maar net dit vertrek binnengeleid. Vitas wilde Bernice dringend vragen om een escorte om hem te helpen zoeken naar Sophia.

Ze hadden nauwelijks tijd gehad om elkaar te bekijken – en dat na maandenlange correspondentie – toen Olithar arriveerde.

Toen hij de kamer binnenkwam, had Olithar Vitas slechts een vluchtige blik toegeworpen. Opnieuw kwam het Vitas goed van pas dat hij eenvoudig gekleed was. Olithar herkende hem niet. Tijdens hun ontmoeting onderweg naar Jeruzalem had Vitas er in de ogen van de assistent blijkbaar niet belangrijk of ongewoon uitgezien, anders had hij hem wel een tweede blik gegund. Ook hier moest Olithar geconcludeerd hebben dat Vitas een of andere bediende was, want hij negeerde hem volkomen.

'De afspraak tussen Ben-Aryeh en mij,' snauwde Bernice, 'houdt in dat Ben-Aryeh mij helpt als ik dat nodig vind. Dat weet je best. Ik hoef mijn verzoek niet tegenover hem te rechtvaardigen, laat staan tegenover jou.'

Afspraak? Vitas vroeg zich, niet voor het eerst, af waarom een trots man als Ben-Aryeh zich had laten verplichten in Sebaste op zijn aankomst te wachten.

'Bovendien,' ging Bernice nijdig verder, 'heb ik niet om jou gevraagd. Ik heb om Ben-Aryeh gevraagd. Waar is hij, als hij niet in de tempel is?'

Olithar haalde zijn schouders op. 'Hoe zou ik dat moeten weten? Hij is een paar dagen geleden naar Sebaste vertrokken.'

Vitas was blij dat Olithar met zijn rug naar hem toe stond. Daardoor kon Olithar zijn reactie op deze overduidelijke leugen niet zien. Twee uur geleden had Vitas Ben-Aryeh en Olithar samen achter zich gelaten, vlak buiten de stad – zoals hij Bernice zojuist verteld had. In die tijd had Ben-Aryeh gemakkelijk bij de tempel kunnen zijn. Zeker als Olithar daar ook heen gegaan was. En nu deed Olithar of hij Ben-Aryeh helemaal niet gezien had! Vitas sprak de assistent echter niet tegen, maar bleef zwijgen.

'Luister,' vervolgde Bernice op gebiedende toon. 'We kunnen het gegil zelfs hier horen. Hoe komt dat? Wat is er gebeurd toen de hogepriesters en leiders bij Florus kwamen? Waarom heeft Florus zijn soldaten naar buiten gestuurd? Ik kan hem geen boodschap sturen voor ik dat weet.'

Vitas bleef bewegingloos liggen. Onzichtbaar voor de andere twee.

'Ik was er niet bij,' zei Olithar.

'Zijn de priesters veilig bij elkaar in de tempel?'

'Ja.'

'Dan heb je het vast wel gehoord. Vertel het mij nu.'

Olithar haalde zijn schouders op. 'Florus was niet in de stemming voor een discussie. Toen de priesters en leiders kwamen, gaf hij bevel dat degenen die hem beledigd hadden, uitgeleverd moesten worden. Onmiddellijk.'

'Wat zei Ananias?'

'Voor zover ik begrepen heb, begon hij een lange, bloemrijke toespraak waarin hij de heethoofden beschreef als jongelui in de leeftijd waarop alle mensen impulsieve beslissingen nemen. Het klonk alsof hij het allemaal had ingestudeerd. Hij zei dat hijzelf en Florus waarschijnlijk ook wel eens iets gedaan hadden waar ze later spijt van gekregen hadden. Het was voor iedereen duidelijk dat zijn toespraak Florus alleen maar nijdiger maakte, maar Ananias ging verder alsof hij niet genoeg van zijn eigen stem kon krijgen. Toen hij Florus voorstelde – het was niet eens een verzoek – de heethoofden te vergeven, barstte Florus in woede uit. Hij liet zijn centurio's komen en beval hun, voor het front van alle priesters en leiders, hun soldaten de markt te laten plunderen, iedereen die ze zagen te doden en daarmee door te gaan tot nader order.'

'Mijn grootste angst...' Bernice sloot de ogen en schudde haar hoofd. Toen nam ze een besluit. 'Jij moet mijn boodschap bij Florus afleveren. Wacht op zijn antwoord en breng dat onmiddellijk bij mij terug.'

'Nee,' zei Olithar.

'Nee? Ons volk sterft!'

'Ik wil wel helpen,' zei hij. 'Maar niet op die manier. Florus is al woedend op de tempelpriesters. Misschien wil hij niet eens naar mij luisteren. Als hij dat wel doet, kan hij nog woedender worden als hij denkt dat ik probeer tegen zijn bevelen in te gaan.'

'Het moet gebeuren!' Bernice was buiten zichzelf. 'Dat risico moet je nemen!'

'Moet ik, als laaggeplaatste assistent, achter de rug van de hogepriester om naar de procurator van Judea gaan? Dan zijn mijn dagen in de tempel geteld. Ik zou voor u en voor Ben-Aryeh geen nut meer hebben.'

Bernice ijsbeerde door het vertrek. Uiteindelijk knielde ze neer. Ze maakte haar sandalen los. Ze stond op en gooide ze in een hoek. 'Haal een boetekleed en as voor me,' zei ze grimmig tegen een dienstmeisje. 'Ik ga zelf naar hem toe, barrevoets; naar mijn smeekbede zal hij vast en zeker luisteren.'

'U kunt niet gaan!' zei Olithar.

'Wie anders?' vroeg Bernice. Ze richtte zich weer tot het dienstmeisje. 'Laat een paard voor me zadelen.'

✠ ✠ ✠

Maglorius en Valeria bereikten het volgende kruispunt: een nog smaller steegje, volkomen in schaduw gehuld. Hier bevonden zich de armoedige huizen van de stad. Smerige muren, verzakte deuropeningen.

Sophia ging hen voor.

'Waar breng je ons naartoe?' vroeg Valeria.

Sophia sprak zacht, bijna verlegen. 'Ik heb een vriendin die ons zal helpen. Ze is...'

Ze keek Maglorius even aan. Hij knikte.

'Ze is een volgelinge van Jezus,' zei Sophia. Ze draaide zich weer om en leidde hen verder het smalle steegje in.

Valeria had vage geruchten over die nieuwe godsdienst gehoord. Ze kreeg niet de kans om Maglorius ernaar te vragen.

'Wat ik je over Lucius moet vertellen...' zei Maglorius voorzichtig terwijl hij voor haar uit liep achter Sophia aan.

Valeria vond het merkwaardig dat Maglorius haar vader bij zijn voornaam noemde, maar ze onderbrak hem niet.

'Hoewel hij rijk is, is hij vervuld met smart. Wat hij werkelijk verlangt van het leven, wordt hem onthouden.'

Het geschreeuw en gegil achter hen werd luider.

'Mijn vader heeft geen sterke verlangens,' zei Valeria. 'Behalve het verlangen naar meer geld.'

'Jij weet niets van je vader af,' zei Maglorius.

Het geluid van de verwarring achter hen leidde Valeria af. 'Hoe kun je dat zeggen? Ik ben in zijn huis opgegroeid.'

'Lucius is in de loop van zijn leven herhaaldelijk bedrogen,' zei Maglorius. 'Daar zou iedere man oud en moe van worden. Ik kan me nauwelijks voorstellen hoe teleurgesteld hij moet zijn: hij leeft met de gevolgen van dat bedrog en neemt toch de verantwoordelijkheid op zich voor degenen die afhankelijk van hem zijn, ondanks zijn wettelijk recht die verantwoordelijkheid van de hand te wijzen.'

Weer noemde hij haar vader bij zijn voornaam. Wat vreemd. 'Maglorius, je draait er omheen. Welke verantwoordelijkheid bedoel je in vredesnaam?'

'Ik draag evenveel schuld als anderen,' zei Maglorius. 'Het enige wat ik tot mijn verdediging kan aanvoeren, is dat het gebeurde voordat ik Christus leerde kennen. Daarna heb ik stappen ondernomen om zo veel mogelijk aan dat leven van bedrog te veranderen...'

'Christus? Ben jij dan ook een volgeling?'

Op het gezicht van de ex-gladiator verscheen een vredige glimlach; hij knikte.

Valeria werd zich opnieuw bewust van het gegil. Ze keek om. 'De soldaten?'

'Vanmorgen hebben de Joden een delegatie naar Florus gestuurd om hem te smeken om vergeving voor de daden van een paar onbezonnen jongemannen. Hij heeft ze niet vergeven. Florus wil beslist een opstand aanwakkeren.'

'Je lijkt nogal veel te weten over de politiek in Judea. Zowel de Joodse als de Romeinse politiek.'

'Dat is mijn plicht.'

'Ik dacht dat het je plicht was ons te beschermen.'

'Daarom moet ik juist op de hoogte zijn van de politiek. Florus is een vijand van jouw familie, want je vader, Lucius, weet te veel van de schandalige manier waarop Florus de Joden behandelt. En Florus is wanhopig; hij wil voorkomen dat zijn wangedrag bij de keizer bekend wordt. Lucius wordt gerespecteerd in Rome. Hij zou een geloofwaardig getuige tegen Florus zijn.'

Ze waren niet stil blijven staan. Valeria voelde zich helemaal verdwaald in de bochtige straatjes van de binnenstad. 'Je vertelt me meer dan ik ooit eerder van je gehoord heb,' zei ze.

'Het móet. Net zoals ik vind dat ik je de waarheid moet vertellen over Lucius en mijn aandeel in het bedrog. Ik zou liever willen dat je op een schip onderweg naar Rome zat.'

Maglorius liet de afstand tussen zichzelf en Sophia groter worden. Hij sprak zacht om te zorgen dat hun gesprek privé bleef. Valeria deed hetzelfde.

'Wil je dat ik tegen mijn wil uitgehuwelijkt word?' Valeria wilde impulsief zijn hand pakken en haar gevoelens voor hem opbiechten in de hoop dat Maglorius haar uit het gearrangeerde huwelijk zou redden.

'Ik wil dat je veilig bent,' antwoordde hij.

Sophia stopte onverwachts en klopte op een deur. Ze klopte een merkwaardig ritme; al snel ging de deur open. Sophia sprak zacht en dringend met degene die opendeed. De deur ging wijder open. Sophia wenkte; Valeria en Maglorius volgden haar naar binnen.

Zelfs na het schemerige licht in het steegje kostte het Valeria een paar tellen om aan het nog schemeriger licht in het huis te wennen. De schaarse meubelstukken waren van ruw hout gemaakt.

Een jonge vrouw, misschien slechts een paar jaar ouder dan Valeria, sloot de deur achter hen. Ze was hoogzwanger.

Tegen Valeria en Maglorius zei Sophia: 'Dit is Saraï. Ze is een volgelinge van Christus. Jullie kunnen haar en haar man vertrouwen, want ook hij is een volgeling.'

Maglorius zuchtte opgelucht. 'Ik ga nu terug om Quintus en Sabinus te halen. Blijf alsjeblieft hier.'

Verward probeerde Valeria haar angst te ontkennen. 'Dat is belachelijk. We hebben geen bescherming nodig. Breng me naar huis.' Ze wendde zich tot Saraï en boog lichtjes. 'Bedankt voor je aanbod, maar dat zal niet nodig zijn.'

Maglorius greep haar bij haar schouder. 'Je familie is in gevaar. Begrijp je het niet? Na de gebeurtenissen van deze week heeft Florus zijn soldaten de wijk in gestuurd om onschuldige Joden af te slachten.'

'Mijn familie is Romeins. Zij lopen geen gevaar.'

'Florus heeft ook soldaten naar de markt gestuurd en ik geloof niet dat dat een willekeurige keuze was. Het huis van jouw familie is daar vlakbij. Ik denk dat de soldaten daar een inval gaan doen.'

'Waarom?' Dit hele gesprek kwam haar onwerkelijk voor.

'Elke familie loopt gevaar. Vooral families, zoals de jouwe, die door Florus aangemerkt zijn omdat hun dood hem van hun stilzwijgen verzekert.'

'Hoe weet je dat?'

'Ik weet het.'

'Wil je beweren dat Romeinse soldaten opdracht krijgen mijn ouders te doden? In opdracht van een Romeinse procurator?'

'Ik beweer dat het een slechte wereld is; in deze verwarring, nu soldaten er op uit gestuurd worden om te verwoesten, kan alles een ongelukkig toeval lijken. Iemand als Florus zal zich daar bijzonder van bewust zijn.'

'Mijn familie niet. Onmogelijk! Mijn vader...'

'Lucius heeft niet de macht dit te verhinderen.' Maglorius liet haar schouder los. 'Luister. Jij blijft hier tot ik met Quintus en Sabinus terugkom. Je –'

Drie Romeinse soldaten stormden met getrokken zwaarden door de deur naar binnen. Hun gezichten waren besmeurd met geronnen bloed en ze schreeuwden moordlustig.

✠ ✠ ✠

Tegen het advies van Vitas in had Bernice besloten de gok te wagen.

Nadat ze Olithar weggestuurd had, had ze tegen Vitas gezegd dat de Romeinse soldaten, omdat het geen formele veldslag maar een plundertocht was, waarschijnlijk liever hulpeloze slachtoffers zouden kiezen dan stand te moeten houden en hun leven onnodig te riskeren door met een groep bewapende mannen van de koninklijke wacht te vechten.

Vitas had daar tegen ingebracht dat geen enkele smeekbede Florus zou weerhouden als hij dit opstootje per se wilde.

Zij had gezegd dat ze ging en dat hij kon kiezen: met haar

meegaan of achterblijven. Het was een opmerkelijke eerste ontmoeting geweest.

Hij koos ervoor met haar mee te gaan. Sophia was ergens in de stad. Hij zou hulp nodig hebben om haar te vinden, vooral onder deze omstandigheden.

Overal klonk gejammer van afgrijzen en geschreeuw van pijn. In de verwarring van mannen en vrouwen die in de kromme, nauwe straatjes wegvluchtten voor soldaten vond Vitas het moeilijk te bepalen waar elke angstkreet precies vandaan kwam. Uit wat hij zag, begreep hij dat niemand veilig was, zelfs zij niet die zich in huizen of winkels verborgen hielden.

Honderden en nog eens honderden soldaten gedroegen zich als een losgeslagen, muitende, plunderende menigte. Hun militaire uitrusting gaf hun echter twee voordelen boven doodgewone relschoppers. Soldaten herkenden elkaar natuurlijk onmiddellijk als soldaten en verspilden geen tijd door tegen elkaar te vechten. En ze werden beschermd door borst- en beenschilden, hadden vlijmscherpe zwaarden en waren op het hoogtepunt van hun fysieke kunnen. Weinig Joden maakten enige kans in een gevecht van man tegen man; degenen die behoorlijk weerstand leken te bieden werden onmiddellijk omzwermd door andere soldaten.

Omdat degenen die de winkels en huizen invluchtten, vaak binnen enkele minuten weer naar buiten gedwongen werden door soldaten die de deuren forceerden, vulden de straten zich telkens opnieuw met vluchtende mensen en soldaten die hen maar bleven achtervolgen.

De slachting duurde al bijna een uur. Op sommige plekken waren de straten rood van het bloed, zoals Bernice zelfs vanaf het balkon van het paleis had kunnen zien. Vaak gleden degenen die voor de soldaten vluchtten uit in het bloed; zij werden gedood op de plaats waar ze vielen. Af en toe, maar niet vaak genoeg, gleed een soldaat uit zodat degene die hij achtervolgde even respijt had, tot een andere soldaat hem als prooi ontdekte.

Het enige voordeel dat de ongewapende bevolking had, was de inhaligheid van de soldaten. Ze hadden Florus' toestemming gekregen om naar hartelust te plunderen; telkens als een soldaat bij een lijk bukte op zoek naar juwelen of geld, hadden de burgers in de omgeving kans om te ontsnappen.

Vitas zag dit alles vanaf de rug van zijn eigen paard, terwijl hij samen met een contingent van de paleiswacht, gewapend met speren en schilden, meereed. Bernice zat schrijlings op een wit paard, gehuld in een boetekleed. Haar haren hingen los en waren grijs van de as; ze was barrevoets.

Ze liet het paard stapvoets lopen; haar rijdier bleef binnen de beschermende groep lopende wachters en wachters-te-paard.

Vitas verwonderde zich over haar zelfbeheersing. Overal lagen dode lichamen. Neergestoken. Onthoofd.

De gewonden vulden de deuropeningen waar ze – als ze dat nog konden – in gekropen waren om veilig te zijn. Andere gewonden, te ernstig verminkt om meer te doen dan kreunen, lagen als vuilnis op de straten.

Op sommige plaatsen vloeide het bloed letterlijk, alsof er een zware regenbui geweest was, en Bernices paard snoof nerveus en steigerde af en toe opzij. Ze had al haar rijvaardigheid nodig om het dier onder controle te houden.

Dit waren de beelden die Vitas gehoopt had nooit meer te zullen zien na zijn tijd in Brittannië. Maar hier was hij even machteloos tegen de massamoord als hij daar tegenover de Iceni geweest was.

Tijdens hun korte rit stonden Romeinse soldaten af en toe verbaasd stil als ze de slagorde van wachters zagen.

Bernices argument bleek juist te zijn. Elke keer opnieuw negeerden de soldaten hen. Sommige soldaten draaiden zich om naar een man of vrouw die nog op de markt liep en zetten de achtervolging in. Andere soldaten waren te zwaar beladen met kostbaarheden uit de geplunderde winkels om iets anders te kunnen doen dan in dezelfde richting doorlopen.

Eindelijk kwamen ze bij de poort van de burcht Antonia.

Bernice riep de torenwachter iets toe.

De poort ging niet open.

‘Ik ben de koningin der Joden!’ riep ze. ‘Ik eis een audiëntie bij Florus.’

De Romein boven haar verdween.

Uit de straten van de stad bleef geschreeuw klinken. De geur van brandend hout dreef naar hen toe vanaf de winkels die nu in lichterlaaie stonden.

Florus verscheen. Boven haar, op de borstwering van de toren.

‘Wat is er?’ Hij moest schreeuwen om boven de afschuwelijke geluiden van de markt uit te komen.

Koningin Bernice stapte van haar paard. Ze knielde op de straatstenen en hield haar hoofd achterover zodat Florus haar stem kon horen. ‘Ik kom met een smeekbede,’ riep ze. ‘Barrevoets. Blootshoofds. Ik smeek u uw soldaten terug te roepen. Laat hen ophouden met moorden.’

Florus lachte. ‘Ik heb uw boodschapper gedood. Waarom zou ik u niet doden?’

‘Ik smeek u. Alstublieft, luister.’

Twee Romeinse soldaten marcheerden door de straat in hun richting.

Zij merkte het niet, maar Florus wel. ‘Zoek een kind!’ schreeuwde hij hun toe. ‘Breng dat kind hierheen en onthoofd het voor de ogen van de koningin der Joden!’

‘Nee!’ schreeuwde Bernice. ‘Nee!’ Ze stond op en hief haar handen ten hemel. ‘Ik smeek het u!’

‘Twee kinderen!’ gilde Florus tegen de soldaten. ‘Nu!’

‘Dat kunt u niet doen!’ riep Bernice. ‘Hoe kan ik u overtuigen? Wat moet ik doen?’

‘Drie kinderen!’ riep Florus naar de soldaten die al begonnen weg te draven op zijn eerdere bevel. ‘Hoe jonger hoe beter!’ Hij grijnsde vuil naar Bernice. ‘Wanneer leren jullie, Joden, eindelijk dat je Rome niet kwaad moet maken?’

‘Ik smeek u!’

Florus lachte. ‘Misschien moet u mij meer aanbieden dan een smeekbede! Al die keren dat u mij bij een feestmaal genegeerd hebt alsof ik rotte vis was, moet u me vergoeden. Of misschien neem ik u gewoon, zonder enige aanbieding van uw kant!'

Hij trok de aandacht van de bewaker naast hem en wees naar beneden. Een paar seconden later ging de poort van de burcht open en kwamen er soldaten op Bernice en haar lijfwacht aanstormen.

'Ga!' riep de kapitein van de koninklijke wachters haar toe. 'Nu!'

Bernice aarzelde.

De Romeinse soldaten gingen langzamer lopen en hielden hun schilden omhoog. Schouder aan schouder kwamen ze naar voren; de schilden vormden een ondoordringbare barrière.

Terwijl ze naderbij kwamen, pakten twee leden van de koninklijke wacht Bernice vast en gooiden haar op haar paard.

'Nee!' riep Bernice. 'Florus, houd op!'

'Kom boven, kom op bezoek!' tergde Florus haar. 'Laat maar zien hoe graag u wilt dat uw volk gespaard blijft!'

Een derde wachter greep de teugels van haar paard en leidde het weer in de richting van het paleis.

Bernice draaide zich om en probeerde Florus nogmaals iets toe te roepen.

Weer een andere wachter prikte met zijn speer in het achterste van haar paard; het steigerde voorwaarts, naar Vitas toe. Haar eigen wachters weken uiteen om haar door te laten en sloten de gelederen weer om de Romeinse soldaten tegen te houden.

Vitas keek vanaf zijn paard op naar Florus.

Ze maakten oogcontact, maar Florus leek Vitas niet te herkennen in zijn eenvoudige kleding. Florus opende zijn mond om iets te schreeuwen. Deed hem weer dicht. Een koninklijke wachter riep: 'Terugtrekken!' Het moment was al weer voorbij.

Vitas keerde snel zijn paard en volgde de anderen; samen vluchtten ze voor de naderende Romeinse soldaten.

✠ ✠ ✠

Maglorius duwde Valeria, Sophia en Saraï achteruit in een hoek en liep naar voren, de soldaten tegemoet. 'Ga weg, alsjeblieft,' zei hij. 'Laat dit huis met rust.'

'Rust in vrede!' antwoordde een van hen en hakte met zijn zwaard naar Maglorius. Die sprong achteruit, maar greep de arm van de soldaat. Maglorius trapte hem tegen de voeten; toen de soldaat omviel, schopte Maglorius tegen zijn hoofd.

Nog steeds had hij de arm van de soldaat vast in zijn greep. Hij draaide die arm om en gebruikte het zwaard om een slag van een tweede soldaat op te vangen. Het was een kleine ruimte; daardoor konden de twee overgebleven soldaten hem niet omsingelen.

Grommend rukte Maglorius het zwaard van de gevallen soldaat los, draaide zich snel om en weerde nog een slag af. Hij pareerde nogmaals en stak toen toe.

De tweede soldaat viel; het gat in zijn nek maakte een gorgelend geluid.

Maglorius brulde tegen de derde. Zo snel dat Valeria het bijna niet kon volgen in het schemerige licht, stootte hij toe, pareerde en overweldigde de laatste soldaat binnen een paar seconden.

De stilte had – na het gekletter van staal tegen staal – op Valeria een even groot schokeffect als de plotselinge aanval.

'Dat... dat...' Valeria kon geen woorden vinden om haar zin af te maken. Ze weifelde toen ze merkte dat Maglorius zijn hoofd gebogen hield en bad.

'Vergeef mij de dood van deze mannen, Vader,' zei hij.

Haar aandacht werd getrokken door gekreun.

Maglorius hief zijn hoofd op en stapte langs Valeria heen.

Saraï zat op haar knieën en keek ongelovig naar beneden, naar het bloed dat over haar handen stroomde terwijl ze haar buik vasthield. In alle verwarring was een van de soldaten erin geslaagd door Maglorius' verdediging heen te breken.

'Mijn baby,' zei ze zo zacht dat Valeria niet zeker wist of ze wel gesproken had. 'Mijn baby.'

Maglorius knielde naast Saraï.

'Ik ben niet bang voor de dood, Maglorius. Maar – de baby! Ik wil dat hij blijft leven.' Saraï begon te huilen. Het bloed stroomde over haar kleding.

Maglorius sloot even zijn ogen. 'Dit gebeurt overal in de stad. Moge Christus de vrouwen en kinderen genadig zijn.'

Saraï zuchtte en zakte voorover. Haar ogen waren open en ze bleef ademhalen.

'Houd haar hand vast,' zei Maglorius tegen Valeria.

Bloed. De intimiteit van het bloed van iemand anders. En een vreemde bovendien. Toch schoot Valeria de uitdrukking te binnen: Niemand is een vreemde in aanwezigheid van de dood. Ze knielde naast Maglorius zonder zich te bekommeren om het bloed dat op haar eigen zijden tunica spatte.

De vrouw probeerde naar Valeria te glimlachen. 'Vaarwel, baby,' fluisterde ze tegen haar buik. 'Moge Christus ons samen welkom heten.'

Maglorius legde een arm rond Saraï's schouders en wiegde haar. Ze viel slap tegen hem aan.

'Wees niet ongerust, maar vertrouw op God en op mij,' fluisterde Maglorius. 'In het huis van mijn Vader zijn veel kamers; zou ik anders gezegd hebben dat ik een plaats voor jullie gereed zal maken?' Hij zweeg even en streelde Saraï's gezicht. 'Dat waren zijn woorden, weet je nog? Laat je daardoor troosten.'

Saraï's ogen begonnen langzaam dicht te vallen.

Toen gingen ze weer open.

'Ik zie licht,' zei ze. Ze glimlachte. 'Mijn kind. Een jongen! We wandelen. Hij houdt mijn hand vast met zijn kleine vingertjes...'

Saraï's ogen gingen wijd open, maar ze keek langs Valeria heen. Ze riep, als een blijde begroeting: 'Christus!'

Ze stierf met die glimlach nog op haar gezicht.

Maglorius legde haar zachtjes neer.

Valeria werd verlamd door die glimlach; ze merkte niet meteen dat Maglorius een dolk uit zijn mantel trok.

Hij greep haar bij het haar en trok haar hoofd achterover zodat haar keel ontbloot werd.

Ze was te geschrokken om te schreeuwen.

De dolk kwam naar beneden en sneed door haar haar.

'Maglorius!'

Hij negeerde haar tegenstribbelen en hakte door tot haar haar zo kort was als van een jongen. 'Niemand mag raden dat jij de dochter van Lucius Bellator bent. Alle Joden haten de Romeinse belastinginners, en ze vinden hem de ergste van allemaal. Zoek, als ik weg ben, naar kleren. De kleren van Saraï's man. Hij ontsmet schapenvachten; zijn kleding kan goed als vermomming dienen.'

Maglorius reikte onder zijn tunica. Met snelle bewegingen maakte hij een riem los die hij daaronder verborgen had. 'Hier,' zei hij terwijl hij die voor zich uit hield.

Ze nam de zware gordel aan.

'Goud,' zei hij.

'Dat is een fortuin,' zei ze. 'Hoe kom je daaraan? Waarom? En waarom geef je het nu aan mij?'

'Als je bij de tunnels komt –'

'Tunnels?'

Hij ging verder alsof ze hem niet onderbroken had. 'De mensen die onder de stad wonen, vermoorden iemand al voor een paar sjekel. Zoek een plek om deze gordel te verstoppen. Je kunt er elke keer dat je geld nodig hebt iets uit halen.'

'Je doet alsof ik geen villa heb waar ik naar terug kan.'

'Ik bid dat je die nog hebt,' zei hij, 'maar Florus is vastbesloten. En na alles wat ik gehoord heb, vrees ik voor de toekomst van iedereen die de naam Bellator draagt. Als mijn voorzorgsmaatregelen onnodig zijn, kunnen we het goud later gewoon weer ophalen.'

'En nu?' vroeg Valeria. 'Waar gaan we naartoe?'

'Hier scheiden onze wegen. Jij moet je verbergen. Laat vreemden niet merken dat je een vrouw bent, want als wetteloosheid en moordlust in de stad heersen…'

Hij maakte zijn zin niet af. Valeria begreep hem. Ze huiverde.

'Saraï...' zei Sophia, terwijl ze bij haar vriendin neerknielde en haar wang streelde.

Valeria werd zich weer bewust van de aanwezigheid van de andere vrouw.

Maglorius haalde diep adem en vond nieuwe kracht om te spreken. 'We zullen later om haar rouwen. En blij voor haar zijn. Maar nu is het tijd om voor de levenden te zorgen.'

Hij liep naar de deuropening en stopte daar; hij stak donker af tegen het licht van buiten. 'Jullie kunnen hier niet blijven. Verderop in de straat staat een huis met een ingang tot de tunnel naar de vijver van Siloam. Het huis staat open en is leeg. Daar kun je op rekenen.'

'Hoe weet je dat?' vroeg Valeria.

'Geen vragen. Luister!' Hij gaf hun beiden instructies hoe ze de ingang konden vinden en liet hen alles herhalen zodat hij zeker wist dat ze het begrepen hadden.

'Goed.' Hij knikte. 'Ik ga hier eerst weg. Wacht tot ik goed en wel vertrokken ben en verberg je daarna in die ingang. Daar kom ik naartoe met Quintus en Sabinus. Wacht tot de ochtend als het moet.'

Maglorius stapte naar buiten, keerde zich toen meteen om en vulde de deuropening weer. 'Er is een tempelpriester die Ben-Aryeh heet. Jullie kunnen hem vinden tussen de hogepriesters. Als jullie mij nooit meer zien, kun je hem alles vragen.'

'Als we je nooit meer zien?' vroeg Valeria. 'Waar ga je naartoe?'

'Quintus en Sabinus halen. Zelfs als dat me het leven kost.'

✠ ✠ ✠

De dapperheid van de mooie jonge vrouw naast hem raakte Ben-Aryehs hart. Zoals ze beloofd had, deed ze haar uiterste best om zonder veel hulp te kunnen lopen. Hij brandde inwendig van woede omdat zij zo wreed behandeld was.

Hij liep met haar mee; af en toe wankelde ze en greep hem bij de elleboog om steun te zoeken.

'Die struikrovers...' zei hij toen ze de stad naderden. 'Hebben ze...?'

'Ja. Ik heb al verteld dat ze mijn onschuld geroofd hebben.' Ze begon te huilen, beet toen op haar lip en bedwong haar tranen. Haar stem beefde. 'Ik ben verloofd met een man in Jeruzalem. We kregen ruzie. In een domme opwelling besloot ik dat ik alleen wilde zijn. Bij iedereen uit de buurt. En die mannen vonden me. Sleepten me naar een plek waar –'

Ze begon opnieuw te huilen.

'Ze zullen gevonden worden,' zei Ben-Aryeh. 'Het recht zal zijn loop hebben.'

'Ik wil geen recht!' jammerde ze. 'Zelfs hun dood kan mij niet teruggeven wat ik verloren heb.'

'Mijn kind, mijn kind,' suste hij, 'je hebt je eer nog.'

Dat hoefde hij niet uit te leggen. Als dit een ongehuwde vrouw binnen de stadsmuren was overkomen, zou zij even schuldig aan ontucht zijn als de man, want het was haar plicht bij aanranding om hulp te roepen. Maar buiten de stad, waar niemand was die haar geroep kon horen, werden alleen de daders schuldig bevonden. Ze zou niet beschouwd worden als een vrouw met een immoreel karakter. En de aanvaller zou sterven door steniging. Dat was voorgeschreven door de wet.

Ze liepen door. Ben-Aryeh kon geen woorden van troost meer bedenken, en zij verviel in stilzwijgen, af en toe onderbroken door een snik.

Dichter bij de poort hoorde hij geschreeuw uit de betere wijken van de stad.

Florus en de soldaten!

En zijn vrouw, Amaris! Was zij in gevaar?

Hij hielp de jonge vrouw snel vooruit tot ze de schaduw van de stadsmuren bereikten. De open poort wenkte. Hij kon de muren van de tempel al zien. Wat er ook in de stad gebeurde, het had dit deel van de stad nog niet bereikt.

'Hier,' zei de vrouw, duidelijk verstaanbaar, 'ik kan uw mantel niet houden.'

'Natuurlijk wel.'

'Die is veel te duur. Mijn kleding bedekt voldoende.'

Ze stapten de poort door, de veiligheid van de stad in. De straat was niet vol, maar er liepen minstens twaalf mannen en vrouwen tussen de eerste huizen.

'Alstublieft,' zei ze. 'U hebt me al genoeg geholpen.'

Met tegenzin accepteerde Ben-Aryeh zijn mantel.

Wat ze toen deed, schokte hem.

'Help!' schreeuwde ze. 'Help! Help!'

Alle mensen in de buurt keerden zich in hun richting.

Ben-Aryeh stapte, met stomheid geslagen, achteruit.

'Help me!' schreeuwde ze. 'Hij heeft me verkracht! Buiten de stad!'

Allerlei gedachten gingen door Ben-Aryehs hoofd. Het zou haar woord tegen het zijne zijn. Zelfs als hij niet schuldig werd bevonden, zou de verdenking de rest van zijn leven op hem rusten. En Amaris? Welke invloed zou dit op haar hebben?

Ben-Aryeh kende deze stad even goed als iedereen.

Hij nam een beslissing. Als hij nu ontsnapte, zou deze vrouw hem nooit kunnen vinden. De tempel had duizenden priesters in dienst, en als hij de komende dagen of desnoods weken thuis bleef, zou hij veilig voor haar zijn.

Toen een paar mannen in hun richting begonnen te draven, draaide Ben-Aryeh zich snel om en schoot de dichtstbijzijnde steeg in.

'Help!' riep zij. 'Die man is het!'

Twintig stappen verderop was een smaller zijsteegje. Daar ging Ben-Aryeh in. Hij bleef rennen, sloeg verschillende hoeken om en verdween in de doolhof van smalle, kromme steegjes van dit deel van de stad.

Binnen een paar minuten was hij alle achtervolgers kwijt.

Hij begon terug te sluipen naar de betere wijk.

Daar wachtte zijn vrouw op hem.

15 AB

HET VIERDE UUR

In een van de bovenkamers van het grote huis hield Alypia Sabinus, de baby, met één hand stevig op een kussen. Met de andere hand hief ze een tweede kussen op.

Nu moest de baby maar sterven. Sabinus had zijn nut bewezen. Eerst had hij Maglorius bij haar gebracht – die dwaas was zo verrukt geweest toen hij ontdekte dat hij vader werd, dat hij maar al te graag als lijfwacht bij hen in dienst kwam. Maar een paar weken geleden had hij gezegd dat hij hun verhouding niet kon voortzetten, dat die verkeerd was in de ogen van God. Dus was de baby aan de ene kant een last voor haar geworden, maar aan de andere kant nuttig omdat hij het enige was waarmee ze Maglorius nog kon raken.

Tijdens de afgelopen nacht was ze dankbaar geweest voor Sabinus. Ze had de kleine jongen in haar bed laten slapen, klaar om een mes op zijn keel te zetten als Maglorius zou verschijnen om haar kwaad te doen.

Maar toen de dag aanbrak, was Maglorius er nog steeds niet. De baby had geen waarde meer voor haar.

Ze zou het onroerend goed snel verkopen; sterker nog: ze had al lang een koper klaarstaan voor het moment dat Bellator stierf. En nu was het zover. Ze had zich in haar kamer verstopt terwijl de soldaten iedereen in huis afslachtten. Nu moest ze alleen de korte afstand door de straat afleggen naar een rijke Griekse koopman.

Dus: tijd om Sabinus te doden. Vooral nu ze kon beweren dat de soldaten dat gedaan hadden; dat kwam goed uit. Ze zou het lijkje van de kleine jongen bij de dode bedienden op de binnenplaats leggen. Dat zou voor zichzelf spreken.

Ze bracht het tweede kussen omlaag en drukte het op het gezicht van de baby. Het had geen zin de keel van de jongen door te snijden terwijl hij nog leefde. Dat zou te veel rommel geven. Nee, als hij goed en wel dood was, zou ze zijn lijkje tussen de andere leggen en het daarna met een zwaard doorsteken alsof hij door soldaten gedood was.

Ze duwde harder op het kussen en verbaasde zich over de kracht waarmee haar zoon tegenspartelde.

✠ ✠ ✠

Omdat Sophia in een Joodse familie was grootgebracht, was ze vertrouwd met de wetten van de profeten en de geschiedenissen die door Mozes en andere grote aartsvaders verteld waren. Ze kende zeker de kronieken van de koningen van Juda en had onder andere gehoord over de daden van Hizkia. Ze had geleerd dat Hizkia en de profeet Jesaja, zoon van Amos, tot God geroepen hadden toen koning Sanherib van Assyrië Jeruzalem bedreigd en God bespot had. Ze wist dat de Heer een engel gestuurd had die alle geoefende krijgers, aanvoerders en bevelhebbers in het kamp van de koning van Assyrië verdelgde. Dat Sanherib diep vernederd terugkeerde naar zijn land. Daar werd hij, toen hij de tempel van zijn god binnenging, door zijn eigen zonen vermoord. Zo werd eens te meer bewezen dat de Joden Gods uitverkoren volk waren en dat zij een Messias konden verwachten.

Sophia had genoeg over Hizkia geleerd om uit de kronieken te kunnen citeren: 'Het was ook Hizkia die de bovenste uitmonding van de Gichonbron afsloot en al het water ondergronds kanaliseerde om het aan de westkant van de Davidsburcht op te vangen.'

Het bestaan van Hizkia's Siloamwaterleiding onder de stad

was dus voor haar niet zo'n grote verrassing als het voor Valeria was geweest.

De Gichon was een natuurlijke bron die ontsprong in een rotskloof in het Kidrondal. Van daar af stroomde het water onder de stad door; in vroeger eeuwen was een primitieve tunnel, ruim vijfhonderd meter lang, in de zachte bodem uitgehakt naar de vijver van Siloam. De tunnel stond in verbinding met een reeks andere tunnels. Er waren veel verraderlijke gangen en een heel aantal geheime ingangen, bekend bij de priesters die deze kennis angstvallig bewaakten. Dat had Sophia Valeria verteld zodra ze in de tunnels kwamen.

De vorige middag hadden ze genoeg vertrouwen in Maglorius gehad om zijn instructies op te volgen. Daardoor waren ze veilig door het huis – leeg, zoals hij hun verzekerd had – op een binnenplaats gekomen en door een luik – bijna onzichtbaar door het kunstige mozaïekpatroon – naar beneden gegaan.

Sophia had duisternis verwacht toen ze het luik boven haar hoofd sloot. Ze werd verrast door kleine lichtstraaltjes die door de mozaïekvloer naar beneden schenen; ook dat hoorde bij het ontwerp van het verborgen luik.

Ze zagen een trap die in de rots uitgehakt was en afdaalde in de duisternis, buiten het bereik van de lichtstraaltjes. De lucht was koel en enigszins vochtig. De echo van hun ademhaling klonk raspend. Sophia en Valeria waren boven aan de trap gaan zitten. Geen van beiden wilde verder de tunnel in gaan.

Hun hoop dat Maglorius snel zou terugkeren vervaagde toen het daglicht boven hen overging in de nacht. Ze waren de hele nacht daar gebleven; ze sliepen ongemakkelijk tegen de muur en werden bij het minste geluid wakker.

Bij zonsopgang was Maglorius nog steeds niet verschenen. Dus had Sophia, toen de ochtend voorbij was, Valeria gezegd dat ze moest wachten terwijl zij naar buiten ging, de stad in.

✠ ✠ ✠

Een man met een waterkruik. 'Als je bij de vijver van Siloam komt, kijk dan uit naar een man met een waterkruik.' Dat waren de instructies die koningin Bernice haar dienstmeisje Hefziba had gegeven.

Hefziba was komen lopen vanuit het paleis, tegen de ochtendzon beschermd door de gebouwen aan weerszijden van de smalle straten. Misschien had ze er slechts een kwartier over gedaan om het lagere deel van de stad te bereiken, maar ze was zo in gedachten geweest dat ze de tijd vergat.

Het was of iedereen die ze op straat passeerde, deelde in dezelfde ongelovige verbijstering. Verdwenen waren de kreten van winkeliers die hun waren te koop aanboden; verdwenen was het geroezemoes van geroddel en verhalen als de mensen elkaar goedmoedig verdrongen tussen de winkels. Nu waren de straten bijna leeg en als mensen elkaar passeerden, deden ze dat in stilte. Een stilte van rouw. Een stilte vol angst. Een stilte die slechts onderbroken werd door een jammerklacht telkens als iemand het lijk van zijn moeder, vader, zus, broer, zoon of dochter vond.

Duizenden waren afgeslacht. Haar koningin was bijna gedood. Waarom had God hen verlaten?

Hefziba wendde haar blik af van de mensen die neerknielden bij het lijk van een geliefde. Omdat de slachting gisteren doorgegaan was tot de nacht viel, kwamen de overlevenden nu pas weer op straat.

Naarmate ze echter het lagere deel van de stad naderde, kwamen de straten meer tot leven. Massa's mensen begonnen naar de hoger gelegen markt te lopen om daar tegen Florus' gruweldaden te protesteren. Meer dan eens had iemand er bij haar op aangedrongen om te keren en zich bij hen te voegen. Elke keer had ze haar hoofd geschud.

En nu, met de vijver in zicht tegen de achtergrond van de koninklijke tuinen, keek ze uit naar een man met een waterkruik. Tussen alle vrouwen bij de vijver zag ze hem onmiddellijk, want het was ongewoon dat een man water haalde; dit huishoudelijke karwei werd vrijwel altijd door vrouwen gedaan. Hij stond aan de rand van de vijver met de grote aardewerken kruik aan zijn voeten.

Hefziba haastte zich naar hem toe. Terwijl ze dichterbij kwam, gaf ze toe aan haar nieuwsgierigheid. Wie was de man naar wie de koningin luisterde?

Toen ze zijn gezicht bekeek, dacht ze dat ze het wel begreep. Hij was een forse man met een houding waaruit zelfvertrouwen sprak – niet de uitdagende uitstraling van iemand die iedereen wilde laten weten dat hij groter, sterker en slimmer was dan anderen, maar een rustig zelfvertrouwen dat een gunstige indruk op haar maakte. De littekens op zijn gezicht en de droefheid in zijn ogen leken haar te vertellen dat hij het in hem gestelde vertrouwen verdiend had. Geen wonder dat haar koningin zich tot deze man aangetrokken voelde!

'Ben jij Maglorius?' vroeg ze zacht.

'Ja,' zei hij.

Ze stonden in de volle zon; hij kneep zijn ogen tot spleetjes terwijl hij haar gezicht bestudeerde.

'Ik ben Hefziba. De koningin heeft me gestuurd.'

'Vergeef me mijn gebrek aan vertrouwen,' zei hij. 'Wat was mijn boodschap aan haar, woord voor woord?'

'Stuur iemand die u vertrouwt met een koninklijk zegel naar de vijver van Siloam. Laat die persoon uitkijken naar een man met een waterkruik.'

Maglorius knikte. 'Heb je het zegel?'

'Ja.' Hefziba had toegekeken terwijl Bernice de was verwarmde en het koninklijke teken erin drukte. Nu gaf ze het zegel aan Maglorius.

'Dus jij bent iemand die ze vertrouwt?' vroeg hij.

'Ja.' Hefziba probeerde een vaag schuldgevoel te verdringen. De koningin was in de loop van haar leven door velen verraden – door mannen, door andere bedienden, zelfs door haar eigen broer. Hefziba was degene aan wie de koningin die verbroken beloftes vaak had toevertrouwd; maar als de koningin wist dat zij eenmaal niet loyaal geweest was, zou dat vertrouwen niet meer bestaan.

Een beeld schoot haar te binnen: de koningin die huilde in de dagen nadat ze bijna door een indringer gedood was. Hefziba kreeg het er benauwd van; ze hoopte dat de man voor haar deze plotselinge opwelling van schuldgevoel niet opmerkte.

'Al die intriges...' mompelde hij, terwijl hij afwezig het zegel van zijn ene in zijn andere hand verplaatste. 'Ik heb er genoeg van. Ik wilde dat we in een wereld zonder spionnen leefden. Dat we geen spionnen nodig hadden. Zelfs de Meester werd in de laatste dagen van zijn leven in deze stad geconfronteerd met intriges...' Hij zweeg plotseling.

'Ga door,' zei Hefziba. De Meester? Mocht ze hopen dat Maglorius haar geloof deelde?

Maglorius staarde zwijgend over de vijver, dus nam Hefziba, die veel liever luisterde dan sprak, een risico. 'Het was Pesach,' zei ze om Maglorius aan te moedigen. 'Om te zorgen dat niemand van tevoren wist waar Hij samen met de discipelen de maaltijd zou houden, vooral Judas niet, stuurde de Meester hen er op uit om een man te zoeken die water droeg, een bediende van de man die de Meester een kamer ter beschikking stelde.'

Maglorius keerde zijn hoofd met een ruk om; zijn mond verstrakte.

'Het spijt me,' zei ze. 'Heb ik je beledigd?'

Hij wreef over zijn achterhoofd. 'Nee. Het doet pijn als ik me snel beweeg.' Hij glimlachte. 'Heb jij de brieven gelezen die de gelovigen aan elkaar doorgeven?'

'Ja,' zei Hefziba. 'Zo vaak dat ik grote stukken uit mijn hoofd geleerd heb.'

'Weet koningin Bernice van je geloof af?'

'Nee. Op een dag, als het juiste moment aanbreekt, hoop ik mijn geloof met haar te delen.'

En dan, dacht Hefziba, zou ze ook opbiechten dat Mattias haar broer was. Opbiechten dat ze hem geholpen had het paleis binnen te komen.

'Ik geloof dat ze ernaar hongert,' zei Maglorius. 'Haar ziel heeft een diepe behoefte aan liefde.'

Hefziba knikte. Ze betreurde de dood van haar broer. Ze had niet geweten dat hij dat van plan was. De laatste dagen waren verschrikkelijk geweest. Zijn dood verwerken. De nasleep van de rellen verwerken. Alleen door gebed en geloof was ze in staat geweest enige hoop te vinden in deze verdrukking.

Ze hoorden geluiden uit de hoger gelegen delen van de stad. De menigte moest zich al verzameld hebben.

'Ik heb weinig tijd,' zei Maglorius. 'Ik zal je vertellen wat ik de koningin wil verzoeken. Maar herinner haar eerst aan de belofte die ze mij gedaan heeft. Dat begrijpt ze wel.'

Een enorme rouwklacht weergalmde door de stad. De duiven die vlakbij op de straatstenen naar voedsel pikten, schrokken ervan en fladderden luidruchtig omhoog.

'Ze betreurt het dat ze niet zelf naar je toe kan komen.' De koningin had benadrukt dat Hefziba dat tegen de man moest zeggen. 'In elke andere situatie zou ze gezorgd hebben dat je haar persoonlijk kon spreken.'

'Ik zou haar nooit in gevaar willen brengen.'

'Ze heeft het gisteren ternauwernood overleefd,' zei Hefziba.

'Wat?'

'Heb je het niet gehoord?'

'Ik was...' Hij zweeg en wreef nogmaals over zijn achterhoofd. Toen hij zijn hand weer naar beneden bracht, zag Hefziba dat er opgedroogd bloed aan zijn vingers zat. 'Nee, ik heb het niet gehoord. Vertel het me alsjeblieft.'

'Heb je pijn?' vroeg ze.

'Vertel me over de koningin en Florus.'

Hij luisterde aandachtig naar Hefziba's verhaal. Ze vertelde tegen de achtergrond van het geschreeuw dat ze uit de verte hoorden: de naam 'Florus' was zelfs hier te verstaan.

'Hij is een verraderlijke man,' zei hij toen ze uitgepraat was. 'Hij brengt iedereen in Jeruzalem in gevaar. En daarom heb ik alle hulp nodig die de koningin me kan geven. Er is een jongen kwijtgeraakt. Uit het huis van Bellator. Ik zou de koningin bijzonder erkentelijk zijn als zij zo veel mogelijk mensen naar hem wil laten zoeken. De jongen heet Quintus.'

'En zijn ouders?'

Maglorius sloot zijn ogen. 'Dood.'

'Wat vreselijk.'

'Het waren de soldaten van Florus. De jongen is ontsnapt. Tenminste: ik bid dat hij ontsnapt is. Ik heb een bediende bij het huis achtergelaten om hem op te wachten als hij terugkomt.'

'Er zijn veel mensen in de stad,' zei Hefziba vriendelijk, 'en nu, tijdens deze rellen, is het misschien niet eenvoudig hem te vinden.'

'Hij draagt een zegelring. Hij is een Romeins staatsburger. En als wettig erfgenaam is hij een rijke burger. Hij móet gevonden worden.'

Zijn heftigheid alarmeerde haar. 'Ja,' zei ze snel. 'Ik zal dat allemaal aan de koningin vertellen. Maar kom met me mee. Een vrouw die Sophia heet, is bij het paleis aangekomen, op zoek naar jou.'

✠ ✠ ✠

Terwijl ze bezig was om haar zoontje te verstikken, hoorde Alypia een stem op de binnenplaats beneden haar.

'Hallo? Hallo?'

Alypia vervloekte de goden en tilde het kussen op. Sabinus begon te jammeren van angst. Ze negeerde hem en keek naar beneden, naar de binnenplaats. Daar stond een man te roepen, een man die ze herkende uit haar tijd in Rome.

Gallus Sergius Vitas.

Ze fluisterde een dankgebed aan haar huisgoden. Wie kon haar beter helpen het fortuin waarop zij als weduwe recht had op te eisen dan Gallus Sergius Vitas, die haar had meegemaakt in Rome? Daar was ze bij verschillende gelegenheden aanwezig geweest als de onderdanige en bijna onzichtbare echtgenote van Bellator.

Ze stapte bij het raam vandaan en deed snel de linkerkant van haar gewaad naar beneden, waarbij ze zoveel van haar lichaam liet zien dat het nog net niet onbetamelijk was. Dat was niet moeilijk; uren geleden, bij het eerste daglicht, had ze haar kleren op verschillende plekken ingesneden, gescheurd en bovendien vertrapt om er vieze vlekken op te maken. Ze haalde diep adem en deed alsof ze probeerde haar zelfbeheersing te hervinden, zoals een vrouw zou doen die een aanranding door soldaten en een ex-gladiator overleefd had.

Toen was ze klaar.

Ze liet de huilende Sabinus achter en liep naar beneden, naar de binnenplaats. 'Hallo?' zei ze met de juiste hoeveelheid angstige aarzeling in haar stem. 'Hallo?'

De man op de binnenplaats reageerde onmiddellijk op het geluid van haar stem. Hij wendde zich af van zijn inspectie van de lichamen van slaven en bedienden die lukraak verspreid lagen waar Romeinse soldaten hen de vorige dag hadden afgeslacht.

De vredige ochtendzon en het gezang van de vogels op het dakterras vormden een achtergrond waartegen het weerzinwekkende gevolg van dat geweld nog afschuwelijker afstak. De illusie van vrede werd wreed verstoord.

Alypia wist dat ze de aandacht van de man had. Ze wankelde enigszins, alsof ze op het punt stond flauw te vallen, en negeerde het gejammer van Sabinus dat vanuit het huis kwam.

Hij kwam snel in haar richting. Ze wendde lichte schrik voor en stapte achteruit.

'Ik ben een Romeins staatsburger,' riep hij haar zacht toe. 'Ik doe geen kwaad.'

'De goden zij dank!' Alypia zocht een bank en zakte daarop in elkaar. 'Sinds gisteren ben ik zo bang. Ik ben alleen, zonder iemand om me te helpen! Mijn echtgenoot is vermoord!'

Voorzichtig kwam de man nog dichterbij. Ze lette zorgvuldig op zijn ogen en wachtte tot zijn blik getrokken zou worden naar haar half ontblote bovenlichaam. Deze man verleiden zou haar op dit moment bijzonder goed uitkomen, vooral gezien zijn familieachtergrond en zijn macht in Rome. Ze was teleurgesteld dat hij zijn blik vast op haar gezicht gericht hield, maar ze wist dat dat slechts een tijdelijke tegenslag was. Zij waren de enige mensen hier in dit grote huis; zij was een kwetsbare vrouw die een beroep deed op de bescherming van een man. En ze had hem al laten weten dat ze geen echtgenoot had.

Hij keek even achter haar toen de baby weer jammerde, alsof hij de bron van dit geluid zocht. 'Jij bent Alypia,' zei hij.

'Ja.'

'Ik ben Vitas.' Hij ging op de bank zitten, maar hield afstand. 'Gallus Sergius Vitas.'

'Toch niet degene die bij Nero in dienst is als een van zijn betrouwbaarste adviseurs in Rome?' vroeg ze, hoewel ze het antwoord wist.

Hij knikte.

'Hier in Jeruzalem? Waarom?' Dit wist ze niet. Toch was zijn komst een geschenk van de goden. Het enige nadeel was dat hij de baby had horen huilen. Nu kon ze niet langer beweren dat Sabinus door soldaten gedood was.

'Ja, ik ben uit Rome gekomen om uw echtgenoot te ontmoeten. Uit naam van Nero.'

'Je bent –' Alypia's stem stokte even – 'één dag te laat.'

Vitas zweeg uit respect voor haar verdriet.

Ze buitte dit uit, al irriteerde het haar dat Sabinus' hernieuwde gehuil afbreuk deed aan het beeld dat ze wilde presenteren. Ze hoopte dat Vitas een arm om haar schouders zou slaan om haar te troosten.

'De soldaten,' zei hij. Hij legde zijn mantel om haar heen, maar hield nog steeds discreet afstand, tot haar ergernis. 'Hebben ze jou aangevallen toen ze je echtgenoot vermoordden?'

'Nee!' Alypia barstte in woede uit.

Daar leek hij van te schrikken.

'Hij is vermoord door iemand uit zijn eigen huis.'

Nu had ze zijn volledige aandacht en daar genoot ze van. Ze draaide zich zo dat ze hem recht aankeek en beet in de knokkels van haar gebalde vuist. 'Een ex-gladiator, Maglorius genaamd. Ik ben bang dat als hij terugkomt...' Ze stak haar hand uit en legde die op zijn onderarm. Het was belangrijk hem aan te raken. 'Je hebt toch wel een zwaard, hoop ik?'

'Maglorius?'

'Als je die naam in Rome gehoord hebt – die man is het.' Ze liet haar hand op zijn arm liggen. 'Ooit was hij beroemd in de arena's.'

'Maglorius.'

'Hij was halfdood nadat hij in Asia zwaar was toegetakeld door een zwaard, en toen hij in Rome aankwam, te zwak om naar de arena's terug te gaan, werd hij vrijgelaten. Die roddels heb je vast wel gehoord.'

Vitas bekeek haar nauwlettend.

'Hij kwam bij ons gezin als lijfwacht.' Alypia vroeg zich af of Vitas andere geruchten gehoord had en besloot verder te gaan alsof hij van niets wist. Het had geen zin haar verhouding met Maglorius toe te geven voordat ze daartoe gedwongen werd. Vooral niet nu die verhouding voltooid verleden tijd was. Wat een onstuimige periode was dat geweest! Maar ze zou zich niet langer door liefde laten beïnvloeden. Geld en macht zocht ze in een man. Meer had ze niet nodig. 'Hij reisde met ons mee naar Jeruzalem als lijfwacht. En gisteren, toen de soldaten verdwenen waren, heeft hij...' – ze snikte. 'Het was verschrikkelijk!'

'Je zegt dat hij Bellator vermoord heeft?'

'Gistermiddag. Meteen nadat de soldaten vertrokken waren. Ik weet zeker dat hij dacht dat zij de schuld zouden krijgen. Ik ben degene die er getuige van was. Hij zal mij ook dood willen. Ik geloof dat hij denkt dat hij dit huis en onze rijkdommen kan plunderen als we allebei verdwenen zijn.'

'Was hij alleen?' vroeg Vitas.

Alypia ging niet zo op in het acteren dat ze de gespierde armen of de krachtige borstkas van de man niet opmerkte. Vitas was een rijk man. Een machtig man. En buitengewoon aantrekkelijk. Wat zou hij een genot kunnen zijn na jaren met Bellator die wel rijk en machtig, maar ook oud en buitengewoon onaantrekkelijk was geweest!

‘Waarom vraag je dat?’ vroeg Alypia en begon zijn bovenarm te strelen. ‘Wie zou er nog meer bij geweest zijn?’

Vitas maakte zich los. Hij ging voor de bank staan. Toen knielde hij neer om haar recht aan te kijken. ‘Ik zal zorgen dat je beschermd wordt.’

Daar was het weer. Het irritante gehuil van Sabinus.

Ze wist dat het jongetje bang was. De baby vormde echter een groot probleem, en niet alleen omdat hij Vitas’ aandacht opeiste terwijl zij hem wilde verleiden.

Nu Quintus verdwenen of vermoord was, stond alleen dit jongetje Alypia nog in de weg om het grootste deel van Bellators rijkdom te erven. Het feit dat Sabinus haar zoon, haar enig kind was, had haar er niet van weerhouden hem te smoren. Ze was trouwens nooit erg moederlijk van aard geweest. Nu haatte ze Maglorius; samen met de gedachte aan de rijkdom die ze zou verwerven door de dood van Sabinus was dat genoeg reden om hem te doden. Ze zou zonder enige aarzeling de soldaten die het huis geplunderd hadden de schuld gegeven hebben.

Nu kwam er nog iets bij: ze vreesde dat de baby een beletsel zou zijn bij haar poging Vitas over te halen tot een liefdesavontuur. De meeste mannen wilden geen vrouw die de bagage van een voorgaand huwelijk met zich meebracht.

Toen de kreten van de baby luider werden, kwam er plotseling een gedachte bij haar op die niet minder dan een inspiratie genoemd kon worden. ‘Dat is de baby van een van de bedienden,’ zei ze.

Ja, dat was het! Niet háár baby, maar die van een bediende. Ze was zo geconcentreerd geweest op het bedenken van het verhaal over Maglorius en de moord op haar echtgenoot, het anticiperen op moeilijke vragen en zorgen dat het verhaal overeind bleef tegen alle twijfels in, dat ze niet genoeg had nagedacht over de situatie van de baby. Maar dit verhaal zou ook werken! Want na de aanval van Florus' soldaten, gistermiddag, kon ze kiezen uit een flink aantal dode dienstmeisjes die niet in staat waren het moederschap te ontkennen.

'Ik weet niet wat ik moet doen,' ging ze verder. 'Ik houd hem steeds vast, maar hij blijft huilen. Wat zal er nu met dat kind gebeuren?'

'En jouw kinderen, hoe is het daarmee?' vroeg Vitas. 'Valeria en Quintus?'

'Stiefkinderen,' zei ze snel. 'Ze zijn van Bellator en zijn vorige vrouw.'

Ze zou hem niet vertellen dat die kinderen, net als haar zoontje, slechts Bellators naam droegen maar niet zijn bloedlijn voortzetten. Iemand anders was hun vader, want ze wist zeker dat Bellator niet in staat was geweest kinderen te verwekken. En ze zou hem zeker niets vertellen over haar plannen om te zorgen dat Quintus de komende week in Jeruzalem niet zou overleven. Het was in zekere zin een zegen dat de jongen gevlucht was terwijl hij geloofde dat zijn held Maglorius een moordenaar was. Als Quintus terugkeerde, zou ze wel een manier vinden om met hem af te rekenen. Dat gold ook voor Valeria, die kleine heks, als ze de aanval op de markt werkelijk overleefd had.

'Waar is Maglorius nu?' vroeg Vitas.

Zag die man niet wie hij voor zich had? Een mooie, hartstochtelijke vrouw!

'Maglorius?' snauwde ze bijna. 'Hopelijk hebben de soldaten hem gedood nadat hij hier wegvluchtte. Zo niet, dan is hij misschien vannacht ergens in de stad gestorven.'

Vitas staarde langs Alypia heen. Weer die blik van bezorgdheid voor de huilende baby.

'Wat moet ik doen?' vroeg ze om de volle aandacht van de man weer op zichzelf te vestigen. 'Ik ben nu weduwe. Deze stad is vol gevaar. Je kunt me hier niet alleen achterlaten.'

'Florus zal –'

'Florus? Híj heeft ongetwijfeld zijn soldaten hierheen gestuurd. Hij heeft Bellator al sinds onze aankomst gehaat.'

‘Wat ik wilde zeggen,’ zei Vitas rustig, ‘is: Florus zal geen bescherming bieden. Ik ben te gast in het koninklijk paleis. Daar was ik veilig vannacht. Ik twijfel er niet aan dat jij daar ook welkom bent.’

Dat verklaarde het, dacht Alypia met een flits van jaloezie. Koningin Bernice was een berucht mannenverslindster. En de attenties van een Romein met de status van Vitas zouden voor haar van grote waarde zijn. Dat verklaarde waarom hij háár op dit ogenblik zo weinig aandacht schonk. Hij was ongetwijfeld meer dan een gast in het koninklijk paleis.

‘Zelfs dat vertrouw ik niet,’ zei ze. Ze was niet van plan het paleis binnen te gaan en daar met Bernice te concurreren. ‘Wie weet of Florus geen spionnen naar het paleis stuurt om me daar te pakken te krijgen?’ Ze hees zich overeind. ‘Ik moet de stad uit zien te komen,’ zei ze. Ze wilde dat Vitas zich verplicht zou voelen met haar mee te gaan.

Zijn antwoord was niet wat zij verwacht had.

‘Volgens mij is het gevaar niet zo groot als jij denkt. Bernice dringt er bij de hogepriester op aan dat hij stappen onderneemt om Florus tevreden te stellen. En Maglorius – ’

‘Je moet me tegen hem beschermen. Laat hem arresteren. Onmiddellijk kruisigen.’

Vitas aarzelde een ogenblik en knikte ten slotte. ‘Ja, ik zal met hem afrekenen.’

HET VIJFDE UUR

'Bereid je voor op het ergste,' zei Maglorius tegen Sophia toen ze het hogere gedeelte van de stad bereikten. Een van de bedienden van de koningin had hem voor haar gevonden en daar was ze bijzonder dankbaar voor. 'Florus heeft zijn soldaten ook hierheen gestuurd. En de familie Bellator is niet aan hen ontsnapt.'

Bereid je voor op het ergste.

Er was niet veel voor nodig om je de beelden en geluiden van soldaten in dit gedeelte van de stad voor de geest te halen. De geplaveide straten waren breder dan de straten die vanaf de markt naar de arme wijken in het lager gelegen gedeelte leidden; de muren die de huizen van de straten afschermden, waren veel hoger en dikker. Toch zou het gekletter van zwaarden, het gegil van slachtoffers en het geroep tijdens de achtervolging hier niet anders geklonken hebben dan de gruwelen die Sophia de vorige dag gehoord had.

'Dus jij bent hier eerder geweest...'

Ze hoefde de zin niet af te maken. Tijdens de korte wandeling die ze samen gemaakt hadden vanaf het paleis had Maglorius verteld dat hij de hele nacht naar Quintus gezocht had. Maar dat was pas nadat Sophia hem had verzekerd dat Valeria nog steeds onder de stad op hem wachtte, op de veilige plek die hij hun had aangewezen toen de slachting in volle gang was.

'Ik ben hier geweest.' Maglorius' stem klonk zwaarmoedig, alsof hij een lang verhaal voor zichzelf hield. 'Te laat om veel meer te kunnen doen dan de stervenden troosten.'

Ze stonden vlak voor een poort die naar de binnenplaats van het huis van de Bellators leidde. De ijzeren tralies waren gebroken en verbogen: het bewijs van de recente, gewelddadige aanval van de soldaten.

'En de vrouw des huizes, Alypia?' vroeg Sophia. 'Is zij niet gewond?'

Een ogenblik keek Maglorius een andere kant op. Alsof hij iets te verbergen had. 'Ik verwacht dat je haar hier zult aantreffen,' zei hij uiteindelijk. 'En Vitas natuurlijk, zoals we in het paleis gehoord hebben.'

'Zij wil vast wel over Quintus horen. Toch wil je niet met mij mee naar binnen. Vitas zal jou ook willen spreken.'

'Nee.' Maglorius aarzelde geen moment. 'Ik moet naar Quintus blijven zoeken. Vertel jij het nieuws maar.'

'Waar kunnen we je later vinden?' vroeg Sophia.

'Ik vind jou wel,' antwoordde hij.

'Maglorius, je ziet er bezorgd uit.'

'Alypia heeft een baby bij zich, een jongetje,' zei hij. 'Hij heet Sabinus. Zorg alsjeblieft voor de baby. Ik vrees dat Alypia's moederinstinct niet sterk is. Zonder bediendes om haar te helpen...' Maglorius zuchtte diep. 'In ieder geval is dat de enige gunst die ik jou zou willen vragen. Zorg voor Sabinus. Bied aan om bij Alypia te blijven tot ze een andere bediende vindt om voor de jongen te zorgen.'

'Kom mee naar binnen,' inviteerde Sophia vriendelijk.

'Beloof het me. Alsjeblieft!'

'Ik beloof het. Kom mee naar binnen.'

'Dat kan niet,' zei hij. 'Je zult snel genoeg ontdekken waarom niet. En als je het weet, denk dan aan je belofte.'

'Als ik het snel genoeg ontdek, waarom vertel je het mij dan zelf niet?' vroeg Sophia.

'Omdat je anders schuldig kunt worden bevonden aan het

helpen van een voortvluchtige. Dan ben je medeplichtig aan mijn misdaad.'

'Misdaad?'

'Ga nu,' zei Maglorius vriendelijk. 'Zoek Vitas. Waak over de baby.'

Sophia had nog één vraag. Maar ze kon het antwoord al raden. 'Is Sabinus jouw zoon?'

Maglorius knikte. 'Mijn zoon. Voordat jij me hielp het geloof te vinden, was hij de enige voor wie ik leefde.' Na deze woorden keerde hij zich om en haastte zich de straat uit in de richting van het lager gelegen deel van de stad.

Sophia ging de binnenplaats op. Haar was beloofd dat Vitas hier op haar wachtte.

Ze riep zijn naam.

Het enige antwoord was het gejammer van een baby.

✠ ✠ ✠

'Gisteravond,' zei koningin Bernice tegen Vitas, 'vertelde je dat je niet officieel bekend wilde laten maken dat je hier was, maar je wilde me niet vertellen waarom niet.'

Een boodschapper had Vitas in het huis van Bellator gevonden en hem het dringende verzoek overgebracht naar het paleis terug te keren. Onmiddellijk na zijn aankomst daar was hij bij Bernice gebracht in een van de binnenhoven in het hoogste deel van het paleis.

Vitas wilde hier weg. Hij wilde terug naar de stad om Sophia te zoeken. Hij had verwacht haar in het huis van Bellator te vinden, bij Maglorius. Daar had hij echter alleen Alypia aangetroffen die haar beschuldiging had geuit zonder Sophia te noemen. Vitas kon niet geloven dat Maglorius Bellator vermoord had. Maar als hij die middag al teruggekeerd was in het huis van Bellator, was Sophia niet bij hem geweest. Waar was ze?

'Gisteravond,' antwoordde Vitas nu, vol ongeduld omdat Bernice niet meteen ter zake kwam, 'gaf u toe dat Ben-Aryeh u iets verschuldigd is, maar ook u wilde mij geen details geven.'

'Je kent zijn zoon,' zei ze zonder een moment te aarzelen. 'Of in elk geval heb je van hem gehoord. Een Jood die Chayim heet.'

Het duurde even voordat Vitas die naam kon plaatsten. 'Chayim. De Jood die in het keizerlijk paleis in Rome woont?'

Bernice knikte.

Vitas' nieuwsgierigheid was groot genoeg om hem tijdelijk af te leiden van zijn gedachten aan Sophia en Maglorius. 'Ik dacht dat hij een familielid van Herodes was.'

'Nu begrijp je waarom ik liever niet over hem wilde vertellen. Vooral omdat jij zo dicht bij Nero staat. Door je dit te vertellen, geef ik mijn bedrog toe. Ik heb over zijn afkomst gelogen toen ik hem naar Rome stuurde.'

'Maar dat roept weer andere vragen op.'

'Zoals: waarom werd Chayim als gijzelaar aangeboden terwijl hij niet van Herodes afstamt?'

'Dat zou mijn eerste vraag zijn,' zei Vitas. Het kwam vaak genoeg voor. Koningen van verschillende landen stuurden hun zoons naar Nero om hem ervan te verzekeren dat ze niet in opstand zouden komen. 'En de tweede zou zijn: waarom stemde Ben-Aryeh daarmee in?'

'Jij hebt veel tijd doorgebracht in het keizerlijk paleis. Je weet vast wel het een en ander over Chayim, of je hebt verhalen over hem gehoord.'

Vitas snoof. 'Als Chayim de zoon van Ben-Aryeh is, zou je bijna kunnen zeggen dat de zon de nacht gebaard heeft.'

'Dus Chayim is niet veranderd.'

'Was hij hier in Jeruzalem een rokkenjager en een vrome, toegewijde aanhanger van wijn en feesten?'

Bernice knikte en glimlachte flauwtjes. 'Je kunt je voorstellen hoeveel problemen dat gaf voor Ben-Aryeh.'

'Dat is dus het antwoord op mijn tweede vraag. Het zal Ben-Aryeh wel heel goed van pas komen dat Chayim weg is.'

'Ja,' zei Bernice. 'Dat is ook het antwoord op je eerste vraag. Omdat het Ben-Aryeh goed van pas kwam, staat Ben-Aryeh bij mij in het krijt. Dat wilde ik graag.' Ze aarzelde. 'Er is nog meer aan de hand.'

'Ben-Aryeh is een van de machtigste mannen van de tempel,' zei Vitas, 'en het kan nooit kwaad die macht onder controle te kunnen houden.'

'Je bent vlot van begrip.'

'Ik heb ervaring met de politiek van het keizerlijk paleis.'

'Dat is natuurlijk de reden waarom je niet wilt dat Florus van jouw aanwezigheid weet?'

Vitas glimlachte slechts. Hij wilde weten waarom ze een boodschapper naar hem gestuurd had. Dat was niet om het antwoord op deze vraag te horen.

'Florus is een gevaarlijk man,' vervolgde zij. 'Dat weet jij ook.'

'De gebeurtenissen van gisteren zijn voldoende bewijs.'

Duizenden doden. Het was nu dubbel belangrijk dat Florus niet zou ontdekken dat Vitas in Jeruzalem was. Vitas zag er met grimmige voldoening naar uit Nero verslag van Florus' gruweldaden uit te brengen. De versie die Florus aan Rome zou geven, zou meteen als leugen ontmaskerd worden, wist hij.

'Als je wist dat je ontelbare levens zou kunnen redden, zou je dan rechtstreeks naar Florus gaan?' vroeg koningin Bernice.

'Wat weet u precies?' vroeg Vitas scherp.

'Hij zal de tempelautoriteiten waarschijnlijk geruststellende beloftes doen, maar hij wil nog een opstootje veroorzaken.'

Vitas wreef over zijn gezicht. Zou Florus luisteren als hij hem met Nero's toorn dreigde, of zou hij de gelegenheid aangrijpen om Vitas te doden zodat hij niets kon vertellen?

'Wat ik zeg, zal voor Florus geen verschil maken,' zei Vitas uiteindelijk. 'Als ik levend en wel in Rome terugkom, kan ik ervoor zorgen dat hij geen procurator blijft.'

'Ik vreesde al dat je dat zou zeggen.'

'Is mijn inschatting niet juist?'

'Waarschijnlijk wel. Maar ik weet niet tot wie ik me anders moet wenden.'

'Tot Ben-Aryeh, misschien? U wist mij te bereiken. U kunt hem vast ook wel vinden en uw overwicht op hem gebruiken om hem met Florus te laten spreken.'

'Te laat,' zei Bernice. 'Hij is al bij de delegatie die voor Florus staat.'

✠ ✠ ✠

'Ik heb begrepen dat u vanmorgen uw mensen hebt kunnen overhalen om naar huis terug te keren.' Florus keek vanuit een hoge stoel neer op de delegatie van priesters, onder wie Ben-Aryeh.

Het vertrek was een en al pracht en praal. Florus droeg zijn ambtsgewaad en werd omringd door soldaten. De priesters droegen hun tempelgewaden en stonden bijeen in een groep van ongeveer vijfentwintig: de rijkste en invloedrijkste mannen van de stad.

'Inderdaad,' antwoordde Ananias. Als hogepriester was hij de aangewezen woordvoerder.

Ben-Aryeh was zich evenzeer als Ananias en de andere Joden bewust van het feit dat elke politieke misstap van een van hen zou kunnen resulteren in een verzoek aan Agrippa om Ananias het ambt van hogepriester te ontnemen.

'Weet u zeker dat er geen sprake meer zal zijn van opstootjes om te protesteren tegen de wijze waarop Rome de Joden regeert?' vroeg Florus. Hij leek opzettelijk te glimlachen, alsof hij Ananias tartte hier tegen in te brengen dat de opstootjes niet plaatsgevonden zouden hebben zonder de daden van Florus.

Ananias boog zwijgend zijn hoofd.

Ben-Aryeh kon alleen maar raden hoeveel zelfbeheersing het Ananias moest kosten om te blijven zwijgen. Eerder die ochtend waren de hogepriesters, onder wie Ben-Aryeh, bijna een vol uur bezig geweest de enorme menigte smekend toe te spreken op de hooggelegen markt, waar de soldaten de vorige dag met de slachting begonnen waren. De leiders van de stad hadden de mensen dringend verzocht Florus niet verder te provoceren; vele priesters hadden hun kleren gescheurd en waren voor de menigte op hun knieën gevallen. Al deze mensen hadden persoonlijk geleden onder het geweld van de soldaten: sommige van hun gezinsleden waren gedood, hun winkels en huizen geplunderd. Sommigen – zelfs Joden die het Romeins burgerschap bezaten – waren door soldaten afgeranseld. De grove onrechtvaardigheid van het feit dat Florus hun een dergelijke straf oplegde, was voor een enkeling reden genoeg om ongewapend de burcht aan te vallen. Toch hadden de priesters uiteindelijk zelfs de grootste oproerkraaiers weten te overtuigen dat ze de stad een veel grotere dienst zouden bewijzen door voorzichtigheid dan door voortdurend protest. Het resultaat was dat Florus deze delegatie bij zich geroepen had in de burcht Antonia.

'Spreek duidelijk,' beval Florus Ananias nu. 'Weet u zeker dat er geen sprake meer zal zijn van opstootjes om te protesteren tegen de wijze waarop Rome regeert?'

'Daar zal geen sprake van zijn,' zei Ananias. 'Er zal niets gedaan worden om u of uw soldaten te provoceren.'

Hoe gespannen de sfeer in het vertrek ook was, toch voelde Ben-Aryeh een hatelijke blik, als een fysiek aanwezige druk op zijn ziel. Hij keek opzij en zag Annas de Jongere. Die glimlachte.

Annas de Jongere telde nog steeds mee als een van de leiders van de stad, al was hij niet langer hogepriester. Ben-Aryeh, die de strijd tegen de familie Annas gewonnen had door hem uit het ambt te laten verwijderen, deed zijn best nooit triomfantelijk op hem te reageren. Sterker nog: op advies van Amaris, zijn vrouw, had hij zijn uiterste best gedaan om bijeenkomsten waar Annas of zijn broers zouden kunnen zijn, te mijden.

Deze bijeenkomst was echter onvermijdelijk geweest.

Hun blikken ontmoeten elkaar en Annas bleef hem doordringend aankijken. Bleef glimlachen. Ben-Aryeh geloofde dat hij in alle opzichten sterker was dan Annas de Jongere, maar hij was nu niet in staat het staren langer vol te houden dan Annas en richtte zijn aandacht weer op Florus. Tenminste: een deel van zijn aandacht. Een deel van zijn gedachten bleef bij Annas. Had iemand Ben-Aryeh de vorige dag herkend toen de vrouw om hulp riep en hem van verkrachting beschuldigde? Had iemand hem herkend toen hij vluchtte, een daad die zeker beschouwd zou zijn als een bekentenis? Had iemand dit alles aan Annas de Jongere verteld? Was dat de reden voor zijn roofzuchtige grijns?

'Niets om mij of mijn soldaten te provoceren?' zei Florus nu. 'Misschien geloven jullie dat zelf, maar jullie, Joden, zijn een twistziek, koppig volk. Ik zie beslist geen reden om je te geloven.'

'De stad zal rustig blijven,' zei Ananias. 'Tenzij –' Hij zweeg.

'Tenzij?' Florus leek geamuseerd, leek te hopen dat Ananias een poging zou doen Florus de schuld te geven.

'De stad zal rustig blijven,' herhaalde Ananias.

'Jouw woord betekent weinig voor mij. Praatjes vullen geen gaatjes. Dit is wat ik van jou en je volk verlang: vandaag komen er twee cohorten soldaten uit Caesarea aan. Ik wil een vreedzame demonstratie. Ik wil dat jullie volk mijn soldaten zwijgend en met respect begroet. Als het dat kan, zal ik ervan overtuigd zijn dat jullie de oproerkraaiers werkelijk onder controle hebben. En ik beloof dat de stad in dat geval geen verdere straf zal ontvangen.'

Oppervlakkig gezien leek dit een eenvoudig verzoek. Maar Ben-Aryeh wist wel beter. Verschillende Joden waren zo woedend dat ze een oorlog wilden beginnen. Florus mishandelde hen al te lang; Jeruzalem was een pot die op het punt stond over te koken.

'Procurator,' begon Ananias.

'Ga je me nóg een lange toespraak opdringen?' vroeg Florus; zijn gezicht werd donker van woede. 'Zoals gisteren, toen je weigerde de oproerkraaiers aan mij uit te leveren? Ben je de gevolgen daarvan alweer vergeten? Of moet ik je soms naar buiten sturen om naar het gejammer van de rouwenden te luisteren?'

'Het zal gebeuren,' zei Ananias snel. 'We zullen ons volk bijeenroepen en naar uw soldaten sturen om hen met respect te begroeten.'

'Mooi,' gromde Florus. 'Ga nu, voordat ik van gedachten verander.'

HET ACHTSTE UUR

De tempelautoriteiten waren in staat uit te rekenen hoeveel mensen op de voorhof van de heidenen pasten, niet door de mensen zelf te tellen, maar door hun nauwgezette berekening van het aantal lammeren dat elke Pesach op het brandofferaltaar geslacht werd. Door dat aantal met twaalf te vermenigvuldigen, wisten ze dat de voorhof ongeveer honderdduizend mensen kon bevatten.

Vandaag kon Ben-Aryeh met een vakkundige blik op de menigte concluderen dat de voorhof slechts voor een vijfde deel vol was. Dus wist hij dat een menigte van ruwweg twintigduizend mensen zich verzameld had om naar de hogepriesters te luisteren.

Het was de tweede keer vandaag – en tegelijk de tweede keer in de laatste anderhalf jaar – dat Ben-Aryeh door omstandigheden gedwongen werd vlak bij Annas de Jongere te staan. Bij Florus had Ben-Aryeh kans gezien zo ver mogelijk bij Annas vandaan te blijven. Hier, op een haastig getimmerd podium van ruwe planken, kon hij Annas bijna aanraken; hij was zich bijzonder bewust van de aanwezigheid van zijn vijand.

Dat was echter nog de minste van Ben-Aryehs zorgen. Hier in het openbaar, op het podium, zou ieder van die twintigduizend mensen hem duidelijk kunnen zien als hij naar voren liep in de kleine groep priesters. En de vrouw die hem van verkrachting beschuldigd had, zou zich heel goed tussen deze menigte kunnen bevinden.

Tot op dit moment had hij zich veilig gevoeld omdat het niet waarschijnlijk was dat ze hem ooit opnieuw zou tegenkomen in de drukke stad. Hij had niet verwacht dat hij samen met anderen voor een dergelijke enorme menigte zou moeten staan.

Zijn enige doel was nu verborgen te blijven tussen de andere hogepriesters.

Terwijl Ananias, de hogepriester, zijn armen hief en de menigte tot zwijgen bracht, stond Ben-Aryeh zichzelf een wrange glimlach toe. Dit was de eerste maal in zijn leven dat hij dankbaar was voor zijn relatief kleine postuur. Zolang hij achter de anderen bleef staan, zou hij bijna onzichtbaar zijn.

'Mensen van Jeruzalem,' begon Ananias, 'jullie weten dat deze stad en onze gezinnen de vernietiging nabij zijn!'

Ananias' haar was bestrooid met een dikke laag stof; ook bij Ben-Aryeh en alle andere hogepriesters was dit het geval. Ze waren gekleed in hun schitterende tempelgewaden en het contrast tussen het stof van de vernedering en de heerlijkheid van de tempel bood een bijzonder indrukwekkende aanblik – vooral omdat het volk dit slechts zelden te zien kreeg.

'Maar door onze daden kunnen wij onszelf nog redden!'

Ananias hoefde niet te schreeuwen. De akoestiek van de tempel was subliem; zélfs als er honderdduizend toeschouwers waren geweest, hadden ze een kuchje op het podium kunnen horen als ze allemaal stil waren. Ananias schreeuwde om het dramatische effect te bereiken dat nodig was om de menigte te bespelen, zoals de hogepriesters van tevoren overeengekomen waren.

'Vandaag arriveren nog twee cohorten soldaten uit Caesarea. Florus heeft al genoeg militairen in de stad om ons te verslaan, maar toch komen er nog meer. We moeten Rome laten zien dat we geen oorlog willen; dan zal de stad gered worden!'

Ananias hief zijn armen nogmaals. 'Mensen van Jeruzalem, we moeten als één man de tempel verlaten, als één man de stadspoort uitgaan en als één man zwijgend die soldaten gaan begroeten. Dat is de enige daad die Florus kan bewijzen dat niemand in ons midden Rome nog meer problemen toewenst!'

'Welk nut heeft een eerbetoon aan de soldaten van Rome?' riep een man. 'Dood aan de keizer, zeg ik! Meer dan drieduizend mensen zijn gisteren gestorven! Vrouwen, kinderen! Zelfs pasgeborenen! We verlaten de tempel en strijden nu met hen, voordat die cohorten komen! Wij zijn Gods volk! Wij zullen zegevieren, want God heeft ons een Messias beloofd!'

Geschreeuw van instemming.

Ananias wees naar de man; leden van de tempelpolitie kwamen van verschillende kanten op hem af en sleepten hem weg.

Ondanks zijn ongerustheid en vrees dat de vrouw plotseling zou roepen en beschuldigend op hem zou wijzen, stond Ben-Aryeh zichzelf nog een wrange glimlach toe. Als Ananias de man werkelijk het zwijgen had willen opleggen, zou hij niet zo lang gewacht hebben voor hij de tempelpolitie een teken gaf. Nee, de protesten en de arrestatie van de man waren van tevoren geregisseerd. Buiten de tempel zou hij, twee gouden munten rijker, vrijgelaten en naar huis gestuurd worden.

'Nee!' riep Ananias. 'Nee!'

De hogepriesters hadden een openlijke woordenwisseling gewenst om een reden te hebben voor de hierop volgende vertoning.

'Breng de gewijde voorwerpen naar buiten!' riep Ananias. 'Toon alle heilige schatten die we moeten beschermen ter wille van onze God!'

Alle harpspelers en zangers van de tempel – honderden en nog eens honderden – stroomden uit de voorhof van de vrouwen en overrompelden de menigte met een grandioze lofzang. Achter hen kwamen alle priesters – van de laagste tot de hoogste rang – die in dienst van de tempel waren; sommigen droegen een gewijd voorwerp van goud of zilver, anderen droegen kunstig vervaardigde kledingstukken, afgezet met gouddraad.

Nooit eerder hadden de mensen van Jeruzalem een dergelijke uitstalling gezien van de rijkdom die in het allerheiligste verborgen was. Sommigen weken achteruit voor de aanwezigheid van zulke heilige voorwerpen. Anderen vielen op hun knieën.

Ananias gaf de harpspelers en zangers een signaal. Onmiddellijk viel er een stilte op de voorhof; de eerbied van de menigte was bijna tastbaar.

Nu sprak Ananias zacht. 'Wij zijn een groot volk dat de grote en enige God dient. Aan God en voor God moeten we zelfbeheersing en discipline tonen, om God en zijn schatten, die we ontelbare generaties lang met succes bewaard hebben, te eren. Moeten we toegeven aan die oproerkraaiers en de hele stad en deze tempel laten verwoesten ter wille van hen? Of moeten we Florus elke reden voor een oorlog ontnemen?'

'Dood aan de oproerkraaiers!' riep iemand. Ook dat was geregisseerd. Evenals de meeste kreten van instemming.

Voordat er onverwachte protesten geroepen konden worden, vulden de harpspelers en zangers de voorhof opnieuw met een grootse lofzang. Hoewel Ben-Aryeh wist dat alles even strak gepland was als elke eredienst in de tempel, raakte de muziek nog altijd zijn ziel; de tranen schoten hem in de ogen.

Hij keek over de schouders van de priesters voor hem en zag veel mensen openlijk huilen. Dat was precies wat Ananias voorspeld had.

Nu was de menigte als was in hun handen.

Terwijl de laatste tonen van de muziek wegstierven, hief Ananias opnieuw zijn armen. 'Wil iemand problemen veroorzaken? Wil iemand door de schadelijke daden van één individu deze stad vrijheid en vrede ontzeggen?'

Hij liet de woorden naklinken.

Wie nu antwoord gaf, zou onmiddellijk door de tempelpolitie bestormd en doodgeknuppeld worden. Maar de muziek en de aanblik van de duizenden gewijde voorwerpen die glansden in het zonlicht en de duizenden kunstig vervaardigde kledingstukken waren voldoende om alle overgebleven oproerkraaiers onder controle te houden.

'Volg ons dan!' beval Ananias. 'Wij zullen u voorgaan de stad uit, de soldaten tegemoet!'

Toen wist Ben-Aryeh dat hij veilig was. Hij kon tussen de andere priesters verborgen blijven tot ze van het podium af waren; daarna zou hij niet meer voor iedereen zichtbaar zijn.

'Denk je dat ik niet weet wie gezorgd heeft dat Agrippa mij het hogepriesterschap ontnomen heeft?' De sissende stem van Annas de Jongere onderbrak Ben-Aryehs gedachten.

Ben-Aryeh draaide zich om, bijna geschrokken. Vijf jaar lang hadden zij elkaar nooit rechtstreeks aangesproken tijdens de weinige momenten dat ze bij elkaar in de buurt kwamen, laat staan dat ze ooit op de ondergang van de macht van Annas de Jongere of de manier waarop Ben-Aryeh die ondergang geregisseerd had, hadden gezinspeeld. Elk van hen was zich bewust van die gebeurtenissen en wist dat de ander zich bewust was van de haat die als een zwaard hen scheidde. Daarom wist Ben-Aryeh op dit moment precies wat Annas bedoelde.

'Je zult ervoor boeten, Ben-Aryeh,' zei Annas. 'Eindelijk! Ik ben mijn positie kwijtgeraakt. Maar jij zult je leven verliezen. En ik zal de eerste steen werpen.'

Voordat Ben-Aryeh kon reageren, schonk Annas de Jongere hem weer een roofzuchtige grijns die Ben-Aryeh bijbleef, lang nadat Annas tussen de andere hogepriesters verder geschuifeld was.

✢ ✢ ✢

De opdracht van Maglorius luidde: 'Wacht samen met Vitas op mijn terugkeer.'

Alleen was Vitas nergens te vinden. Het weelderige huis van Bellator was verlaten. Sophia was over de lijken op de binnenplaats gestapt; rondom de ogen en neuzen zoemden al vliegen. Ze had overwogen de lichamen in de schaduw te slepen en op zoek te gaan naar lakens om ze mee te bedekken, maar ging eerst op het gehuil van de baby af, naar binnen.

Ze had Sabinus alleen aangetroffen bij het lijk van een dienstmeisje, terwijl hij aan de zoom van haar tunica trok. Sophia's eerste impuls was woede omdat de baby alleen achtergelaten was en tussen de lijken rondkroop. Ze had die woede opzijgezet en was met Sabinus op de arm bij de lijken weggevlucht en in huis op zoek gegaan naar eten om hem te laten ophouden met huilen.

De rijkdom om haar heen was verbijsterend; ze kon zich bijna niet voorstellen dat het allemaal het eigendom van één persoon was. Dat vervulde haar ook met droefheid; wie hier gewoond had, was in staat geweest al zijn aardse verlangens te vervullen, maar had toch alles verloren. Dus hoeveel was het eigenlijk waard?

Terwijl ze Sabinus vasthield en te eten gaf, maakten deze gedachten al snel plaats voor verwondering over het wonder van het leven. Ze bewonderde zijn kleine vingertjes en teentjes. Bewonderde zijn innemende glimlachjes. Praatte zangerig tegen hem toen hij naar haar kraaide. Onderdrukte met moeite de hoop dat ze op een dag een kind van zichzelf in haar armen zou kunnen houden.

De tijd leek stil te staan.

Opeens had ze stemmen op de binnenplaats gehoord.

Met Sabinus op de arm was ze naar buiten gerend; daar ontdekte ze twee forse mannen die het lichaam van een slavin optilden. Grieken, zag ze aan hun kleding. Bebaarde, breedgeschouderde Grieken, arbeiders blijkbaar. Ze zag dat ze al een paar lijken op een kar gelegd hadden; armen en benen hingen slordig over de zijkant.

De langste van de twee ontdekte Sophia. Hij liet de benen van het lichaam dat hij verplaatste, vallen. Zijn collega vervloekte zijn onhandigheid en draaide zich toen om om te kijken waarheen hij wees.

Ze zagen Sophia en Sabinus.

De tweede man liet met een plof de andere kant van het lijk vallen.

'Wie ben jij?' vroeg de langste.

'Dat wilde ik jou net vragen,' antwoordde Sophia. Ze had het gevoel dat er iets niet klopte, maar ze wilde geen angst tonen.

'We zijn door de nieuwe eigenaar gestuurd,' antwoordde de andere man. Beiden slopen in haar richting. 'Om de boel op te ruimen.'

'De nieuwe eigenaar?'

''t Is verkocht door de vrouw,' zei de eerste man. 'Een uur geleden. Ik hoor dat het een koopje was. Haar man is dood en zij moet hoognodig naar Caesarea om een schip naar Rome te zoeken. Kan ik haar niet kwalijk nemen, nu Florus en het leger hun kamp in de stad opslaan.'

'Kun je haar zeker niet kwalijk nemen,' zei de andere man. 'Een heleboel plundering en moord en doodslag hier. Niet eens allemaal door soldaten, trouwens.'

Ze kwamen dichterbij. Bekeken haar bijna wellustig.

Sophia deinsde terug.

'Kijk,' zei de eerste, meer tegen zijn collega dan tegen Sophia, 'als haar lijk bij de rest ligt, kan niemand vertellen hoe ze is doodgegaan.'

Ze waren nog maar een paar stappen van haar verwijderd. Zo dichtbij dat ze kon zien dat hun ogen rood waren van het drinken, zo vroeg op de dag al. Zo dichtbij dat ze hun kleren kon ruiken waar ze blijkbaar in geslapen hadden, waarschijnlijk al wekenlang.

'Gewoon een dode slavin,' stemde de tweede in. 'Maar we zouden eerst nog wat plezier met haar kunnen maken.'

'Ze zeiden dat het huis leeg was,' zei de eerste. 'Waarom niet?'

Sophia besefte dat ze haar gemakkelijk van achteren onderuit konden halen als ze probeerde met Sabinus weg te rennen. Het risico dat de baby ernstig gewond zou raken als ze viel, was te groot.

Hoe kon ze het leven van het jongetje redden?

✠ ✠ ✠

Haar wereld had zo'n snelle gedaanteverwisseling ondergaan dat Valeria nauwelijks kon geloven dat dit de werkelijkheid was. De vorige middag had ze deel uitgemaakt van het geroezemoes van de markt. Daarna was het gekrijs en de doodsangst gekomen, toen de soldaten naar willekeur onschuldige mensen aanvielen.

Kon ze haar herinneringen eigenlijk wel vertrouwen?

Telkens opnieuw zag ze voor zich de plotselinge gewelddadigheid van Maglorius die haar verdedigde tegen de Romeinse soldaten. Telkens opnieuw hoorde ze de hartbrekende droefheid van Saraï die afscheid nam van haar ongeboren baby, hoorde ze de verschrikte vreugde waarmee ze een paar tellen later Christus begroette.

Was dit alles werkelijk gebeurd? Hadden de soldaten hun villa bereikt, zoals Maglorius vreesde? Hoe was het met Maglorius? En met Quintus?

In het licht dat onder de ingang van de tunnel vandaan kwam, hief Valeria haar handen; ze zag het opgedroogde bloed op haar vingers. De gordel met goudstukken rammelde toen ze haar benen bewoog en herinnerde haar eraan dat Maglorius haar die gegeven had nadat hij de soldaten gedood had. Elke keer dat ze inademde, rook ze de zure rottingslucht die hing in de kleren van Saraï's man, die zij nu droeg. Elke beweging bracht de ruwe stof in aanraking met een huid die tevoren slechts zijde en katoen gevoeld had.

Ja, zei ze tegen zichzelf, het is echt gebeurd.

En Maglorius was haar niet komen halen. Ook Sophia was niet teruggekomen, zoals ze beloofd had.

Durfde ze op zoek te gaan naar Maglorius?

Valeria dwong zich in beweging te komen en de angst uit haar gedachten te bannen. Eerst moest ze het goud verbergen! Ze liep dieper de tunnel in, dankbaar voor het licht dat door de gaatjes van het mozaïek kwam en haar telkens als ze omhoog keek hoop gaf.

Waar kon ze het goud verbergen?

Door boven haar hoofd rond te tasten vond ze een gleuf die

groot genoeg was om de gordel in te verbergen. Voordat ze hem er in legde, telde ze echter het aantal stappen vanaf de onderkant van de trap.

Twaalf.

Nu ze zeker wist dat ze de plek kon terugvinden wanneer dat nodig was, reikte ze omhoog en verstopte de gordel.

Toen bedacht ze zich.

Ze trok hem weer tevoorschijn en haalde er een aantal munten uit.

Legde hem toen terug.

Daarna ging ze weer onder aan de trap zitten om op Maglorius te wachten. Nog een paar uur, zei ze tegen zichzelf. Ze probeerde niet aan haar bezorgdheid te denken, maar kon niet ontkomen aan de vragen die in de schemerige, koude schuilplaats bij haar opkwamen.

Die vragen bezorgden haar een schuldgevoel.

Valeria was de villa uitgeslopen en Maglorius was gedwongen geweest haar te volgen. Daardoor waren ze zonder Quintus bij Saraï's huis gearriveerd, en waarschijnlijk veel eerder dan het geval geweest zou zijn als zij niet was weggeslopen. Wat zou er gebeurd zijn als ze later gekomen waren? Zou Saraï dan de kans hebben gehad zich te verstoppen en aan de Romeinse soldaten te ontsnappen? Had zij dus Saraï's dood veroorzaakt?

En had zij nu bovendien Quintus' leven in gevaar gebracht? Tenslotte: als zij in de villa gebleven was, had Maglorius bij hen beiden kunnen blijven en Quintus niet hoeven achterlaten.

Nog meer vragen zaten haar dwars. Hoe kwam het dat Maglorius zo veel over al die gebeurtenissen wist? En als Maglorius wist dat de familie gevaar te duchten had van Gessius Florus, waarom had hij haar vader en moeder dan niet gewaarschuwd?

Hoe ongerieflijk het ook was om gekleed in stinkende, kapotte mannenkledij op de koude trap te zitten, toch viel Valeria tegen de muur van de tunnel in slaap. Het laatste wat ze zich herinnerde, waren de laatste ogenblikken van Saraï's leven en hoe Maglorius de stervende vrouw probeerde te troosten.

Wie, vroeg Valeria zich af, is Christus?

Toen ze met droge mond en pijnlijke spieren wakker werd, knipperde ze met haar ogen en probeerde zich te herinneren waar ze was. Ze hoorde een aanzwellend geluid; dat geluid had haar onderbewustzijn geraakt en haar gewekt.

Maglorius?

Het luik boven haar ging open.

Langzaam.

Maar de gestalte die ze zag, was niet die van de ex-gladiator die haar het afgelopen jaar beschermd had.

✠ ✠ ✠

Ben-Aryeh liet de dreigementen van Annas de Jongere in zijn hoofd naklinken. De eerste steen werpen? Steniging was de straf voor overspel. Wat wist Annas de Jongere?

Ben-Aryeh was niet schuldig aan verkrachting. Hij had de vrouw niets gedaan, alleen getracht haar te helpen. Toch werd hij overspoeld door schuldgevoel en kon hij de drang om te vluchten slechts met moeite bedwingen.

Toen hij van het podium stapte, zag hij een bekend gezicht. Maglorius. Groot en breedgeschouderd. Rustig. Wat deed híj hier? Bij zo'n openbare gelegenheid? Ze hadden afgesproken ze beter niet samen gezien konden worden, maar nu stapte Maglorius doelgericht uit de menigte. In zijn richting.

Misschien kon Ben-Aryeh een toevallige ontmoeting simuleren, alsof Maglorius een van de vele onbekenden in de menigte was. Met voorgewende nonchalance bleef hij rechtdoor lopen. 'Beste man,' zei hij luid voor het geval iemand te dicht bij zou kunnen zijn, 'neem me niet kwalijk...'

'Luister.' Maglorius stapte naar voren en greep Ben-Aryeh bij de schouders. 'Dit is zo belangrijk dat ik geen keus heb. Bernice heeft een boodschap ontvangen van haar spion in het kamp van Florus.'

Ben-Aryeh keek om zich heen of de andere hogepriesters hen opmerkten. Ze leken zich allemaal te concentreren op het innemen van de juiste positie, zodat ze de enorme menigte van het tempelplein tot buiten de stad konden leiden.

Ben-Aryeh ontspande zich een beetje. Toen stond hij stokstijf stil.

Daar was ze! De vrouw die hij gered had van de struikrovers! Ze liep precies in zijn richting en bekeek onderzoekend de gezichten in de menigte.

Had ze hem al gezien?

'Niet nu! Niet nu!' Gewoonlijk was Ben-Aryeh kalm. Toch was hij de dag tevoren op de vlucht geslagen voor die vrouw, terwijl hij misschien gewoon had moeten blijven staan om de beschuldiging heftig te ontkennen. Nu was de gelegenheid om zijn onschuld te verklaren verloren, want het Sanhedrin zou zeker getuigen in de stad kunnen vinden die hem hadden zien vluchten – en dát zou in aller ogen een schuldbekentenis zijn.

'Luister!' zei Maglorius opnieuw terwijl hij Ben-Aryeh stevig bij de schouders vasthield. 'Er zal nog een grotere slachting komen als –'

De vrouw had hem nog niet gezien, maar ze zocht hem. Haar blik kon elk moment in zijn richting gaan.

Ben-Aryeh raakte in paniek. Hij stompte Maglorius in zijn maag. De klap was niet hard genoeg om de man omver te krijgen, maar hij schrok wel. Daar maakte Ben-Aryeh gebruik van om zich uit de stevige greep van de Romein los te draaien.

Hij dook de menigte in, opnieuw dankbaar dat zijn geringe lengte hem onzichtbaar maakte tussen langere mensen. Hij duwde omstanders opzij en negeerde hun protesten.

Voor hem bevond zich de voorhof van de vrouwen en daarachter de voorhof van Israël. Als hij daar eenmaal was, kon hij langs het altaar rennen en snel de voorhof van de priesters bereiken.

Hij wist zeker dat de vrouw hem niet gezien had.

Zodra hij in de voorhof van de priesters was, zou hij veilig zijn. Hij kende de geheime tunnels onder de tempel als geen ander van zijn generatie. Hij kon zich daar de rest van de dag verbergen. Als het donker was, zou hij ongezien uit de Tempelberg ontsnappen en terugkeren naar zijn huis in het hoger gelegen deel van de stad.

Daar zou hij eindelijk veilig zijn, bij zijn geliefde Amaris.

✠ ✠ ✠

Vitas gaf een luide schreeuw.

Toen hij de binnenplaats opliep, zag hij dat Sophia door twee mannen in het nauw gedreven werd; een van de mannen hief dreigend een mes.

Sophia riep zijn naam.

De mannen draaiden zich om terwijl hij, nog altijd schreeuwend, op hen af rende en zijn korte zwaard onder zijn tunica vandaan trok.

Ze gingen uit elkaar met de geslepenheid van ervaren straatvechters. De andere man trok nu ook zijn mes: een korte, kromme dolk.

Nu ze niet langer een rechtstreekse bedreiging voor Sophia vormden, vertraagde Vitas zijn pas. Hij nam zijn omgeving goed in zich op, de natuurlijke reflex van een vechter die hoopt zijn voordeel te kunnen doen met het terrein.

Vitas stopte en observeerde zijn tegenstanders. Ze waren groot, beiden tussen de twintig en dertig jaar. De armen van de ene man zaten vol littekens. De andere miste een voortand. Beiden grijnsden – blijkbaar hadden ze dit soort situaties al eerder meegemaakt en waren ze niet bepaald bang.

'Rennen,' droeg Vitas Sophia op. Hij liet zijn stem rustig klinken, al had hij het gevoel dat het bonken van zijn hart de woorden moest vervormen. 'Nu!'

Wat er ook gebeurde, hij zou zorgen dat het lang genoeg duurde, zodat zij kon ontsnappen. Daarna wilde hij geen gedachte meer aan haar verspillen.

De man rechts probeerde achter hem te komen. Vitas was gedwongen voorzichtig mee te springen terwijl hij de andere man vanuit zijn ooghoeken in de gaten hield.

Instinctief deed hij de eerste zet. Een schijnaanval. Hij moest het van het verrassingselement hebben; dat was zijn enige kans. De man sprong achteruit, zodat Vitas een opening kreeg in de richting van de muur.

Omdat Vitas zich niet volledig op de aanval geconcentreerd had, kon hij nu plotseling van richting veranderen en zijn vaart gebruiken om bij de muur van de binnenplaats te komen, in de schaduw van een sinaasappelboom. Met zijn vrije hand greep hij een van de vruchten en slingerde die onhandig naar de tweede man, die wegdook en lachte.

Ze kwamen dichterbij. De muur achter hem bood het voordeel dat ze geen van beiden achter hem konden komen. Maar beperkte ook zíjn mogelijkheden.

'We hebben geen haast,' zei de ene man tegen de andere. 'Ga zo dicht mogelijk naar hem toe, zonder binnen het bereik van dat zwaard te komen. Een van ons kan straks makkelijk bij zijn onbeschermde kant komen.'

Terwijl hij sprak, bukte hij zich en schepte onder de boom een hand vol droge aarde op. Het was duidelijk wat hij van plan was: de aarde naar Vitas gooien om hem af te leiden of te verblinden.

De mannen slopen naderbij.

Vitas hoorde zijn eigen ademhaling. Zwaarder dan anders. De opwinding van het gevecht kreeg hem te pakken. Toch had hij ondervonden dat dat ook een nadelig effect kon hebben: soms handelde hij daardoor onvoorzichtig.

Hij zakte door zijn knieën en probeerde beide mannen in het zicht te houden. Ook hij schepte aarde met zijn vrije hand. Die tactiek kon hij ook tegen hen gebruiken. Hij stond op.

Eén man kwam vlakbij. Vitas keerde zich snel naar hem toe en liet zijn zwaard door de lucht zwiepen. De man sprong achteruit. Vitas draaide snel de andere kant op omdat hij een aanval van de tweede man verwachtte.

Maar die stond een eind verderop. Hij lachte Vitas uit.

De ander kwam weer naar voren. Vitas moest zich fel verdedigen en weer de andere kant op zwiepen omdat hij daarvandaan een tweede aanval verwachtte. Opnieuw raakte hij slechts lucht. De andere man had nog altijd niet bewogen.

Dus dat was hun plan: de ene man zou hem uitputten, de andere zou wachten.

Toen klonk er een licht fluitend geluid. Een plof en het geluid van brekend aardewerk. De tweede man ging tegen de grond, als door de bliksem getroffen.

Vitas knipperde met zijn ogen en probeerde te begrijpen waarom er scherven om het hoofd en de schouders van de man lagen.

Toen klonk dat geluid opnieuw. Ditmaal links van hem. Voor de voeten van zijn andere tegenstander.

Vitas waagde een blik omhoog en ving een glimp op van lang, donker haar, een gestalte op de eerste verdieping.

Sophia?

Een flitsende beweging links. Vitas speelde het klaar een halve stap achteruit te doen en gromde van de pijn in zijn zij. Het mes was op zijn ribben afgestuit.

De halve stap was genoeg geweest om de andere man uit balans te brengen; hij schoot naar voren door zijn aanval. Vitas sloeg de man met het handvat van zijn zwaard op het hoofd en bracht toen zijn knie omhoog tegen de kin van de man.

Dat was voldoende.

Zijn tegenstander zakte in elkaar. Zijn lichaam sidderde en lag toen stil.

Vitas keek weer op, net op tijd om nog een aardewerken pot te zien aankomen. Hij sprong opzij en de pot brak op de grond voor zijn voeten. 'Hé!' riep hij.

Nu kon hij Sophia's gezicht zien. Ze kromp ineen, blijkbaar geschrokken omdat ze hem bijna geraakt had.

Hij grijnsde naar haar. 'Denk maar niet dat dit iets verandert,' riep hij haar toe. 'Ik ben nog steeds kwaad op je.'

✠ ✠ ✠

Valeria's knieën knikten van opluchting toen ze de gestalte herkende. Het was Quintus! Haar broertje! Levend en wel!

Maglorius was vast in de buurt. Alles zou nu goed komen. Maglorius zou voor hen zorgen.

Ze stapte uit het donker omhoog, de trap op.

Quintus reageerde onmiddellijk. 'Wat heb je met mijn zus gedaan?' Hij stak zijn korte zwaard omhoog en haalde naar haar uit. Het gewicht was echter te groot voor zijn arm en hij wankelde. Het zwaard kwam naast haar terecht zonder haar te raken.

'Nee!' riep ze.

Hij rolde naar voren en gaf haar een kopstoot in de maag.

Ze viel achterover de trap af, naar adem happend.

Hij begon haar gezicht met zijn vuisten te bewerken.

Zij rolde om en nam hem mee. Toen ze uiteindelijk boven op zijn buik terechtkwam, greep ze hem bij de polsen en duwde die achter zijn rug tegen de trap.

Hij begon met zijn knieën tegen haar rug te bonken, draaiend, spartelend en schreeuwend.

'Quintus!'

Hij stopte.

'Quintus,' zei ze zachter, 'ik ben het. Valeria.'

Zijn ogen gingen wijd open. 'Valeria?'

Toen wist ze het weer. Haar haar. Maglorius had het kort afgesneden. En haar kleren. Geen wonder dat hij haar niet herkend had.

'Valeria?' vroeg hij opnieuw.

'Ja,' zei ze en glimlachte vriendelijk. Ze stond met een elegante beweging op en hielp Quintus overeind.

Hij raakte haar haar aan. 'Je ziet er niet uit als Valeria...' Hij klonk alsof hij oprecht in de war was.

'Maglorius heeft mijn haar afgesneden. Hij zei dat dat veiliger was. Hij zei dat ik hier moest wachten terwijl –'

'Maglorius!' zei Quintus en spuugde op de grond. Hij duwde haar opzij en raapte het korte zwaard op. 'Ik haat hem! Ik zweer het hier en nu: ik zal zijn hart doorboren met dit zwaard!'

'Quintus?' Ze zag dat zijn gezichtje verwrongen was van verdriet. De tranen begonnen uit zijn ogen te druppen. 'Quintus?'

Hij probeerde te spreken, maar werd overmand door emotie en begon te snikken.

Ze trok hem naar zich toe, hield hem in haar armen en wachtte tot hij kalmeerde.

'Maglorius...' Quintus onderdrukte een snik. 'Gistermiddag kwam hij de binnenplaats op en zag me met het houten zwaard oefenen. Hij gaf me dit zwaard.' Quintus raakte zijn zwaard aan. 'Hij zei dat ik me in de cisterne moest verstoppen als de soldaten kwamen. Hij zei dat Romeinse soldaten ons misschien zouden aanvallen en dat ik, als er iets gebeurde, moest wachten tot alles stil was en ik zeker wist dat ze weg waren voordat ik de cisterne uit kwam. Hij vertelde me hoe ik dat huis moest zoeken en hoe ik de tunnel in kon komen. Hij vertelde me waar ik jou kon vinden.' Hij omhelsde haar. 'Gisteravond was ik te bang om door de stad te lopen. Ik heb gewacht tot vanmorgen. Ik ben zo blij dat jij er bent.'

'Maglorius,' bracht ze hem vriendelijk in herinnering. 'En moeder en vader...' Ze probeerde het te begrijpen. Romeinse soldaten in hun huis? Wat was er met haar vader en moeder gebeurd?

Ze duwde haar angst weg. 'Vertel eens over Maglorius,' zei ze wat flinker. 'Vertel me wat er gebeurde toen de soldaten –'

'Moeder zei dat het door de opstootjes kwam. Dat hij dacht dat hij de soldaten wel de schuld kon geven.'

'De schuld? Waarvan? En waar is moeder?'

Quintus begon weer te snikken. Valeria zag dat hij probeerde dapper te blijven, maar hij was tenslotte nog maar een kleine jongen.

'Dat weet ik niet,' zei hij. 'Na al het vechten en gillen en alle lawaai was ze weg.'

'Weg?'

'Ik kwam uit de cisterne. De bedienden waren...'

Nog meer snikken.

'Dood,' jammerde Quintus toen hij weer op adem was. 'Dood! Als ik mijn ogen dichtdoe, zie ik hen. Op de vloer. Ik zie hun bloed. Ik hoor hen gillen. Allemaal dood.'

Ze waren nog nooit met de dood geconfronteerd. Hun wereld bestond uit veiligheid, bedienden, weelde, kinderachtig gekibbel tussen broer en zus. Als Valeria de dag tevoren de onverwachte gewelddadigheid van de Romeinse soldaten niet zelf gezien had, zou ze Quintus niet eens geloofd hebben.

Ze hield hem in haar armen en bleef proberen hem te troosten. Ze moest hem kalmeren, te weten komen wat er gebeurd was. 'Je kwam uit de cisterne en de bedienden waren dood. En moeder?'

Ze werd overmand door schuldgevoel. Moeder kon niet dood zijn! De laatste maanden hadden ze niets anders gedaan dan ruziemaken. Ze moest moeder kunnen vertellen dat ze al die afschuwelijke dingen die ze gezegd had helemaal niet meende.

'Moeder was er niet. Maglorius ook niet. Maar al de bedienden – '

'Ik weet het, ik weet het,' suste Valeria. 'Je bent hier. Je bent veilig. Vertel maar over Maglorius.'

'Maglorius.' Quintus was opeens woest en stak zijn kin vooruit. Het zou er komisch uitgezien hebben met de tranen die nog over zijn wangen liepen, maar zijn ogen schoten vuur. 'Ik heb het zelf gezien. Moeder riep me. Ze riep de bedienden. Uit vaders studeerkamer. Hij heeft onze vader vermoord. Daarom zal ik hem doden.'

'Vermoord.' Valeria ging zitten. Dat was te veel om te kunnen bevatten. 'Vermoord,' herhaalde ze, nauwelijks in staat het woord te fluisteren.

Quintus ging naast haar zitten. Hij legde het zwaard op zijn schoot. Zijn woede leek hem kracht te geven en de tranen op zijn gezicht droogden op terwijl hij afstandelijk en beslist sprak. 'Vader lag op de vloer,' zei hij. 'Met zijn hoofd naar de deur. Maglorius lag bewusteloos dwars over vaders lichaam heen. Hij hield een mes vast.'

‘Vader?’

‘Maglorius. Hij had vader neergestoken. Maglorius had het mes nog vast. En het mes zat in vaders borst. Overal lagen brokken klei.’

‘Klei?’

‘Van een wijnkruik. Moeder was de studeerkamer ingelopen op het moment dat Maglorius vader neerstak. Ze greep het eerste wat ze te pakken kreeg en sloeg Maglorius op zijn hoofd. Toen ik de studeerkamer in kwam, zat ze op haar knieën. Ze gilde tegen Maglorius. Ze smeekte vader te blijven leven.’ Quintus huiverde. ‘Vader was dood. Moeder zag het korte zwaard in mijn hand, het zwaard dat Maglorius me op de binnenplaats gegeven had. Ze zei dat ik Maglorius moest doden.’

Quintus’ kracht verdween even snel als die gekomen was. ‘Ik kon het niet. Toen niet. Nu zou ik het doen. Maar toen kon ik het niet geloven. Maglorius werd wakker en zag me daar staan. Ik keek hem aan, en ik kon hem niet doden. Moeder probeerde het zwaard te pakken. Ze zei dat ze hem zelf zou doden omdat hij ons onze vader afgenomen had. Op dat moment hoorden we het geschreeuw. De soldaten waren de binnenplaats op gestormd. Moeder schreeuwde dat ik moest vluchten.’

Hij zweeg. Uitgeput.

Valeria hield zo veel van haar broertje dat het pijn deed. Er zou nog tijd komen om te rouwen. Later.

Nu moest ze al het mogelijke doen om hem te beschermen.

HET ELFDE UUR

'Ik voel me schuldig,' zei Sophia tegen Vitas.

'Je had geen keus. Ik zou je met het zwaard gedwongen hebben hierheen te komen.'

Sophia vond het prettig dat Vitas zonder uitleg begreep wat zij bedoelde. Onderweg van Smyrna naar Rome hadden ze talloze uren met elkaar gesproken, leunend op de reling van het schip, starend naar de horizon. Ook toen was het of ze elkaars gedachten konden lezen.

Nu keken ze echter niet naar de lijn waar zee en hemel bijeenkwamen. Ze stonden op een van de balkons van het koninklijk paleis. De maan was zojuist opgekomen en hing laag boven de horizon. Het was of ze de maan binnen handbereik had, of ze alleen haar hand maar hoefde uitsteken. Een briesje streelde haar huid; ze wenste dat die zachte aanraking van de man naast haar afkomstig was.

Vitas had haar vanmiddag meegenomen naar het koninklijk paleis; hij hield vol dat dit het enige toevluchtsoord in Jeruzalem was. Dat was profetisch gebleken; toen de slachting opnieuw begon, waren de straten geblokkeerd door soldaten en angstige burgers.

Dat bezorgde haar dat enorme schuldgevoel. Zij had het overleefd. Veel anderen niet.

'Luister,' zei Vitas, 'als je ook maar iets had kunnen doen om de soldaten tegen te houden, maar dat niet gedaan had, zou je het recht hebben jezelf te veroordelen. Maar deze gebeurtenissen zijn in beweging gezet door omstandigheden die niemand onder controle heeft. Wat zou jij moeten doen? Een zwaard nemen, de straat opgaan en sterven?' Hij legde een hand op haar schouder. 'Ondanks de logica van dat argument voel ik me net als jij.' Hij glimlachte. Sprak zacht. 'Emotie luistert niet naar feiten.'

Ze staarden beiden naar de donkere omtrek van de heuvels tegen de hemel, naar het glinsteren van de sterren. Want als ze in een andere richting keken, zouden ze de gloed van het vuur in de zuilengang van de tempel zien. Die hadden de Joden verwoest om de soldaten ervan te weerhouden de tempel te betreden.

'Ik kan het weten,' zei hij een paar tellen later. 'Ik ben hier omdat ik de feiten genegeerd heb.'

Ze wendde zich naar hem toe. Zijn gezicht was onzichtbaar in het donker.

'Dit zijn de feiten,' zei Vitas. 'Ik heb een vrouw ontmoet in Smyrna, een slavin. Koppig. Intelligent. Ik vermoedde dat ze zelfs mooi zou kunnen zijn, als je haar uitgesproken on-Romeinse smaak voor kleding tenminste kon negeren.'

'Is dat jouw maatstaf voor schoonheid?' hapte Sophia. 'In dat geval –'

Hij lachte. 'Lichtgeraakt en snel beledigd bovendien. Dat zijn de feiten.' Hij werd weer serieus. 'Die eerste avond heb ik al besloten dat ik je beter wilde leren kennen. Je was een slavin. Het lag in mijn macht jouw vrijheid te regelen. Dat deed ik dus.'

Hij haalde zijn schouders op. 'Als mijn eerste impuls niet juist was en mijn hart niet naar jou zou uitgaan, zou je die vrijheid hebben als een geschenk. Als mijn hart me wel het juiste ingaf, zou je als vrije vrouw kunnen reageren als ik achter je aan zou gaan. Dan zou ik me nooit hoeven afvragen of jouw belangstelling voor mij die van een slavin was die geen andere keus heeft.'

Sophia luisterde aandachtig.

'Hier komt nog een feit. Na vele dagen op het schip naar Rome besefte ik dat mijn hart werkelijk naar jou uitging. Maar dat weet je al. Want ik heb gevraagd of je bij Paulina in Rome wilde blijven zodat ik je het hof zou kunnen maken.'

Sophia wist het. Dat was een hartverscheurende keus geweest. Nee te zeggen tegen deze man.

'Jij verliet mij,' zei hij. 'Je ging terug naar Jeruzalem. Je familie was belangrijker voor je dan de aandacht van een Romeins burger. Dat zijn de feiten.'

'Vitas, ik –'

'Als mensen uitsluitend op basis van logica functioneerden, zou ik je uit mijn hoofd gezet hebben. Ik heb het geprobeerd. Maar het lukte niet. Je weet dat Maglorius verslag aan mij uitbracht. Toen ik ontdekte dat jij je familie niet kon vinden...' Hij zuchtte. 'Ik kon mijn hart niet het zwijgen opleggen. Al hield dat in dat ik je opnieuw de kans zou geven nee te zeggen.'

'Vitas –'

'Laat me uitpraten. Alsjeblieft. Het was het risico waard. Eindelijk heb ik mezelf toegestaan te begrijpen dat een man niet kan leven als hij niet bereid is lief te hebben. Ik heb jarenlang geprobeerd te doen alsof ik niets anders nodig had dan de pracht en praal van mijn leven als Romein van goede familie met genoeg geld om gemakkelijk te leven. Dat heb jij veranderd. Dus welk antwoord je ook geeft, ik wil je bedanken.'

Hij liep naar de rand van het balkon en staarde naar de maan.

Lange ogenblikken gingen voorbij.

'Geen antwoord dus,' zei hij. 'Dat is op zich al een antwoord, neem ik aan.'

'Vitas,' antwoordde zij zachtzinnig, 'je hebt geen vraag gesteld.'

'O. Ik nam aan...'

Ze lachte. 'Het kan gevaarlijk zijn zomaar iets aan te nemen. Vooral als het op zaken van het hart aankomt.'

Hij haalde diep adem, alsof hij moed probeerde te scheppen. Toen keerde hij zich om, maar bleef op dezelfde afstand staan. 'Wil je met me meegaan naar Rome?'

Nog altijd antwoordde ze niet. Ze wist dat Romeinse mannen gewend waren er maîtresses op na te houden.

'Als mijn echtgenote?' voegde hij er aan toe.

Haar hart sprong op. Ze had hem in de steek gelaten toen het schip in Rome arriveerde, in tweestrijd tussen haar liefde voor hem en haar verplichtingen tegenover de familie. Nu kreeg ze een tweede kans.

Toch kon ze haar hart niet volgen. Ze kon zijn aanzoek niet aannemen.

✠ ✠ ✠

'Ik ben zo blij dat je nog leeft!' Met deze woorden stond Amaris op van de rustbank op de binnenplaats van hun grote huis en haastte zich naar Ben-Aryeh toe.

De nacht had de stad in barmhartige duisternis gehuld. Olielampen brandden flakkerend. Het lichte briesje over de bergtoppen van Jeruzalem bereikte deze binnenplaats niet.

Ben-Aryeh was langs vijf leden van de tempelpolitie gekomen die bij de toegangspoort van de binnenplaats stonden. Onder normale omstandigheden zou hij er lichtelijk verlegen mee geweest zijn dat zij getuige waren van de langdurige omhelzing.

Maar dit waren geen normale omstandigheden. Hoewel hij wist dat alle vijf mannen keken, beantwoordde hij haar omhelzing met hartstochtelijke liefde, streelde haar haar, fluisterde lieve woordjes, kuste haar op het voorhoofd en veegde de tranen van haar gezicht.

De zon was ondergegaan over de slachting van nog eens honderden mensen in de stad, die stierven door de handen van Romeinse soldaten. Ben-Aryeh was onder degenen geweest die vlak bij de tempel vochten. Hij was dankbaar en opgelucht – naast het schuldgevoel van een overlevende – dat hij weer thuiskwam. En dat hij een thuis hád.

Toen Amaris hem losliet, wendde Ben-Aryeh zich tot de mannen bij de poort. 'We willen nu graag alleen zijn.'

Deze leden van de tempelpolitie had hij zelf naar zijn huis gestuurd om Amaris in het heetst van de strijd te beschermen; dat ze hem gehoorzaamd hadden, was een teken van zijn hoge politieke status. Hij vond het nodig hen niet anders toe te spreken dan in de vorm van korte bevelen.

Ze glipten door de poort naar buiten, de donkere straat in.

Ben-Aryeh leidde Amaris naar de rustbank en ging naast haar zitten.

'Mijn lief,' zei ze, 'de geluiden die ik hier vanmiddag hoorde! Wat gebeurt er allemaal?'

Hij hield haar handen vast terwijl hij vertelde. Florus had bevolen dat er een menigte buiten de stad moest staan om de soldaten te begroeten en zo te bewijzen dat ze de vrede konden bewaren. De soldaten hadden geweigerd hun begroeting te erkennen. Ze hadden zonder waarschuwing toegeslagen toen een enkele oproerkraaier iets beledigends riep.

Vanaf dat moment was alles uit de hand gelopen. Vanaf hun paarden hadden de soldaten, gewapend met knuppels en zwaarden, iedereen gedood die binnen het bereik van hun wapens kwam. Velen stierven door de zwaarden van de soldaten, velen werden door de paarden vertrapt en veel anderen stierven toen de menigte in paniek raakte en mensen met elkaar worstelden om in de stad te komen.

Bij de stadspoort werd het nog erger. De enorme menigte bleef steken in de nauwe opening. Tientallen stikten onder het gewicht van mensen die van achteren tegen hen aan duwden. Tientallen anderen werden zodanig onder de voet gelopen dat hun lijken onherkenbaar waren.

De soldaten achtervolgden de menigte de stad in. Toen Florus zijn andere garnizoen uit de burcht Antonia liet aanrukken, werd duidelijk dat de aanval goed voorbereid was en dat de soldaten de tempel wilden innemen.

De burgers sloten zich aaneen. In de smalle straten hadden de soldaten niet langer voordeel van hun paarden en gevechtstactiek, zoals in het open veld. Toen de straten geblokkeerd werden en vele burgers een hagel van pijlen, aardewerk en steenblokken van de daken begonnen te gooien, waren de soldaten gedwongen zich terug te trekken.

Dat was het moment waarop Ben-Aryeh de tunnels onder de tempel verlaten had. Eerst stuurde hij lijfwachten naar zijn huis, daarna voegde hij zich bij de mensen die de verbindingsgangen tussen de tempel en de burcht Antonia begonnen af te breken.

De duisternis viel al toen de gevechten eindelijk afgelopen waren. Maar de jammerklachten waren toen pas begonnen: opnieuw gingen mensen met brandende toortsen de straten in op zoek naar familieleden die niet thuisgekomen waren.

Toen Ben-Aryeh Amaris dit alles verteld had, kuste hij haar weer op het voorhoofd. 'Ik vrees voor de stad,' zei hij. 'Florus heeft ons bedrogen. Nu we niet tegen de nieuwe cohorten geprotesteerd, maar ze hartelijk begroet hebben, heeft hij genoeg soldaten in de stad om een zorgvuldige, weloverwogen oorlog tegen ons te beginnen, wijk voor wijk. Kortom: we hebben de vijand binnen onze poorten en de tempel zal uiteindelijk ingenomen worden.'

'Er kan toch wel íets tegen gedaan worden? Vast wel!'

'Onze verdediging werd ingegeven door paniek. Maar we kunnen niet lang vechten op basis van onze emoties. Florus is niet dom. Hij gaat vast en zeker van het ene huis naar het andere om alle tegenstand te elimineren. Als hij klaar is, zijn de tempel en de tempelschatten van hem.'

'En wij dan?' fluisterde zij.

'Ik zal alles doen wat in mijn macht ligt om te zorgen dat wij niet getroffen worden. De stad zal altijd blijven bestaan. Wij ook.'

'En als het niet in je macht ligt?'

'Rijkdom en connecties,' zei Ben-Aryeh. 'Als er geen rellen meer komen, zullen wij er niet onder lijden. Wees gerust. Nu Florus genoeg militaire macht in de stad heeft, zal hij alles onder controle houden.'

'Maar als jij je rijkdom en connecties verliest? Als –'

'Wij worden niet getroffen!' Doordat hij zo vastbesloten was haar angsten te bezweren, hoorde hij de smekende klank in haar stem niet.

'Alsjeblieft,' zei ze, 'zeg dat je me nooit bedrogen hebt.'

'Wat?'

'Je houdt van mij en je bent me altijd trouw geweest. Dat wil ik horen. Niets over je geld en politiek. Jij bent alles wat ik nodig heb. Jij en jouw liefde.'

Ben-Aryeh stond op. 'Ik heb je nooit bedrogen. Daar heb ik zelfs nooit aan gedácht!'

'Nooit?'

Een ogenblik overwoog hij opnieuw haar te vertellen over de struikrovers, over de vrouw die hij gered had, over het feit dat hij bij de stadspoort voor haar gevlucht was. De avond tevoren, ook op deze rustbank op de binnenplaats, had hij dat bijna gedaan. Maar Amaris was zo gelukkig geweest dat hij terug was uit Sebaste en dat hij de opstootjes van de eerste dag had overleefd, dat hij haar opluchting niet had willen temperen. Vooral omdat het onwaarschijnlijk leek dat de vrouw die hem vals beschuldigde hem na zijn succesvolle ontsnapping ooit nog zou kunnen identificeren. Als hij het nu vertelde, zou ze zich afvragen waarom hij het gisteren geheimgehouden had; alles wat hij zei, zou gekleurd worden door haar verdenking, hoe ongerechtvaardigd ook.

En de omstandigheden waren veranderd sinds de vrouw hem bijna gezien had in de tempel, vandaag. De stad was opnieuw in grote verwarring. Waarschijnlijk was ze gedood tijdens de rellen. En zo niet: de komende dagen beloofden een systematische oorlog die het steeds minder waarschijnlijk maakte dat hij door haar gezien, laat staan opnieuw beschuldigd zou worden.

Waarom zou hij dus zijn geliefde Amaris belasten met dat verhaal? Ondanks het feit dat zwijgen een vorm van liegen was, was hij een onschuldig man. Hij was haar niet ontrouw geweest. Dat was het voornaamste.

Ben-Aryeh knielde naast haar neer. 'Jij bent mijn enige ware liefde. Niets kan dat veranderen. Ik ben je nooit ontrouw geweest. Ik zou dat nooit overwegen. Ik zou liever mijn ogen uit mijn hoofd rukken dan naar een andere vrouw kijken met begeerte in mijn hart.'

Ze keek hem een tijdlang aan. In het toortslicht stond haar gezicht ernstig terwijl ze onderzoekend in zijn ogen keek. Eindelijk zuchtte ze. 'Ik geloof je.'

'Heel ontroerend.' De stem kwam van achter hun rug. Een stem uit de doorgang naar de volgende binnenplaats en het huis daarachter. 'Bijzonder ontroerend.'

Ben-Aryeh herkende die stem.

Hij stond op en draaide zich snel om. 'Verlaat dit huis!' beval Ben-Aryeh. 'Jij hebt geen recht om hier te zijn.'

'O nee?' De stem van Annas de Jongere klonk innemend. Alsof hij bijzonder van de situatie genoot. 'Wachters!' snauwde hij.

Onmiddellijk stapten de leden van de tempelpolitie die Ben-Aryeh bij de buitenpoort had weggestuurd binnen zijn gezichtsveld. Ze hadden staan wachten!

'Ben-Aryeh,' zei Annas, 'deze mannen zijn hier om jou in arresteren.'

'Ik heb geen misdaad gepleegd.'

'Daar zal het Sanhedrin anders over oordelen, dat weet ik zeker,' zei Annas. 'Mis je deze ketting soms?' Hij liet hem aan zijn vingers bengelen.

Zelfs in het schemerige licht van de toortsen zag Ben-Aryeh het. Zonder erbij na te denken greep hij naar zijn hals, waar de ketting jarenlang gehangen had.

'Ja,' zei Annas, 'ik zie dat je hem mist. Ik heb hem van een vrouw gekregen. Zij heeft hem afgepakt in haar worsteling om aan jouw greep te ontsnappen.'

'Nee!'

'O nee? Ik weet zeker dat ze haar verhaal graag aan het Sanhedrin wil vertellen. Tenzij jij niet de schuldige bent, natuurlijk. Maar waarom vragen we haar dat niet zelf?'

Uit de andere binnenplaats stapte de vrouw die Ben-Aryeh de vorige dag van de struikrovers gered had, naar voren, in het licht van de toorts.

'Ja,' zei ze zonder aarzeling en priemde met haar vinger naar Ben-Aryeh, 'dat is de man die me buiten de stadspoort van mijn onschuld beroofd heeft.'

✠ ✠ ✠

Terwijl koningin Bernice met haar gevolg door soldaten geëscorteerd werd naar een balkon aan de zuidkant van de burcht Antonia, was ze zich sterk bewust van de vuistgrote steen die in haar buik drukte. Ze wenste dat het een tentpin was. Ze herinnerde zich een van de verhalen uit de geschiedenis van haar volk. Uit de tijd van de Rechters. De Israëlieten waren twintig jaar lang onderdrukt door Jabin van Hasor, een Kanaänitische koning. De aanvoerder van zijn leger, Sisera, beschikte over duizenden soldaten en negenhonderd ijzeren strijdwagens. Op de dag dat de Heer de Iraëlieten de overwinning over Sisera gaf, vluchtte Sisera naar de tent van Jaël, de vrouw van de Keniet Cheber. Zij bood hem een schuilplaats, gaf hem melk te drinken en verborg hem onder een deken. Toen hij na het drinken uitgeput in slaap viel, sloop Jaël met een tentpin en een hamer de tent binnen. Ze sloeg de tentpin dwars door zijn hoofd de grond in. Daarna, herinnerde Bernice zich uit het verhaal, wist Israël koning Jabin steeds verder terug te dringen, tot er een eind aan zijn macht kwam.

Voor deze ontmoeting met Florus had ze zich door slavinnen laten helpen bij het baden, parfumeren en naar de laatste mode vlechten van haar haren. Tegen haar gewoonte in had ze hen echter weggestuurd voordat ze haar onderkleding aantrok. Ze wilde niet dat iemand getuige was van de gordel die de steen op zijn plaats hield, dat iemand na Florus' dood zou vermoeden dat zij een manier had bedacht om hem te vermoorden.

'Koningin Bernice.'

Florus begroette haar op vlakke, bijna onvriendelijke toon terwijl hij zich omkeerde op het balkon. Hij leunde tegen de balustrade; de bovenrand reikte tot zijn middel. Het balkon bevond zich ruim dertien meter boven een binnenplaats die met ronde stenen geplaveid was. Ook daarvan was Bernice zich intens bewust. Even intens als van de steen waarmee ze zijn schedel wilde inslaan zodra hij te dronken was om te beseffen wat ze van plan was.

'Eerlijk gezegd,' zei hij, 'verbaast het me nogal dat u beslist op bezoek wilde komen. Vooral nadat u gisteren voor me weggevlucht bent.' Opnieuw die vlakke toon.

Ze kende die houding. Het was de pose van een man die niet in haar geïnteresseerd was. Maar dat was een leugen; ze had hem tijdens feestelijke gelegenheden vaak betrapt terwijl hij haar vanaf de andere kant van een vertrek zat aan te gapen.

Ze wist ook hoe ze dit soort mannen moest bespelen. 'Ik wil veel liever zelf mijn man kiezen dan door een man gekozen worden.'

De laatste stralen van de avondzon schenen op zijn gezicht en ze zag dat zijn ogen iets wijder open gingen. Hij boog zich enigszins naar haar toe en dat zei haar genoeg.

'Waar zal ik mijn hofdames heen sturen?' vroeg ze Florus. 'Wees aardig. Misschien moeten ze een hele tijd op me wachten.'

'Stuur hen terug naar het paleis,' zei hij. Zijn woorden klonken gehaast. 'Ik laat u wel door soldaten naar huis escorteren.' Hij zweeg even en grijnsde, waarbij zijn grote, vlekkerige tanden zichtbaar werden. 'Als u klaar bent.'

Wat waren mannen toch arrogant, dacht ze. Als je ze een vinger gaf, namen ze je hele hand. Subtiliteit was aan hen verspild – en ze begrepen ook niet hoezeer vrouwen subtiliteit op prijs stelden.

Nu al zette Florus een hoge borst op, zo verrukt was hij dat ze interesse in hem toonde. Alsof hij de begerenswaardigste man in Judea was.

'En uw soldaten?' vroeg Bernice. 'Laat u die hier blijven?'

'Die moeten inrukken, natuurlijk.' Hij verhief zijn stem. 'Onmiddellijk.' Hij hoefde het bevel niet te herhalen.

In de tijd die de hofdames en de soldaten nodig hadden om een voor een het balkon te verlaten, bestudeerde Florus Bernice.

Hoe onaantrekkelijk hij ook was, ze wist dat hij niet bijzonder dom was. Hij zou de zorg die ze aan haar uiterlijk besteed had beslist opmerken. Bovendien was hij op de hoogte van haar reputatie als weinig deugdzame vrouw.

Bernice deed alsof ze zijn vulgaire inspectie niet opmerkte. Ze wist wat ze wilde bereiken.

✢ ✢ ✢

In het donker kon Valeria niet inschatten hoe snel de tijd verstreek. Ze wist niet hoe lang het duurde voordat ze de stem hoorden die ze vroeger hadden liefgehad.

'Valeria!' Het was Maglorius. 'Quintus!'

Ze hoorden zijn voetstappen boven zich.

Een ogenblik wilde ze opstaan en naar hem toe rennen.

'Hij zal me doden,' fluisterde Quintus. 'Hij weet dat ik gezien heb dat hij vader vermoordde. Hij zal me doden. Daarna zal hij jou doden om het geheim te houden.'

Nog altijd aarzelde Valeria.

'Hij weet dat we hier zijn omdat hij ons allebei gevraagd heeft hier op hem te wachten. Dat was zijn plan. Ons naar een plek sturen waar hij ons kon vinden en doden,' zei Quintus.

'Nee.' Valeria wilde het niet geloven. Maar toch... Had Maglorius onlangs niet tegenover haar toegegeven dat hij Lucius bedrogen had? En had hij met zijn onduidelijke verhaal niet gesuggereerd dat er een groot geheim was, een geheim waarvan Lucius wist? Zou dat zo'n vreselijk geheim geweest zijn dat Maglorius van de gelegenheid gebruikgemaakt had om Lucius te doden nu hij waarschijnlijk toch nooit van de moord beschuldigd zou worden?

'Ik doe net als de retiarius,' siste Quintus. 'Nu vlucht ik, maar als ik groot en sterk ben, of als ik hem volkomen onverwacht te pakken kan krijgen, zal ik hem doden.'

Maglorius? De man die het laatste jaar elke nacht op de vloer voor haar deur geslapen had om te zorgen dat ze veilig was?

Valeria wilde hem roepen, maar Quintus nam haar de beslissing uit handen.

Hij sprong overeind en ging naar beneden.

De duisternis van de tunnels in.

De stem van Maglorius weergalmde achter hen.
Maar ze waren verdwenen.
Onder de stad.
Alleen.

✠ ✠ ✠

'Ik ben een volgeling van Christus,' zei Sophia. 'Jij niet. Kun jij daarmee leven?'

Beelden van de verdrukking die Nero de volgelingen in Rome oplegde, schoten Vitas te binnen. De in teer gedompelde mantels van mannen en vrouwen die aan houten palen hingen. De leeuwen in de arena. Hij besefte hoe gevaarlijk het was om met een christen te trouwen.

Toch wist hij het antwoord. 'Sophia, ik kan daarmee leven. Maar kun jij leven met het feit dat ik niet geloof?'

'Dat weet ik niet,' zei ze langzaam. 'In hetzelfde span lopen met een ongelovige...'

'Als ik nu beloof te luisteren naar wat je daar over te zeggen hebt? Als ik je aanmoedig je godsdienst te praktiseren zoals je dat zelf wilt?'

Dat was een gemakkelijke belofte voor Vitas. Het was een Romeinse gewoonte: tolerantie voor andere religies.

'En wat zal er in Rome gebeuren?' vroeg zij. 'Mijn geloof zal een bedreiging voor mijn leven vormen. En voor het jouwe.'

'Ik moet je iets vragen,' zei hij. 'Ben je van plan in het openbaar voor dat geloof uit te komen, ongeacht of je mijn echtgenote bent?'

Sophia leek hier over na te denken. Toen antwoordde ze zoals hij gehoopt had. 'Ik zou mijn Heer niet verloochenen als ernaar gevraagd werd. In deze tijd verkondigen volgelingen van Christus hun geloof niet in het openbaar. Tot de Verdrukking voorbij is, moeten we volharden.'

Vitas bezwoer zichzelf dat hij opnieuw zou proberen zijn invloed bij Nero te gebruiken om de verdrukking in Rome te doen ophouden. Hij zou nogmaals betogen dat het praktischer was om de vervolging te beëindigen. Dat die impopulair begon te worden bij het gewone volk. Dat de christenen misschien een speciale belasting kon worden opgelegd. Op de een of andere manier zou hij een oplossing zoeken. Maar dit was niet het juiste moment om dat aan Sophia te vertellen.

'Dus,' ging hij verder, 'als je de vrijheid zou hebben in ons huis God te aanbidden, zou dat genoeg zijn. Als Paulina en jij –'

'Paulina?'

'Ze is hertrouwd. Met een goede man. Ze wonen niet ver van de plek waar jij in Rome zou wonen. En het gaat prima met het kleine meisje.' Vitas grijnsde. 'In Rome zou je een vriendin hebben en de vrijheid om thuis te aanbidden. Die belofte zou genoeg moeten zijn.'

Nu antwoordde ze niet zoals hij hoopte. 'Dat is niet genoeg,' zei ze. 'Ik moet mijn geloof kunnen delen met degenen die ik vertrouw. En ik zou altijd bidden dat jij ook gelovig wordt.'

'Is het zo belangrijk?'

'Zeg zelf maar. Hoe belangrijk is het eeuwige leven?'

'Ik begrijp het,' zei hij.

'Nee,' zei ze eenvoudig, 'je begrijpt het niet. Want zodra je dat begrijpt, zul je geloven dat Christus voor onze zonden gestorven is om ons te redden van de toorn van God. Dat Hij is opgewekt uit de dood en dat allen die op Hem vertrouwen die hoop op de opstanding uit de dood hebben.' Sophia omklemde zijn arm. 'Dat is mijn hoop, mijn doel, mijn vrede. Als jij de man bent met wie ik mijn leven ga delen, moet ik dat ook met je delen.'

'Ik wil dat jij mijn vrouw wordt. Als ik beweer dat ik geloof om te zorgen dat jij mijn vrouw wordt, is dat geloof mij opgedrongen.'

'Ik bedoel niet: geloof, dan zal ik jouw vrouw worden. Ik bedoel...' Ze aarzelde, alsof ze worstelde met haar beslissing. 'Ik bedoel dat ik wil dat je belooft open te staan voor die keuze. Je hebt gelijk. Een mens kan niet alleen leven. Maar er is meer. Een mens kan niet leven zonder God.'

Hij streelde haar gezicht en voelde de tranen. 'Dus het antwoord is ja?'

'Ik wil dat het ja is,' zei ze.

Vitas wist dat hij zijn geweten niet langer het zwijgen kon opleggen.

In alle urenlange gesprekken op het schip van Smyrna naar Rome had Vitas nooit gezinspeeld op de macht die hij had in de Romeinse politiek. Hij was eerlijk geweest over zijn familieachtergrond, maar minder eerlijk over de omvang van de rijkdom van zijn familie en zijn eigen erfenis. Hij wilde dat ze geïnteresseerd zou zijn in hem, niet in zijn macht of geld. In feite had hij zich nadat ze uit Rome vertrokken was vele malen afgevraagd of hij haar had kunnen bewegen daar te blijven als hij over die pluspunten had verteld.

En nu?

Als ze wist dat hij deel uitmaakte van de belangrijkste kring van Nero's adviseurs, zou ze weg kunnen lopen vanwege alles wat Nero andere gelovigen had aangedaan. En in elk geval had ze gelijk. Haar geloof zou een bedreiging voor haar leven vormen – en voor het zijne. Maar ze móest de waarheid weten.

Vitas haalde eens diep adem. 'Er zijn twee dingen die ik je moet vertellen. Twee dingen die ik al die tijd dat we aan boord met elkaar spraken, voor je verborgen heb gehouden.' Hij dwong zichzelf door te gaan voordat hij niet meer durfde. 'Het eerste is dit: in Brittannië heb ik een vrouw ontmoet. Uit de Icenistam. We zijn getrouwd. We hebben een kind gekregen.'

Toen hij haar geschokte gezicht zag, wist hij dat dit de enige juiste manier was om het aan te pakken. Als ze het later van iemand anders zou horen, zou ze hem nooit meer vertrouwen. 'Ik heb hier niet met je over gesproken, omdat ik er nooit over praat. Ze is dood. Mijn zoon ook.'

Het duurde even voordat Sophia weer sprak. Ze aarzelde. 'Hield je van haar?'

'Ja.' Hij kon niet anders dan de waarheid vertellen.

'Gelukkig,' zei ze.

Haar antwoord schokte hem. 'Gelukkig?'

'Wie je vroeger was, dáár kunnen we geen van beiden iets aan veranderen. Als je ooit een zoon verwekt had bij een vrouw van wie je niet hield – dat zou ik afschuwelijk vinden.' Ze zweeg even. 'Waarom praat je er nooit over?'

Vitas sloot zijn ogen en schudde zijn hoofd. 'Dat kan ik je pas vertellen als ik daar klaar voor ben.'

Het duurde een tijdje voordat ze knikte. 'Goed. Ik vertrouw je.'

'Je moet ook weten dat ik bij Nero zelf in dienst ben als adviseur.'

Ze deinsde terug. Bijna walgend.

'Nu ben ik je kwijt, hè?' zei hij zachtjes.

'Je hebt gezien wat hij de christenen aandoet. Je kent zijn slechte gedrag. Toch accepteer je dat.'

'Nee,' zei Vitas. 'Ik doe alles wat in mijn macht ligt om hem er van af te brengen.' Hoe kon hij de gecompliceerde dans tussen Nero en de senaat uitleggen, en zijn eigen rol om voor het broodnodige evenwicht te zorgen? 'Luister. In Brittannië zag ik...'

Hij werd overweldigd door herinneringen aan de laatste veldslag; hij moest zichzelf weer onder controle krijgen. 'In Brittannië,' begon hij opnieuw, 'heb ik gezworen dat ik al het mogelijke zou doen om te zorgen dat het Romeinse rijk alle mensen rechtvaardig behandelt.'

'Jij bent in dienst van Nero,' zei ze eenvoudig. 'Daar kan ik niet mee leven.'

Ja, dacht hij, ik ben haar kwijt.

Toen gingen haar ogen wijd open. 'Jij was het!' Ze greep zijn arm. 'Jij moet het geweest zijn!'

'Ik... Ik begrijp niet wat je bedoelt.'

'Je moet het vertellen.' Haar stem klonk zacht en dringend. 'Ik ben niet lang in Rome geweest, maar lang genoeg om een verhaal te horen dat onder de christenen de ronde deed. Over Nero die zich op een nacht verkleed had als een beest; God zond toen een aardbeving om de mannen en vrouwen die gevangenzaten te bevrijden. Sommigen zeggen dat het een leugen is. Anderen zweren dat het de waarheid is.'

Vitas bleef zwijgen.

'Sommigen vertellen dat er die nacht één man was die Nero openlijk ongehoorzaam was. Een man die de christenen bevrijdde.' Haar greep om zijn arm werd steviger. 'Ik wil iets van jou horen waardoor ik kan geloven dat jij dat was.'

'Vertrouw je me niet als ik geen bewijs lever?'

'Jij wilt dat ik mijn leven aan je toevertrouw.'

'Er waren twee mannen en twee vrouwen,' zei Vitas. 'Als ik de christenen moet gaan helpen, heb ik jou nodig.'

Ze omhelsde hem. Streelde zijn haar. Haar gezicht was vlak bij het zijne en hij voelde haar tranen. 'Dat is genoeg.'

'Ik wil dat je mijn vrouw wordt. Ga met me mee naar Rome.'

Haar stille tranen gingen over in snikken. 'Ik houd van jou. Maar hoe kan ik mijn volk in de steek laten nu het ernaar uitziet dat Jeruzalem verwoest wordt?'

'Ik houd van jou.'

Hij wist wat hem nu te doen stond. Als dit de laatste nacht van zijn leven zou zijn, wilde hij de herinnering aan die woorden meenemen in zijn dood. Met Sophia in zijn armen. In het maanlicht. Terwijl ze zich aan hem vastklampte.

Als er een God bestaat, dacht Vitas, de God die Ben-Aryeh verkondigt, een God die zijn zoon gestuurd heeft zoals Sophia verkondigt, dan wil ik die God danken voor de liefde.

En hij had van die God alle hulp nodig die hij kon krijgen.

'Sophia,' zei Vitas rustig, 'ik moet nu meteen weg. Bid alsjeblieft voor me.'

✠ ✠ ✠

'Wist je dat hij hier was?' Ben-Aryeh negeerde Annas, de tempelpolitie en de vrouw. Hij sprak Amaris toe. 'Waarom heb je mij niet gewaarschuwd?'

'Hij liet me die ketting zien. Die vrouw vertelde me waar, wanneer en hoe ze die in handen kreeg.' Amaris' stem stokte. 'Ik heb hem gevraagd me een paar minuten met jou alleen te laten. Ik wilde je de kans geven –'

'Om schuld te bekennen?' Zijn geschoktheid veranderde in woede; hij verhief zijn stem. 'Jij geloofde hén! Jij hebt míj bedrogen door zijn aanwezigheid in mijn huis voor me te verbergen!'

'Ik...' Amaris slikte moeizaam en bewaarde haar zelfbeheersing. Maar ze sprak hem niet tegen.

'Een man die zich met geweld opdringt aan een vrouw die door struikrovers overvallen is, kan zich niet permitteren zo hoog van de toren te blazen,' zei Annas de Jongere. Het was duidelijk dat hij van deze scène genoot. 'Nu zie ik de werkelijke Ben-Aryeh. Die de mensen om zich heen de schuld geeft.'

De leden van de tempelpolitie omsingelden Ben-Aryeh en keken Annas afwachtend aan. Annas schudde zijn hoofd en glimlachte triomfantelijk.

Ben-Aryeh wendde zich tot Annas. 'Jij hebt dit in scène gezet. Zo heeft ze me gevonden.'

Annas lachte. 'Dus je geeft toe dat je deze vrouw kent.'

'Ik geef niets toe.'

'Daar denk ik anders over. Ik ben getuige van je woorden. Deze mannen van de tempelpolitie ook. "Zo heeft ze me gevonden." Je klinkt beslist als een schuldig man die deze vrouw niet alleen herkent, maar ook weet dat ze naar hem op zoek is omdat hij voor haar op de vlucht geslagen is. Ja, het Sanhedrin zal er geen probleem mee hebben jou de doodstraf voor overspel op te leggen.'

'Jij – jij hebt dit in scène gezet.' Ben-Aryeh moest moeite doen om zijn zelfbeheersing te herwinnen. 'Hoe zou ze anders weten dat ze hierheen moest komen?'

'Ze heeft je op het podium bij de tempel zien staan,' zei Annas. 'Ze kwam naar mij toe en beschreef jou. Vertelde me haar verhaal. Ik ben hier om te zorgen dat er recht geschiedt.'

Wat had Annas hem eerder op de dag toegesist? 'Je zult ervoor boeten, Ben-Aryeh. Ik ben mijn positie kwijtgeraakt. Maar jij zult je leven verliezen. En ik zal de eerste steen werpen.'

Zijn nek zwol op van woede. Ben-Aryeh spuwde de woorden uit. 'Jij bent hier om wraak te nemen omdat...' Hij slikte de rest van zijn gedachten in.

'Omdat jij de toonaangevende burgers van deze stad net zo lang hebt gemanipuleerd tot ze Agrippa brieven stuurden met het verzoek mij uit mijn functie te zetten na de terechtstelling van Jakobus de Rechtvaardige?' Annas glimlachte breed. 'Zou dat een reden voor wraak zijn? Of heb je nog op andere manieren tegen mij geïntrigeerd?'

Ben-Aryeh knarsetandde en ademde moeizaam door zijn neus. Zo heeft ze me gevonden. Jij bent hier om wraak te nemen. Het feit dat hij die opmerkingen eruit geflapt had, zou in zijn nadeel werken. Niet weinig ook. En hij had zichzelf als een van de meest beheerste en politiek geslepen mensen in de stad beschouwd!

Nee, hij was een dwaas. Hij had zichzelf uitgeleverd aan de man die hem het meest haatte. Erger nog was dat hij geen enkele kans meer had Amaris van zijn onschuld te overtuigen. Had hij haar gisteren maar over de valse beschuldiging en de gestolen ketting verteld! Had hij het een paar minuten geleden maar verteld, toen ze alleen waren op de binnenplaats.

De stad was ten ondergang gedoemd, maar wat maakte dat uit tegenover wat hij bij Amaris verloren had? Zij zou voorgoed geloven dat hij schuldig was en hij zou sterven met de pijnlijke wetenschap dat zij van haar kant hém bedrogen had.

Onder Annas' ogen liet Ben-Aryeh zijn adem langzaam ontsnappen om voor zijn vijand te verbergen dat hij zuchtte. 'Wat ga je nu doen?' vroeg hij rustig.

'Bij jou blijven terwijl de tempelpolitie je naar de gevangenis brengt. Het Sanhedrin bijeenroepen zodra zich de gelegenheid voordoet. Daarna zal ik mijn plicht vervullen door de eerste steen te werpen wanneer jouw doodvonnis voltrokken wordt.' Annas lachte vol leedvermaak. 'Met dat alles vervul ik de letter van de wet. Net als jij zou doen als je echt een rechtvaardig man was, dat weet ik zeker.'

'Ik ben een rechtvaardig man,' zei Ben-Aryeh. 'Ik stel de gelegenheid om mijn onschuld voor het Sanhedrin te bewijzen bijzonder op prijs.' Hij wees op zichzelf. 'Ik weet zeker dat je niet zo kleingeestig bent dat je mij zou weerhouden deze smerige kleding uit te trekken. Terwijl jij me hier opwachtte, was ik bij de tempel bezig tegen de Romeinen te vechten.'

'Ach, die Ben-Aryeh. Zo zelfingenomen. Een verkrachter die beslist moet aantonen dat hij God diende bij de tempel. Denk je niet dat ik God beter dien door te zorgen dat de vrouw die jij aangerand hebt gerechtigheid krijgt?'

'We zijn in oorlog. Misschien moet ik lange tijd in de gevangenis zitten voordat je het Sanhedrin bijeen kunt roepen,' zei Ben-Aryeh. 'Ik wil het zweet van vandaag kunnen afwassen en schone kleren kunnen aantrekken voordat ik mijn huis verlaat.'

'Zoals je wilt.'

'Amaris?' vroeg Ben-Aryeh. 'Hoe je op dit moment ook over me denkt, wil je me in de gevangenis bezoeken?'

Ze gaf geen antwoord.

Ben-Aryeh rechtte zijn schouders. Stapte langs Annas de Jongere, die openlijk grijnsde van leedvermaak.

Ben-Aryeh liep over de tegels van de andere binnenplaats, liep de vertrouwde weg door het huis en besefte dat hij daar nooit meer zou lopen.

Hij pakte schone kleren.

Verkleedde zich snel.

Ging naar de slaapkamer; daar had hij een kleine aardewerken kruik met goudstukken verborgen. Hij vulde een leren beurs met de munten en hing die om zijn hals, onder zijn kleding. Daarna klom hij zonder een moment te aarzelen het raam uit en liet zich langs de stam van een wingerd op de buitenmuur naar beneden zakken.

Geruisloos landde hij op straat.

En vluchtte de nacht in. Er was slechts één man die hem nu kon helpen.

✠ ✠ ✠

Zodra Bernice en Florus alleen waren, wees Florus op een tafel met een kruik wijn en allerlei lekkernijen. 'Ga je gang,' zei hij. 'Wat wil je?'

Iemand met fatsoenlijke omgangsvormen, dacht Bernice, maar dat hield ze uiteraard voor zich.

Ze liep naar de tafel en schonk wijn in. Het feit dat de koningin der Joden hem bediende, zou hem een gevoel van macht geven. Bovendien gaf het haar de kans zich ervan te verzekeren dat zijn bokaal veel voller was dan de hare.

'Je broer is in Egypte, hoorde ik,' zei Florus.

Glinsterden zijn ogen, of verbeeldde ze zich dat? Het licht begon af te nemen. 'Ja,' antwoordde ze. 'Egypte.'

Was deze man dan werkelijk niet in staat een boeiend gesprek te voeren? Hij was in wezen zelf koning in dit deel van de wereld. Nee, meer dan een koning; Agrippa en zij hadden niet de macht tegen zijn beslissingen in te gaan, behalve in de vorm van het indienen van een officiële klacht bij de gouverneur van Syrië of bij Nero zelf. Florus had de macht over leven en dood in handen; hij had met allerlei beroemde en beruchte mensen gedineerd. Hoe kon hij zo ondraaglijk saai, zo weinig inspirerend zijn?

Plotseling begreep ze het: omdat hij zo op zijn eigen begeerten geconcentreerd was. Ze was geen mens voor hem, maar een nuttig voorwerp. En aangezien zijn positie hem in wezen toestond alles te nemen wat hij maar wilde, begreep hij niet dat de jacht een kwestie van geven en nemen was.

'Agrippa is dus weg. En jij bent in Jeruzalem. Het gerucht gaat dat dat een deel van een heilige gelofte is...'

'Ja,' antwoordde ze. 'Een heilige gelofte.'

'Ik vind jullie, Joden, verwarrend. Wat hopen jullie te winnen door geloof te hechten aan het onzichtbare?'

Echt een slimme openingszet, dacht Bernice verrast. Zou hij toch nog een interessante kant blijken te hebben?

Voordat ze kon antwoorden, hief hij zijn bokaal. 'Geen beste wijn,' zei hij. 'Ik hoop dat je hem verdraagt.'

Ze glimlachte boven haar eigen bokaal. 'Vast wel.'

'Zo,' zei hij, 'laten we geen tijd verspillen. Welke betaling verwacht je?'

'Ik... Ik begrijp het niet.'

'Ik heb in dit soort situaties gemerkt dat het veel tijd bespaart als je rechtstreeks onderhandelt.'

'Dit soort situaties –?'

Hij snoof minachtend. 'Jij bent niet de eerste hoer aan wie ik plezier beleef.'

Bernice kon er niets aan doen. Ze gooide haar wijn in zijn gezicht. Ze verwachtte dat hij haar zou slaan.

Maar hij lachte slechts. 'Denk je dat ik zó stom ben? Hoe vaak hebben we niet samen aan een feestmaal gezeten? Toch negeerde je me altijd volkomen. En opeens, nu ik mijn leger naar Jeruzalem breng, verschijn je tiptop verzorgd en geparfumeerd en wil je alleen met me zijn. Je verlangt iets van me en het is duidelijk hoe je dat wilt bemachtigen. Dus vraag ik opnieuw: welke betaling verwacht je?'

Hij hield een hand omhoog om te voorkomen dat ze begon te spreken. 'Begrijp me niet verkeerd. Ik verwacht niet dat je goedkoop bent. Ik ben ook niet van plan zuinig te zijn. Ik ben een rijk man en een nacht met jou zou me heel veel waard zijn.'

Bernice knipperde met haar ogen.

'Buitengewoon,' zei hij. 'Je bent uit je evenwicht gebracht! Voor het eerst, geloof ik.'

Ze had hem niet moeten onderschatten! Ze keerde zich naar de wijnkruik en vulde haar bokaal opnieuw.

Hij slokte wat wijn naar binnen en stak zijn bokaal uit om die te laten bijvullen; daarna slurpte hij nog wat en veegde zijn mond af met de rug van zijn hand. 'Wat zal het zijn?'

Dat je dronken wordt, dacht ze. Daarna een steen tegen je

schedel. De steen die een arme boer uit alle macht omhoog probeerde te houden terwijl hij toekeek hoe jouw bandieten zijn gezin uitmoordden. En zodra je bewusteloos bent, wil ik jouw dood, als ik je over de balustrade van dit balkon duw. Een dood waarvan ik zou kunnen beweren dat het een ongeluk was.

'Wat zal het zijn?' herhaalde hij.

Ze schonk hem nog wat wijn in. 'Florus, beste man, misschien ga je het nog juist heel plezierig vinden om heel langzaam en behoedzaam te onderhandelen. Tenslotte heeft een man mij een koninkrijk geboden als ik zijn bruid wilde worden – en toen was ik nog maar dertien. Moeten we werkelijk zo kortzichtig zijn te denken dat ik hier maar voor een nacht ben?'

Hij bekeek haar wellustig. Dronk nog wat. 'Wat bedoel je precies?'

Ze deed alsof ze van haar eigen wijn dronk. 'Laat ik je wat vragen. Denk je dat Rome de geruchten over de grove manier waarop jij de Joden berooft nog zou geloven als de koningin zelf jouw echtgenote werd?'

'Geruchten over de grove manier waarop ik de Joden beroof?' Florus stond snel op; de beweging was zo abrupt dat ze erdoor verrast werd.

Bernice hield zich voor dat de Romeinen bovenal krijgers waren. Hoe deze man nu ook overkwam, eens was hij een angstaanjagend goed voorbeeld daarvan geweest. Ze moest bijzonder voorzichtig met hem zijn. De val van het balkon die hem, naar ze hoopte, zou doden, zou ook haar fataal kunnen worden.

'Suggereer je soms dat ik bang ben voor Rome?' Hij brulde bijna; de wijn spetterde uit zijn mond en raakte haar gezicht.

'Natuurlijk niet,' zei Bernice.

Hij grijnsde, ging weer zitten en wenkte dat hij meer wijn wilde. 'Ik houd wel van een paard dat zich niet laat temmen. Het hééft iets om een prachtig beest in toom te moeten houden –'

'Ik suggereer niets,' zei ze. 'Ik zeg het ronduit. Je bent bang voor Cestius Gallus, de gouverneur van Syrië, omdat hij geen problemen in zijn rechtsgebied wil. En je bent bang dat er strenge gerechtelijke stappen tegen je ondernomen worden als Rome je zaken hier te nauwkeurig onderzoekt.'

Hij stond op en brulde weer. 'De brutaliteit!'

'Houd je mond,' zei ze op gepast vermoeide toon, hoewel haar hart bonkte van angst. Hij hoefde alleen maar met een van die stevige vuisten naar haar uit te halen. 'Er is geen publiek waar je indruk op hoeft te maken.' Ze duwde tegen zijn borstkas, zodat hij achterover viel en weer zat.

Een paar tellen was het of hij naar voren zou stormen om haar te slaan. Toen grinnikte hij. 'Hoeren deinzen voor me terug. Jij bent een stuk interessanter, merk ik.'

Bernice ontspande zich enigszins, maar liet haar opluchting niet blijken. 'Jij wilt oorlog. Dat is duidelijk. Je pleegt een schandelijke tempelroof en als een paar jonge heethoofden je beledigen terwijl je naar Jeruzalem komt – wat niet bepaald verbazend is – laat je de soldaten los op hulpeloze burgers. Als de mensen vervolgens zelfbeheersing tonen en weigeren een rel te maken, daag je hen opnieuw uit, met nieuwe slachtingen. Zelfs nu staan je soldaten klaar om bij zonsopgang aan te vallen.'

Florus boerde. 'Een oorlog zou goed van pas komen. Wat dan nog?'

'Je vergeet dat de verhalen over de oorlog en hoe die begon jou in een slecht daglicht zullen stellen. Tenslotte kun je niet alle inwoners van Jeruzalem doden, hoe graag je dat ook zou willen. Iemand zal het overleven en het onrecht dat deze oorlog veroorzaakt heeft aan de keizer voorleggen.'

Bernice nipte van haar wijn. Tot haar tevredenheid zag ze dat zijn wijn bijna helemaal verdwenen was. Ze vulde haar bokaal opnieuw en stak met een nonchalant gebaar haar hand uit om de zijne ook te vullen. 'Oorlog is de oplossing niet,' vervolgde ze.

'O nee?'

'Vandaag moest je de aftocht blazen, hoe enorm je troepenmacht ook was. De Joden zijn misschien niet voldoende gemotiveerd om een goede aanval te organiseren, maar wat ons dierbaar is, verdedigen we zo hartstochtelijk dat we niet te verslaan zijn. Zelfs niet door Rome.'

'De tempel?'

'Natuurlijk. Niet het goud dat er opgeslagen ligt, maar wat de tempel vertegenwoordigt. Je weet vast wel genoeg van de recente geschiedenis om te begrijpen hoe fanatiek ons volk is wat betreft het dienen van de ene, waarachtige God.'

Ze liep om hem heen en ging achter hem staan. Ze was blij dat hij haar minachting voor hem zo niet van haar gezicht kon aflezen; ze begon zijn schouders te masseren. Dat gaf haar bovendien een excuus om haar bokaal neer te zetten terwijl hij doorging met drinken.

'Stel dat je morgen aanvalt,' zei ze. 'Als je dat doet, gebeurt er hetzelfde als vandaag. Alle Joodse mannen in deze stad zullen zich doodvechten om de tempel te beschermen. Je weet dat je niet kunt winnen. Daarna zal je aftocht een enorm gezichtsverlies betekenen.'

Hij gromde van genot terwijl haar handen zijn spieren, die slap geworden waren door het gemakkelijke leven, kneedden.

'Laat de stad met rust,' zei ze. 'Ga terug naar Caesarea.'

'En dan?'

'Wat zou zwaarder wegen voor de keizer? Verhalen van Joden en tempelpriesters die regelmatig klagen? Of een brief van de koningin der Joden, een steunbetuiging voor de acties die je tot nu toe hebt ondernomen?'

'Met de koningin aan mijn zijde, als mijn vrouw.' De wijn leek eindelijk invloed te krijgen. Hij lachte snuivend. 'Ja, dat zou een mooie buit zijn!' Hij zoog lucht naar binnen. 'Vertel eens, mijn kleine verleidster. Het is duidelijk wat jij allemaal meebrengt in een huwelijk. Rijkdom. Schoonheid. Een titel. Zelfs aanzien. Maar welk voordeel zou jij er van kunnen hebben?'

'Vertel me dat eens,' zei Bernice. Ze hield op met masseren.

Hij reikte omhoog en trok haar handen op zijn borst, zodat haar kin op zijn hoofd rustte.

Ze vond dit buitengewoon weerzinwekkend, maar deinsde niet terug.

'Romeins burgerschap,' zei hij. 'Bescherming tegen militaire represailles. En natuurlijk een uiterst comfortabel leven.'

'Met een machtige, fascinerende man,' voltooide ze zijn zin.

'Waarom nu? We zijn al vaak op dezelfde feesten te gast geweest. Je hebt nooit enige belangstelling voor mij getoond.'

'Jij hebt nooit zo duidelijk laten zien dat je bereid bent al je macht te gebruiken.'

Hij draaide zich half om. 'Vind je dat aantrekkelijk?'

'Dat vinden de meeste vrouwen aantrekkelijk. Vrouwen zoals ik in elk geval wel.'

Hij trok haar verder naar beneden en probeerde haar op de mond te kussen.

Ze trok zich los. 'Waarom heb je zo'n haast?' vroeg ze plagend. Ze vond nog een kruik wijn en bood hem die aan.

Hij knikte, langzaam met zijn ogen knipperend. 'Haast? Helemaal niet. Maar alleen een dwaas koopt een paard zonder eerst het gebit te controleren. Ik weet niet zo zeker of ik wel met een huwelijk moet instemmen zonder gepaste waardebepaling.'

Hij reikte naar haar middel.

De steen! Die mocht hij niet ontdekken!

Ze draaide lachend weg. 'Ja, ja, maar waarom zou je een koe kopen als je de melk voor niets kunt krijgen?'

Hij moest daar diep over nadenken, beneveld door de wijn als hij was. Toen hij het eindelijk begreep, lachte hij zo uitbundig dat hij begon te hoesten. 'Ben je opeens een deugdzame vrouw?'

'Misschien ben ik dat altijd al geweest,' zei ze. 'Die boosaardige praatjes hoeven geen waarheid te bevatten.'

'Misschien,' zei hij. 'Maar ik ben een man die niet gewend is aan afwijzing. En als je mijn macht zo aantrekkelijk vindt...'

Bernice dwong zichzelf verleidelijk te glimlachen. Ze hief haar handen om haar haren los te maken. Was hij dronken genoeg?

Terwijl ze met een hand haar vlechten lostrok, draaide ze zich half om en wekte de indruk dat ze op het punt stond zich te ontkleden. Ze pakte de steen die ze wilde gebruiken om zijn schedel in te slaan.

Toen draaide ze zich weer om en naderde hem met het moordwapen achter haar rug en een verleidelijke glimlach op haar gezicht.

Florus bekeek haar wellustig. 'Dat is beter,' bromde hij zachtjes. 'Veel beter.'

'Roep jij je soldaten terug?' vroeg zij. 'Laat je de stad met rust?'

'Zeker. En geef jij me een voorproefje van hoe je als echtgenote zult zijn?'

'Natuurlijk.'

'Kom dan hier.'

Ze week achteruit, maar bleef verleidelijk glimlachen. 'Laat je belangrijkste centurio roepen. Zeg hem dat de soldaten de tempel morgen niet mogen aanvallen.'

'Moet ik hem nú roepen?'

'Ik wil graag zeker weten dat een man mij werkelijk begeert.'

'Ik zou hem natuurlijk bij zonsopgang opnieuw kunnen roepen en zeggen dat ik van gedachten veranderd ben.'

'De geweldige Florus wil toch niet besluiteloos lijken?'

Hij gromde. 'Soldaat!' schreeuwde hij.

Bijna meteen kwamen twee bewakers het balkon op.

'Breng deze boodschap aan de commandanten,' zei Florus. 'Morgen zullen alle cohorten, op één na, terugkeren naar Caesarea.'

Ze salueerden allebei. Hij stuurde hen onmiddellijk weg.

'Tevreden?' vroeg Florus.

Bernice schonk hem op haar beurt een wellustige blik. 'Nog niet!' Ze liep naar de deur en vergrendelde die. 'Maar dat kan binnen een paar minuten veranderen.' Ze dacht aan zijn gebroken, dode lichaam op de grond, ver onder het balkon. 'Ja,' zei ze. 'Als je mij de kans geeft, zal ik helemaal tevreden zijn.'

Hij grijnsde. Een zeer dronken grijns. Hij ontblootte zijn brede borst vol grijzend haar. 'Kom dan maar hier, mijn koningin.'

Bernice sloop naar de dichtstbijzijnde toorts. Die doofde ze. En de volgende ook. Nog een.

Nu was het bijna donker op het balkon.

Ze had er niet op gerekend dat die forse man zo stilletjes kon bewegen, zelfs nu hij dronken was.

Terwijl ze haar hand uitstak naar de laatste toorts, grepen zijn handen haar plotseling bij haar middel. 'Ik heb genoeg van het wachten,' zei hij. 'Ik –' Hij zweeg. Draaide haar naar zich toe. Hield haar schouder met een grote hand vast. Graaide met zijn andere hand naar de hand op haar rug.

'Wat is dat?' Hij duwde en trok aan de steen tot zijn benevelde geest het begreep. 'Is dat een wapen? Kwam je hier om mij te vermoorden?' Hij duwde haar weg. 'Bewakers! Breng me mijn zwaard!'

Ze wist dat ze op het punt stond te sterven. En daar had ze vrede mee. Jeruzalem was tenminste veilig. Ze had de stad gered.

'Bewakers!' schreeuwde hij. 'Mijn zwaard!'

✠ ✠ ✠

'Ik heb honger,' zei Quintus in de inktzwarte duisternis.

Valeria had hem urenlang laten wachten in de diepte van de tunnels onder de stad. Als Maglorius hen werkelijk dood wilde hebben, moest ze zeker weten dat hij verdwenen was.

'Nog even,' zei ze, 'dan hebben we genoeg goud om alles te kopen wat we nodig hebben. Dan reizen we naar Caesarea en van daar af nemen we een schip naar Rome. Tenslotte zijn we Romeinse burgers. We zullen door advocaten geholpen worden om het landgoed van vader terug te krijgen. Dan kunnen we een nieuw leven opbouwen.'

Quintus slikte weer een snik in. Hij hield haar hand krampachtig vast terwijl ze langzaam hun weg zochten over de hobbelige vloer van het riool. De stenen waren nat en glibberig. De enige manier om richting te bepalen was door haar vrije hand tegen de muur te houden en te zorgen dat ze omhoog gingen.

'Nog even,' herhaalde ze tegen Quintus, ook om zichzelf te troosten.

Het goud dat ze verstopt had, was hun enige hoop op redding. Dat geld zou zorgen dat ze eten, een schuilplaats en de reis naar Rome konden betalen. Met dat geld konden ze zich ervan verzekeren dat ze hun rechtmatige erfenis zouden ontvangen. En voor Quintus zou ze zorgen alsof hij haar eigen zoon was, niet haar stiefbroer – tot hij groot genoeg was om voor zichzelf te zorgen.

Dat goud gaf haar hoop.

Maar toen ze eindelijk de trap bereikten waarlangs ze het riool ingekomen waren, was de gordel die ze daar verstopt had verdwenen. Ongelovig bleef ze zoeken, maar ze vond hem niet.

'Valeria?' vroeg Quintus. 'Wat is er?'

'Kom, ik zal je vasthouden,' zei ze en verborg haar eigen angst en paniek. 'Samen overleven we deze nacht wel. Daar gaat het nu om. Morgen zien we wel weer.'

En wat er ook gebeurde, beloofde ze zichzelf, ze zou zorgen dat ze in Rome kwamen. Hoe dan ook.

✠ ✠ ✠

Florus merkte dat hij half dronken was; hij had grote moeite om de deur open te krijgen. Intussen bleef hij brullen dat de bewakers hem zijn zwaard moesten brengen. Toen de deur eindelijk open ging, was hij woest van verrukking omdat hij drie bewakers zag staan.

Maar geen zwaard.

Florus knipperde met zijn ogen en vroeg zich af of hij zo grondig beneveld was dat hij in het licht van de olielampen van de vestibule een visioen zag.

'Als ik het goed begrijp, heb je bevel gegeven de soldaten

morgenochtend de stad uit te sturen,' zei de man die achter zijn bewakers stond.

'Gallus Sergius Vitas!'

'Door Nero gezonden,' antwoordde Vitas rustig, met zijn armen over elkaar. 'De keizer zal blij zijn als hij hoort hoe terughoudend je bent. Het is moeilijk belasting te heffen over een gebied als de vertegenwoordiger van Rome zich overduidelijk schuldig maakt aan het uitlokken van oorlog.'

Florus knipperde nog eens met zijn ogen. Gallus Sergius Vitas! Misschien zou er ondanks Bernices verraad nog iets goeds uit deze nacht voortkomen. Vitas was zowaar naar hem toe gekomen, als een insect dat in een spinnenweb vliegt.

'Bewakers,' brabbelde Florus dronken. 'Grijp hem!'

Vitas zou morgen dood zijn. Geen bedreiging meer voor Florus.

De bewakers weken uiteen en Vitas stapte naar voren.

'Bewakers!' Florus, die bijna een beroerte kreeg van woede, realiseerde zich dat zijn speeksel rondspatte terwijl hij schreeuwde.

'Bewakers!'

'Stel je voor,' zei Vitas, 'hoe opgelucht ik was toen ik ontdekte dat twee van jouw centurio's samen met Titus en mij in Brittannië gediend hebben.'

'Bewakers!'

'Stel je voor,' vervolgde Vitas, 'hoe blij zij waren toen ze hoorden dat ik hen kon laten overplaatsen naar de stadspolitie van Rome. Een gemakkelijk leven, hoger loon. Dat heb ik voor hen geregeld.'

'Bewakers!'

'Doe geen moeite,' zei Vitas. 'Ze hebben het raadsbesluit van Nero gelezen, waarin mij recht op veilige doortocht door het Romeinse rijk wordt verleend.'

Florus wankelde achteruit en leunde tegen de deur.

Het ergste was gebeurd. Zodra Vitas naar Rome terugkeerde, zou Nero Florus terugroepen als procurator. Hij zou op zijn minst in ongenade vallen. Waarschijnlijker was dat hij ter dood gebracht zou worden.

Vitas duwde Florus opzij; Florus wankelde weer en verloor bijna zijn evenwicht.

'Koningin Bernice,' hoorde hij Vitas zeggen, 'ik neem aan dat u klaar bent om naar het paleis en naar uw volk terug te keren?'

TWEEËNTWINTIG MAANDEN
NA HET BEGIN VAN DE
GROTE VERDRUKKING
[66 NA CHRISTUS]

ROME

HOOFDSTAD VAN HET RIJK

Hier komt het aan op wijsheid.
Laat ieder die inzicht heeft
het getal van het beest ontcijferen;
er wordt een mens mee aangeduid.
Het getal is zeshonderdzesenzestig.

– Openbaring 13:18

VENUS

HORA SEXTA

'We moeten het eens over Vitas hebben,' zei Helius. 'Tenslotte is hij pas terug in Rome na een lange vakantie met zijn nieuwbakken echtgenote.'

'De onomkoopbare Vitas?' sneerde Tigellinus; hij rochelde luidruchtig en spuwde toen op de schone marmeren vloer van de paleiszaal.

Helius wendde zijn ogen af. 'Soms,' zei hij schalks, 'is onomkoopbaarheid gemakkelijker te verdragen dan walgelijkheid.'

'En soms is onomkoopbaarheid gemakkelijker te verdragen dan ongefundeerd snobisme. Waarom wil je over Vitas praten? Hij is terug om ons het leven zuur te maken als ons geweten – waar we nooit om gevraagd hebben; hoe minder ik aan hem herinnerd word, hoe liever. Heb je zijn verslagen over Florus en de Joden gelezen? Als Nero daarvan hoort, verliezen jij en ik een aanzienlijk deel van ons inkomen.'

Helius raakte Tigellinus' elleboog even aan en wees op een overdekte galerij die naar een tuin leidde. 'Laten we naar een veilige plek gaan om te praten.'

Tigellinus haalde zijn schouders op. Volgde hem.

In de tuin was het aangenaam; het was een bijzonder warme ochtend voor december.

'Wat ik zo ironisch vind,' begon Helius, 'is dat wij geteisterd worden door een onomkoopbare man, terwijl Nero in feite bijna elke verdorvenheid die de mensheid kent, tolereert.'

'Jij kunt het weten,' zei Tigellinus grijnzend.

'Wíj kunnen het weten.'

Tigellinus haalde weer zijn schouders op, bescheiden. 'Ik weet zeker dat Nero Vitas alleen maar zo veel macht geeft als tegenwicht voor ons.'

'Gaf,' zei Helius.

Het duurde een tijdje voordat Tigellinus hem begreep. 'Gaf? Vitas macht gáf?'

'Ja, mijn liederlijke vriend.' Ondanks zijn kieskeurigheid voelde Helius oprechte genegenheid voor Tigellinus en hij wist dat dit wederzijds was. 'Wat is het enige dat Nero nooit zal tolereren?'

'Verraad.'

'Daar hoefde je niet eens over na te denken.'

'Omdat het waar is, dat weet je. Maar Vitas zou Nero nooit verraden.'

Helius glimlachte.

Tigellinus fronste zijn wenkbrauwen. 'Je suggereert toch niet...?'

'Dat de onomkoopbare Vitas eindelijk een misstap begaan heeft?'

Tigellinus grijnsde. 'Dat suggereer je wel degelijk. Ik zie het aan je gezicht. Als je een kat was, zou je je snorharen likken. Wat is het?'

'Een vrouw.'

'Even,' zei Tigellinus zichtbaar teleurgesteld, 'dacht ik dat je echt iets had. Het kan Nero niet schelen of Vitas die nieuwbakken echtgenote van hem ontrouw is. Nero zou dat toejuichen.'

'Die nieuwbakken echtgenote van hem,' zei Helius, 'is christen.'

Tigellinus was bezig zich van Helius af te wenden, maar nu keerde hij zich op zijn hakken om. Hij kneep zijn ogen tot spleetjes en keek Helius verbijsterd aan.

'Miauw,' zei Helius en deed of hij aan zijn handen likte, als een kat die zich wast.

'Is die Jodin waar hij mee getrouwd is christen?' herhaalde Tigellinus.

Helius knikte. 'Een van de slaven die bij hun familie in dienst is, vertelde dat nieuwtje vandaag aan Nero.'

'Heeft Vitas zich al tot haar geloof bekeerd?'

'Nee. Dat zou te mooi zijn om waar te zijn. Maar het feit dat Vitas een christen in zijn eigen huis haalt, is genoeg om hem in Nero's ogen tot een verrader te maken. Stel je voor wat het gepeupel zou zeggen als het uitlekt! Na alles wat Nero gedaan heeft om de christenen met wortel en tak uit te roeien, doet iemand uit zijn naaste omgeving het omgekeerde.'

'Stel je voor!' Tigellinus grijnsde als een wolf; zijn tanden glinsterden. 'En stel je voor welk effect dat heeft op de geloofwaardigheid van de verslagen die Vitas ons over Florus uitgebracht heeft.'

'Tigellinus,' zei Helius, 'die verslagen komen niet eens aan het licht. Zodra Vitas dood is, is het toch helemaal niet nodig ze aan Nero door te geven? En Florus zal onze beurs blijven spekken zo lang wij zijn zaak bij de keizer steunen.'

'Prachtig,' zei Tigellinus. 'Zullen we erom dobbelen wie het genoegen heeft Vitas te vertellen dat hij uitgenodigd is voor de gevangenis onder het amfitheater?'

'Niet zo snel.'

'Laat Nero hem in leven? Nee toch!'

'Nero heeft een ander lot voor hem in gedachten. Zou het niet leuker zijn om Vitas zijn land, geld en reputatie af te nemen vóórdat hij ter dood gebracht wordt?'

'En zijn vrouw?'

'Dat is zo geniaal aan Nero's plan,' zei Helius. 'Met haar wordt ook netjes afgerekend.' Hij legde Nero's plan uit.

'Ja, zeg dat wel!' Tigellinus stompte Helius op zijn rug van verrukking toen die klaar was met zijn verhaal. 'Iucunda macula est ex inimici sanguine.'

Wat een aangename vlek maakt het bloed van een vijand.

✠ ✠ ✠

'Welkom terug, broer.' Vitas haastte zich door de tuin om Damianus te omhelzen.

'Zou ik dat niet tegen jou moeten zeggen?' Damianus beantwoordde zijn omhelzing. 'Dit is toch de eerste week dat je weer in Rome bent? En ík heb alleen maar een armzalige slaaf voor de arena meegenomen van mijn reizen. Jij bent teruggekeerd met een echtgenote.'

'Sophia,' zei Vitas. Dat ene woord vulde hem altijd opnieuw met een bedwelmend mengsel van emoties. Sophia. Romeinen werden geacht te trouwen omwille van financieel of politiek voordeel. Vitas voelde zich gezegend omdat haar aanwezigheid in zijn leven zo veel meer betekende. En hij vond het ironisch dat hij dat nu als een zegening beschouwde; hoezeer hij ook weerstand wilde bieden, de rustige uitingen van haar geloof in de enige waarachtige God trokken hemzelf steeds meer in de richting van dat geloof.

Vitas knipperde met zijn ogen en besefte dat Damianus hem met een vorsende, geamuseerde blik gadesloeg.

'Ze heeft echt je hart, hè?' zei Damianus. 'En kloppen de geruchten? Zij is de Jodin die je in Smyrna gered hebt, klopt dat? Die je daarna naar Jeruzalem gevolgd bent?'

'En kloppen de geruchten over jou? Ben jij zo'n onvergelijkelijke slavenjager?'

'Verander je nu van onderwerp?'

'Verander jij van onderwerp?'

Ze schoten allebei in de lach. Vitas wees op een bank in de schaduw van een boom.

Toen ze zaten, werd Damianus' gezicht wat minder vrolijk. 'Hoe zit het met Maglorius? Klopt het dat hij de oude Bellator heeft vermoord en nu op de vlucht is?'

Ook Vitas werd ernstig. 'Het klopt dat hij daarvan beschuldigd wordt. En het klopt dat hij in Jeruzalem verdwenen is.'

'Jij weet vast meer, hè?'

'Alypia is nu in Rome, heb ik gehoord, en heeft de leiding over Bellators landgoed.'

Damianus grijnsde. 'Haar herinner ik me heel goed. Nu zit ze zonder echtgenoot, zeg je?'

Vitas huiverde. 'Blijf uit haar buurt, Damianus. Die vrouw zou je ziel roven.'

'Maglorius heeft haar overleefd.'

'En is nu voortvluchtig. Hij –' Vitas zweeg even. 'Je bent toch niet ingehuurd om hém te zoeken?'

'Nee, maar je vindt het vast interessant te horen wie me heeft ingehuurd zodra ik de stad weer binnen stapte.' Damianus wuifde de vraag weg voordat Vitas die kon stellen. 'Eerst Maglorius.'

'Bellator liet twee kinderen achter. Een bijna volwassen dochter en een zoontje. Ook zij zijn tijdens de rellen in Jeruzalem verdwenen. Ik ben er van overtuigd dat Maglorius daar nog naar hen op zoek is.'

'En zijn eigen zoon? Bij Alypia?'

Vitas keek om zich heen voor hij antwoordde, hoewel hij wist dat ze in de tuin volkomen afgezonderd waren. 'De jongen heet Sabinus. Hij woont bij ons, maar dat is een zaak waar we buitengewoon discreet in moeten zijn.'

'Natuurlijk. Ik zal niets zeggen.'

'Sophia heeft beloofd voor de jongen te zorgen tot Maglorius terug kan komen.'

Damianus schudde zijn hoofd. 'Daar ga je weer. Je bent allerlei zwervers aan het verzamelen.'

Vitas dacht aan de oude Jood die ook bij hen in huis was. 'Je weet de helft nog niet. Maar we hebben geld genoeg. Waarom niet?'

Damianus haalde zijn schouders op.

Vitas vroeg: 'Vertel eens, broer, wie heeft je nu ingehuurd?'

'Om te beginnen,' zei Damianus, 'wil ik je bedanken omdat je me aan deze loopbaan geholpen hebt. Ik merk dat ik heel geschikt ben om op slaven te jagen.'

'Waarschijnlijk omdat het nog steeds een shockerende onderneming is voor de echt respectabele families in Rome.'

Damianus lachte. 'Natuurlijk.'

'En wie is degene die je heeft ingehuurd?'

'Ik weet zeker dat je daar toch wel achter zou komen zodra je in het keizerlijk paleis terug bent,' zei Damianus. 'Helius.'

'Helius?'

'Ja. En hij heeft een grote beloning geboden als ik die man vind. Dat zou jij ook interessant kunnen vinden, aangezien de voortvluchtige een Jood is. Ik moest strikte geheimhouding beloven. Maar aangezien je het toch binnenkort van Helius hoort...'

'Wie zou Helius in vredesnaam zo graag in handen willen hebben?'

'Hij heet Johannes. Zoon van Zebedeüs. Schijnt te beweren dat hij een van de discipelen van Jezus is.'

'Ik heb van hem gehoord,' zei Vitas rustig. Hij moest voorzichtig zijn en zorgen dat de verschillende nieuwe emoties die nu bij hem opkwamen niet op zijn gezicht te lezen waren. Hij wist hoe belangrijk Sophia's geloof voor haar was. Hoe kon hij haar vertellen dat zijn eigen broer op het punt stond zich bij de vervolgers te voegen? Erger nog: dat hij jacht maakte op de laatste nog levende discipel van Jezus!

'Hoe kun jij in vredesnaam van hem gehoord hebben?' vroeg Damianus.

Dat moest Vitas voor zijn broer verzwijgen. Om Sophia te beschermen. Vitas wilde zich niet verdiepen in wat er zou gebeuren als Helius of Tigellinus haar geloof ontdekte.

'Hij is dc schrijver van een brief die onder de christenen de ronde doet,' antwoordde Vitas. 'Die brief heeft Nero nogal wat narigheid bezorgd.'

Dat was een van de weinige dingen die hij voor Sophia verborgen hield. Dat Helius en Tigellinus met Vitas over die brief gesproken hadden als gold het een bedreiging, waarmee ze op de een of andere manier moesten afrekenen. Af en toe – vaak – haatte Vitas het geloof van Sophia omdat het hun huwelijksgeluk in gevaar zou kunnen brengen.

'Ik heb niets over die brief gehoord.' Damianus leunde voorover, opeens meer professionele mensenjager dan broer.

'Dat wil Helius zo,' antwoordde Vitas.

'Vertel eens wat meer.'

Vitas aarzelde. Helius had blijkbaar zijn beweegredenen om Damianus achter Johannes aan te sturen. Als Helius Damianus geen informatie over de brief had gegeven, had hij ook daar een reden voor. Vitas kon er slechts naar raden: als Damianus van de brief afwist, zou dat op een dag tegen Helius gebruikt kunnen worden. Maar Damianus was zijn broer. Misschien zou die informatie Damianus ooit bescherming kunnen bieden. Vitas nam een besluit. 'Dit is wat ik weet,' zei hij en begon te vertellen.

Een kwartier later kwam Sophia de tuin binnen; de broers onderbraken hun gesprek.

Vitas stond glimlachend op.

Sophia! Ze was gekleed als een Romeinse echtgenote en haar haar was door dienstmeisjes gekapt.

Wat een schoonheid! Zijn hart hunkerde naar haar, vooral als hij bedacht dat zij evenveel van hem hield als hij van haar.

'Damianus,' zei Vitas, 'mag ik –'

'We hebben elkaar al ontmoet,' zei Damianus terwijl hij opstond. Hij omhelsde haar. 'Weet je nog? Smyrna? Die lange bootreis waarvan mijn broer elk ogenblik dat hij wakker was met jou doorbracht en waarschijnlijk elk ogenblik dat hij sliep van je droomde?'

'Ik wilde haar aan je voorstellen als mijn vrouw,' zei Vitas.

'Ik ben niet zo dol op formaliteiten,' zei Damianus. Hij wendde zich tot Sophia. 'Welkom in de familie, hoe klein die ook is.'

Sophia leunde naar Vitas toe en fluisterde hem iets in het oor.

'Echt waar?' vroeg Vitas. 'Maak je geen grapje?'

'Echt waar,' antwoordde ze met een stralende glimlach.

'En mag ik het aan Damianus vertellen?' vroeg Vitas haar.

Ze knikte.

'Broer,' zei Vitas, 'onze familie zal niet zo klein blijven. Binnenkort word je oom.'

'Gefeliciteerd!'

Vitas zag dat Damianus het van harte meende.

Dit was de mooiste dag van zijn leven.

Zolang Vitas tenminste niet dacht aan het feit dat zijn broer op het punt stond jacht te maken op Johannes, de laatste discipel.

Terwijl Vitas daar in de tuin stond, met zijn arm om Sophia heen, vroeg hij zich af of hij op de een of andere manier – misschien door voor het eerst van zijn leven Tigellinus en Helius een politieke gunst te verlenen – hen kon overhalen die achtervolging te staken. Zonder te onthullen dat zijn eigen vrouw een volgeling van Jezus was, natuurlijk. Want dat zou voor hen allebei de dood betekenen.

✠ ✠ ✠

'Ken je mij nog?'

Lea had de plaats voor deze confrontatie zorgvuldig uitgekozen. Een drukke markt. Vol concurrerende verkopers van wijn, levende kippen, aardewerk en verse groenten, die allemaal schreeuwden om aandacht. Hier in het openbaar zouden ze even onbespied zijn als op een binnenplaats, alsof ze onder vier ogen sprak met de slaaf die ze na een half jaar zoeken eindelijk gevonden had. Op dit plein, waar honderden mensen van de ene verkoper naar de andere sjokten, was ze even veilig als wanneer ze door tien soldaten beschermd werd.

Ze had zojuist de elleboog van de slaaf aangeraakt; toen hij zich omdraaide, wierp ze een blik op zijn voorhoofd, keek hem recht in de ogen en stelde haar vraag.

'Ken je mij nog?' herhaalde ze. Ze wist dat dit de juiste man was. Weliswaar was er niets bijzonders te zien aan zijn lichaamsbouw of gelaatstrekken, maar het brandmerk op zijn voorhoofd was onvergetelijk: een driehoek met een cirkel in het midden.

Het brandmerk van de slaaf was even onvergetelijk als de omstandigheden waardoor hij voor het eerst in haar leven verschenen was.

'Natan, de zoon van Hezron, was mijn broer. Een week na zijn dood...'

Lea haalde diep adem. Het was nog steeds een smartelijke herinnering. Alsof Natan gisteren de marteldood gestorven was. Niet maanden geleden. Een jaar zelfs.

'Een week na Natans dood,' zei ze, 'verscheen jij om de brieven te halen die hij in ons huis verstopt had. Je tekende het Griekse symbool, sprak het wachtwoord uit waar Natan me over verteld had, nam de brieven mee en vertrok zonder te spreken.'

De man knipperde met zijn ogen. 'Nee. Dat was ik niet.' Maar zijn gezicht verstrakte enigszins.

Lea wist dat hij loog. 'Secundus Nigilius Barbatus,' zei ze.

Hij verstrakte weer.

'Hij is de voormalige gouverneur van Griekenland,' vervolgde ze. Ze wees op het brandmerk op zijn voorhoofd. 'Zoals iedereen duidelijk kan zien, ben jij als slaaf in dienst in zijn huis. Je bent zijn beheerder en hebt de leiding over huishoudelijke zaken. Daarom kun je vrijuit over deze markt zwerven, neem ik aan.'

Hij schudde ontkennend zijn hoofd.

'Jij heet Cornelius,' zei ze. 'Het heeft me maanden gekost om erachter te komen welke Romein het driehoekige brandmerk voor zijn slaven gebruikt – en toen nog weken om jou te vinden.'

'Ik heb geen tijd voor kletspraatjes met een vreemde vrouw,' zei hij. 'Neem me niet kwalijk...' Hij probeerde haar opzij te duwen. Hij was ongeveer even lang als zij en nauwelijks breder van postuur; het lukte hem niet.

'Ik weet wie je bent,' zei Lea. 'Ik wil antwoord op mijn vragen hebben. Dus probeer niet voor me te vluchten. Dan ga ik gillen dat je me beroofd hebt.'

Hij keek van links naar rechts, alsof hij zijn kans probeerde in te schatten. Maar zij had het goed berekend. Te veel mensen. Als hij begon te rennen, zou het er veel te verdacht uitzien.

'Ik wil antwoorden,' zei Lea. 'Jij bent een van hen. Als je niet praat, geef ik je aan bij de autoriteiten. En je weet precies waarvan ik je zal beschuldigen. Opruiing. Dan sterf je op dezelfde manier als mijn broer Natan. In de arena.'

'Dit is gewoon belachelijk,' antwoordde hij. Zonder overtuiging.

Ze keek hem recht aan. 'Ik zou op dit moment om hulp kunnen gillen. Ik weet zeker dat de soldaten van het cohort aan het eind van de markt bijzonder geïnteresseerd zullen zijn in wat ik over jou te vertellen heb.'

Een ogenblik later liet hij berustend zijn schouders zakken. 'Goed dan. Wat wil je weten?'

HORA SEPTIMA

'Ben jij een volgeling van de Waarheid?'

Het was een gevaarlijke vraag. Daar had Chayim, de zoon van Ben-Aryeh, niet op gerekend. Hem was gevraagd naar de kleine tuin aan het meer op het terrein van Nero's Gouden Huis te komen.

Chayim zat op een bank in de schaduw, tegenover de bank met de twee die hem hadden uitgenodigd. Helius. Tigellinus.

'Dat ben ik zeer beslist niet,' zei Chayim en probeerde niet te laten merken dat zijn mond opeens kurkdroog was.

Helius en Tigellinus zeiden niets op Chayims heftige ontkenning van geloof in Christus. Ze keken hem alleen doordringend aan en glimlachten. Helius was beschaafd, poeslief, innemend.

'Vraag maar aan mijn slaven,' zei Chayim snel. 'Vraag maar aan iedereen in het paleis. Ik ga 's avonds niet weg. Al mijn kennissen staan bekend om hun trouw aan de keizer. Ik ben geen volgeling van de Waarheid.'

'Goed hoor,' zei Helius op zijn vage, dubbelzinnige manier. Zonder inleiding wendde hij zich tot Tigellinus. 'Zullen we het probleem bespreken dat Antonia's weigering om te trouwen veroorzaakt?'

'Dat is geen probleem,' gromde Tigellinus alsof Chayim niet op de bank tegenover hen zat. 'Nero heeft mij al bevolen haar te laten doden. Hij is woedend omdat ze hem afgewezen heeft.'

'Dat spreekt voor zich,' antwoordde Helius. 'Ons probleem is de kwestie hoe we haar executie aan het gepeupel moeten presenteren. De meesten zullen denken dat Nero eenvoudig probeert van de laatste afstammeling van Claudius af te komen.'

Een paar maanden geleden had Nero Poppaea, zijn vorige echtgenote, in een vlaag van razernij doodgeschopt toen ze hem berispte omdat hij te laat thuis kwam van de wagenrennen. Tegelijk met Nero's vrouw was haar ongeboren kind gestorven. Dat was uiteraard de reden waarom Nero nu op zoek was naar een nieuwe echtgenote.

Ondanks dit alles was er een dwingende reden voor Antonia om zijn aanzoek aan te nemen: Nero nam wat Nero wilde.

'Antonia?' zei Helius. 'Het was dwaas dat ze hem afwees. We zullen haar openlijk beschuldigen. Er zijn al geruchten in omloop gebracht dat ze bereid was voor Piso te kiezen als zijn complot tegen Nero geslaagd zou zijn.'

Tigellinus haalde zijn schouders op. 'Wat dan ook. Ik zal een brief laten opstellen waarin ze wordt verzocht haar aderen open te snijden.'

Helius lachte. 'Ze kan het beter wat doeltreffender aanpakken dan haar halfzus.'

Octavia, de halfzus van Antonia en tevens de eerste echtgenote van Nero, was te langzaam gestorven naar de zin van de soldaat die haar moest doden. Haar aderen waren opengesneden, maar door haar doodsangst stroomde het bloed langzamer; daarom was ze gewurgd en zo hard geslagen dat haar hoofd onherkenbaar was toen Poppaea dat eindelijk ontving.

'Ik vind het verrukkelijk dat je over Piso begint,' zei Helius, 'want dat brengt me op een andere kwestie. Gallus Vitas.'

Tigellinus zuchtte. 'Laten we die vervelende zaken snel afhandelen. Ik moet nog naar de wagenrennen.'

Chayim vroeg zich af waarom ze hier zo openlijk over spraken waar hij bijzat. Na die geheimzinnige vraag of hij een volgeling van de Waarheid was. Wilden ze hem laten zien dat ze hun immorele macht zo frank en vrij konden uitoefenen?

'Nero heeft al over Vitas' lot beslist,' zei Tigellinus. 'Waarom zeur je zo aan mijn hoofd over kleinigheden?'

'Je moet me soldaten geven om naar zijn landgoed te sturen,' zei Helius. 'Ik weet dat zijn slaven extreem loyaal aan hem zijn. We moeten ons ervan verzekeren dat alles meegenomen wordt.'

Chayim wist dat dat waar was. De laatste tijd waren Nero's instructies bij het benoemen van een rechterlijk ambtenaar onveranderlijk eenvoudig: 'Je weet wat mijn behoeften zijn. Laten we zorgen dat niemand iets overhoudt.'

'Bovendien,' vervolgde Helius, 'heeft Nero ons gevraagd een reden voor zijn executie te bedenken om die aan de senaat voor te stellen. Het bericht zal na vanavond snel uitlekken en ik heb liever niet dat het gepeupel weet dat Vitas de christenen steunt –'

'Steunde,' zei Tigellinus welwillend. 'Wen er vast aan in de verleden tijd over Vitas te spreken.'

Helius grijnsde. 'Natuurlijk. Wat de reden erachter betreft: ik zou graag willen suggereren dat Vitas met Piso samenwerkte. Dat complot tegen Nero was een eindeloos spinnenweb. Maakt het iets uit of Vitas er ook feitelijk deel van uitmaakte?'

Tigellinus zag blijkbaar geen reden om te protesteren.

Helius wendde zich tot Chayim. 'Nero heeft Vitas en zijn vrouw uitgenodigd voor het diner van vanavond. Het behaagt Nero iets te imiteren dat Caligula af en toe bij soortgelijke feestmalen deed. Ik denk dat jij het wel amusant zult vinden.'

Helius legde de rest van de details uit; Chayim was gedwongen te luisteren, terwijl hij zich nog altijd afvroeg waarom ze het bespraken waar hij bij was.

'We kunnen maar beter uitstekende bewakers laten dienstdoen,' zei Tigellinus. 'Vitas heeft een opmerkelijke reputatie als soldaat.'

'Natuurlijk,' zei Helius. 'Dat spreekt voor zich.'

'Houd je mond dan,' snauwde Tigellinus. Hij stond plotseling op. 'Handel jij de rest maar af.' Hij liep met grote stappen weg zonder hen te groeten.

'Wat een barbaar, vind je niet?' merkte Helius kritisch op

tegen Chayim. 'Ik vind zijn onvoorspelbaarheid zo aantrekkelijk.'

Chayim hoopte dat Helius hém niet aantrekkelijk vond. Behalve zij beiden was er niemand in de enorme tuin.

'Ben je geen volgeling van de Waarheid?'

'Nee.' Chayim zorgde dat zijn stem niet beefde.

'Dat is natuurlijk mooi. Tigellinus en ik – tja, je hebt misschien al begrepen dat we doeltreffend afrekenen met kwesties die Nero verontrusten. Het zou Nero verontrusten als een lid van zijn hofhouding opstandig was, op welke manier dan ook.'

Ja, daarom hadden ze zo vrijuit gesproken. Om hem hun dodelijke macht te tonen.

'Heb jij een munt?' vroeg Helius.

De plotselinge wendingen in het gesprek verbijsterden Chayim en brachten hem telkens uit zijn evenwicht. Hij vermoedde dat ook dat opzettelijk gebeurde.

Chayim tastte naar zijn geld en merkte dat zijn handen beefden. Ja, hij was bang.

'Kijk naar het portret van de keizer,' instrueerde Helius. 'Wat houdt hij vast?'

Chayim bekeek de munt nauwkeurig. Op de achterkant was Nero gegraveerd. Hij hield zeven sterren in zijn handen.

Helius knikte toen Chayim hem daarop wees. 'En hoewel jij een Jood bent, begrijp je de betekenis van die zeven sterren best. Toch?'

Nu knikte Chayim.

'Leg het eens uit,' zei Helius.

'Rome heeft zeven heuvels. Sterren zijn hemellichamen. Nero...' Chayim weifelde. Alle godsdienstige opvoeding uit zijn jeugd drong hem te zeggen dat Nero aanspraak maakte op goddelijkheid. Maar beweren dat Nero geen god was, betekende de dood. Vooral in aanwezigheid van Helius.

Chayim koos het leven. 'Nero is goddelijk. Hij houdt de zeven sterren in zijn hand.'

Helius glimlachte. Alsof deze vraag een soort test geweest was.

Chayim zette zijn gewetensbezwaren over het verloochenen van de enige waarachtige God van zijn vader en zijn volk opzij.

'Dus je bent met me eens,' zei Helius, 'dat het hoogverraad zou zijn als een ander mens, waar ook ter wereld, beweert die zeven sterren in zijn rechterhand te houden? Dat die man in wezen aanspraak zou maken op Nero's goddelijkheid?'

'Ja, zeker,' zei Chayim; hij voelde zich weer op veilig terrein. Hij had nog nooit gehoord van iemand die dat beweerde.

'Dat brengt me bij ons probleempje,' zei Helius. 'Ik heb geruchten gehoord over een nieuwe brief die onder de volgelingen van de Waarheid de ronde doet. Een openbaring noemen ze het, waarin een leider wordt beschreven die zeven sterren in zijn rechterhand houdt. Beslist een verraderlijke brief, vind je ook niet?' Helius glimlachte; hij zag eruit als een kat die zojuist zijn snorharen gelikt had. 'Als jij een volgeling geweest was, zouden Tigellinus en ik je hebben laten martelen om meer over die beweringen te weten te komen. Dat zou ons wat tijd bespaard hebben. En het zou natuurlijk voor amusement gezorgd hebben. Nero zelf zou toegekeken hebben. Niet iedereen krijgt het voorrecht Nero te mogen vermaken, weet je.'

'Ik ben geen volgeling!' zei Chayim heftig.

'Dat heb je me verteld.' Helius leek zich uitstekend te vermaken. 'En je kunt er zeker van zijn dat ik dat evenmin ben. Of Tigellinus. Maar dat brengt me op een ander probleem. Wij zijn Nero's beschermers. Op zijn bevel moeten we over deze zaak alles uitzoeken wat we maar kunnen. Ik heb een afschrift van die brief bemachtigd. Ik kan hem lezen, omdat hij in het Grieks geschreven is, maar toch is de brief niet helemaal duidelijk, neem dat van mij aan.'

Chayim trok onzeker zijn wenkbrauwen omhoog; Helius merkte dat onmiddellijk op.

'Er zijn nogal wat gedeeltes die uitleg behoeven,' zei Helius. 'Ik geloof echter dat een volledig begrip van de brief Nero nog een legitieme reden zal bezorgen om de christenen te vervolgen.'

'Ik begrijp het.'

'Ben je bang voor onze wreedheid?'

'Ja.'

'Doodsbang?'

'Ja.'

'Mooi.' Helius stond op en begon langzaam heen en weer te lopen. 'Dit is je kans, Chayim. Ik wil –'

'Ik ben niet goed in Grieks,' zei Chayim. 'Ik zal mijn best doen om het te vertalen, maar –'

'Je moet me niet in de rede vallen. Bied je excuses aan. Kniel en bied je excuses aan.'

Gloeiend van vernedering liet Chayim zich op zijn knieën zakken. 'Het spijt me dat ik u beledigd heb.'

'Geeft niets. Blijf op je knieën zitten en luister.' Helius ging verder alsof er niets gebeurd was. 'Nu heb je de kans om Nero een wederdienst te bewijzen voor je gemakkelijke leventje in het paleis.'

'Hoe –' Chayim deed zijn mond snel weer dicht, zich zeer bewust van zijn verontschuldiging en het feit dat hij nog altijd op zijn knieën zat.

'Je bent een snelle leerling,' prees Helius. 'Ik zal mijn verhaal afmaken. Zie je, als ik volgelingen van de Waarheid laat martelen en ondervragen over deze brief in plaats van hen gewoon te laten martelen en doden, lijkt het in Rome dat we hun verraad werkelijk vrezen. Nee, ik wil dat het discreet gebeurt. En zo kun jij Nero dienen.' Hij zweeg even. 'Als je daar tenminste belangstelling voor hebt.'

Chayims tong voelde aan als een blok hout. 'Het zal mij een groot genoegen zijn als ik kan helpen.'

'Mooi, mooi. Je weet wat er gebeurt met degenen die Nero afwijzen.' Helius stak zijn hand uit om Chayim overeind te helpen. 'Nu je Nero's vriend bent,' zei hij, 'moet je vanavond maar met ons meegaan naar een intiem dinertje. Ik weet zeker dat je het amusant zult vinden te zien wat Vitas te wachten staat.'

Chayim boog om aan te geven dat hij de uitnodiging accepteerde.

'O, ja,' zei Helius, 'over die zaak van de zeven sterren...'

Chayim hief zijn hoofd. Ontdekte dat die katachtige ogen naar de zijne keken.

'We hebben een spion nodig, een infiltrator, een Jood die zich tussen andere Joden begeeft om ons een volledige uitleg van de brief te bezorgen,' zei Helius. 'Jij, vriend, moet je voordoen als een volgeling van de Waarheid.'

✠ ✠ ✠

'Als de beloning groot genoeg is, kan ik u vertellen waar u degene op wie u nu jacht maakt, kunt vinden.'

Bij deze woorden keek Damianus op van de oninteressante aanblik van zweet dat van zijn voorhoofd op zijn knieën droop. Hij zat op een bank in het openbare badhuis, met niet meer dan een handdoek om zijn middel. Achter hem stond Hiëronymus, een forse slaaf met een kaalgeschoren hoofd, Damianus' schouders te masseren. En nu stond de vreemdeling die zojuist naar hem toe gekomen was recht voor hem.

'Degene op wie ik jacht maak,' herhaalde Damianus ongeïnteresseerd.

Het was midden op de ochtend; rond deze tijd was het altijd rustig in het badhuis. Damianus kwam altijd 's morgens, omdat hij dan gemakkelijker te vinden was in de stoom dan later op de dag als het badhuis vol was.

'Gisteren,' begon de man, 'hebt u de meester van mijn huis bezocht; u vroeg naar –'

'Kom dichterbij,' beval Damianus. Tussen de slierten stoom door had hij iets op het voorhoofd van de man gezien; een litteken misschien.

De man gehoorzaamde zonder meer; dat was de tweede indicatie dat hij een slaaf zou kunnen zijn die gewend was bevelen van een Romein aan te nemen.

Damianus stond van de bank op om de man nog wat beter te bekijken en zijn vermoeden over de identiteit van de ander te bevestigen. 'Heb je toestemming van Barbatus om hier te komen?' vroeg hij.

'Ik heb niet gezegd wie mijn meester –'

'Denk niet dat ik achterlijk ben,' gromde Damianus. 'Zijn merk staat duidelijk op je voorhoofd.'

De slaaf was veel kleiner dan Damianus. Hij had een mager gezicht en Damianus vermoedde dat de man beheerder of arts was, omdat hij niet gespierd was. Behalve het litteken van het brandijzer – een driehoek met een cirkel in het midden – dat vroeger op zijn voorhoofd gedrukt was om hem te merken, waren er geen zichtbare tekenen van verwonding, die op een leven van zware lichamelijke arbeid zouden wijzen.

Als Damianus op enig gebied expert was, dan wel op het gebied van slaven. Waarschijnlijk kon hij zo voor de vuist weg honderden brandmerken van verschillende Romeinse patriciërsfamilies herkennen. Het patroon van de driehoek met de cirkel in het midden behoorde aan Secundus Nigilius Barbatus, de man die vroeger de prestigieuze functie van gouverneur van Griekenland had bekleed.

Toen de man aarzelde, sprak Damianus weer. 'Lieg niet tegen me. Als Barbatus een boodschap wilde overbrengen, zou hij een draagstoel gestuurd hebben om me op te halen en het me zelf vertellen.'

Hiëronymus hield op met het masseren van Damianus' rug en legde nog een handdoek om zijn schouders. Damianus reageerde hier niet op; slaven verwachtten geen hoffelijkheid.

'Je bent al in het nadeel,' zei hij tegen de slaaf die voor hem stond. 'Als ik Barbatus vertel dat je het huis uitgewandeld bent, zal hij je als ontsnapte slaaf beschouwen.'

Wat onuitgesproken bleef, omdat het niet gezegd hoefde te worden, was dat Barbatus de voortvluchtige slaaf onmiddellijk kon laten doden – of, erger nog: naar de arena laten sturen.

'Ik ben een betrouwbaar beheerder,' antwoordde de slaaf met plotselinge trots. 'Ik kan gaan en staan waar ik wil.'

'Dus hij weet dat je mij polst over de beloning die ik gisteren aangeboden heb?'

'Natuurlijk niet,' zei de slaaf.

'Ik betwijfel of Barbatus deze heimelijke daad zou waarderen. En hij staat erom bekend dat hij degenen die hem ongehoorzaam zijn streng bestraft. Vertel me wat ik weten moet, anders zul je zijn toorn onder ogen moeten zien.'

'Zou er ooit nog een slaaf hier naar u toe komen als u mij laat straffen?' vroeg de slaaf.

Damianus grijnsde. Om dit onverwachte vertoon van vastberadenheid. En om de nieuwe conclusie die hij hieruit kon trekken. De slaaf wist blijkbaar genoeg over Damianus' methodes en reputatie, anders zou hij hem nooit met zoveel vertrouwen benaderen.

'Goed dan,' zei Damianus, 'vertel me tenminste hoe je heet.'

'Cornelius,' antwoordde de slaaf.

'Je weet blijkbaar al van de beloning af. Weet jij waar ik de man die van dat eiland ontsnapt is, kan vinden?'

Strikt genomen was de man op wie Damianus jacht maakte, een Jood die Johannes heette, niet ontsnapt van het kale eiland bij Griekenland waarheen hij verbannen was. Hij was vrijgelaten. Alleen omdat Helius, Nero's secretaris, Damianus had ingehuurd om hem te zoeken, gold hij als voortvluchtig. En volgens de geruchten was de Jood hier in Rome.

Wat zijn gevangenschap op Patmos betreft: Johannes was vrijgelaten omdat een groep rijke, invloedrijke mannen Barbatus benaderd had toen hij gouverneur van Asia was. Griekenland en de bijbehorende eilanden vielen destijds onder zijn rechtsgebied. Damianus had de namen van die mannen gemakkelijk kunnen bemachtigen; Barbatus was tevreden met het feit dat Damianus hem nu een politieke gunst verschuldigd was. Na dat gesprek had Damianus welbewust zijn vertrek uitgesteld en in de tuinen van het landgoed een uitgebreid gesprek gevoerd met een van de slaven, die in de olijfboomgaard aan het werk was. Dat was een van Damianus' gebruikelijke tactieken. De meerderheid van de bevolking werd gevormd door slaven; zij beschikten over een ongelooflijk netwerk van geheime informatie.

'Die beloning is niet genoeg,' zei Cornelius.

'De beloning die ik gisteren aanbood, is ruimschoots voldoende,' zei Damianus.

In feite zou hij bereid zijn het tienvoudige te betalen, maar door dat aan te bieden zou hij hebben laten zien hoe belangrijk deze voortvluchtige was. Daardoor zouden anderen te veel vragen over de Jood kunnen gaan stellen. Helius had benadrukt dat Damianus zijn speurtocht geheim moest houden; als het ooit uitlekte dat Helius Damianus had ingehuurd, zou zelfs de hoge status van Damianus' familie hem niet kunnen beschermen tegen de straf van de keizer.

'Zonder mijn hulp zou het u maanden kunnen kosten om de Jood te vinden,' zei Cornelius. 'Ik weet waar hij is en ik weet genoeg over hem om u te helpen een hinderlaag voor hem te leggen.'

'Wanneer?' vroeg Damianus abrupt.

'Ik kan het morgen regelen en verslag bij u uitbrengen. Johannes kan overmorgen tegen zonsondergang in uw bezit zijn. Dat moet u waardevol genoeg vinden om mij vrij te kopen bij Barbatus.'

'Jouw vrijheid in ruil voor de dood van een ander,' zei Damianus.

Cornelius haalde zijn schouders op. 'Wat hij ook gedaan heeft, als iemand met uw reputatie jacht op hem maakt, betekent dat waarschijnlijk dat hij dat lot verdient.'

'Dus je hebt van mijn reputatie gehoord.'

'Welke slaaf niet? En welke slaaf vreest niet de dag dat u hém zult achtervolgen?'

'Ik zal je vrijkopen,' zei Damianus. 'Nadat ik die man gevangen heb.'

'Vóórdat hij gevangen wordt,' zei Cornelius beslist. 'Johannes is populair onder de slaven. Ik wil van het landgoed van Barbatus verdwenen zijn voordat bekend wordt dat ik hem verraden heb.'

'Dan zul je vandaag nog vrij man zijn. Je kent mijn reputatie, maar ik waarschuw je toch. Als je morgen niet met de beloofde informatie terugkomt, zal ik op jou even meedogenloos jacht maken als op alle anderen.'

Damianus wierp een blik achterom naar de forse, kale man die het masseren van zijn schouders hervat had. Hij had nog een reden om te laten uitlekken dat informanten hem elke ochtend rond deze tijd in het badhuis konden vinden. In het badhuis kon niemand een mes of zwaard verbergen. En in een ongewapend gevecht kon niemand het opnemen tegen Damianus' slaaf.

'Hiëronymus,' zei Damianus, 'geef deze man een voorproefje van wat hem te wachten staat als hij mij teleurstelt.'

Met ongekende behendigheid en snelheid stapte de forse man om Damianus heen en pakte Cornelius stevig bij de keel vast. Met één enorme arm tilde hij de slaaf van de grond.

'Als je liegt,' zei Damianus tegen Cornelius, 'als je niet regelt dat ik de voortvluchtige kan gevangennemen, of als je probeert uit Rome weg te vluchten nadat ik je vrijheid verworven heb, zal Hiëronymus het hoofd van je schouders rukken. Dat brandmerk op je voorhoofd zal het je onmogelijk maken ooit nog in het openbaar te verschijnen als je voorvluchtig wordt. Begrepen?'

Cornelius uitte een hoog gepiep dat klonk als een instemming.

'Mooi,' zei Damianus. Hij gebaarde dat Hiëronymus Cornelius neer moest zetten; de laatste kokhalsde en hapte naar lucht.

'Ga nu,' droeg Damianus de slaaf op. 'Ik verwacht je morgen op dezelfde tijd hier om me te vertellen hoe en waar ik die Johannes kan vinden.'

✠ ✠ ✠

'Ik weet precies wat je me verteld hebt,' zei Vitas tegen Ben-Aryeh. 'Maar nu we in Rome zijn, kom je daar vast op terug.'

Ben-Aryeh zat op een bank op de binnenplaats van Vitas' huis. Zijn ogen waren gesloten. Hij hield zijn hoofd achterover om de zon op zijn gezicht te laten schijnen.

Vitas betrapte zich erop dat hij de rimpels in het gezicht van de oude man bewonderde. Die rimpels toonden zijn sterke persoonlijkheid.

'Je hebt het over Chayim,' zei Ben-Aryeh.

'Ik kan je een draagstoel geven om naar het keizerlijk paleis te gaan,' zei Vitas. 'Volkomen veilig, uiteraard. Het gerucht van de beschuldiging die in Jeruzalem tegen je is ingebracht, heeft Rome niet bereikt.'

'Dat heb je me al herhaaldelijk verteld. En elke keer benadrukt dat het feit dat ik van zo weinig belang ben dat het niemand in Rome iets kan schelen dat ik uit Jeruzalem ontsnapt ben.'

'Behalve Chayim. Je zoon.'

'Gefeliciteerd,' zei Ben-Aryeh. 'Ik heb begrepen dat Sophia zwanger is.'

'Probeer niet van onderwerp te veranderen.'

'Als je eenmaal vader bent, zul je misschien begrijpen hoe pijnlijk het is als je vervreemd raakt van je eerstgeborene.'

'Wees niet zo koppig,' drong Vitas aan. Ben-Aryeh en hij hadden in de loop van de laatste maanden zo veel gediscussieerd dat het vrijuit spreken voor beiden een tweede natuur was geworden. 'Dit is je kans om je weer met hem te verzoenen.'

'Ik ga niet naar het paleis.'

'Ik kan hem hier naartoe laten halen,' zei Vitas.

Ben-Aryeh deed eindelijk zijn ogen open. 'Zodat ik hem zelf kan vertellen dat ik voortvluchtig ben? Dat ik door steniging ter dood gebracht zal worden als ik terugkeer naar Jeruzalem? Dat ik mijn vrouw, zijn moeder, in de steek heb gelaten omdat ik bang ben voor de dood?'

'Ik betwijfel of het angst is,' zei Vitas. 'Ik weet dat je woedend bent over de onrechtvaardigheid van de aanklacht. Je bent onschuldig. Je vijanden proberen je te ruïneren.'

Dat wist Vitas zeker. Hij herinnerde zich dat Olithar, de assistent, over Ben-Aryeh had gelogen op de ochtend dat hij bij koningin Bernice was. Dat was voor hem voldoende bewijs van Ben-Aryehs onschuld. Toen Ben-Aryeh bij het koninklijk paleis was verschenen en om vrijgeleide had gevraagd, had Vitas hem geholpen. Daar had hij nog geen moment spijt van gehad – hij begon van de oude man te houden als van een oudere broer.

'Probéren me te ruïneren?' vroeg Ben-Aryeh. 'Ik zit vast bij een Romeins gezin. In Rome. Begrijp me niet verkeerd. Ik ben buitengewoon dankbaar, en op een dag zal ik je voor je edelmoedigheid belonen. Maar mijn vijanden hebben buitengewoon veel succes.'

'Maar ze hebben je niet kunnen doden.'

'Dat vind jij ironisch, hè?' zei Ben-Aryeh. 'Al die vragen van jou over die Jezus en hoe Hij de kruisdood accepteerde ondanks het feit dat Hij onschuldig was. En hier zit ik: een man van de wet, die de wet overtreedt.'

'Zal ik Chayim laten halen?'

'Nee,' zei Ben-Aryeh. 'Als hij veranderd is en een godvrezende Jood geworden is, zou ik hem alleen maar te schande maken. Als hij niet veranderd is, zou hij mij te schande maken.'

HORA DUODECIMA

Verwarmd door de late middagzon wandelde Damianus over de kleine markt. Hij controleerde niet of Hiëronymus hem schaduwde terwijl hij door de drukte liep. Dat was een gegeven. Altijd. Ze waren een team. Damianus nam aan dat Hiëronymus bij hem bleef omdat hij tevreden was met het maandelijkse loon dat hij betaalde, maar hij vroeg er nooit naar. Hij veronderstelde dat iedereen altijd deed wat het meest in zijn of haar eigen belang was.

Van deze veronderstelling ging Damianus uit tijdens zijn jacht op slaven. Nu was hij voor die jacht op weg naar een pottenbakker.

In rustige ogenblikken – en dat waren er veel, vond Damianus zelf – had hij er geen probleem mee stil te staan bij de voldoening die het achtervolgen van slaven hem schonk. Dit beroep was voor hem een vorm van openlijke ongehoorzaamheid tegen de status quo, hem opgedrongen door het feit dat hij als patriciër geboren was. En bovenal bevredigde het zijn jagersinstinct.

Want met welk dier kon hij zijn intelligentie beter meten dan met een ander menselijk wezen? Vooral met een wanhopig menselijk wezen dat probeerde de marteling en dood te ontwijken die gevangenneming met zich mee zou brengen.

Het vooruitzicht van hun straf was niet wat Damianus dreef. Die straf was gewoon een onontkoombaar feit in de Romeinse wereld; slaven kenden de consequentie van ongehoorzaamheid, diefstal of moord, dus hij had geen medelijden met hen als hij hen eenmaal gevangen had. Nee, wat hem dreef, was de achtervolging; dat was zo'n uitdaging dat Damianus na het gevangennemen van een bijzonder intelligente slaaf in de verleiding kwam die slaaf opnieuw vrij te laten met geld om een maand van te leven en een voorsprong van een week.

De jacht!

Damianus begon met die veronderstelling – dat iedereen altijd deed wat het meest in zijn belang was. Maar wat de uitdaging nog vergrootte, was de enorme variatie in het eigenbelang van verschillende mensen. Veel slaven waren volkomen voorspelbaar in hun vlucht; die vond hij snel en met een gevoel van verveling. De anderen – de minderheid – stelden hem voor een fascinerende reeks behoeften en hartstochten, van de verderfelijkste tot de verhevenste. Deze slaven – de onvoorspelbare, intelligente – gaven hem de meeste voldoening.

Als hij jacht op hen maakte, moest hij een tweede basisregel toepassen: denk zoals de prooi.

Zodoende stapte hij keer op keer in de rol, sterker nog, in de ziel van degene die hij achtervolgde en bracht uren – dagen zelfs – door in het huis om andere slaven te ondervragen over de gewoonten, vrienden en hartstochten van de ontsnapte. De eventuele voorsprong die de achtervolgde kreeg terwijl Damianus geduldig achterbleef om vragen te stellen, werd al snel tenietgedaan als Damianus eenmaal begreep wie hij achtervolgde.

Daarom was hij tot op zekere hoogte teleurgesteld dat hij vandaag van de slaaf van de ex-gouverneur zou horen wanneer en waar die Johannes gevangengenomen kon worden. Uit wat hij over Johannes gehoord had, begreep hij dat het een intelligente man was. En Johannes' beweegredenen waren moeilijk te doorgronden, wat hem als prooi nog minder voorspelbaar maakte. Damianus had bij het zoeken naar Johannes gehoopt op een strijd tussen hun beider intellect. Het was jammer dat dit verraad een einde zou maken aan elke kans die Johannes had om in vrijheid te blijven.

Toch ging Damianus er niet bij voorbaat van uit dat de gevangenneming zou aflopen zoals verwacht. Daarom liep hij nu over de markt alsof de achtervolging langdurig zou zijn. Voor het geval Johannes niet onmiddellijk gevangen zou worden, wilde Damianus in de geest van de man kunnen kijken. En wat weerspiegelde de manier waarop een man dacht beter dan zijn geschriften?

Dat was nog niet alles.

Toen hij Damianus inhuurde, had Helius in het voorbijgaan een kritische opmerking gemaakt over onzinnige geruchten die te maken hadden met een brief die deze Johannes geschreven had en die steeds verder verspreid werd in Rome en Asia.

Dat was een van de weinige vergissingen die Helius de laatste jaren gemaakt had, dacht Damianus. Helius, de op één na machtigste man in het Romeinse rijk, bezat een enorm scherp politiek inzicht. Hij had moeten weten dat deze kritische opmerking Damianus niet zou ontmoedigen, maar hem juist zou aansporen die brief nader te onderzoeken.

Als Helius om de een of andere reden niet wilde dat Damianus meer over die brief te weten kwam, wilde Damianus die reden weten. Zelfs als Johannes binnenkort gevangen en aan Helius overgeleverd zou worden, zoals beloofd. Want politieke kennis betekende macht in Rome. Dat gold ook voor geheimen.

✢ ✢ ✢

De schemerig verlichte werkplaats was benauwd en rook naar vochtige klei. Een onafgemaakte pot stond op een pottenbakkersschijf, afgedekt met een natte doek. Op een bank stonden grote blokken klei, eveneens tegen de warmte beschermd door vochtige doeken.

De eigenaar van de werkplaats was Darda, een nietige oude Jood met een baard, die op een kruk in de deuropening zat. Hij negeerde de voorbijgangers en tuurde intens geconcentreerd naar een boekrol.

'Wat wilt u precies weten?' vroeg de oude Jood toen hij klaar was.

'Een deel ervan is volkomen duidelijk,' zei Damianus. 'En een ander deel is blijkbaar symbolisch.'

Darda knikte met zijn waterige, fletse ogen op Damianus' gezicht gevestigd. 'En?'

'Ik betaal jou om het te interpreteren,' antwoordde Damianus. 'Of niet soms? Begin dus maar.'

'Heb ik uw geld gezien? Ligt het in mijn hand?'

Damianus zuchtte theatraal in de hoop dat de oude Jood hem vermakelijk zou vinden. 'Ik begrijp gewoon niet waarom de Romeinen over de Joden regeren in plaats van andersom.'

Dat leverde een uiterst licht glimlachje op. Of misschien verbeeldde Damianus zich slechts dat de mondhoek van de oude Jood even trilde.

'Bovendien,' zei Darda, 'is er iemand die u dit veel duidelijker zou kunnen uitleggen. Maar ik weet niet zeker of u genoeg goud hebt om hem te betalen. Hij haat het Romeinse rijk én hij haat de christenen omdat hij zijn zoons is verloren aan allebei.' Darda krabde in zijn baard. 'En u zou hem eerst moeten vinden. Hij is een van onze grootste rabbi's, maar hij houdt zich met zijn dochters verborgen omdat hij Nero vreest.'

'Hoe heet hij?' vroeg Damianus. Alle informatie was wel op de een af andere manier te gebruiken. En de brief intrigeerde hem.

'Hezron, zoon van Onam. De zoons die gestorven zijn, heetten Kaleb en Natan. Zijn ene dochter heet Lea. Van de andere is de naam mij ontschoten.'

'Ben ik je nog iets schuldig in ruil voor deze kostbare informatie?' Damianus was niet vies van enig sarcasme.

Darda schudde zijn hoofd.

'Maar voor het uitleggen van deze boekrol, voor zover je kunt...?'

Darda noemde een bedrag.

'Dat is buitensporig,' zei Damianus, overigens zonder zich op te winden. Vergeleken met het bedrag dat Helius bereid was te betalen voor de gevangenneming van Johannes, waren de sestertiën waar het nu om ging niet van betekenis. Bovendien wilde Damianus graag de reputatie opbouwen dat hij zonder aarzeling royaal betaalde voor waardevolle informatie – kennis en geheimen betekenden tenslotte macht.

'Zou u liever tijd verspillen aan het zoeken naar een andere rabbi die bereid is een gehate Romein te helpen?'

Damianus hield zijn hoofd schuin en bekeek Darda nog eens goed. 'Jij lijkt me niet iemand die een compromis sluit om geld te verdienen.'

Eindelijk glimlachte Darda. 'Deze brief is gevaarlijk. Ik geniet van de gelegenheid een beetje verwarring en smart voor Nero te veroorzaken door de boodschap te verspreiden onder uw volk.'

Gevaarlijk. Voor Nero. Damianus hield zijn reactie verborgen. Maar misschien had hij het instinctief goed aangevoeld. Misschien was Helius werkelijk bang.

'En natuurlijk,' zei Damianus, 'geeft het des te meer voldoening als je daarvoor betaald wordt door een Romein.'

'Natuurlijk.'

'Je zult betaald worden,' gromde Damianus. 'Vertel me nu wat je kunt.'

'Eerst het geld.'

Damianus toonde uitgebreid zijn afkeer, maar dat was slechts uiterlijk vertoon. Hij had niet anders van de oude man verwacht.

Darda nam het geld aan en verdween in de werkplaats om het op een veilige plek te verstoppen.

'Vertrouw je me niet?' vroeg Damianus zodra hij terug was.

'Absoluut niet. In feite ben ik bang dat u door Nero zelf gestuurd bent. Ik zal vertellen wat ik kan, beantwoorden wat ik kan, behalve één vraag.'

'Dat hebben we niet afgesproken.'

'U krijgt uw geld terug,' zei de oude man en stond weer op.

Damianus gebaarde dat hij moest gaan zitten. 'Vertel me wat je kunt.'

✠ ✠ ✠

Chayim werd zich bewust van de aangename geur van de verfrommelde zijden lakens om zich heen. Hij ademde diep in. Probeerde te genieten van het moment. Gewoonlijk gaf hij openlijk toe dat hij zich niet schaamde voor zijn omstandigheden en dat genot, weelde en rijkdom hem in extase brachten.

Net zoals hij openlijk toegaf dat de God van zijn vader niet zíjn God was. Zijn dure opvoeding in Rome had hem er van overtuigd dat de Joodse godsdienst bijgeloof was; hij had die godsdienst vlot verworpen. In feite had hij dat jaren geleden al gedaan, toen hij nog in Jeruzalem woonde.

Dus toen zijn bars kijkende vader, Ben-Aryeh, had medegedeeld dat hij als afgezant naar het hof van de keizer gestuurd zou worden, had Chayim dat meteen als een geschenk beschouwd – zelfs toen Ben-Aryeh verteld had dat Chayims leven aan het hof afhing van de harmonie in de relatie tussen het Joodse koningshuis, de tempelpriesters en de machthebbers in Rome.

Tot de bijeenkomst met Helius en Tigellinus was er niets veranderd aan Chayims optimistische visie op zijn nieuwe leven. Hij had zijn Joodse gewoonten laten varen en zich onmiddellijk in het losbandige, overvloedige leven gestort, alsof hij een prins was – net als de vijf anderen die in feite als gijzelaar werden vastgehouden om te verzekeren dat hun vaders geen revolutie tegen Rome zouden ontketenen.

Tijdens die bijeenkomst met Helius en Tigellinus was hij echter voor het eerst in aanraking gekomen met de dodelijke greep van paleisintriges; dat bracht een nieuw inzicht met zich mee. Zijn pleziertjes leken toch een tol te gaan eisen.

'Wijn?' riep een vrouwenstem. De vrouw zelf verscheen, gekleed in een korte tunica, in de deuropening met een sierlijke kruik en een bokaal in de handen.

Dit was Litas. Een slavin uit Partië. Lang, met donker haar.

Ze bezat een brede glimlach en zinnelijke ogen. Chayim werd geïntrigeerd door haar uiterlijk en was haar nog niet beu. Als geschenk van de keizer had zij geen andere keus dan toelaten wat Chayim met haar wilde doen, maar ze was nooit onwillig.

'Nee.'

Ze reageerde afkeurend op de scherpe klank in zijn stem.

Hij besefte dat hij een fout gemaakt had. Op dat moment wist hij dat hij meer op zijn vader leek dan hij vóór deze eerste gevaarlijke situatie had kunnen vermoeden. Chayims politieke instinct, dat onbeproefd was gebleven tot hij dat bevel van Helius kreeg, kwam aan de oppervlakte. Litas was een geschenk van de keizer; wie kon zeggen of ze niet tevens een spion was?

Chayim moest doen of er niets aan de hand was. 'Ik heb hoofdpijn van de wijn bij het middageten,' zei hij, alsof dat verklaarde waarom hij zo kortaf was.

'Ik hoop dat je snel opknapt,' zei zij. 'Een diner bij Nero vanavond! Ik zie er zo naar uit. En naar het amusement. Wie wordt er ook alweer in het openbaar vernederd?'

'Vitas. Een oorlogsheld. En zijn echtgenote. Een of andere Joodse vrouw.' Nu had Chayim spijt dat hij Litas verteld had wat Helius en Tigellinus van plan waren. Ze leek te veel van het vooruitzicht te genieten. En nu hij zich afvroeg of zij een spion van Helius was, bezorgde het hem een ongemakkelijk gevoel dat hij zo'n harteloze vrouw in zijn naaste omgeving had.

'Ga maar terug naar het bad en wacht daar op me,' zei Chayim. Hij moest alleen zijn om na te kunnen denken.

Litas schonk hem haar brede glimlach. Voorheen had hij de wulpsheid daarvan kunnen waarderen. Nu vond hij die grijns enigszins afstotend. Hij dwong zich op zijn beurt naar haar te glimlachen; ze knikte en verdween.

Er was niemand met wie Chayim over zijn problemen kon praten. Ook dat was een nieuw inzicht. Tot nu toe had hij geen problemen gehad. Al zijn vrienden waren gewoon kennissen met dezelfde levensstijl: feesten tot zonsopgang, gevolgd door langdurig slapen overdag.

Wat zijn problemen betreft: die waren overduidelijk.

Helius had hem bevolen in de sekte van de volgelingen te infiltreren. Hij had hem zelfs verteld wanneer en waar een dergelijke groep de volgende keer zou samenkomen. Helius moest gehoorzaamd worden, want Helius en Tigellinus waren gemakkelijk in staat de wil van Nero naar hun hand te zetten.

Toch: Chayim had bevel gekregen zich bezig te houden met hoogverraad tegenover Nero. Helius kon te allen tijde ontkennen dat hij Chayim dat bevel gegeven had en hem eenvoudigweg in het openbaar laten terechtstellen en veroordelen vanwege dat hoogverraad.

Chayim wist heel goed hoe de mensen die Christus volgden gedood werden. Of hij nu stierf omdat hij zich bij de sekte voegde of juist omdat hij weigerde zich bij de sekte te voegen – dood was dood. Kortom: dit zou een doeltreffende strategie van Helius' kant kunnen zijn om Chayim uit de weg te ruimen.

Chayim probeerde zich voortdurend te herinneren of hij Helius in de loop van de laatste maanden op de een of andere manier beledigd had, maar hij kon niets bedenken. Had Helius Chayim een suggestief voorstel gedaan dat hij in zijn onschuld had afgewezen? De wispelturige Helius had minder nodig om iemand als vijand te kiezen.

Het alternatief, waar Chayim op hoopte, was dat Helius en Tigellinus werkelijk wilden hebben waar ze om gevraagd hadden: de ondermijnende brief die volgens de geruchten onder de volgelingen de ronde deed. Dan was het ook logisch dat Helius de tijd en plaats van de volgende bijeenkomst van de sekte wist.

Maar om die brief te krijgen, moest Chayim er op vertrouwen dat Helius geen andere motieven had en vervolgens handelen vanuit dat vertrouwen: zich werkelijk bij de sekte voegen, met gevaar voor zijn eigen leven. Wat zou er gebeuren, bijvoorbeeld, als Chayim in het openbaar ontmaskerd werd door een andere informant, die niet op de hoogte was van het bevel van Helius? Zou Helius hem dan beschermen tegen de woede van Nero?

Het kwam Chayim voor dat hij in elk geval ten dode gedoemd

was. Hij kon niet weigeren Helius te gehoorzamen, maar hem zijn zin geven betekende een enorm gevaar, zelfs als Helius geen kwade bedoelingen met hem had.

Tenzij er een manier was om Helius tevreden te stellen en tegelijk te zorgen dat hij onmogelijk als volgeling te ontmaskeren was...

'Chayim!' Litas' stem kwam uit het hete bad in de kamer naast hem.

Helius wilde de brief die de ronde deed onder de christenen. Als Chayim die te pakken kon krijgen zonder zelf in gevaar te komen...

'Chayim!'

Chayim dacht er nog eens over na. Als Helius hem in de val wilde laten lopen door hem samen met de christenen te laten oppakken, zou dat plan alleen werken als Helius wist wanneer en waar hij hem in die compromitterende situatie kon vinden. Dus als Chayim een andere groep christenen kon vinden, zou hij in ieder geval minder risico lopen terwijl hij probeerde de brief te bemachtigen.

'Chayim! Het water wordt koud!'

Maar hoe kon hij het vertrouwen van een christen winnen, zodat hij te horen kreeg waar en wanneer zij bijeenkwamen? Hun – zeer gerechtvaardigde – angst voor vervolging maakte hen terughoudend en waakzaam tegenover buitenstaanders. Martelen of omkopen zou waarschijnlijk niet werken, zelfs niet als Chayim een christen zou kunnen benaderen. Hoe kon hij een christen overhalen hem voor een bijeenkomst uit te nodigen?

'Chayim!'

Litas' aanhoudende geroep drong eindelijk tot hem door. Chayim fronste zijn wenkbrauwen. Ze was een slavin, niet een of andere centurio die hem commandeerde alsof hij een gewoon soldaat was!

Terwijl die onuitgesproken ergernis nog in zijn hoofd zat, zag Chayim in een flits van inspiratie de oplossing voor zijn probleem. Een oplossing die heel weinig risico voor hemzelf zou inhouden. Het hele plan kreeg in zijn geest snel vorm; nog een bewijs dat hij meer op zijn vader leek dan ze allebei dachten.

Eerst moest hij echter een christen zien te vinden en in de sekte infiltreren op het tijdstip en de plaats van zíjn keuze, niet door Helius bedacht.

Misschien onder andere slaven...

En ondanks haar arrogantie was Litas een slavin. Die vast en zeker de activiteiten van andere slaven kende...

'Litas,' riep hij terwijl hij uit bed sprong, 'we moeten eens praten. Ik heb informatie nodig die alleen jij me kunt geven.'

✠ ✠ ✠

'Dit moet u als eerste weten over de geschreven geschiedenis van de Joden,' zei Darda, alsof hij op die vraag voorbereid was. 'Die geschiedenis is het verlossingsplan van God, vanaf het begin van de schepping tot de komst van de Messias die Hij ons beloofd heeft.'

'Verlossingsplan? Waar moeten we van verlost worden?'

'Van alles wat een mens bij God vandaan drijft,' was het weerwoord van Darda.

'Dat is een onduidelijk antwoord. Mijn sestertiën zijn niet bedoeld als betaling voor onduidelijke antwoorden.'

'Als u gezegend bent, zal dat antwoord op een dag niet meer onduidelijk zijn.'

Damianus keek nors. 'Spreek wat minder onduidelijk over die brief.'

Darda wees met een vinger vol opgedroogde klei op de boekrol in Damianus' handen. 'Voor wie gelooft dat de man die Jezus heette de door God gezonden Messias was, is deze brief het hoogtepunt van alle geschriften van onze profeten. Maar denk eraan, dat is alleen als je gelooft in de andere brieven over Jezus, die de ronde doen.'

'Aangezien ik niet op de hoogte ben van die brieven en ze waarschijnlijk weinig interessant vind, moet je me wat vertellen over de man die deze brief geschreven heeft.' Damianus rolde de boekrol uit tot het begin. Hij las de inleiding opnieuw. 'Ja, vertel maar over deze Johannes die zichzelf de dienaar van God noemt, ons wil laten geloven dat een engel hem een geweldige openbaring gaf en daarna zulke ontzettende gebeurtenissen beschrijft.'

'Johannes? Hoewel hij gekozen heeft te geloven dat Jezus de langverwachte Messias is, is hij duidelijk een goed opgeleide Jood. En wat het ook waard mag zijn: hij is een van de oorspronkelijke twaalf discipelen die Jezus volgden.'

'Het klinkt of je aarzelt hem intelligent te noemen.' Zo werkte Damianus. Hij filterde de verschillende inzichten die anderen over zijn prooi hadden.

Darda haalde zijn schouders op. 'Voor mij is dat tegenstrijdig. Een intelligent man. Toch hecht hij geloof aan de profetieën van Jezus.' Darda krabde achter zijn oor, inspecteerde wat hij op zijn vingertop aantrof en sprak verder. 'Goed opgeleid? Bijna tweederde van wat hij in deze brief schrijft, verwijst naar de geschriften van onze oude profeten: Ezechiël, Daniël, Jesaja. Daaruit blijkt zijn opleiding. En vanwege al zijn verwijzingen naar eerdere geschriften zal de symboliek alleen zinnig zijn voor iemand die vertrouwd is met de Joodse profetieën.'

'Dus ik heb geen schijn van kans die brief te begrijpen zonder daar meer van te weten?'

'Inderdaad. U zou maar wat speculeren en uiteindelijk met belachelijke gissingen op de proppen komen.'

'En het andere derde deel van deze brief? Daarin is niets aan eerdere geschriften ontleend.'

'Overal waar Johannes geen symboliek gebruikt die wij zouden kunnen begrijpen uit onze eeuwenoude profeten, geeft hij een duidelijke uitleg.'

'Geef eens een voorbeeld.'

Darda sloot zijn ogen en citeerde uit zijn hoofd: '"Want de bruiloft van het Lam is gekomen en zijn bruid staat klaar. Zij mag zich kleden in zuiver, stralend linnen. Want dit linnen staat voor al het goede dat gedaan is door de heiligen." Ziet u wel? Hij vertelt precies wat dat “linnen” betekent.’

‘Het lam?’ Damianus trok een lelijk gezicht, want dat was het beeld dat zijn aandacht het meest getrokken had. ‘Het lam? Schapen zijn stomme beesten. Ze stinken en hebben voortdurend aandacht nodig.’

‘U denkt als een Romein. Niet als een Jood. U wilt de symbolen letterlijk uitleggen. Maar symbolen zijn zo veel rijker dan gewone woorden. Ze tonen ons zaken die onzichtbaar zijn.’

‘Een lam kan ik wel zien. Zeg je nu dat het meer dan een lam is?’

‘Elke Jood begrijpt met zijn verstand de betekenis van het lam; maar belangrijker is dat dit symbool ons tot in het diepst van onze ziel aanspreekt. Wij hebben allemaal gezien dat een lam voor onze zonden geofferd werd: de doodsangst in de ogen van het dier, het mes dat de keel doorsneed, het bloed dat over het witte, tegenspartelende lijf vloeide; we hebben het blaten horen wegebben terwijl het lam stierf.’

Damianus voelde zich gefrustreerd. Hij wist hier zo weinig van! Misschien zou het gemakkelijker zijn Johannes aan Helius uit te leveren en over te gaan tot de orde van de dag, aan de achtervolging van de volgende slaaf te beginnen. Maar het feit dat Helius bereid was zo veel voor Johannes te betalen, intrigeerde hem. En dan was er nog een macaber, maar fascinerend mysterie. Damianus wist dat twee slavenjagers vóór hem tevergeefs geprobeerd hadden Johannes te vinden; beiden waren nadien onverwacht door geweld om het leven gekomen in de sloppenwijken. Wat zat daar achter?

‘Je noemde Jesaja,’ zei Damianus. ‘Ezechiël. Daniël.’

‘Dat waren profeten uit ons volk; zij bemoedigden ons allemaal door te vertellen dat God ons een Messias zou sturen.’

‘Profeten,’ herhaalde Damianus. ‘Deden ze voorspellingen over de toekomst?’

‘Ja,’ antwoordde Darda op een toon alsof hij een dom kind toesprak. ‘Een ware profeet spreekt geen profetie uit die onjuist is of onvervuld blijft.’

'Dan moet deze Johannes een valse profeet zijn,' zei Damianus. 'Hij spreekt over dingen die niet gebeurd zijn.'

Darda zuchtte. 'Dat is het gevaar als een niet-Jood ongevraagd zijn eigen zienswijze over onze geschriften debiteert. Profetieën kunnen verwijzen naar de nabije toekomst, de verre toekomst en de laatste toekomst. Alle Hebreeuwse profeten gingen van de ene naar de andere tijdscategorie en terug; dat doet Johannes ook. Maar om ze te begrijpen, moet je ze in hun context lezen; daarvoor heb je een grondige kennis van al onze geschriften nodig.'

'Vertel me dan dit: je zei dat sommigen geloven dat de Messias gekomen is, zoals beloofd.'

'Ja, er zijn radicalen onder ons die beweren dat Gods verbond met ons volk vervuld is, aangezien Jezus de beloofde Messias was.'

'Radicalen?'

'Ik trek de getuigen en hun verhalen over Jezus niet in twijfel. In een Joods gerechtshof zou veel van hun getuigenissen als aanvaardbaar beschouwd worden. Hij was een wonderdoener; misschien zou ik ook dat niet in twijfel trekken. Maar...'

'Maar wat?'

'Laat ik het vollediger verklaren. Volgens de aloude traditie van al onze profeten gebruikte Jezus, net als Johannes, taal waarvan alle Joden zouden begrijpen dat die van voorgaande profeten afkomstig was. Hij pleegt geen plagiaat, maar verwijst naar hen en maakt hen zelfs nog veelzeggender. Maar Jezus' woorden moeten uitgelegd worden in het licht van de voorgaande profeten; voor wie niet vertrouwd is met al hun geschriften, snijden Jezus' profetieën weinig hout.'

'Je bedoelt dat de brief van Johannes voor een Romein zoals ik, onbekend met Joodse geschriften, een ingewikkelde code is?'

'Zee,' zei Darda abrupt. 'Het water van de zee. Wat betekent dat voor u?'

'Een gebied waar schepen kunnen varen.'

Darda snoof. 'Dat bewijst wat ik zeg. Voor een Jood betekent de zee, in symbolische zin gebruikt, chaos en verwarring. Als in deze brief, de Openbaring, staat dat een Beest uit zee opkomt, zegt dat een Joodse lezer veel meer dan het u zegt.'

'Dus Jezus gebruikt deze rijke symboliek?'

Darda knikte.

'En zijn profetieën? Tonen ze aan dat Hij een valse profeet is, of juist een echte?'

'Tijdens zijn laatste dagen sprak Hij één profetie uit die zijn geloofwaardigheid volkomen tenietdoet. Hij wekte de verwachting dat de tempel in Jeruzalem binnen deze generatie verwoest zou worden. Omdat dat duidelijk onmogelijk is, was Jezus blijkbaar niet goddelijk. Hij –'

'Genoeg,' zei Damianus; Darda werd te hartstochtelijk in zijn haat tegen Jezus. Damianus wilde zich concentreren op Johannes, de schrijver van de brief, de man die door Helius gevreesd werd. 'Je zei dat Johannes blijkbaar goed opgeleid was. Heb je nog meer hypotheses over hem?'

'Johannes is bijna geniaal. Ik heb dit gelezen en herlezen. Dit geschrift is indrukwekkend en gelaagd, zo volledig dat ik bijna zou geloven dat het als een goddelijk geïnspireerd visioen tot hem gekomen is. Alleen zou ik dan met hem moeten instemmen dat Jezus de Messias was.' Opnieuw haalde de oude man zijn schouders op. 'De tempel staat nog altijd en kan niet vallen. Eén valse profetie bewijst dat de profeet niet door God gezonden is, want God is onfeilbaar.'

'Waarom is de tempel in Jeruzalem zo belangrijk?' vroeg Damianus.

Darda sputterde verontwaardigd. 'Zonder de tempel kunnen we God niet naderen met offers. En zonder God zijn wij als Joden volkomen troosteloos. Als de tempel ooit zou vallen, hoe zouden we dan verlossing kunnen zoeken?'

Verlossing. Weer dat ergerlijke woord. Toch betwijfelde Damianus of Helius deze Johannes en zijn visioen vreesde vanwege religieuze zaken en die roemruchte, onzichtbare God van de Joden.

Damianus rolde de brief uit tot een gedeelte dat hem tijdens zijn eerste snelle lezing al geboeid had. Hij bestudeerde het langzamer.

De geluiden van de markt stierven weg.

Darda bleef geduldig wachten.

'Dit lijkt me een belangrijk verhaal,' zei Damianus uiteindelijk. 'We zien hier een held en een antiheld.'

'Het Lam tegen het Beest,' zei Darda. 'Ik ben onder de indruk. Dat is de kern van het visioen, hè?'

'Vraag je dat aan mij?' vroeg Damianus. Hier genoot hij van: het najagen van kennis.

'Inderdaad. U hebt het visioen gelezen. Wie is het Lam?'

'Die Messias.'

Darda knikte. Weer met een vage, ironische glimlach. 'Het gaat om het Lam tegen het Beest. Begrijpt u de betekenis daarvan?'

Damianus citeerde een gedeelte uit de brief. 'Hier komt het aan op wijsheid. Laat ieder die inzicht heeft het getal van het beest ontcijferen; er wordt een mens mee aangeduid. Het getal is zeshonderdzesenzestig.'

Daarna tekende Damianus de Griekse symbolen in het stof bij hun voeten. 'Ik heb deze graffiti gezien als afbeelding daarvan.'

'Maar ik heb dat inzicht niet,' zei hij. 'Daarom heb ik jouw hulp ingeroepen. Wie is het Beest?'

Darda stond abrupt op. 'Dit is het eind van ons gesprek. Ik heb u gewaarschuwd dat er één vraag was die ik niet zou beantwoorden. En die vraag stelt u nu.'

'Dat meen je toch zeker niet,' zei Damianus. 'Welk kwaad schuilt er nu in –'

'Ik wil geen woord meer over dit onderwerp spreken.'

'En je verlangen om verwarring tegen Nero te zaaien dan?'

'Niet ten koste van mijn leven,' zei Darda. Hij draaide zich om, stapte de werkplaats in en sloot snel de deur achter zich.

Aan de doffe dreun van hout hoorde Damianus dat de oude Jood de deur vergrendelde.

Interessant, dacht Damianus. Bijzonder interessant!

PRIMA FAX

Daar was Nero; hij stapte bij zijn tafelgenoten vandaan met een vreemd hongerige blik. Onmiddellijk werd het akelige voorgevoel dat Vitas vervulde sinds de uitnodiging om in Nero's paleis te komen eten, sterker.

Om bij dit binnenvertrek te komen, waarvan de ingang bewaakt werd door zes soldaten van de keizerlijke lijfwacht, waren Vitas en Sophia door een slaaf door de zalen geleid. Tijdens die lange wandeling – waarbij hun sandalen op gepolijst marmer klepperden – hadden ze hun mening over de opzichtige weelde die de grove smaak en regelrechte grootheidswaan van de keizer weerspiegelden, niet uitgesproken. De blikken die ze met elkaar wisselden, zeiden genoeg.

Nero greep Vitas bij de onderarmen ter begroeting. 'Terug uit Jeruzalem!'

Nero's adem stonk naar wijn en knoflook. Zijn handen voelden heet op Vitas' onderarmen. Nero's blonde, krullende haar werd dun en kleefde aan zijn schedel met een glanzend laagje zweet. Zijn eens knappe gezicht was opgezwollen door jaren te veel wijn, eten en een decadent leven. Op de tafel achter hem waren de lekkernijen hoog opgetast.

Vitas onderging Nero's groet zonder terug te deinzen en speelde het klaar Nero recht aan te blijven kijken.

De keizer vervolgde zijn demonstratieve begroeting. 'Ik heb

begrepen dat je in Jeruzalem tussenbeide kon komen en de ongeregeldheden onderdrukt hebt.'

'Daar had ik weinig mee te maken,' zei Vitas. 'Ik was daar alleen toevallig tijdens de paar dagen dat er rellen waren.'

Nero deed een stap achteruit en inspecteerde Vitas van top tot teen. Vitas ervoer dit bijna als een aanranding, maar hij knikte de keizer glimlachend toe, alsof ze broers waren.

'Bescheiden als altijd.' Nero begon langzaam, maar nadrukkelijk te applaudisseren. 'Heel Rome huldigt je. Sterker nog: de keizer huldigt je.'

Onmiddellijk deden de twaalf gasten die in groepjes bij elkaar stonden hetzelfde als Nero.

Vitas vond geen genoegen in deze lofbetuiging van de man die de grootste macht ter wereld had. Nog altijd kon hij niet ontkomen aan dat akelige voorgevoel. 'Pas op als Nero doet of hij je vriend is,' zeiden de grappenmakers op het plein graag, 'met één arm omhelst hij, met de andere hand steelt hij.' Er was nog een reden waarom Vitas wenste dat hij geen applaus gekregen had. Hij leidde tegenwoordig een geheim leven: hij was getrouwd met een christen.

'En dit is een echtgenote die deze held overduidelijk verdient.' Nero wierp een blik op Sophia. Hij inspecteerde haar nog nadrukkelijker dan hij Vitas had gedaan. Hij liet zijn ogen strelend over de rondingen van de vrouw gaan en toonde een grijns van roofzuchtige voldoening. 'Ook welkom! Moge je avond bij de keizer een gedenkwaardige avond zijn.'

Een van de gasten gniffelde.

Vitas herkende dat bijna vrouwelijke geluid; hij hoefde niet eens te kijken om zijn vermoeden te bevestigen. Helius.

Sophia beantwoordde Nero's inspectie met een vastberaden glimlach. Vitas kon alleen maar raden hoe ze zich voelde. Wat ze werkelijk dachten over Nero, konden ze beter verbergen, zelfs als deze avond voorbij was en ze absoluut zeker wisten dat ze alleen waren; wie kon weten of een slaaf of slavin onvoorzichtige uitspraken niet zou verraden?

'Laat me een aantal mensen aan je voorstellen, alsjeblieft,' zei Nero. 'Sommigen ken je natuurlijk wel, maar anderen niet.'

Hij zwaaide dramatisch met zijn arm en begon bij een man met een geconcentreerde blik in zijn donkere ogen. 'Dit, mijn vriend, is Chayim,' zei Nero.

Overbodig. Vitas vroeg zich af waarom Nero hem zo nodig iets moest vertellen wat hij al wist.

'Een Jood. Je weet wat ze zeggen: je hoeft geen Jood te zijn om stom te zijn, maar het helpt wel.'

Chayim hief een bokaal met wijn in Vitas' richting en forceerde een lach waar niemand zich door liet beetnemen, behalve Nero.

Nero deed alsof hij zich plotseling iets herinnerde. 'Neem me niet kwalijk! Dat was ik vergeten, Gallus Vitas. Jouw vrouw is ook Joods, hè?'

Nu begreep Vitas het. Chayim voorstellen gaf Nero de kans Vitas en Sophia te beledigen. Zijn huid tintelde van hernieuwde angst. Voorheen had Nero hem altijd met respect behandeld. Wat kon dit betekenen?

'Ze is een Romeins burger,' zei hij.

Nero applaudisseerde weer. 'Goed gesproken!' Hij ging door met voorstellen. 'De man links van Chayim is Aulus Petilius. Vroeger was hij een knappe man, heb ik gehoord, maar zoals je ziet, heeft het ouder worden hem geen goed gedaan.'

Aulus hief zijn glas en glimlachte geforceerd. Nero sprak de waarheid; Aulus had een rond gezicht met een zware onderkin en een zware zwarte haardos. Hoewel het zijn eigen haar was, dachten de meeste mensen dat het een pruik was, omdat hij het verfde.

Nero ging verder, gast voor gast; hij sloeg Helius en Tigellinus, die Vitas vol verwachting leken te bekijken, over.

Vitas huiverde en hoopte vertwijfeld dat Sophia en hij een avond met deze waanzinnige zouden overleven.

Terwijl Nero doorging, prentte Vitas zich alle gezichten en namen in. Hij hoopte dat Sophia dat ook deed. Hij had haar gewaarschuwd dat ze alleen verdunde wijn moest drinken en alert moest blijven. Vanavond mochten ze geen sociale blunders maken.

✠ ✠ ✠

Gaius Sennius Ruso stond stil op het pad van zijn tuin op de helling om te kijken naar de laatste overlevende van de twaalf discipelen die eens met Jezus in Galilea gewandeld hadden. Johannes, zoon van Zebedeüs.

Johannes, die boven op de heuvel op een bank onder een olijfboom zat, in het licht van een lamp, leek Ruso's nadering niet te merken.

Ruso dacht niet dat Johannes in gebed was. Nee, Johannes keek enigszins omhoog, alsof hij tussen de kronkelende donkere takken van de boom door de hemel in keek; hij glimlachte alsof zijn herinneringen hem rechtstreeks toespraken.

Niet voor het eerst verwonderde Ruso zich over de herinneringen die Johannes moest hebben aan de drie jaar die hij met Jezus doorgebracht had. Telkens wanneer Johannes over Jezus sprak, was het of er niet meer dan dertig jaar, maar slechts enkele dagen verstreken waren sinds hij in zijn gezelschap verkeerde. Die herinneringen glansden in Johannes' ogen als hij over zijn geloof sprak. Johannes was nu midden vijftig. Zijn gezicht was gerimpeld door zon en wind, maar vertoonde geen spoor van de angsten en zorgen of de hebzucht en het egoïsme die gewoonlijk bij een man van zijn leeftijd in het gezicht gegrift stonden. Zijn donkere haar begon grijs te worden, maar hij was slank gebleven door het sobere leven. Door zijn energieke houding zag hij er op een afstand, vooral als hij liep, veel jonger uit.

Ruso besefte dat hij hem stond aan te gapen; met een verlegen kuchje liep hij door. Johannes hield er niet van in het middelpunt van de belangstelling te staan, of het nu de belangstelling van één persoon was of van een hele groep.

Ruso groette Johannes opzettelijk omstandig voordat hij bij

hem was, alsof hij iets goed te maken had. 'Is alles goed?' vroeg hij terwijl Johannes opstond en naar hem glimlachte.

'Zoals altijd,' zei Johannes. 'Je zorgt veel te goed voor me.'

Ruso snoof. Het had geen zin de gebruikelijke discussie te beginnen, waarin Ruso probeerde alle weelde die bij zijn status hoorde aan te bieden en Johannes beleefd maar hardnekkig weigerde.

Ruso had een aanzienlijk fortuin geërfd. Als senator had hij jarenlang een leven van weelde geleid in zijn buitenverblijf op de Capitolinus in Rome. Maar ondanks al zijn rijkdom had hij het grootste deel van zijn leven als volwassene niet kunnen ontsnappen aan een knagend besef van leegte. Tijdens een zakenreis naar Efeze had hij over een opmerkelijke leraar gehoord en was hij door nieuwsgierigheid gedreven terechtgekomen bij die leraar – Johannes. Ruso's bekering tot geloof in Jezus was geleidelijk, maar weloverwogen geweest.

Hij had erg met Johannes te doen gehad toen deze door politieke omstandigheden verbannen werd naar Patmos, en een paar jaar later had hij hem tot zijn vreugde samen met anderen kunnen helpen van het eiland af te komen. Toen Johannes beslist naar Rome wilde komen om gelovigen te midden van de Verdrukking te troosten, had Ruso echt zijn uiterste best moeten doen om hem over te halen hier op het landgoed te blijven en niet de sloppenwijken in te gaan. Niettemin wees Johannes elke bijzondere behandeling van de hand en wilde hij met alle geweld dagelijks op bezoek gaan in het hart van de stad.

'Je bent vandaag nogal netjes gekleed om mee te gaan naar de gevangenis,' zei Johannes. 'En je bent veel later thuis dan anders.'

'Vandaag heb ik jammer genoeg een afspraak met een aantal advocaten.'

Dat was gelogen. Ruso had met een paar mensen uit het leger afgesproken een reis te regelen. Hun connecties zouden zorgen voor de geheimhouding die vereist was voor zijn plannen. Ruso betreurde hartgrondig dat hij tegen zijn vriend moest liegen. Maar hij had geen keus.

'Ook advocaten hebben troost nodig,' zei Johannes droog. Hij keek Ruso aan. 'Maar ik betwijfel of je speciaal hierheen komt om me dat te vertellen.'

Had Johannes aan zijn stem gehoord dat hij loog? Senator Ruso was in retorisch opzicht een expert; hij was trots op de vele stembuigingen die hij naar behoefte kon gebruiken. Maar Johannes was griezelig opmerkzaam.

'Ik kom u smeken Rome te verlaten,' zei Ruso; hij hoopte dat zijn rustige stem maskeerde hoe weinig hij zich op zijn gemak voelde. Bij Johannes had het geen zin het gesprek behoedzaam op een bepaald onderwerp te brengen; hij leek daar altijd doorheen te kijken. 'Uw leven is in gevaar.'

'Dat geldt voor alle gelovigen hier,' antwoordde Johannes met een ironische glimlach. 'Dus dat is de oplossing? Moeten we allemaal de stad verlaten? Jij ook?'

'Er is een slavenjager van grote faam. Hij heet Damianus. U bent de enige die hij zoekt.'

Johannes ging weer op de bank zitten. 'Vriend, je vraagt me te vluchten voor de verdrukking die wij moeten verduren met hetzelfde Godsvertrouwen als onze Meester getoond heeft. Daartoe bemoedig ik alle andere gelovigen juist.'

'U begrijpt het niet. Als Damianus u op het spoor is...' Ruso liep onder de olijfboom heen en weer terwijl hij sprak. 'Ik was niet bang voor de andere twee slavenjagers die de laatste maanden naar u gezocht hebben. Zij waren niet zo slim; mensen uit de wereld van de lagere stand, die geen toegang hadden tot deze wereld.' Ruso stak een hand op om de tegenwerping die Johannes zeker zou maken, voor te zijn. 'Ja, in de ogen van onze Vader is er geen scheidsmuur tussen verschillende standen. Maar in deze wereld, waarin we leven tot we bij de Vader zijn, worden bepaalde zaken door economisch belang opgelegd, en voor het gemak spreek ik over lagere en hogere stand. De meeste slavenjagers hebben geen toegang tot de wereld van de hogere stand, maar Damianus is afkomstig uit een zeer invloedrijke patriciërsfamilie. Hij weet hoe hij zich onder mensen uit de hogere stand moet gedragen, sterker nog: hij wordt door hen verwelkomd. Want hij mag dan een verachtelijke slavenjager zijn, hij is ook de broer van een oorlogsheld en lid van een van de oudste en aanzienlijkste families van Rome.' Ruso bleef heen en weer stappen. 'En hij is goed in zijn werk, Johannes. Heel goed. Het laatste half jaar heeft hij de hele wereld afgezocht naar de slaaf van een senator, die ontsnapt was met een kistje waardevolle sieraden. De hele wereld! En hij heeft die slaaf nog gevonden ook, en hem in Rome voor het gerecht gebracht. Ik heb al mijn connecties gebruikt om te informeren wie hem onlangs heeft ingehuurd om u te zoeken, maar tot nu toe heb ik niets ontdekt. Het moet echter wel iemand met enorme macht en invloed zijn. Daar maak ik me zorgen over.'

'Ik zal ander onderdak zoeken,' zei Johannes rustig. 'Het is niet eerlijk om jou en je gezin in gevaar te brengen.'

'Ik maak me geen zorgen over mezelf!' Ruso besefte dat hij met stemverheffing sprak en bood zijn verontschuldigingen aan. 'Ik maak me zorgen over u, mijn vriend. Gisteren is Damianus op een naburig landgoed geweest; daar heeft hij Barbatus ondervraagd.'

Johannes knikte even toen hij de naam herkende.

'Ja, Secundus Nigilius Barbatus. Die u in vrijheid stelde na Patmos. Damianus informeerde wie voor uw vrijlating gezorgd had en waarom.'

'Jij bent dus in gevaar,' zei Johannes zacht; blijkbaar begreep hij wat dit inhield.

Destijds, toen Ruso en een paar vrienden Barbatus benaderden, was Nero nog niet begonnen met het vervolgen van de gelovigen. Barbatus had geen reden om Johannes niet vrij te laten; Johannes was op het eiland gezet door plaatselijke ambtenaren die genoeg hadden van de problemen die zijn prediking in de Joodse gemeenschap veroorzaakte.

'Barbatus is niet dom,' zei Ruso. 'Hij zou Damianus graag een gunst willen bewijzen. Bovendien zou hij u niet willen beschermen, nu Nero vastbesloten is de gelovigen als zondebok voor de grote Brand aan te wijzen.'

'Damianus zal jouw naam wel gehoord hebben,' zei Johannes. 'Jij was een van degenen die een petitie ingediend hebben voor mijn vrijlating van Patmos.'

'Ja, maar ik ben niet bang. Officieel heb ik geen wet gebroken door u te helpen vóór Nero's verordening tegen de christenen.'

'Maar als je nu blijft helpen...'

'Ik zeg het nog eens,' zei Ruso. 'Ik ben niet bang voor mezelf of mijn gezin. Wij kunnen gemakkelijk vertrekken en buiten Nero's bereik blijven tot hij de vervolging beu is. Maar Damianus zal u uiteindelijk vinden. Begrijpt u dat niet? De andere twee jagers hebben dat soort informatie niet eens ontdekt, die zijn met hun onderzoek nooit verder gekomen dan het riool van Rome. Damianus zal u vinden. En dan...'

Ruso slikte een omschrijving van de gevolgen in. Die begreep Johannes heel goed. Elke dag bezocht hij de gevangenis om de mensen te troosten die door Nero gevangengenomen waren omwille van hun geloof. Elke dag liep Johannes letterlijk het hol van de leeuw in. Elke dag sprak Ruso een dankgebed uit als Johannes door Gods genade terugkeerde.

'Luister,' zei Ruso. 'Damianus heeft de slaven van Barbatus beslist een beloning aangeboden. En diezelfde beloning zal hij mijn slaven aanbieden als hij hierheen komt om mij te ondervragen, wat hij beslist zal doen. U weet dat ik na mijn bekering mijn slaven de vrijheid heb aangeboden en dat degenen die gebleven zijn dat deden omdat ze hier een beter leven hebben dan de meeste vrijgelatenen. Toch: als Damianus een aanzienlijke beloning aanbiedt, zou dat genoeg kunnen zijn om een van hen in verleiding te brengen. U bent hier niet veilig.'

'Ik ben niet bang voor de dood.'

'Johannes! Ik heb de brieven van Matteüs, Marcus en Lucas uit mijn hoofd geleerd. Ik heb naar uw verhalen geluisterd. Heeft onze Heer en Meester zelf niet een keer het gebied van de tetrarch Herodes vermeden omdat het voor Hem niet veilig was daar doorheen te reizen?'

'Hij had politiek inzicht, als je dat bedoelt,' zei Johannes.

'En de politiek van Rome bepaalt nu dat u weggaat,' zei Ruso.

'Je argument is een tweesnijdend zwaard,' zei Johannes met een glimlach. 'Want onze Heer en Meester ging wel terug naar Jeruzalem voor Pesach, terwijl Hij toen ook wist dat, door de politieke situatie gedwongen, alle overheden hun krachten zouden bundelen om Hem daar te doden.'

'Maar u kunt vast wel uit Rome wegblijven tot de Verdrukking voorbij is,' pleitte Ruso. 'Zelfs het gepeupel begint medelijden met de christenen te krijgen, en Nero zal uiteindelijk voor hun wil moeten buigen. Ten slotte moeten alle keizers dat doen. Zou u nu niet kunnen vertrekken? Hebben de zeven gemeenten in Asia uw aanwezigheid en bediening niet nodig?'

'Zij hebben mijn brieven en het visioen van de openbaring,' zei Johannes. 'Ik ben in hun midden geweest voor de Verdrukking begon en als God wil dat ik het overleef, zal ik naar hen terugkeren.'

'Wie kan zeggen of het niet Gods wil is dat u nu vertrekt, nu u voldoende gewaarschuwd bent? Wie kan zeggen of God mij niet naar u gezonden heeft vanmorgen?'

'Wie kan zeggen of God dit moment niet gekozen heeft om mij te laten sterven?'

Ruso schudde zijn hoofd.

'Laat me je herinneren aan woorden van hoop,' zei Johannes. 'Weet je nog wat Paulus schreef in zijn brief aan de gemeente in Tessalonica?' Johannes haalde diep adem en citeerde, alsof Paulus rechtstreeks tot Ruso sprak: 'Broeders en zusters, wij willen u niet in het ongewisse laten over de doden, zodat u niet hoeft te treuren, zoals zij die geen hoop hebben. Want als wij geloven dat Jezus is gestorven en is opgestaan, moeten wij ook geloven dat God door Jezus de doden naar zich toe zal leiden, samen met Jezus zelf.'

Ruso kon zich niet inhouden, begaan als hij was met zijn vriend; hij viel Johannes in de rede en maakte de woorden van Paulus af: 'Wij zeggen u met een woord van de Heer: wij, die in leven blijven tot de komst van de Heer, zullen de doden in geen geval voorgaan. Wanneer het signaal gegeven wordt, dc aartsengel zijn stem verheft en de bazuin van God weerklinkt, zal de Heer zelf uit de hemel neerdalen. Dan zullen eerst de doden die Christus toebehoren opstaan, en daarna zullen wij, die nog in leven zijn, samen met hen worden weggevoerd op de wolken en gaan we de Heer in de lucht tegemoet. Dan zullen we altijd bij hem zijn. Troost elkaar met deze woorden.'

'We hebben hier al zo vaak over gesproken,' zei Johannes. 'Wij, gelovigen, hebben de hoop op die laatste opstanding. Omdat Jezus weer tot leven kwam, zullen alle gelovigen ook opstaan.'

'Zal dat gebeuren voordat de Verdrukking afgelopen is?'

'Dat weet ik niet precies.' Johannes glimlachte en zijn gezicht klaarde op. 'Het zou dwaas zijn dat te voorspellen. Toch wil ik dat je dit weet. Als jij of ik zou sterven voordat Hij terugkomt, betekent tijd, wanneer we bij God zijn, niets meer. Jezus' wederkomst zal voor ons even onmiddellijk komen als voor iemand die in een ander millennium leeft. En het tijdstip van zijn komst is lang niet zo belangrijk als de hoop op onze opstanding door Hem. Daarom ben ik niet bang voor Damianus.' Johannes bleef glimlachen. 'Ik weet zeker dat alle gelovigen zouden wensen snel weggehaald te worden, in lucht op te gaan, om de Verdrukking te vermijden. Toch zou dat een valse hoop zijn, vooral als die komt in de plaats van de hoop op de opstanding. Want de opstanding van Jezus en de opstanding die ons op grond daarvan beloofd is, geven ons genoeg hoop om ellende te verdragen. In deze tijd. In elke tijd, al zou het nog duizenden jaren duren voor Jezus' wederkomst plaatsvindt.'

'Dus u wilt niet gaan, wat ik ook zeg?' Maar Ruso kende het antwoord al. Johannes en hij hadden Johannes' visioen op Patmos talloze malen besproken. Johannes had een visioen ontvangen van de nabije toekomst, van de verre toekomst en van de laatste toekomst. Johannes had de hemel en het einde der tijden gezien. Daarom vreesde hij niets.

Johannes antwoordde zoals Ruso verwacht had. 'Ik zal Rome niet verlaten, zelfs niet als Damianus op dit moment met een aantal soldaten het pad op zou komen om me gevangen te nemen.'

Ruso keek onwillekeurig de heuvel af en huiverde, alsof hij Damianus en de soldaten op dat moment zag. 'Ik bid God dat het niet zal gebeuren,' zei hij. 'Ik bid dat het zijn wil is dat u uw licht nog vele jaren kunt laten schijnen in deze wereld.'

✠ ✠ ✠

'Jouw echtgenote,' zei Nero halfdronken, en hij legde familiair een hand op Vitas' schouder, 'doet denken aan een schuwe hinde bij de beek. Zo aarzelend, zo alert. Alsof in de schaduw van de bomen gevaar kan loeren, klaar om toe te slaan. Dat is –' Nero onderbrak zichzelf om te boeren – 'ja, dat is bijzonder bekoorlijk, vind ik.'

De andere gesprekken verstomden. Het diner was al een paar uur bezig. Veel gasten waren al van hun rustbanken opgestaan om in een andere kamer te braken voordat ze verder slempten, sommigen al meer dan eens.

Vitas zocht moeizaam naar woorden om de stilte te doorbreken. Zijn akelige voorgevoel werd steeds erger.

'Die daar is net een loopse vos.' Nero wees op een vrouw die net een schotel met kolibrietongetjes pakte; haar vingers waren vet en met eten besmeurd. 'Ze straalt een instinctieve honger naar mannen uit. Dat is een ander soort aantrekkelijkheid, moet ik toegeven.'

De vrouw – Gloria, als Vitas haar naam goed onthouden had – glimlachte alsof de keizer haar een geweldig compliment gemaakt had.

'Deze' – Nero wees op een andere vrouw – 'is echt te dik naar mijn smaak. Haar kostbare japon verbergt gebreken die alleen

een echtgenoot zou moeten kennen.' Hij giechelde. 'Men zou kunnen vragen hoe ik dat weet.'

De echtgenoot, die tamelijk dronken was, haalde eenvoudig zijn schouders op.

'Behaagt jouw echtgenote je wel?' vroeg Nero aan Vitas; zijn blik ging weer naar Sophia. 'Behaagt ze je zoals een vrouw een man moet behagen? Of is haar schuwheid gespeeld?'

Voor Vitas een gepast antwoord kon bedenken, stond Nero op. Hij helde even lichtelijk voorover en hervond zijn evenwicht. 'Eigenlijk,' zei Nero tegen Vitas, 'weet ik opeens zeker dat ik niet in jouw mening geïnteresseerd ben. Niet als de keizer zelf kan beslissen, in de traditie van Caligula.'

Vitas verkilde van schrik. Nero zou toch zeker niet...

'Kom, mijn engel.' Nero stak Sophia zijn hand toe. 'Ik heb een bed in een kamer hiernaast staan. We zijn zo klaar. En als ik terugkom, zal ik al onze gasten een openhartige beoordeling geven.'

Terwijl Vitas snel probeerde te gaan staan, legde Nero een hand op zijn schouder en dwong hem op de rustbank te blijven. 'Jij zou de godheid toch zeker niets weigeren?' vroeg hij terwijl hij zijn ogen half dicht kneep.

Toen Vitas overeind kwam, verstevigde Nero zijn greep; zijn nagels drongen in Vitas' schouder. 'De keizer neemt wat hij wil.' Nero sprak zacht; de klank van zijn stem logenstrafte de wreedheid van zijn klauwende greep. 'Want gewone stervelingen mogen een god niets weigeren.'

Opnieuw stilte. Sommigen, zoals Tigellinus en Helius, keken geamuseerd toe. Anderen, onder wie de Jood Chayim, bestudeerden aandachtig de inhoud van de schalen die voor hen stonden.

'Ik...' begon Vitas.

Sophia's smekende blik verlamde hem. Nero hield zijn hand nog steeds naar haar uitgestoken.

'Mag ik je eraan herinneren,' zei Nero, 'dat Tigellinus medebevelhebber van de cohorten is? Hij is bijzonder goed op de hoogte van de straf voor degenen die een god openlijk ongehoorzaam zijn.'

Tigellinus boerde bij wijze van antwoord.

Nero liet Vitas los, nam Sophia bij de hand en trok haar met geweld overeind. 'Ik neem dus aan,' zei Nero tegen Vitas, 'dat ik jouw toestemming heb?'

Sophia huiverde.

Zes bewakers voor de deur. Tigellinus vlakbij op zijn rustbank. En Nero, een man die mensen liet doden voor het in slaap vallen bij de zanguitvoeringen die hij hun opgedrongen had.

Vitas zou de woorden kunnen uiten die hij wilde spreken. Dat zou resulteren in zijn dood. Een genadige, snelle dood als Nero daartoe genegen was. Of een langzame dood als Nero dat wilde. Wat hij ook deed, Nero zou zijn echtgenote toch nemen. En haar misschien ook laten doden.

'Ik héb jouw toestemming.' Nero glimlachte. 'Tenslotte zou ik haar niet willen uitproberen zonder jouw toestemming.'

Vol hulpeloze woede worstelde Vitas met de onmogelijke keuze waarvoor hij gesteld werd. Om te kunnen voorkomen dat zijn vrouw gedood werd en om zijn eigen leven te behouden, zou hij het ondenkbare moeten toestaan.

'Alsjeblieft,' zei Nero. De waanzinnige blik in zijn bloeddoorlopen ogen was enthousiast. 'Ik moet het van jou horen. Mag het?'

Vitas' verstand zei dat hij moest instemmen, maar zijn hart en ziel lieten dat niet toe.

Nero haalde zijn schouders op. 'Ik zal je zwijgen met alle plezier als toestemming opvatten.'

Hij trok Sophia vooruit. 'Goed dan, ik ben waarschijnlijk zo klaar. Ik weet zeker dat al onze gasten graag willen weten hoe goed of slecht deze jongedame in staat is een god te behagen.'

Hij ging Sophia voor naar een met gordijnen behangen deuropening achter in het vertrek.

Ze keek Vitas niet aan terwijl ze Nero volgde.

Toen werden al Vitas' verstandelijke overwegingen overweldigd door razernij en liefde. Met een luide schreeuw stond hij op van zijn rustbank en stormde voorwaarts, terwijl hij instinctief naar zijn zwaard greep.

Maar dat was verdwenen; de bewakers hadden het hem bij binnenkomst afgenomen.

Nog altijd schreeuwde hij. En nog altijd was Nero zijn doelwit; hij was vervuld van een dodelijke haat.

Nero begon zich om te draaien met een blik van plotselinge angst op zijn gezicht.

Toen was Vitas bij Nero en greep naar zijn hals. Zijn vingers sloten zich om het zachte weefsel bij Nero's keel en hij begon die dicht te knijpen.

Toen was Tigellinus bij Vitas en sloeg met het gevest van zijn zwaard op zijn hoofd.

Vitas klampte zich aan Nero vast, probeerde bij bewustzijn te blijven. Bloed stroomde in zijn ogen, maar blindelings vocht Vitas door.

Terwijl het gevest keer op keer keihard neerkwam, werd Vitas zich vaag bewust van een ander geluid.

Applaus. Van de gasten die dit tafereel bijzonder vermakelijk vonden.

Een paar tellen later werd het applaus gedempt tot volkomen stilte toen de duisternis alle bewuste gedachten van Vitas wegnam.

SATURNUS

HORA QUARTA

Luide kreten waren te horen vanuit de olijfgaard op de helling waarop het landhuis stond. Chayim trok de zoom van zijn toga op en haastte zich in de richting van het geluid. Hij was op deze warme ochtend lopend vanaf het paleis door de straten van Rome naar het buitenhuis van Aulus Petilius, een kennis van hem, gekomen; hij zweette flink.

Toen Chayim in de schaduw van de olijfbomen stapte, hoorde hij ook de klappen die telkens aan het gegil voorafgingen.

De eeuwenoude bomen met hun grillig gevormde stammen en wirwar van laaghangende takken belemmerden het uitzicht, maar de kreten werden luider. Pas toen hij bij een oliepers in het midden van de olijfgaard kwam, zag hij wat er gebeurde.

Chayim herkende de man die een kleine houten knuppel liet neerkomen op het ineengedoken lichaam van een jonge vrouw onmiddellijk: Aulus Petilius, de oude, dikke man met de zware zwarte haardos, die gisteravond tijdens het feestmaal naast hem had gezeten.

De vrouw droeg slavenkleren. Ze schreeuwde niet uit protest – slaveneigenaren hadden het recht naar believen straffen uit te delen – maar elke nieuwe slag ontlokte haar een onwillekeurige kreet van pijn.

'Petilius!' schreeuwde Chayim. 'Petilius!'

Petilius onderbrak zijn beweging op het moment dat hij de

knuppel naar beneden wilde zwaaien. Hij keerde zich geschrokken om. Zijn gezicht zag er wezenloos uit; pas nadat hij een aantal seconden met zijn ogen had staan knipperen, kon hij antwoord geven, bijna alsof Chayim hem uit een droom gewekt had. 'Is het... al... zo laat?' stamelde hij, puffend van inspanning. 'Ik was vergeten dat je vanmorgen op bezoek zou komen.'

De slavin op de grond verschoof een beetje en jammerde. Chayim zag dat de jonge vrouw kort haar had en dat haar gezicht behuild was.

'Normaal gesproken zou ik het niet erg vinden terug te komen op een tijdstip dat jou beter gelegen komt,' zei Chayim, 'maar ik heb een flinke afstand afgelegd.'

'Natuurlijk moet je blijven,' zei Petilius. 'Het is geen enkel probleem een slavin te roepen die eten en drinken voor ons klaarmaakt.' Hij keek chagrijnig. 'Maar niet deze. Ze is waardeloos. Beweert dat ze ziek is. Maar ik weet dat het pure luiheid is, anders niet.' Petilius porde haar met de knuppel. 'Of niet soms?'

'Ik heb koorts. Ik slaap slecht en ik heb voortdurend dorst.' De jonge vrouw sprak van onder de arm die ze beschermend over haar hoofd hield.

'Spreek je me tegen?' Petilius gaf haar weer een klap. Hij keek Chayim aan. 'Wil je me verontschuldigen? Ik moet dit karwei afmaken.'

'Doe het niet,' zei Chayim. 'Alsjeblieft.'

'Kom, kom,' zei Petilius. 'Je bent al helemaal hierheen gekomen. Dan maakt het toch niet uit hoe lang ik het middageten uitstel?'

'Ik heb tijd genoeg. Maar –' Chayim kwam dichterbij en knielde naast de slavin neer – 'ze lijkt nogal ernstig gewond. Ik zou het vervelend voor je vinden als je problemen met de wet krijgt.'

'Poeh. De wetten ter bescherming van slaven bestaan alleen in theorie. Ik ken niemand die ooit voor de rechter gekomen is voor het straffen van een slaaf.' Petilius porde de slavin met het eind van de knuppel. 'Zie je wel? Geen bloed.'

Chayim stond op. 'Ze is geen dier.'

Petilius reageerde verbijsterd. 'Natuurlijk niet. Ze is een slavin. Heb je enig idee hoe goedkoop slaven vandaag de dag zijn? Aan de andere kant, dieren zijn –'

'Ze is een mens,' zei Chayim rustig.

'Wat zeg je me nou?'

'Ze is een mens. Als je haar vriendelijk behandelt, geloof ik dat je op den duur zult zien dat –'

Petilius lachte zo hard dat zijn onderkin schudde. 'Het is een beetje vroeg op de dag om dronken te zijn, vriend!'

'Ik wil haar kopen,' zei Chayim. 'Je zei dat slaven goedkoop zijn.'

Petilius hield op met lachen, even abrupt als hij begonnen was. 'Maar míjn slaven zijn niet goedkoop. En deze heeft een kind.' Hij noemde een buitensporig bedrag.

'Je was me net aan het vertellen dat ze lui is,' merkte Chayim vriendelijk op.

Petilius halveerde het bedrag.

'Kijk eens naar haar,' zei Chayim. 'Het kan nog dagen, misschien wel weken duren voordat ze die afstraffing helemaal te boven is.'

Petilius halveerde het bedrag opnieuw.

'Volgens mij zijn we het eens,' zei Chayim. 'Zou je me nu water en eten voor haar kunnen geven, alsjeblieft?' Hij zweeg en raakte de nek van de vrouw even aan. 'En een deken. Die arme vrouw ligt te rillen.'

✠ ✠ ✠

'Vandaag?' vroeg Ruso. Hij probeerde zijn woede te verbergen, maar wist tamelijk zeker dat dit hem niet lukte. 'Het is al gevaarlijk genoeg dat je iemand hierheen meeneemt. Maar waarom vandaag?'

'Ik had geen keus,' zei Cornelius. 'Ze dreigde me bij de autoriteiten aan te geven. Ik heb vandaag Damianus ontmoet en afspraken met hem gemaakt. Hoe moet het met onze plannen voor morgen als ik er niet ben?'

De zon ging bijna onder. Ze stonden op de helling, vlak onder de olijfgaard waar Johannes zich altijd terugtrok als hij alleen wilde zijn. Ruso had het Johannes nooit gevraagd, maar hij vermoedde dat deze plek hem herinnerde aan de olijfgaard Getsemane, vlak bij Jeruzalem, waar Jezus zich vroeger altijd had teruggetrokken.

Een jonge vrouw stond op de helling naar hen te kijken.

'Dat is allemaal niet zo best.' Ruso kneep zijn lippen op elkaar terwijl hij naar de vrouw keek die achter Cornelius stond, net buiten gehoorsafstand. 'Als ze jou gevonden heeft, is iemand uit de samenkomst blijkbaar onvoorzichtig geweest.'

Cornelius schonk hem een flauwe glimlach. 'Nee, daar hoeven we ons geen zorgen over te maken.' Hij wreef over zijn voorhoofd. 'Ze heet Lea. Ze is de zus van Natan, zoon van Hezron. Natan had haar opgedragen zijn exemplaren van de brieven van Matteüs en Lucas en van het visioen van Johannes te bewaren. U hebt mij daarheen gestuurd om ze terug te halen, weet u nog?'

'Dat is maanden geleden,' zei Ruso langzaam, treurig. Hij bleef aandachtig naar Lea kijken terwijl hij tegen Cornelius sprak. Zij ontweek zijn doordringende blik niet. 'Maar hoe heeft ze je ooit in deze enorme stad kunnen vinden als niemand haar over je verteld heeft?'

Cornelius wreef opnieuw over zijn voorhoofd. Sloot zijn ogen. 'Dit brandmerk blijft me achtervolgen. Telkens als ze naar de markt ging, informeerde ze ernaar, zonder dat haar vader er van wist, tot ze te weten kwam in welk huis de slaven zo gebrandmerkt werden. Daarna was het slechts een kwestie van tijd...'

'Maar als ze je niet bij de autoriteiten heeft aangegeven, wat wil ze dan? Geld om het stilzwijgen te bewaren? In dat geval: ik heb meer dan genoeg. We zullen haar wegsturen. Je weet dat Johannes vertrokken zal zijn voordat ze problemen kan veroorzaken.'

'Nee, ze wil geen geld,' zei Cornelius. 'In de dagen nadat

Natan gestorven is, voordat ik arriveerde, heeft ze die brieven gelezen. Ze wil er meer over weten.'

'Doet ze onderzoek naar ons geloof?' vroeg Ruso vol verbazing. 'Zelfs na wat er met Natan gebeurd is?'

'Vooral vanwege wat er met hem gebeurd is. Ze zegt dat ze zich blijft afvragen waarom hij zijn leven op die manier liet.'

'Maar waarom breng je haar hierheen?' vroeg Ruso.

'Om Johannes te ontmoeten.' Voordat Ruso hiertegen kon protesteren, ging Cornelius haastig verder: 'Tenslotte zal dit zijn laatste avond op uw landgoed zijn.'

'Alleen als jij succes hebt met Damianus,' antwoordde Ruso.

'In elk geval zal Johannes te weten komen dat wij hem verraden hebben,' zei Cornelius. 'Denkt u dat hij daarna hier op het landgoed zal blijven?'

Die vraag hoefde Ruso niet te beantwoorden. 'Zoals je wilt,' zei hij na een korte, grimmige stilte tegen Cornelius. 'Neem haar maar mee naar boven. Maar laat me eerst precies weten welke afspraken je voor morgen met de slavenjager gemaakt hebt. Het is buitengewoon belangrijk dat Johannes geen argwaan koestert.'

✠ ✠ ✠

Chayim volgde Petilius naar het landhuis. Ze kwamen niet snel vooruit. Hoewel het nog geen honderd meter was naar het hek, hield Petilius vaak halt om uit te rusten.

'Was jij onder de indruk?' vroeg Petilius, tegen een boom leunend. 'Ik wel, dat kan ik je vertellen. Ik heb natuurlijk nooit echt opgetreden, maar als ik erop terugkijk, denk ik dat ik een natuurtalent ben. Vind je ook niet?'

'De afstraffing was hard genoeg,' zei Chayim.

'Dat was niet gespeeld. Ik heb die slavin nooit gemogen. Dacht je dat ik jou er een zou verkopen die me dierbaar was?'

'Je bent een wijs man,' zei Chayim.

'Maar hoe vond je me als acteur? Je hebt vast wel gezien dat ik daar talent voor heb.'

Dit was niet het juiste moment om afkeer of minachting te laten merken. 'Inderdaad. Niet alleen talent, trouwens; het leek wel of je al jaren ervaring hebt.'

'Verre van dat. Gisteravond pas heb je me deze gunst gevraagd, dat weet je best. En ik was behoorlijk aangeschoten toen je dat vroeg. Het is een wonder dat ik me herinnerde hoe laat we hadden afgesproken, vooral na alle opwinding na de aanval op Nero. En het is een nog groter wonder dat ik zo voortreffelijk acteerde met zo weinig voorbereidingstijd. Vind je ook niet?'

'Toen we onder de ogen van jouw slavin met elkaar spraken,' zei Chayim zonder hoorbare ironie, 'was ik er zelf bijna van overtuigd dat je haar echt wilde slaan. Ik moest mezelf in herinnering brengen dat we het gisteravond nog even geoefend hadden.'

'Is dat zo?' Petilius klonk teleurgesteld. 'Ik moet echt aangeschoten geweest zijn.'

'Dat maakt je prestatie van vandaag niet minder opmerkelijk,' zei Chayim. 'Juist nog opmerkelijker.'

'Absoluut.' Petilius sleepte zichzelf voorwaarts, stralend van tevredenheid over zichzelf. 'Laten we nu eten en drinken voor die slavin halen.' Hij stopte weer. 'Heb je me eigenlijk al verteld waarom we die hele schertsvertoning opgevoerd hebben, waarom ik haar zo moest slaan?'

Chayim schudde zijn hoofd. 'Ik dacht dat we allebei beter beschermd zouden zijn als ik dat geheimhield.'

'Waarom dat?' vroeg de dikke man.

'Twee namen.' Chayim ging fluisterend verder: 'Helius en Tigellinus. Ik denk dat ik niet meer hoef te zeggen.'

Petilius sperde verschrikt zijn ogen open. 'Genoeg gezegd,' fluisterde hij terug. 'Ik zal hier nooit meer over spreken. Met niemand!'

✠ ✠ ✠

Het gebrul van leeuwen in de verte was het geluid waardoor Vitas weer tot bewustzijn kwam. Hij lag voorover op smerig stro. Hij draaide zich om en spuugde wat strootjes uit.

Het leeuwengebrul ging door. Vitas hoorde ook een vreemd donderend geluid.

Hij ging langzaam zitten. Het was donker. Het stonk er als een riool.

Zijn hoofd bonsde. Hij raakte het voorzichtig aan. Ontdekte dat er stro vastgeplakt zat aan de pijnlijkste plek. Hij trok aan het stro en het leek of hij werd geraakt door een scherp scheermes. Hij liet zijn hand vallen en kreunde.

Hij begon zijn omgeving enigszins te doorgronden. Het was een kleine, donkere cel; het enige licht kwam van een toorts aan de andere kant van een kleine opening in de deur.

Was het dag? Nacht?

Hoe lang was hij hier al?

Waarom was hij...?

Hij werd overspoeld door herinneringen aan zijn aanval op Nero.

Sophia! Hij kreunde van smart en angst.

Sophia. Waar was zij? Wat was er met haar gebeurd?

Hij probeerde op te staan. Daar kon hij niet genoeg kracht voor opbrengen.

Hij zakte in elkaar.

Eindelijk realiseerde Vitas zich dat het een wonder was dat hij nog leefde. Een mislukte aanval op Nero had onmiddellijke doodstraf tot gevolg moeten hebben.

Opnieuw voelde hij aan zijn hoofd en dacht na. Hij besefte dat er een strootje vastgeplakt zat in het opgedroogde bloed van een diepe snee boven zijn oor. Vitas zette zijn tanden op elkaar en trok het strootje los. Weer die scheermesachtige pijn, maar het lukte. Hij voelde het warme bloed op zijn oor druppen.

Opnieuw hoorde hij leeuwengebrul. Waarom wist hij zo zeker dat dit het geluid van leeuwen was?

Toen begreep hij het.

Het gebrul kwam van boven zijn hoofd.

Evenals het donderende geluid.

Alleen was het geen donder, maar applaus en geschreeuw van het publiek.

Hij bevond zich in de krochten van het amfitheater!

Dat was het antwoord op zijn vraag waarom hij nog niet dood was. Nero had blijkbaar besloten dat het vermakelijker zou zijn Vitas te bewaren voor een openbare vertoning.

Hij kreunde opnieuw, verteerd door dorst. Verteerd door smart vanwege de onzekerheid over Sophia's lot. Verteerd door angst.

Wat zou het ergste zijn?

Zijn dood?

Of de gedachte aan wat Nero Sophia aangedaan kon hebben?

Hij wenste dat hij het geloof van zijn vrouw bezat. Het geloof dat haar in alle omstandigheden vrede gaf.

✠ ✠ ✠

Chayim keerde terug naar het midden van de olijfgaard; hij droeg een dienblad met water en eten. Hij knielde naast de slavin. 'Hoe heet je?' vroeg hij vriendelijk.

Ze zat met haar rug tegen de dikke schors van een olijfboom, beschermd tegen de hitte van de zon recht boven hun hoofd. De knuppel had haar gezicht niet geraakt. Ze was klein en dik en haar gelaatskleur, nu vlekkerig van pijn en koorts, leek van nature blozend. Haar vette, korte, donkere haar was op haar voorhoofd in een rechte lijn geknipt.

'Rikka. Ik ben samen met mijn ouders meegenomen uit een dorp in het land van de Galliërs.'

'Drink maar wat,' raadde Chayim haar met gespeeld medelijden aan. 'Nu ben je veilig. En vrij.'

Ze nam de waterkruik die Chayim haar aanbood, aan.

'Dank u wel!' Rikka hapte naar adem nadat ze gulzig een

aantal slokken water gedronken had. Hoe heet het hier op de helling ook was, ze bleef rillen. Toen drongen zijn woorden met een schok tot haar door. 'Vrij?'

Chayim knikte. 'Voor God zijn we allemaal gelijk. Jij en je kind zijn geen slaven meer. Ik zal zorgen dat je een woning en betaald werk krijgt.' Hij pakte brood en kaas van het dienblad en gaf haar dit aan. 'Eet. Je moet op krachten komen.'

Rikka pakte het voedsel aan, maar maakte geen aanstalten te gaan eten. 'Hebt u me vrijgekocht?' Haar stem was vol ongeloof. Toen Chayim niet ontkende, werd haar gezicht levendig. 'Dank u wel! Dank u wel!'

'Je moet mij niet bedanken,' zei Chayim. 'Ik volg Iemand die veel meer geleden heeft omwille van ons. Als ik jou dien, dien ik Hem.'

Rikka keek Chayim recht in de ogen. 'Bedoelt u... Bedoelt u...'

'Hij was – en is – Christus,' zei Chayim. Hij wist genoeg van de christenen af om deze vrouw voor de gek te houden. 'Vandaag heb ik jou vrijgekocht uit de slavernij, maar Hij heeft ons allemaal vrijgekocht aan het kruis.'

'U bent een volgeling! Ik ook!'

Chayim keek de olijfgaard rond. Hij glimlachte. 'Ik geloof dat het voor ons allebei beter zou zijn als je wat zachter praat. Het is gevaarlijk een volgeling te zijn.'

'U bent een volgeling,' zei ze bijna fluisterend. 'En u probeerde mij tot geloof te brengen...'

'Dat is niet zonder gevaar,' zei Chayim. 'Maar ik hoopte dat je me niet zou verraden na...'

'...na alles wat u voor me gedaan hebt. Nee. En toen ontdekte u dat we allebei gelovigen zijn!'

'Ja. Ik heb vriendschap gevonden in deze tijd van vervolging.' Chayim schudde zijn hoofd. 'Soms voel ik me zo alleen.'

'Er zijn een paar anderen met wie ik samenkom,' zei Rikka. ''s Nachts. In het geheim, verborgen voor de ogen van Nero. Als u met ons wilt meedoen...'

Chayim tilde haar handen op om haar te herinneren aan het voedsel dat ze vasthield. 'Meedoen met een aantal gelovigen?' Hij glimlachte opnieuw. Het was gelukt, zo eenvoudig als hij voorzien had! 'Nu is het mijn beurt om dankbaar te zijn.'

HORA SEXTA

'Ik weet heel weinig van Joden af,' had Damianus gezegd om de man aan het praten te krijgen. 'Kunt u mij vertellen hoe je rabbi wordt?'

Damianus zat op een kussen en keek over een tafel die gedekt was met voortreffelijk eten dat regelrecht van een Romeins feestmaal leek te komen – van zeebrasems en gebraden kippen tot rapen die net als ansjovis in lange reepjes gesneden waren. Zijn gastheer was een dikke man, een vooraanstaand geldschieter en gerespecteerd rabbi.

Damianus' vraag werd ingegeven door het contrast tussen deze overvloed en zijn herinnering aan Darda's sobere, functionele pottenbakkerswerkplaats. Daar hadden ze op een krukje aan de rand van het marktplein gezeten. Hier bevonden Damianus en de Jood Azaria, die gekleed was in felgekleurde zijde, zich in de schaduw in de binnenhof van zijn weelderige woning; ze werden goed verzorgd door een aantal bedienden.

'Dat vraagt u vanwege uw bezoek aan Darda.' Azaria vroeg het niet; het was een vaststelling.

Damianus trok een wenkbrauw omhoog.

'U bent niet de enige die de gewoonte heeft vragen te stellen,' zei Azaria met een lachje. 'En hoe groot Rome ook is, ik kan u verzekeren dat de Joden gewoonlijk op de hoogte zijn van elkaars zaken. En rabbi's kennen elkaar heel goed.'

'Ik ben bij Darda op bezoek geweest,' gaf Damianus toe.

Azaria had een vliegenmepper van pauwenveren. Hij wapperde ermee over de tafel, pakte toen een gemarineerde olijf en wipte die in zijn mond. Hij duwde hem in zijn rechterwang terwijl hij sprak. 'Wat u bedoelt is: waarom bewerkt de ene rabbi klei, terwijl een andere rabbi, zoals ik, bedienden laat werken?'

Het heeft geen zin te ontkennen, dacht Damianus. Hij knikte.

'Wij zijn geen priesters,' antwoordde Azaria. 'We worden op geen enkele officiële wijze door een tempel onderhouden, zoals u, als Romein, vertrouwd met zo veel verschillende goden en tempels, waarschijnlijk verwacht.'

Azaria wekte de indruk dat hij de olijf met smaak proefde voordat hij hem inslikte. 'Een rabbi is een ontwikkelde leraar, iemand die de Schriften uitlegt en traditionele wetten en kennis overlevert. Je wordt geen rabbi zonder te leren van een oudere rabbi; je bent van een bepaalde school, zogezegd. Ik ben van de school van Hillel, een van onze grootste rabbi's. Maar rabbi's moeten zichzelf onderhouden en ik heb toevallig de gave om geld te verdienen. Zo eenvoudig is het.'

Azaria pakte een kippenboutje en zwaaide ermee naar Damianus. 'Een bijzonder prettige gave. Maar ik betaal ijverig mijn tienden en heb geen schuldgevoel over mijn rijkdom.'

'Tienden?'

'Tien procent van wat ik verdien, gaat naar God door middel van giften aan de tempel in Jeruzalem.'

Damianus knikte. 'Tien procent van wat u verdient vóór Rome er belasting over geïnd heeft, of daarna?'

Azaria lachte. 'Eet, alstublieft.'

Het viel Damianus op dat de man zijn vraag over belastingen niet beantwoordde. 'Nee, dank u. Ik kom net van een uitgebreide maaltijd,' zei hij verontschuldigend. 'En nu ik toch ongemanierd bezig ben: ik bied u het dubbele van het oorspronkelijk overeengekomen bedrag als u mijn vragen over die brief bevredigend kunt beantwoorden.'

Hoewel sommige rijke mensen graag deden alsof geldzaken beneden hun waardigheid waren, rekende Damianus erop dat Azaria zijn aanbod niet als ongemanierd zou beschouwen. In tegenstelling tot Darda leek Azaria hem wél iemand die een compromis zou sluiten als hij de juiste prijs betaald kreeg.

'Het dubbele.' Azaria hield op met kauwen. Zijn ogen draaiden enigszins omhoog, alsof hij uit het hoofd een snelle berekening maakte. 'Moet ik een misdrijf plegen?'

'Het lijkt erop dat die brief gevaarlijk zou kunnen zijn; ik wil u een paar vragen stellen over de betekenis.'

'Gevaarlijk zou kúnnen zijn?' Azaria snoof. 'Sommige machthebbers vinden die brief zo verraderlijk dat op het bezit ervan de doodstraf staat.'

'Dus u begrijpt de inhoud van die brief?' vroeg Damianus, terwijl hij deed alsof hij Azaria's waarschuwing negeerde. Verraad! Geen wonder dat Helius zo veel waarde aan die brief hechtte!

'Natuurlijk begrijp ik die. Maar ik moet toegeven dat er iemand is die daar veel meer van weet dan ik. Hezron, zoon van Onam. Als u hem kunt vinden – hij kan ieder woord in deze brief verklaren.'

Damianus schudde zijn hoofd. 'Nadat hij zo'n vreselijk verlies geleden heeft: zijn zoons Kaleb en Natan? Nee, Hezron is wel zo wijs te zorgen dat hij onzichtbaar blijft voor Romeinen.'

Azaria's ogen puilden uit van verbazing, tot Damianus' plezier. Dit was een van zijn favoriete tactieken: munt slaan uit een enkel brokje informatie – dat hem in dit geval een dag eerder door Darda gegeven was – en suggereren dat hij veel meer wist. Damianus sprak over Hezron alsof hij alles van hem wist, omdat hij vermoedde dat het nuttig was als Azaria geloofde dat hij buitengewoon goed geïnformeerd was over de Joodse gemeenschap.

'Ik moet uitkijken met u,' zei Azaria met een waarschuwende vingerbeweging; dat bevestigde de juistheid van Damianus' ingeving.

'Helemaal niet,' zei Damianus zo abrupt mogelijk. Hij hoopte

Azaria te kunnen schokken. 'U moet me iets uitleggen. Aan de ene kant schijnt de schrijver van de brief hem duidelijk te identificeren, aan de andere kant juist niet. Kortom: wie is het Beest?'

Azaria reageerde heel anders dan Darda een dag eerder gedaan had. 'Laat ieder die inzicht heeft het getal van het beest ontcijferen,' citeerde hij glimlachend uit de brief. Hij veegde een vette vinger af aan zijn been. 'Dat wilt u weten in ruil voor dat buitensporige bedrag?'

'Ja.'

'Darda wilde er niet over praten, hè?' Opnieuw liet Azaria het klinken als een vaststelling, niet als een vraag.

Opnieuw bedacht Damianus dat de man tegenover hem bijzonder slim was.

Azaria ging verder. 'Darda vreest de autoriteiten veel meer dan ik. Natuurlijk zijn ze hem geen geld schuldig; mij wel. Daarom ben ik niet bang dat dit gesprek als verraad beschouwd zal worden.'

Verraad.

Weer een verwijzing naar het gevaar van de brief. Op de een of andere manier had Darda geconcludeerd dat de brief een pleidooi tegen de keizer bevatte; dat was een overtreding waarop de doodstraf stond. Maar Damianus had goed nagedacht over het getal van het Beest en was tot een andere conclusie gekomen.

'Waarom zou het dan verraad zijn?' vroeg hij. 'Het getal van het Beest valt niet te berekenen uit Nero's naam.'

'O nee?' Azaria glimlachte toegeeflijk. 'Doe eens alsof ik niets over gematria weet. Leg het me uit alsof ik een jongetje ben dat net heeft leren lezen.'

'Iedere letter in ons alfabet komt overeen met een getal,' zei Damianus enigszins ongeduldig, want het gebruik van gematria om woorden en namen om te zetten in getallen was inderdaad iets wat iedere Romein begreep vanaf zijn eerste leesles. 'De eerste tien letters zijn de getallen een tot en met tien, de elfde letter komt overeen met twintig, de twaalfde met dertig en zo verder tot honderd. De twintigste letter is tweehonderd, en elke daaropvolgende letter stelt een volgend honderdtal voor.'

Spottend applaus van Azaria. 'Vandaar dat beroemde spotgedicht waar de keizer zo'n hekel aan heeft,' zei deze. Hij citeerde: 'Tel Nero's naam, woord voor woord, tel dan bekwaam "heeft zijn moeder vermoord"; jou treft geen blaam als de som hem stoort.'

Damianus knikte. In het Grieks was de totale waarde van de letters van Nero's naam 1.005. Evenals de totale waarde van de letters in de zinsnede 'heeft zijn moeder vermoord'. Het was een knap staaltje van gematria; het was algemeen bekend dat Nero zijn moeder Agrippina vermoord had. Uit het feit dat dit gedicht overal opdook en dat iedereen het begreep, bleek duidelijk hoe algemeen gematria gebruikt en begrepen werd.

'Dus je ontkent dat het getal zeshonderdzesenzestig naar hem verwijst.'

'Ja,' zei Damianus. 'Dat klopt niet.'

'Voor het Joodse volk,' zei Azaria, 'is zeshonderdzesenzestig meer dan een getal. Het is ook een symbool, zoals een groot deel van de brief symbolisch is. Voor de Hebreeën is het een verschrikkelijk teken van een koning en een koninkrijk naar het beeld van de Draak – de gevallen engel die oppositie voert tegen God.'

Azaria zag blijkbaar dat Damianus hier niets van begreep en ging verder. 'Voor de Hebreeën is zes een getal van onvolkomenheid, één minder dan het getal zeven, dat staat voor volkomenheid. Voor de drievoudige zes geldt dat des te meer. Maar het is een fascinerend getal; het is wiskundig gezien bijna een raadsel op zich, een code met veelvoudige variaties. Ik zou hier een urenlange toelichting op kunnen geven; en geloof me, ik heb goed over dat getal nagedacht sinds ik de brief voor u heb bestudeerd.'

Azaria had een lege boekrol naast zich liggen. Hij pakte die op en maakte er snel een paar tekentjes op.

★
★ ★
★ ★ ★
★ ★ ★ ★
★ ★ ★ ★ ★
★ ★ ★ ★ ★ ★

'Dit is een driehoeksgetal, zoals u ziet,' zei Azaria. 'Een eenvoudig voorbeeld. Het is het driehoeksgetal 21, dat twee driehoeken vormt: een binnenste driehoek van 6 en een buitenste van 15, met een totaal van 6 rijen. In het driehoeksgetal 21 is het totaal 21 de som van alle getallen van 1 tot en met 6. Als ik dit patroon helemaal uitbreid tot 36 rijen en alle getallen van 1 tot en met 36 optel, krijg ik het driehoeksgetal 666. Ik zal u niet vervelen met de berekeningen; neem van mij aan dat het driehoeksgetal 666 de 'vervulling' van 105 is, een twaalfvoudige driehoek waarvan de buitenzijde gelijk is aan 105. De rekensom 12 maal 105 klopt ook met de 1260 dagen uit de brief, de voorbeschikte, korte heerschappij van het Beest, die daar wordt voorspeld. Een ongelooflijke code. Verbijsterend, in feite.'

Azaria schudde vol ontzag zijn hoofd. 'Griezelig zelfs, vooral als je de naam van het Beest begrijpt.'

Damianus was onder de indruk van de verwonderde en bewonderende reactie van de rabbi; toch kon hij niet het geduld opbrengen om dieper op dit onderwerp in te gaan. 'Ik ben niet zozeer geïnteresseerd in uw berekeningen als in de naam van het Beest,' zei hij.

'Maar deze getalsmatige verhoudingen zijn van bijzondere betekenis,' protesteerde Azaria. 'U bent naar mij toegekomen omdat –'

Damianus viel hem in de rede. 'De naam van het Beest,' herhaalde hij. 'Meer hoef ik niet te weten. Het komt me voor dat Johannes duidelijk zegt dat ik het Beest zou moeten kunnen identificeren door middel van zijn getal. Alleen kan ik dat niet.'

'U bent geen Hebreeër.' Azaria schonk Damianus een brede

grijns. 'Daarom bent u natuurlijk juist naar mij toegekomen.'

'Zegt u nu dat u het antwoord weet?'

'Het is voor mij even duidelijk als voor elke andere Jood die deze brief leest.'

✢ ✢ ✢

IJzer schraapte langs ijzer.

Vitas moest ingedommeld zijn. Pas toen de deur van de gevangeniscel helemaal dicht was en hij geritsel in het stro hoorde, besefte hij dat hij niet alleen was.

'Hallo?' zei hij schor.

De cel was zo donker dat hij de gestalte van degene die binnengekomen was, niet eens kon onderscheiden.

'Binnen een paar uur komt Helius,' zei een stem. 'We hebben weinig tijd.'

'Wie ben jij?'

'Drink dit op.' Een hand raakte zijn schouder aan en tastte langs zijn arm naar beneden naar zijn hand. Toen Vitas iets kouds tegen zijn hand voelde, besefte hij dat het de gladde zijkant van een aardewerken kruik was.

Hij tilde de kruik op. Gulzig nam hij een paar slokken; toen schrok hij terug voor de bitterheid van de vloeistof. 'Wat is dit?' vroeg hij hijgend.

'Later zul je me dankbaar zijn.'

'Wie ben je?'

'Drink nog eens.'

Vitas had zo'n dorst dat hij nog een paar flinke slokken nam. 'Je kunt me vast wel vertellen wie je bent.'

'Nee.' Stilte. 'Als Nero ooit te horen krijgt dat ik hier geweest ben, sterf ik precies zo als hij jou wil laten sterven. Drink de kruik nu leeg.'

Vitas probeerde nog een paar slokjes. De vloeistof leek minder bitter dan tevoren. 'Alsjeblieft,' begon hij. Hij voelde een warme gloed in zijn maag. 'Weet je iets over Sophia, mijn vrouw?'

'Nee. Ik wil ook niets weten over haar. Of over jou. Hoe minder ik weet, hoe beter. Drink nu. Schiet op.'

'Ben je hier zonder te weten wie ik ben?'

'Ik heb instructies gekregen. Luister goed. Ik moest zeggen dat de toekomst van je vrouw en je ongeboren kind ervan afhangen.'

Vitas ging rechtop zitten.

'Ten eerste,' zei de man, 'laat ik een brief bij je achter. Die moet je ontcijferen om de antwoorden te vinden die je nodig hebt.'

'Antwoorden?'

'Je kunt niet goed luisteren als je praat,' zei vreemdeling kortaf. 'Zal ik doorgaan?'

'Ja.'

'Ten tweede heeft Tiberius ooit een duistere kwestie in stemming gebracht in de senaat. Die kwestie zul je ergens in de archieven aantreffen. Ze is gemarkeerd door middel van een getal.'

'Ik luister nog steeds.'

'Onthoud dit goed, want ooit kan het leven van je gezin hiervan afhangen.'

'Ik luister. Welk getal is het?'

'Het getal van het Beest. Zeshonderdzesenzestig.'

✠ ✠ ✠

'Moet ik u eraan herinneren dat ik bijzonder goed betaal?' vroeg Damianus ongeduldig. 'Geef me de naam van het Beest.'

'Niet zo snel.' Azaria genoot zichtbaar. 'Laten we nog wat over het Beest praten. Ik herhaal dat het buitengewoon ingenieus van de auteur is met zo weinig woorden zo veel tot stand te brengen. Hij zegt één ding en dat kan drie dingen betekenen. Het Beest is een goed voorbeeld. Voor ons volk verwijst het Beest enerzijds naar het Romeinse rijk, maar anderzijds gaat het, gezien het getal zeshonderdzesenzestig, ook over één bepaalde keizer. Hier...'

Azaria nam de boekrol uit Damianus' hand, rolde hem uit en las hem vluchtig door. Hij zocht een specifiek gedeelte, vond dit en haalde diep adem voordat hij het begon te lezen op een toon alsof hij in de synagoge voorging. 'Hier komt het aan op wijsheid en inzicht. De zeven koppen zijn zeven heuvels waarop de vrouw zit, en het zijn zeven koningen. Vijf van hen zijn omgekomen, één is er nu, en de laatste moet nog komen en zal dan maar kort blijven. Het beest dat was, en niet is, is zelf de achtste koning, al is het een van de zeven, en het zal vernietigd worden.' Hij keek op. 'Vertel eens, zonder eerst na te denken: welke getallen zijn belangrijk en waarom?'

Damianus deed wat hem gezegd werd. '"Zeven heuvels": Rome. Dat is volkomen duidelijk. Ik begreep het meteen; iedereen zou het begrijpen. "Vijf van hen zijn omgekomen, één is er nu"? Elk kind dat de Romeinse geschiedenis kent, kan die vraag beantwoorden.' Hij telde de keizers op zijn vingers af terwijl hij hen in volgorde opnoemde. 'Julius Caesar, Augustus, Tiberius, Caligula, Claudius en nu Nero.'

Azaria knikte. 'Strikt genomen liet Julius Caesar zich geen keizer noemen, maar in feite was hij dat wel; iedereen beschouwt hem als keizer. Het is inderdaad een duidelijke verwijzing naar de eerste zes keizers na de val van de Republiek.'

Damianus ging langzamer spreken, omdat hij tegelijk probeerde na te denken. 'En de laatste moet nog komen,' citeerde hij. 'De volgende keizer? Een korte regeringsperiode? Daarna de achtste die vernietigd zal worden?'

'Dat kun je lezen als de voorspelling van een snelle opeenvolging van keizers. "Vernietigd" verwijst naar een onnatuurlijke doodsoorzaak.'

Damianus voelde weer een golf van opwinding. 'Verwijst dit naar een moord?'

'Verschillende moorden na elkaar. Misschien burgeroorlog.'

Het duizelde Damianus. Nero zou bijzonder verontrust zijn als hij hiervan hoorde. Hij was buitengewoon argwanend, vooral sinds de moordaanslag van een paar jaar geleden.

Hij bedwong zijn opwinding echter snel en sprak Azaria tegen. 'Het idee van een burgeroorlog is belachelijk. Het rijk is stabiel en voorspoedig. Naar goede traditie wordt de macht door de keizer zelf op vreedzame wijze aan zijn opvolger overgedragen.'

'Inderdaad,' zei Azaria. 'Vergeet niet dat Johannes' brief slechts een profetie is. Maar wel een profetie die Nero de schrik op het lijf zou jagen als hij er van hoorde. Hij is wijd en zijd bekend als bijgelovig man.'

'Wat heeft hij dan te vrezen?' Damianus besefte dat hij eindelijk tot de kern van de zaak kwam.

Azaria wreef over zijn gezicht, waarbij hij een veeg braadvet op zijn wang achterliet. 'Ik denk dat Johannes deze brief geschreven heeft om alle volgelingen van Jezus te troosten in deze tijd van vervolging en verdrukking. Hij zegt dat deze verdrukking niet eindeloos zal doorgaan; hij belooft enorme beloningen aan de christenen die in hun geloof volharden.'

'Verdrukking?'

'De verdrukking die overduidelijk is voor alle Romeinen en christenen. Die begon kort na de Grote Brand, waarvan Nero de christenen de schuld gaf, en gaat door met de gruwelijke openbare terechtstellingen van de christenen.'

'Er komt een einde aan de Grote Verdrukking.' Damianus herinnerde zich wat hij in de brief gelezen had. 'Als het Beest sterft. En daarna gebeurt het onvoorstelbare: een burgeroorlog.'

Azaria haalde zijn schouders op 'Als die profetie tenminste echt is.'

Ja, dacht Damianus, daarom is Helius bang voor de brief! Een profetie over de dood van de keizer. Als Nero hiervan hoorde, zou hij nog veel labieler worden.

Maar – het Beest in de brief kon Nero niet zijn! Dus had Nero niets te vrezen van deze brief.

'Ik heb gematria uitgeprobeerd op de namen van alle heersers die ik ken,' zei Damianus. 'Het getal zeshonderdzesenzestig levert mij geen enkel beest op dat me bekend voorkomt. En zeker geen Nero.'

'O nee?' Azaria glimlachte en schreef toen van boven naar beneden een rij letters op zijn boekrol. 'Kijk, dit is het Hebreeuwse alfabet. En dit –' hij maakte een tweede rij naast de eerste – 'is het Griekse alfabet. Eenvoudig, hè?'

'Ja, dat zie ik.'

'De eerste tien letters van elk alfabet komen overeen met de eerste tien getallen, een tot en met tien. Maar de volgende tien komen overeen met de volgende tíentallen.'

'Dus iota, de tiende Griekse letter, is tien, maar de elfde, kappa, is twintig.'

'Goed zo. En de derde tien letters –'

'Dat zijn natuurlijk honderdtallen,' zei Damianus ongeduldig. 'Ik begrijp dat Hebreeuwse gematria volgens dezelfde principes werkt als de Griekse. Maar Johannes' brief is in het Grieks geschreven, dus waarom –'

'Omdat de schrijver verwacht dat een groot deel van zijn publiek Hebreeuws is,' zei Azaria in antwoord op Damianus' nog niet gestelde vraag. 'En hij weet dat ze gematria op de Hebreeuwse manier zullen toepassen.'

Azaria pakte de boekrol en schreef nog een paar letters. 'Ik kan een Romein als u niet kwalijk nemen dat u niet weet dat je in het Hebreeuws geen klinkers schrijft. Kijk, zó spellen wij "Nero Caesar".'

נרון קסר

'Zeshonderdzesenzestig,' zei Damianus na een snelle berekening. 'Nero is het Beest!'

✠ ✠ ✠

De vreemdeling pakte Vitas' hand. 'Word je al slaperig? Warm?'

'Wie heeft je gestuurd?' vroeg Vitas. Zijn tong voelde dik. 'Wat heb ik gedronken?'

'Voel je dit?' vroeg de vreemdeling.

Vitas voelde vaag dat er in de rug van zijn hand geknepen werd. 'Ja,' mompelde hij. 'Ik ben nog niet dood.'

'Drink nog wat.'

Vitas had geen wilskracht om te weigeren toen de vreemdeling de kruik weer aan zijn lippen hield.

'Leeg?' vroeg de vreemdeling in zijn cel.

'Wie heeft je gestuurd?' vroeg Vitas opnieuw. Hij dacht tenminste dat hij dat vroeg. Hij wist niet zeker of hij de vraag uitgesproken of alleen gedacht had.

'Voel je dit?' werd hem opnieuw gevraagd.

'Voel ik wat?'

De vreemdeling liet Vitas' hand vallen.

Vitas was er zich zwakjes van bewust dat de hand op zijn dij viel. 'Dat voelde ik,' verkondigde hij plechtig. 'Dat was mijn hand. Die zit aan het eind van mijn arm.'

'Uitstekend.'

Nog meer geritsel. Had de vreemdeling zojuist iets om Vitas' nek gedrapeerd?

Toen kreeg Vitas een harde klap recht in zijn gezicht.

'Wacht!' protesteerde hij.

Hij probeerde zijn handen op te tillen om zichzelf te beschermen, maar zijn armen waren van rubber.

Nog een dreunende klap.

En nog een.

✠ ✠ ✠

'Is die brief zo geschreven om door de censuur te komen?' vroeg Damianus aan de rabbi.

'De auteur wist waarschijnlijk wel dat de verraderlijke inhoud duidelijk is voor iedereen die zorgvuldig leest,' zei Azaria. 'Er staat al genoeg in de brief dat erop wijst dat Nero het Beest is. Maar deze code geeft enige bescherming, omdat een Romeinse censor die de brief vluchtig bekijkt zeshonderdzesenzestig beslist niet zou uitleggen als Nero, terwijl het grootste gedeelte van Johannes' publiek dat wel zou zien. Wat ik veel meer van belang vind, is de griezelige samenloop tussen de gematria van Nero's naam en alle lagen van symboliek die een Jood in het getal zeshonderdzesenzestig ziet.'

Azaria ging fluisterend verder: 'Bijna alsof Johannes dat visioen werkelijk van een engel ontvangen had.'

Damianus was niet geïnteresseerd in de eventueel bovennatuurlijke inspiratie van de brief, maar alleen in het vinden van zo veel mogelijk informatie over Johannes. Nog belangrijker was de vraag waarom Helius zo bang was voor Johannes en zijn visioen.

'Zou Helius of Nero de naam van het Beest weten?' vroeg Damianus.

'Ze hoeven alleen maar vragen te stellen, net als u gedaan hebt. Darda en ik zijn niet de enige rabbi's in Rome.'

'Dus in wezen zegt de auteur van deze brief dat Nero het Beest is dat oorlog voert tegen het Lam.'

'Hij is de verpersoonlijking van het Beest. Maar ook het Romeinse rijk is het Beest, en dat zal blijven heersen – zelfs na een schijnbaar dodelijke wond.'

'Burgeroorlog.' Daar heb je het weer, dacht Damianus, die vergezochte conclusie.

'Als je kunt geloven dat dát ooit zou gebeuren,' zei Azaria.

'En de brief voorspelt ook het tijdstip van Nero's dood,' zei Damianus zonder enige emotie te tonen. Een voorspelling van Nero's dood! Wat een ongelooflijk belangrijk document! Nero had enorm vertrouwen in – en vrees voor – alle voortekenen of profetieën die op hem zinspeelden. Wat een bezit: een profetie die over zijn dood sprak!

'Ja. Maar denk aan de andere onwaarschijnlijke profetieën. Dat de tempel in Jeruzalem verwoest wordt, bijvoorbeeld. Als u ooit de tempel heeft gezien, hoog op de berg, zult u weten hoe – ik kan het niet anders noemen – hoe stom die voorspelling is.'

'Laten we er even bij stilstaan wat het zou betekenen als het onmogelijke zou gebeuren: dat de tempel werkelijk verwoest werd, zoals die zogenaamde messias Jezus beweerde,' zei Damianus. 'Wat zegt dat over Jezus?'

Weliswaar was niet Jezus, maar Johannes Damianus' prooi, maar Damianus was van nature nieuwsgierig. En nu beweerde Azaria over de val van de tempel precies hetzelfde als Darda. De brief bevatte een profetie over Nero's dood! Als Damianus de echtheid van de profetieën van Jezus kon bewijzen, zou ook die ene profetie in de brief meer waarde hebben.

'Dat zou zijn rehabilitatie betekenen, neem ik aan,' zei Azaria langzaam. 'Bij verschillende gelegenheden riep Jezus het oordeel af over degenen die op het punt stonden Hem te doden. Hij gebruikte een Joodse profetische zinsnede met een speciale betekenis, die in onze eeuwenoude geschriften herhaaldelijk gebruikt wordt: komen op de wolken. Hij combineerde die zinsnede met een andere, uit een psalm over kroning en verheerlijking. Jezus zei tegen hen: "Vanaf nu zult u de Mensenzoon zien zitten aan de rechterhand van de Machtige en Hem zien komen op de wolken van de hemel." Dat heb ik eens gelezen. Die woorden heb ik onthouden vanwege de onbetwistbare brutaliteit van Jezus' bewering. In feite maakte Hij aanspraak op goddelijkheid door het oordeel over Jeruzalem uit te spreken! Als Jeruzalem en de tempel in de nabije toekomst zouden vallen – moge het niet gebeuren – zou dat betekenen dat niet de keizer of een andere Joodse messias, maar Jezus Koning en Heer is.'

Azaria zweeg even en ging toen verder. 'En het zou ongelooflijk ironisch zijn. Hij beweerde het Lam te zijn dat is geslacht om ons te verlossen. Als de tempel zou verdwijnen, zou er geen andere manier zijn om God te bereiken dan door Jezus. Als Hij werkelijk goddelijk was.'

'Hoe accuraat zijn de andere voorspellingen van Johannes volgens u?' vroeg Damianus. Kennis is macht; dat gold des te meer voor een geheim als dit.

'Zoals ik zei: de manier waarop de brief geschreven is, is zo ongelooflijk dat ik bijna zou denken dat hij goddelijk geïnspireerd is. Toch kan de kennelijke onmogelijkheid van de voorspelde gebeurtenissen – de val van de tempel, burgeroorlog in het Romeinse rijk – slechts tot één conclusie leiden...' Azaria zuchtte diep. 'Johannes doet een zinloze poging die dwazen te troosten die geloven in het al even onmogelijke idee dat Jezus weer tot leven gewekt is en dat Hij de beloofde Messias was – en nog is.'

Damianus knikte. Hij was bijzonder blij dat Vitas hem over Helius en de brief verteld had. Maar hij wist ook dat Helius het allemaal niet zo onschuldig zou vinden als Azaria. Helius zou onmiddellijk begrijpen wat Damianus begreep: het gevaar dat de profetie vormde voor Nero's gemoedsrust. En Nero's visie op een dergelijke bedreiging zou het leven in het paleis bijzonder moeilijk maken. Overal in Rome zou het moeilijk worden.

Dat maakte Johannes tot een bijzonder waardevolle vangst.

Het feit echter dat twee andere slavenjagers onder geheimzinnige omstandigheden gestorven waren, was voor Damianus een goede reden zich zorgen te maken over zijn eigen leven.

Als Johannes, zoon van Zebedeüs, de sleutel tot dit alles was, had Damianus reden te meer om hem gevangen te nemen.

✠ ✠ ✠

De vreemdeling hield Vitas in zittende houding terwijl hij hem telkens opnieuw sloeg.

Vitas was zich intens bewust van het geluid van het pak slaag. Van het dreunen van hout op zijn gezicht. Hoe lang het duurde, wist hij niet.

Het kon hem ook niet schelen.

Zonder waarschuwing hielden de slagen op.

De vreemdeling liet hem in het stro vallen. Vitas voelde dat de man een boekrol onder zijn kleding tegen zijn borst liet glijden. Een ogenblik later klopte de man hem op de borst, alsof hij zich ervan wilde overtuigen dat de boekrol op de juiste plaats zat. Daarna hoorde Vitas het stro ritselen onder de voeten van de vreemdeling: hij ging naar de deur van de cel. Het silhouet van de man stak een ogenblik scherp af tegen het toortslicht terwijl hij de deur opendeed.

Toen was Vitas weer alleen.

HORA UNDECIMA

Sophia zat in de tuin bij de stal en zong een slaapliedje voor Sabinus. Haar liefde voor deze baby de vrije loop laten was, naast gebed, de enige manier om haar angst over het lot van Vitas te bedwingen. En het gepieker over haar eigen lot.

Ben-Aryeh kwam de tuin in met vijf Romeinse soldaten achter zich. Dit was het ogenblik waar ze de hele dag al tegen opgezien had.

De vorige avond was Vitas' bewusteloze lichaam door bewakers van het feestmaal weggesleept. Nero, bijna te dronken om te lopen, had haar naar de andere kamer gebracht. Een paar tellen later was hij buiten westen geraakt. Ze had een tijdje verbijsterd naar hem staan kijken, huiverend van het kwaad dat op zijn gezicht te lezen stond, zelfs toen hij bewusteloos was. Ze had zich afgevraagd of ze Vitas kon helpen en toen beseft dat het paleis ontvluchten het enige was wat ze kon doen.

Herhaaldelijk had Ben-Aryeh erop aangedrongen dat ze het landhuis op de helling zou verlaten. Hij had gezegd dat Nero zou betreuren dat hij haar zo gemakkelijk had laten ontsnappen. Maar ze kon het landgoed niet verlaten voordat ze wist wat er met Vitas gebeurd was. Ze had bedienden er op uitgestuurd om naar hem te informeren, maar die moesten nog terugkomen. En áls ze al informatie hadden, zou ze Vitas dan kunnen helpen?

Ze had haar familie in Jeruzalem verloren. Zou ze nu de man die ze liefhad verliezen?

Terwijl de uren tergend langzaam voorbijgingen, had ze geestelijk troost gevonden in gebed. Sabinus was met zijn opgewekte spel aan haar voeten haar aardse troost geweest.

Een jong dienstmeisje stond op haar te wachten. Zodra Sophia opstond, haastte het meisje zich naar haar toe.

'Neem het kind mee,' droeg Sophia haar op. Ze wikkelde Sabinus in een deken. 'Je weet wat je moet doen.'

Het dienstmeisje knikte.

Ben-Aryeh had Sophia niet kunnen overhalen te vertrekken, maar hij had wél gezorgd dat ze op het ergste voorbereid was. Er was al een brief naar Sophia's vriendin Paulina gestuurd, waarin haar gevraagd werd voor Sabinus te zorgen als dat nodig mocht zijn.

Terwijl het dienstmeisje in de richting van de stal liep, hield Sophia de soldaten zorgvuldig in het oog. Als zij probeerden het meisje tegen te houden, was alles verloren. Maar ze negeerden haar; ze kon de tuin verlaten voordat de soldaten bij Sophia waren.

Sophia sloot haar ogen even om een dankgebed op te zenden. Nero had niet besloten de hele familie uit te roeien. Alleen zíj moest sterven. Als er geen sprake van doodstraf was, zou Nero een boodschapper gestuurd hebben – geen soldaten in volledige wapenrusting.

De aanvoerder van de soldaten bleef op minder dan een meter afstand staan en keek naar Sophia. Met een ondoorgrondelijk gezicht deed Ben-Aryeh een stap opzij en maakte zich zo klein mogelijk. Ze had hem nog nooit zo kruiperig zien doen.

'Die bediende spreekt de waarheid,' zei de leider tegen de anderen, terwijl hij Sophia recht bleef aankijken. 'Dit is Vitas' vrouw. Ik heb haar gisteravond met hem samen gezien.' Toen richtte hij zich tot Sophia en bood haar een boekrol aan. 'Dit is het bevel van Nero.'

'Ik kan geen Latijn lezen,' antwoordde Sophia. Ze was een flauwte nabij.

De situatie ontwikkelde zich precies zoals Ben-Aryeh had voorspeld. Vanmorgen vroeg was hij naar de voornaamste bedienden gegaan om navraag te doen naar de gewoonten van de Romeinen; grimmig had hij verslag uitgebracht. Eerst zouden de soldaten komen. Met de boekrol.

'Goed dan,' zei de soldaat. 'Nero verzoekt u de aderen te openen.'

Zelfmoord!

Daar was ze op voorbereid. Maar de kalmte waarmee de soldaat dit zei, bracht haar toch van haar stuk. Ze haalde een aantal keer diep adem en dwong zich tot waardigheid. 'Staan jullie mij toe de slaven van dit huis vrij te laten, zoals de gewoonte is?'

De soldaat gromde en knikte.

'Ik wil nog iets vragen,' ging ze verder. 'Wil hij mijn hoofd hebben?'

Dat was een ter zake doende vraag. Ze had gehoord van Octavia, Nero's eerste vrouw; men had haar hoofd afgehakt om als bewijs naar de keizer te brengen.

'Wat maakt dat uit?' vroeg de soldaat. 'Dood is dood.'

'Als Nero mijn hoofd wil hebben, zou ik mijn make-up en haar graag in orde willen maken,' antwoordde ze beheerst.

'Hij wil uw hoofd niet,' gromde de soldaat. 'En ik heb ook geen tijd om daarop te wachten.'

'Sta haar een heet bad toe,' bemiddelde Ben-Aryeh. 'Laat het dan tenminste pijnloos voor haar zijn.' Hij trok een beurs uit zijn tunica en schudde die heen en weer, zodat de soldaten het gerinkel van de munten goed konden horen.

De leider knikte. 'Goed dan.'

Ben-Aryeh gooide hem de beurs toe. 'Ik zal de slavinnen bevel geven een bad klaar te maken,' zei hij tegen Sophia.

'Zo heet als een mens kan verdragen,' zei Sophia. 'En zorg dat ze wijn brengen.'

'Zoals u beveelt.'

Ben-Aryeh haastte zich weg en liet het aan de soldaten over haar naar binnen te brengen.

✠ ✠ ✠

Trivium.

Damianus stond op de kruising van drie wegen. De breedste van die drie was de Via Sacra, iets ten zuiden en ten oosten van het centrum van Rome.

Zoals gebruikelijk op elke driesprong – trivium in het Latijn – was hier een opvallend bord geplaatst. Daarop stonden berichten over allerlei zaken die voorbijgangers belangrijk genoeg vonden om bekend te maken.

Terwijl hij bij de Via Sacra stond te wachten op de slaaf die Cornelius heette, las Damianus die triviale berichten vluchtig door. De aankondiging van een bruiloft. Beloningen voor zoekgeraakte kostbaarheden. Een smeekbede om te helpen zoeken naar een ezel die verdwenen was.

Damianus had de ingeroeste gewoonte alles te lezen wat hem voor ogen kwam. Op deze kalme, wolkeloze namiddag drongen de berichten echter nauwelijks tot hem door.

Hij zou zijn gedachten bij de ophanden zijnde gevangenneming van Johannes, zoon van Zebedeüs, moeten hebben. De afspraak die Damianus met Cornelius gemaakt had, was eenvoudig. Cornelius zou hem meenemen naar een pad in de buurt waar Johannes elke dag rond deze tijd liep. Cornelius zou, samen met Damianus, op een verborgen plek wachten; als Johannes langskwam, zou hij hem aanwijzen, zodat de mannen die Damianus gehuurd had hem onmiddellijk en onopvallend konden gevangennemen.

Daar zou hij op geconcentreerd moeten zijn. Maar omdat Damianus een expert was geworden in het verrassen van zijn prooi met soortgelijke plotselinge overvallen en omdat hij vertrouwde op de mannen die al klaar stonden, liet hij zijn gedachten afdwalen naar de ontmoeting met rabbi Azaria.

Het was een gegeven dat Johannes, tenzij er iets onverwachts gebeurde, ruim voor zonsondergang gevangengenomen zou worden. Maar Damianus wist niet zeker of hij Johannes onmiddellijk aan Helius zou overleveren.

Want Damianus dacht dat hij nu pas precies begreep hoeveel Johannes Helius waard was.

✠ ✠ ✠

Helius arriveerde met drie bewakers die ieder een toorts droegen. Hij weigerde de smerige cel te betreden waarin Vitas zich bevond, maar stuurde de bewakers naar binnen om hem de gang in te trekken.

Toen de bewakers Vitas loslieten, viel hij op zijn knieën.

Helius greep hem bij zijn haar en trok zijn hoofd omhoog. Toen hapte hij naar adem en deed een stap achteruit. 'Bij de goden!' zei hij. 'Je gezicht!'

In de tijd die gepasseerd was sinds de vreemdeling Vitas' cel was binnengegaan en hem geruisloos, maar doeltreffend afgeranseld had, was Vitas' gezicht monsterlijk opgezwollen. Hij keek door smalle spleten, zo dik waren zijn oogleden. Zijn voorhoofd was paars van de kneuzingen. Zijn lippen waren opgezet.

Hij kon zijn evenwicht alleen bewaren door op zijn handen en knieën te steunen. Hij voelde het gewicht van de boekrol in zijn tunica. In zijn donkere cel was lezen onmogelijk geweest, zelfs al had hij de energie daartoe kunnen opbrengen. Maar blijkbaar was de inhoud belangrijk; hij wist dat hij de boekrol voor Helius moest verbergen.

'De bewakers hebben zich aardig met je vermaakt,' zei Helius lachend. 'Het is maar goed dat Sophia je zo niet kan zien.'

'Sophia!' Vitas kreeg energie. 'Sophia!'

Zijn tanden waren niet gebroken en er zaten ook geen sneden in zijn gezicht. De houten knuppel waarmee hij geslagen was, was blijkbaar op de een of andere manier gestoffeerd geweest.

'Je dierbare echtgenote,' sneerde Helius. 'Ik neem aan dat je wilt weten hoe het met haar afgelopen is?'

'Sophia!'

'Daarover laat ik je liever in het ongewisse. Het is veel leuker voor mij je in het ongewisse te laten.'

'Sophia!'

'Je hebt de keizer aangevallen,' zei Helius. 'Dat is beslist een ernstige misdaad, een van de ergste.' Hij porde met zijn voet in Vitas' zij.

Vitas rolde om. Hij zorgde dat hij boven op de boekrol viel. 'Sophia...' Nu zijn uitbarsting van energie weer verdwenen was, klonk haar naam als gekreun.

'Aandoenlijk,' zei Helius. 'Maar na morgenavond is ze voor jou niet meer van belang. Met blijdschap – nee, dat kan beter – tot mijn grote genoegen mag ik je vertellen dat je voor morgenavond op het programma staat om in de arena te verschijnen.'

Hij zweeg even en bekeek Vitas van top tot teen. 'Ik had gedacht dat het vermakelijk zou zijn om je met een paar gladiatoren te laten vechten. Een oorlogsheld zou toch voor een uitstekend optreden kunnen zorgen. Maar nu ik zie hoe belabberd je eraan toe bent... Misschien moet je toch maar voor de leeuwen gegooid worden.'

Nog een pauze.

'Nee,' zei Helius, 'een olifant misschien. We zullen je aan een slagtand laten binden. Je gezicht is al onherkenbaar. Dat lot kan je lichaam ook ondergaan.' Hij haalde zijn schouders op. 'Maakt niet uit. Belangrijk is, wat in je testament staat met betrekking tot je grondbezit.'

Vitas tuurde recht voor zich uit. Alles wat hij zag waren de laarzen van de bewakers en de donkere muren van de onderaardse gang met het toortslicht dat op de stenen glansde.

'Normaal gesproken,' zei Helius, 'zou van je verwacht worden dat je je volledige grondbezit nalaat aan de keizer. Samen met een schuldbekentenis. Maar ik heb een voorstel voor je.'

De voeten van de bewakers verdwenen uit Vitas' gezichtsveld.

Helius had hen weggestuurd. Hij knielde naast Vitas neer en fluisterde in zijn oor: 'Je hebt stukken land aan de kust. Ik denk dat het gepast is als je die rechtstreeks aan mij geeft. Nero zal ze niet missen.'

Vitas probeerde te spugen. Maar zijn lippen barstten bijna onder de druk van het bloed dat er doorheen bonsde. Bovendien kon hij geen speeksel produceren.

'Aha,' zei Helius, 'ik voel woede. Heb ik het goed of niet? Het is bijzonder moeilijk je emoties te lezen van een gezicht dat er uitziet als een meloen.' Hij tikte Vitas een aantal maal met zijn wijsvinger in het gezicht. 'Fascinerend, beslist fascinerend. Ik moet meer misdadigers zo laten slaan.'

Vitas probeerde met zijn vuist naar hem uit te halen, maar dat was onmogelijk vanaf de grond.

'Gedraag je,' zei Helius. 'Je staat op het punt te sterven, dus doe dat waardig. En doe het op zo'n manier dat je Sophia dat lot bespaart.'

Vitas zat volkomen stil.

'Aha, dus je let wel op.' Helius kwam wat dichterbij. 'Als je het testament zo maakt als ik verzoek, zal zij blijven leven. Dat beloof ik.'

'Garantie...?' Het kostte Vitas een aantal seconden om dat eenvoudige woord uit te spreken.

'Welke garantie heb je dat ik die belofte waar zal maken? Geen enkele misschien. Maar je weet wel zeker dat ze niet gespaard wordt als je me tegenwerkt.' Helius leek er verder over na te denken. 'Eigenlijk moet je je advocaat vragen haar naar een veilige plaats te sturen vóór de executie van je bezittingen.' Helius lachte. 'Executie. Wat een toepasselijk woord, vind je niet?'

Hij gaf Vitas een por. 'Heus, je moet je gevoel voor humor niet verliezen. Dat is alles wat je nog hebt.'

'Stuur... mijn... advocaat. Zal... het... doen.'

'Uitstekend.' Helius stond op. 'Voel je je nu niet een stuk beter?'

'Stuur... Sophia...'

'Dat denk ik niet. Nero zou het niet goedkeuren. Zeer beslist niet. Hij is nogal ontdaan, weet je. Over jullie allebei. Hij ziet ernaar uit je op de gruwelijkste manier te zien sterven.'

De voeten van de bewakers kwamen terug in Vitas' beperkte gezichtsveld. Ruwe handen tilden hem overeind. Ze begonnen hem weer de cel in te slepen.

'De advocaat komt morgenvroeg,' zei Helius. 'Zorg dat je goed slaapt vannacht.'

✠ ✠ ✠

Chayim zag vijf mannen met messen voor zich staan. Hij deinsde terug, maar zijn aftocht kwam tot een voortijdig einde toen hij merkte dat hij met zijn rug tegen de muur van een pakhuis stond.

'Wat is beter dan een dwaas die alleen bij de haven rondloopt?' vroeg de grootste van de vijf aan zijn makkers.

Aangezien de vraag niet tot Chayim was gericht, zweeg hij.

Lachend beantwoordde de man zijn eigen vraag: 'Een rijke dwaas!'

Chayim was in een gedeelte van Rome waar hij nog nooit geweest was. Bij de Tiber, waar overdag de schepen gelost werden.

'Laten we hem uitkleden en fileren als een vis!' zei een stem in het donker.

Chayim schoof langs de muur en tastte met zijn handen achter zich.

'Ho, ho!' zei de leider. 'Je kunt niet ontsnappen. Waarschijnlijk zijn de ringen aan je vingers een jaarinkomen waard. Je hebt ze toch niet meer nodig, want we gaan je vingers afhakken om ze te krijgen.'

'Ik raad jullie aan te vertrekken,' zei Chayim. 'Ik kom hier niet om problemen te zoeken.'

'Wat een grapjas!' De leider had littekens op zijn gezicht en droeg een ooglapje. 'Een grapjas die naar de sloppenwijk komt voor vermaak. Wat zoek je? Een meisje? Een jongen?' De man zwaaide zijn mes dichter bij Chayims gezicht. 'Wat je ook zoekt, rijke dwaas, het gaat je je leven kosten.'

'Genoeg!' zei Chayim. 'Ik geef jullie nog één kans.'

'En anders?'

Chayim bleef zwijgen.

'Jongens, laten we hem opensnijden.'

De plof was nauwelijks te horen; het verbaasde gekreun des te beter. De leider viel op zijn knieën en zijn mes kletterde op de keien. Hij kronkelde van pijn, zodat het legerzwaard dat naar hem toegeworpen was en zijn buik doorboord had, zichtbaar werd. Hij hield het zwaard met beide handen vast en keek er vol ongeloof op neer.

Voordat de anderen konden reageren, kwamen er zes wachters van de prefect aanrennen. Allen droegen volledige wapenrusting, compleet met helm. Ze vormden een rij achter hun schilden en zwaaiden dreigend met hun korte zwaarden.

Er klonk geschreeuw van ontzetting, gevolgd door het geluid van rennende voeten op de keien – de straatbende vluchtte.

Chayim stapte om de man op de grond heen. De soldaat van wie het zwaard was, trok het uit het lichaam. Het bloed stroomde langs het wapen.

'Ik zal zorgen dat jullie allemaal tweemaal zoveel betaald krijgen,' zei Chayim tegen de soldaten. Hij wees op het zwaard van de eerste soldaat. 'Veeg dat schoon, alsjeblieft. We moeten onze prooi niet bang maken met al dat verse bloed.'

HORA DUODECIMA

'In de lengte,' zei de soldaat. Hij was door de centurio naar boven gestuurd om toezicht te houden op Sophia's dood.

'Ik weet niet precies wat je bedoelt.' Sophia stond, gekleed in een lange tunica, in het vertrek waar een heet bad voor haar was klaargezet.

De soldaat stond bij de ingang. Ze volgde zijn blik terwijl hij de kamer nauwkeurig onderzocht om zich ervan te vergewissen dat ze onmogelijk zou kunnen ontsnappen. Naast het bad lag een mes en er was een kruik wijn klaargezet. Er lag ook een stapel handdoeken. Verder was de kamer leeg. Het hete water dampte.

'De bloeding is veel doelmatiger als je de polsen in de lengte insnijdt,' zei hij niet onvriendelijk. Hij wees op zijn eigen pols en volgde een lijn langs de spieren. 'Geloof me maar,' zei hij. 'Ik ben er al meer dan eens op uitgestuurd met deze taak. Voor zover ik gezien heb, is het een pijnloze manier om te sterven. Je raakt bewusteloos en daarna –'

'Dank je,' zei Sophia kortaf.

Hij keek haar aan. 'U moet dit niet persoonlijk opvatten. De laatste tijd zoekt Nero vaak een of ander excuus om landerijen te kunnen confisqueren.'

Sophia slikte een bot antwoord in; ze bedacht dat deze jonge soldaat werkelijk probeerde haar te helpen. 'Je bent een goed mens,' zei ze langzaam. 'Ik reken erop dat je me de gelegenheid geeft dit zo zedig mogelijk te doen.'

'Natuurlijk.' De jongeman bloosde verlegen. 'Ik zal buiten wachten.' Hij deed een stap achteruit.

Sophia hield hem staande. 'Hoe lang?' vroeg ze.

Hij begreep haar vraag meteen. 'Als u de moed hebt diep te snijden – vijf minuten misschien. Het hete water laat het bloed sneller stromen.'

'Vaarwel dan,' zei ze.

'Het spijt me voor u,' antwoordde hij. 'En ik ben onder de indruk van uw houding. U gedraagt zich als een Romein.'

En dat valt mee voor een Jodin, vulde ze in gedachten aan.

Hij knikte haar toe en liet haar alleen.

Sophia deinsde even terug voor het gloeiend hete water, maar dwong zich zo snel mogelijk erin te stappen. Zodra ze helemaal ondergedompeld was, pakte ze de kruik en goot de helft van de wijn in het water. Daarna pakte ze het mes en zette het lemmet tegen haar pols om het uit te proberen.

Onmiddellijk ontstond een kleine snee. Het verbaasde haar hoe gemakkelijk de snee dieper en langer werd. Ze hield haar pols in het water en keek hoe het bloed wervelde en vervaagde: een ragfijn sliertje dat verdween als een vluchtende slang.

Ze kon het echter nog niet opbrengen haar pols helemaal in te snijden.

Voor de zoveelste maal sinds Vitas weggehaald was, stelde ze zich in gedachten de vraag die ze had willen vermijden: was dit het gevolg van haar huwelijk met een ongelovige? Toen hij haar ten huwelijk vroeg, had ze zichzelf ervan overtuigd dat ze alle christenen zou kunnen helpen door te trouwen met iemand die invloed op Nero had. Maar nu vroeg ze zich af of dat slechts een rationalisering was geweest van haar egoïsme en hartstocht.

En dit was het resultaat. Zijn reputatie, landbezit en familie waren geruïneerd. Vitas zat ergens gevangen. En zijzelf had bevel gekregen zelfmoord te plegen.

Toch wist ze dat God haar liefhad. Ze klemde haar andere

hand over de kleine wond, sloot haar ogen en bad. Ze bad voor Vitas. Ze bad voor haar ongeboren kind. En ze bad om moed.

Uiteindelijk vond ze vrede. Ze was klaar voor wat haar te doen stond.

✠ ✠ ✠

'Is alles klaar?' vroeg Cornelius terwijl hij naar voren stapte. Hij had zich zo lang mogelijk verborgen gehouden achter een groep boeren die geiten naar het centrum van de stad dreef.

Damianus slikte zijn afkeer in. Afkeer van de slaaf die bereid was de vrijheid van een medemens te verkopen. En afkeer van zichzelf, want Damianus kon niet ontkennen dat hij bereid was bij die verkoop als makelaar op te treden.

'Dat zijn mijn zaken. Daarover hoef jij je geen zorgen te maken,' zei Damianus. 'Jij kunt je beter afvragen of Johannes, zoon van Zebedeüs, zijn gebruikelijke route neemt zoals je beloofd hebt.'

Het gemekker van de geiten stierf weg; het klepperende geluid van sandalen op de keien kwam daarvoor in de plaats.

'Ik wil niet dat Johannes mij ziet,' zei Cornelius.

De naderende soldaten – twaalf stuks – baarden hem blijkbaar zorgen. Hij keek waakzaam van de ene naar de andere kant, alsof hij zich bedreigd voelde.

'Wat maakt dat uit?' vroeg Damianus. 'Hij zal niet lang genoeg in leven blijven om je te straffen.'

De soldaten passeerden hen zonder dat er verder iets gebeurde.

'Ik wil niet dat hij me ziet,' herhaalde Cornelius. Hij wreef zenuwachtig over het driehoekige brandmerk op zijn voorhoofd.

'Verspil mijn tijd niet,' waarschuwde Damianus, die niet wilde dat deze slaaf plotseling last van wroeging kreeg. Hij wees op de ingang van de steeg, die zo smal was dat twee mannen die met hun armen wijd zouden kunnen versperren. 'We moeten klaarstaan; jij moet hem aanwijzen.'

Cornelius keek naar de grond, alsof hij nu pas de gevolgen van zijn daden besefte. Nog altijd met neergeslagen ogen zei hij: ‘Hij mag niet weten dat ik degene was die hem verraden heeft.’

‘Als hij langskomt, moet je hem aanwijzen.’

‘Nee,’ zei Cornelius verrassend vastberaden. Hij hief zijn hoofd weer op en keek Damianus recht aan. ‘Anders loop ik nu meteen weg.’

‘Ik heb je al vrijgekocht.’

‘Desnoods ga ik terug naar Barbatus. Ik wil beslist niet dat Johannes mij ziet.’

Damianus zuchtte. ‘Goed, we doen het op jouw manier. Als het maar gebeurt.’

Cornelius zette zijn tanden op elkaar. Een spier aan de zijkant van zijn kaak trilde. ‘Het zal gebeuren,’ zei hij. ‘Ik zal hem uitleveren, zoals beloofd.’

✠ ✠ ✠

Chayim klopte op een deur die in een nis in een steegje verborgen was. Had hij daarbinnen iemand horen bewegen? Hij wist het niet zeker.

Hij klopte nogmaals; in totaal drie keer.

‘Ik ben de weg, de waarheid en het leven,’ zei hij. Dat was de code, had Rikka, de slavin, hem vanmorgen verteld: eerst moest hij driemaal op de deur kloppen, daarna de zinnen uitspreken die iedereen daarbinnen zou herkennen. ‘Niemand kan bij de Vader komen dan door Mij.’

De deur ging open en Chayim zag het licht van tientallen kaarsen.

‘Snel.’ Een man stak zijn arm uit en trok hem naar binnen.

Chayim strompelde door de ingang. Terwijl hij met zijn ogen knipperde en probeerde de ruimte in zich op te nemen, sloot iemand anders de deur achter hem.

‘Welkom, broeder,’ zei de man die hem naar binnen had getrokken. ‘Welkom in de naam van Christus.’

Het was een kleine kamer die naar vis rook. De kleine ramen waren geheel met donkere doeken bedekt om inkijk te voorkomen. Op tafels en richels stonden kaarsen; bij het licht daarvan waren ongeveer tien mannen en vrouwen te zien. Op de grootste tafel in het midden stond een maaltijd klaar.

'Dank je wel,' zei Chayim.

Hij zag tot zijn tevredenheid dat op een andere tafel verschillende boekrollen lagen. Als de brief die hij nodig had daar tussen lag, waren zijn zorgen vanavond al voorbij!

Vanuit zijn ooghoek zag hij iemand bewegen.

Het was een vrouw die naar voren stapte. Ze pakte zijn beide handen ter begroeting. 'Rikka kan vanavond niet komen; ze is nog te zwak. Maar ze heeft me verteld hoe je haar gered hebt. Ik heb het op mijn beurt aan de anderen verteld. We zijn allemaal blij je in ons midden te hebben.'

Haar vriendelijke stem raakte Chayim diep; daardoor drongen de woorden van haar begroeting nauwelijks tot zijn bewustzijn door. Voor het eerst van zijn leven stond hij met de mond vol tanden. Dat kwam niet omdat de vrouw uitzonderlijk mooi was – al zou elke man haar ongetwijfeld een tweede en zelfs derde blik waardig keuren als ze over een marktplein liep. Nee, Chayim was nooit onder de indruk geweest van schoonheid. Hij wist hoe hij de schoonheid van een vrouw tegen haar kon gebruiken. Want hij geloofde dat elke vrouw bepaalde onzekerheden had; een man die voldoende inzicht had om die te ontdekken, had altijd overwicht.

Maar op dit ogenblik, toen ze elkaar in de ogen keken, ervoer Chayim een primitieve hunkering deze vrouw te bezitten.

Lust.

Later zou hij keer op keer genietend denken aan dit ogenblik. In gedachten zou hij het koesteren en bewonderen als een kostbare steen met vele facetten die het licht telkens anders weerkaatsen. Zijn hunkering naar haar was sterker dan elke honger die hij ooit gekend had. Hij beloofde zichzelf dat hij alles op alles zou zetten om deze lust te bevredigen.

'Kom, kom! Laten we ons aan elkaar voorstellen!' zei Corbulo, de visser met de ruwe handen, die de deur voor Chayim geopend had.

Nog altijd stilte.

Hadden de anderen zijn onmiddellijke, wellustige reactie begrepen? Was zijn intentie haar hoe dan ook te bezitten zo overduidelijk dat ze allemaal in stilte een afschuw van hem hadden?

Chayim rukte zich los uit de betovering en dwong zich tot kalmte; hij keek om zich heen in plaats van de vrouw aan te gapen. De rest van de groep keek hem vol verwachting aan, zag hij nu.

Nog voordat hij geregeld had dat hij tussenbeide kon komen bij de afranseling van Rikka, zodat zij hem als held beschouwde, had hij bedacht dat alleen een valse identiteit hem kon beschermen in een groep christenen die elk moment als verraders gearresteerd konden worden. Wat hij hun nu zou vertellen, had hij ook Rikka verteld. Toch stotterde hij bijna toen hij hun dit zorgvuldig voorbereide verhaal voorschotelde.

'Ik heb niet veel te vertellen,' zei hij. 'Mijn naam is Chayim. Ik ben een Griek uit de stad Agrigentum in Sicilië. Mijn vader heeft me hierheen gestuurd om contracten af te sluiten voor zijn transportvloot.'

Hij haalde quasi-bescheiden zijn schouders op. 'Het familiebezit is opgebouwd door mijn vaders werk en wijsheid. Ik kan dus niet beweren dat de rijkdom die mij in staat stelt in Rome te blijven, werkelijk mijn eigendom is. Ook voor het helpen van Rikka, vandaag, wil ik niet met de eer gaan strijken.'

'Een Griek?' vroeg een van de mannen. 'Chayim klinkt Joods.'

Ook hierop was Chayim voorbereid. Het alternatief zou een Griekse naam zijn, maar dan liep hij gevaar omdat hij te weinig met die valse naam vertrouwd was. Als iemand hem met die naam aansprak en hij niet reageerde, zou dat meer verdenking oproepen dan de onschuldige vraag die hem nu gesteld werd.

'Het ís een Joodse naam,' zei hij nu, grinnikend om het gewenste effect te bereiken. 'Maar vraag alsjeblieft niet naar het verhaal erachter. Dat is een familieschandaal en ik maak liever geen slapende honden wakker. Vooral niet hier in Rome, waar nog niemand bevooroordeeld is door de roddels die op ons eiland de ronde doen.'

Verschillende mensen knikten en Chayim geloofde dat zijn leugen doeltreffend was. Hij werd erdoor in geheimzinnigheid gehuld en dat beschermde hem tegen verdere vragen. Bovendien maakte dit verhaal hem een held in de ogen van de vrouw die hij zo dolgraag wilde bezitten.

Hij waagde nog een blik in haar richting. Ze keek hem recht aan. Hij wilde haar hier en nu vastpakken, in zijn armen houden, wegslepen; het kon hem niet schelen of ze zijn gevoelens deelde of niet.

Chayim zorgde dat hij geduldig bleef kijken terwijl de anderen hem een voor een hun eigen naam en achtergrond vertelden. Hij luisterde niet; hij telde hen af tot de vrouw die hem begroet had de kans kreeg om te spreken.

'Lea,' zei ze. Ze kwam als laatste van de groep aan de beurt. 'Mijn broer was een van de christenen die stierven in de verdrukking na de Grote Brand. Ik ben geen gelovige, maar ik doe wel onderzoek naar het geloof; daarom ben ik hier vanavond.'

Lea.

Terwijl ze sprak, prentte Chayim alle details van haar uiterlijk in zijn geheugen. Het lange, donkere haar dat een volmaakte omlijsting vormde voor haar hoge jukbeenderen. Haar bevallige, slanke handen die roerloos op haar schoot lagen als ze zat. De eenvoudige kleding. En haar enigszins vooruitstekende lippen.

In zijn binnenste laaide het vuur verder op. Hij kon haar kus in gedachten al proeven. Hij sidderde toen hij bedacht dat ze misschien zou protesteren; dat besef maakte zijn hunkering nog sterker.

'Lea,' herhaalde hij hardop. Hij had alle namen herhaald om

de illusie te wekken dat hij die allemaal probeerde te onthouden. Maar alleen Lea was van belang.

Hij stond op het punt naar haar toe te gaan, want hij hoopte tijdens de bijeenkomst naast haar te kunnen zitten. Maar Corbulo pakte hem bij de elleboog en liet hem tegenover Lea plaatsnemen. Chayim hoopte dat het niet opviel dat hij naar haar bleef kijken terwijl de groep een hem onbekend lied zong.

Daarna braken ze brood en dronken wijn ter ere van het vlees en bloed van Christus – een ritueel waarvan Chayim de zin niet inzag. Hij deed alsof hij even eerbiedig en blij was als de anderen, maar zijn gedachten – en blikken – richtten zich telkens weer op Lea. Waar woonde ze? Hoe kon hij haar nog eens ontmoeten na wat er vanavond zou gaan gebeuren?

Terwijl hij hierover piekerde, ging de groep verder met de maaltijd. Nog meer liederen.

Chayim had het gevoel dat hij in een pan water zat die langzaam aan de kook gebracht werd. Hij wist wat hij wilde toen hij dit vertrek binnenkwam, maar alles was veranderd op het moment dat Lea zijn handen gepakt had.

Nog even en de hele situatie zou opnieuw veranderen door wat hij tevoren in beweging gezet had. Misschien was dit een goed moment om hen allemaal te waarschuwen dat ze moesten vluchten. Maar als hij dat deed, zouden ze weten dat hij hiervoor verantwoordelijk was. En dan zou hij Lea van zich vervreemden voordat hij zijn geluk bij haar had kunnen beproeven.

Chayims hart ging sneller kloppen bij het besef van het naderende gevaar. Hoe kon hij Lea beschermen zonder dat ze ontdekte dat hij van plan was hen te verraden? Hoe kon –

Plotseling vloog de deur open; zes gewapende Romeinse soldaten stormden het vertrek binnen.

✠ ✠ ✠

'Je ziet er uitgeput uit, vriend,' zei Johannes tegen Ruso. 'Heb je gisteravond nog laat bezoek gehad?'

'Inderdaad,' antwoordde Ruso. 'Officieren die mij kwamen raadplegen over senaatszaken.'

Dat was een leugen. De twee bezoekers bekleedden inderdaad hoge rangen in het leger, maar er was niets over de senaat besproken. Als Johannes wist hoe weinig Ruso de afgelopen nacht had kunnen slapen, of waarom hij zo veel uren met die mannen had doorgebracht, zou hij te veel vermoeden.

Ruso sneed een veiliger gespreksonderwerp aan. 'Zoals u weet, heb ik veel troost gevonden in de ooggetuigenverslagen die u, Matteüs, Johannes Marcus en Lucas geschreven hebben,' zei hij. 'Dat geldt voor alle gelovigen.'

Johannes stond stil en wendde zich naar Ruso toe. Hij glimlachte uitnodigend, alsof hij aanvoelde dat Ruso dit gebruikte als inleiding om een vraag te stellen.

Ze kwamen terug van hun dagelijkse bezoek aan de gezinnen van mannen die in de gevangenis zaten omdat ze weigerden hun geloof in Jezus te verloochenen. Gewoonlijk keek Ruso zwijgend toe als Johannes de vrouwen en kinderen rustig toesprak. Ruso was dankbaar dat hij in staat was hen met geld en voedsel te helpen. Maar Johannes was degene op wie de mannen en vrouwen zich verlieten voor veel meer dan materiële geschenken. Hij beantwoordde hun vragen, nam hun angsten weg en sprak met zo veel zekerheid over Jezus dat overal waar hij kwam de wanhoop verdreven werd door hoop.

Ruso wist dat dit werk Johannes uitputte. Daarom volbrachten ze hun wandeling door de straten naar de vredige sfeer van de helling meestal in aangenaam stilzwijgen. Het was ongebruikelijk dat Ruso Johannes onderweg aansprak.

'Ik heb het nooit gevraagd,' ging hij snel verder, 'maar...'

Hij aarzelde; hij wilde hun vriendschap niet onder druk zetten. Hoewel Johannes daar zelf geen belang aan hechtte, werd hij door hun medegelovigen vaak op een voetstuk gezet vanwege de bijzondere relatie die hij met Jezus gehad had. Ruso wilde zijn vriendschap met Johannes niet misbruiken om vragen te stellen over Jezus' privé-leven; dan zou het lijken alsof hij alleen in Johannes geïnteresseerd was omdat deze onder christenen een beroemdheid was. In het algemeen leek Johannes zich op zijn gemak te voelen bij Ruso. Hij was dankbaar dat Ruso geen eisen aan hem stelde zoals veel andere gelovigen.

Toch...

Nooit had Ruso zozeer gewild dat Johannes afgeleid werd als nu, op dit moment. Bovendien had hij echte vragen en hij betwijfelde of hij ooit nog een kans zou krijgen die aan Johannes te stellen.

'Maar...?' herhaalde Johannes.

Er waren nogal wat voorbijgangers. Ze stonden in de schaduw van de huizen aan de kant van een drukke straat. Achter hen was een marktplein en voor hen was de Via Sacra, de hoofdstraat waardoor ze meestal van het centrum van Rome naar het huis van Ruso liepen.

'Laat ik het zo stellen,' zei Ruso. 'Matteüs' verslag vermeldt dat Jezus op de Olijfberg de verwoestende gruwel in de tempel voorspelde. Lucas' verslag noemt dat niet. We weten waarom: Matteüs schreef voor Joden die onmiddellijk zouden begrijpen hoe belangrijk het was dat Jezus die woorden sprak. En Lucas schreef voor heidenen die de betekenis veel minder zouden inzien. Daarom zijn er verschillen tussen die verslagen.'

'Inderdaad,' zei Johannes.

'En bent u het met me eens dat de waarheid achter alle gebeurtenissen op evenveel manieren kan worden gepresenteerd als er getuigen van die gebeurtenis zijn? Een enorme veldslag, bijvoorbeeld. Een generaal zal een ander verslag geven dan een soldaat, een soldaat vertelt het anders dan een kok bij de provisiewagens en een verslagen vijand vertelt het weer vanuit een heel ander perspectief.'

Johannes glimlachte. 'Dat ligt in de aard van de mens.'

'Toch zou geen van die verslagen onjuist zijn. En als ze gecombineerd werden, zou het resultaat een veel beter beeld van de ware aard van de gebeurtenis geven dan elk afzonderlijk verslag. Zo geven de verschillende verslagen over Jezus ons een vollediger perspectief. Ze zijn verschillend, maar niet tegenstrijdig.'

Johannes knikte. 'Dat klopt helemaal. Waar wil je naartoe?'

'Judas,' zei Ruso. Inwendig huiverde hij bij het uitspreken van die naam. 'De verrader. Uw verslag van die laatste avond intrigeert me.'

Johannes' gezicht betrok even. 'Ja,' zei hij langzaam. 'Wat wil je weten over Judas?'

'Op de avond dat jullie Pesach vierden met Jezus,' zei Ruso, 'mocht Judas tijdens de maaltijd weggaan. Toch had Jezus jullie allemaal verteld dat iemand Hem zou verraden. Vond niemand het vreemd dat Judas naar buiten glipte?'

Johannes zuchtte. 'Hij beheerde de kas. Jezus sprak zachtjes met hem. We dachten dat hij erop uitgestuurd werd om brood te kopen of iets anders dat onze Meester nodig had. Hij was de vurigste van ons allemaal. We hadden nooit kunnen denken dat hij de verrader was. Hoewel...'

Johannes was weer gaan lopen. Ruso pakte hem bij de elleboog en liet hem wat langzamer gaan. Verderop stond de slaaf Cornelius hen op te wachten met Damianus, de beruchte slavenjager. Nog even... En daarna zou hij Johannes nooit meer zien.

Johannes was in gedachten verzonken; hij leek niet te merken dat Ruso het tempo vertraagde. 'Ik herinner me,' zei Johannes, 'dat Simon Petrus mij beduidde dat ik moest vragen wie Jezus bedoelde. Ik boog me dicht naar Jezus toe en vroeg: "Wie, Heer?" Jezus antwoordde: "Degene aan wie ik het stuk brood geef dat ik nu in de schaal doop." Toen doopte Jezus het brood in en gaf het aan Judas.'

'Was het toen niet duidelijk dat Judas de verrader was?'

'Helemaal niet. Petrus en ik keken elkaar nog eens aan, maar we zagen niet wat de betekenis hiervan was. Judas was extreem hoogmoedig; hij had de ereplaats in beslag genomen. Het lag in de lijn der verwachting dat Jezus hem het eerste stuk brood zou geven.'

Ruso begreep het. Wie vol vertrouwen is, wordt gemakkelijk

bedrogen. Hij hoefde slechts naar Johannes' vertrouwen in hém te kijken.

'Dat bewijst mijn stelling over de waarheid achter een gebeurtenis,' zei hij. 'Matteüs was in dezelfde ruimte aanwezig, maar hij doet geen verslag van dat gesprek tussen Jezus en u.'

'Dat heeft hij niet gehoord. Alleen Petrus en ik waren dicht genoeg bij Jezus om het te horen.' Johannes schudde zijn hoofd. 'En Judas natuurlijk. Die arme man.'

'U spreekt vol medelijden over hem.' Onwillekeurig huiverde Ruso opnieuw. Hij hoopte dat Johannes de komende dagen ook over hém zo zachtmoedig zou spreken.

'Ik weet het niet zeker,' vervolgde Johannes, 'maar ik denk dat Judas Jezus aan de autoriteiten overleverde om Hem te dwingen tegen hen op te treden. Als je er goed over nadenkt... We hadden drie jaar met Jezus doorgebracht, we waren getuige geweest van zijn wonderen. We hadden gezien dat Hij een storm tot bedaren bracht en dat Hij op het water liep. Judas, als Zeloot, hunkerde ernaar dat Jezus de tempelautoriteiten ten val zou brengen, want zij werkten nauw samen met de Romeinen. En de Zeloten willen boven alles dat de Romeinen verdwijnen. Wij, Jezus' discipelen, geloofden allemaal dat Hij een engelenleger kon laten verschijnen om zijn bevelen uit te voeren. Ik weet bijna zeker dat Judas dacht dat Jezus, als Hij gevangengenomen werd, wel zou móeten vechten.'

Johannes staarde in de verte. 'Geen van ons begreep toen wat onze Meester werkelijk bedoelde. Dat kwam later pas. Wat waren we wanhopig tijdens zijn rechtszaak en executie! We waren lafaards, allemaal.' Hij rechtte zijn schouders. 'Toen kwam de opstanding! We vertelden iedereen onbevreesd wat we met eigen ogen gezien hadden – en Wie we zelf hadden aangeraakt: de Meester! Hij was opgestaan! We waren niet langer bang in de Waarheid te wandelen.'

'Was ik dáár maar bij geweest!' verzuchtte Ruso.

Johannes keerde zich om en omhelsde Ruso. 'Ik weet dat je mijn geloof deelt, vriend. Je weet dat je door dat geloof Hem al ontmoet hebt. En binnenkort zullen we onze laatste adem uitblazen; dan zullen we Hem zien zoals Hij is.' Johannes' gezicht straalde van zekerheid en geloof.

Ruso wilde dat dít zijn laatste herinnering aan Johannes zou zijn – niet wat hun nog te wachten stond.

✠ ✠ ✠

Toen het slot van zijn celdeur rammelde, dacht Vitas dat dit het moment was waarop hij de arena moest betreden. Hij zag zich – na alle uren in het donker – met zijn ogen toegeknepen tegen het zonlicht naar buiten stappen; hij voelde het zand knarsen onder zijn voeten en hoorde de enorme menigte die gretig uitkeek naar zijn slachting.

Zijn angst voor de dood werd overstemd door verdriet. Hij had samen met Sophia oud willen worden; hij had een goede vader willen zijn. Dat alles zou de dood hem ontnemen. Waarom kon hij niet geloven zoals zij?

De deur ging snel open en weer dicht; iemand met een kleine toorts bij zich glipte de cel in.

'Niet te lang,' klonk de stem van de bewaker van buitenaf.

Zelfs het vage, flakkerende licht van deze toorts was al meer dan Vitas sinds het vertrek van Helius gezien had. Hij knipperde met zijn ogen en probeerde zijn bezoeker scherp te zien.

De man was ongeveer even groot als Vitas; hij had blond haar. Hij was gekleed in een tunica met een kap op zijn hoofd. 'Gallus Sergius Vitas,' zei hij. Hij droeg een kleine tas, bovenaan dichtgeknoopt met leren veters.

De vreemdeling hurkte naast Vitas neer en gaf hem een wijnzak in handen. 'Hier. Dit zal helpen. Ik heb ook eten bij me.' Hij opende de tas, haalde er brood en kaas uit en overhandigde het voedsel aan Vitas.

Vitas was achterdochtig; hij herinnerde zich dat hij al eerder verdoofd en daarna geslagen was. Hij legde het voedsel op zijn schoot en nipte voorzichtig aan de wijn. Die smaakte heel gewoon.

'Als hier vergif of een verdovend middel in zou zitten,' zei hij somber, denkend aan zijn vreemde bezoeker van de vorige dag, 'zou je me dat waarschijnlijk niet vertellen.'

De wijn wekte zijn eetlust op en Vitas besloot dat het antwoord hem in feite niets kon schelen. Hij had zo'n honger dat het niet uitmaakte of hij vergiftigd of verdoofd werd. Hij scheurde een stuk brood af en verslond het bijna zonder te kauwen.

De man wees op een tweede wijnzak die hij zojuist uit de tas gehaald had. 'De verdovende middelen zitten hier in. Voor mij.' Naast de tweede wijnzak legde de man een houten, met leer omwikkelde knuppel neer. Toen Vitas de knuppel oppakte, liet de man hem begaan.

Vitas tikte met de knuppel tegen zijn hand om die als wapen in te schatten.

'Nog niet,' zei de man. 'Ik wil je eerst een aantal dingen vertellen.'

Nog niet?

'Mijn naam is Jonatan,' zei de man, nog voordat Vitas daar hardop naar kon vragen. Zijn stem beefde. 'Ik heb de afgelopen uren vele malen gerepeteerd wat ik moet zeggen, omdat ik weet dat we weinig tijd hebben.'

Vitas herkende dat beven. Hij was er zelf maar al te vertrouwd mee. Het wees op angst.

'Ik ben een slaaf,' zei Jonatan. 'Mijn meester bezit een grote boerderij ten noorden van Rome en heeft veel slaven. Ik heb een vrouw en drie kinderen. Als ik dag en nacht de tijd had, tien jaar lang, zou ik nog niet in staat zijn je volledig te vertellen hoeveel ik van hen houd. Ik begrijp deze liefde nu. Het is de liefde van onze enige, waarachtige God, die aan ons en door ons heen gegeven wordt.'

Vitas luisterde aandachtig. Was deze man een gelovige, net als Sophia?

'Ik heb dit gerepeteerd, denk daar aan. In de tijd die we hebben, zou ik van alles kunnen zeggen, maar het lijkt me vooral belangrijk jou over God te vertellen. En over zijn Zoon. Want ik geloof dat God op deze aarde rondgelopen heeft en Zich heeft laten kruisigen als verzoening voor alles wat ik in dit leven verkeerd gedaan heb. Door Christus ben ik welkom bij God terwijl ik in dit lichaam leef. Hij heeft bovendien een huis voor mij als ik dit onvolmaakte lichaam verlaat in de verwachting van mijn opstanding.'

'Val me niet lastig met godsdienstige nonsens,' gromde Vitas. Niet omdat hij niet geloofde, maar omdat deze man heel goed een informant kon zijn die probeerde Vitas zover te krijgen dat hij toegaf datzelfde geloof te hebben; daarmee zou hij Sophia verraden. Helius was heel wel in staat dat foefje uit te halen. 'Nero heeft honderden mensen gedood vanwege dat geloof.'

'Daarom zijn mijn gezin en ik hierheen gestuurd. Naar de arena. Wij weigeren dat geloof te verloochenen. We zijn allemaal ter dood veroordeeld.'

Als dat waar was, kon Vitas niet anders dan ontzet zijn. Als de man loog, was dat een bijzonder slechte daad.

'Ik begrijp het niet,' zei Vitas terwijl hij een hap kaas wegspoelde met een slok wijn. Als hij ging sterven, zou het tenminste met een volle maag zijn. 'Je loopt door deze ondergrondse gevangenis alsof je vrij bent.'

'Dat zal ik uitleggen. Ik wil alleen dat je eerst het geloof leert kennen dat mijn leven veranderd heeft. Hoe groot de verdrukking ook is die wij onder ogen moeten zien, het geloof in de opstanding van Jezus geeft ons genoeg hoop om die te kunnen doorstaan. Misschien wil jij ook nadenken over die grootse waarheid.'

'Ben je hier om vlak voor mijn dood tegen me te preken?' Vitas begon te geloven dat de man dat werkelijk van plan was. 'Heeft de bewaker je daarvoor in mijn cel toegelaten?'

'De bewaker is omgekocht. Ik vertel je over mijn geloof om je berouw te besparen. Zelfs als je nooit meer aan Christus zou denken, ben ik nog blij dat ik deze gelegenheid heb; geloof dat alsjeblieft.'

'Deze gelegenheid?'

'Wat ik doe, doe ik uit vrije wil.'

'Wat het ook is, je stem beeft nog steeds.'

'Ik ben niet dapper,' fluisterde Jonatan. 'Maar als Christus voor mij kon doen wat Hij deed...'

'Door wie is de bewaker omgekocht? Waarom?'

Vitas wilde nog meer vragen, maar de man naast hem boog abrupt het hoofd om te bidden. Vitas zweeg.

Toen hief Jonatan zijn hoofd weer op. Hij nam de tweede wijnzak en dronk er met grote teugen uit. Hij proestte even en dwong zich toen nog meer te drinken.

'Ik ben gereed.' Er klonk nog altijd angst in de stem van de man. Hij nam de laatste slokken uit de wijnzak en legde die neer. 'Bij wat ik nu moet doen, heb ik hulp nodig,' zei Jonatan. 'Waarschijnlijk heb ik al gauw geen vaste hand meer.'

✠ ✠ ✠

'Ik ben blij dat haar lichaam niet verminkt hoeft te worden.' Ben-Aryeh had zich bij de soldaat gevoegd die voor de badkamer stond en sprak met gebogen hoofd. 'Ze was zeer geliefd. Hoewel ze al haar slaven de vrijheid geschonken heeft, willen ze blijven om te zorgen dat ze een fatsoenlijke begrafenis krijgt.'

'Dat kan van haar echtgenoot niet gezegd worden,' zei de soldaat.

'O nee?' Ben-Aryeh deed alsof hij nauwelijks geïnteresseerd was.

'Tigellinus heeft ons verteld dat hij voor de leeuwen gegooid zal worden.'

'Heb je haar dat gezegd?'

De soldaat schudde het hoofd. 'Het is al erg genoeg dat de keizer haar opgedragen heeft te sterven. Waarom zou ik haar lijden nog verzwaren?'

'Dank je wel,' zei Ben-Aryeh. Hij was blij dat de soldaat medelijden toonde; dat betekende waarschijnlijk dat hij hem in leven zou kunnen laten. Maar alles hing af van wat er nu in de badkamer zou gebeuren.

Hij pakte een tweede beurs met goudstukken uit zijn tunica. Zijn hand raakte de greep van een mes – dat zou hij hopelijk niet hoeven gebruiken. 'Alsjeblieft, voor jou. Je hebt haar fatsoenlijk behandeld.'

De soldaat aarzelde.

'Nero krijgt alles wat jij niet aanneemt,' zei Ben-Aryeh.

De soldaat haalde zijn schouders op en pakte de beurs aan.

Mooi, dacht Ben-Aryeh, hij is nog een stap dichter bij het behouden van zijn eigen leven. 'Laat mij kijken of de meesteres dood is,' zei hij.

'Niet zonder mijn toezicht.'

'Natuurlijk niet.'

De soldaat volgde Ben-Aryeh naar binnen.

Sophia's lichaam was naar beneden gegleden zodat alleen haar hoofd nog op de rand van het bad rustte, achterover, met de ogen gesloten. Haar ene arm was over haar borst geslagen alsof ze vergeefs geprobeerd had haar andere pols dicht te klemmen om het bloeden te stelpen. Zo te zien was het haar niet gelukt. Het badwater had een rode tint, zo donker dat haar naakte lichaam helemaal onzichtbaar was.

Ben-Aryeh stootte een verstikte kreet uit. Hij rende vooruit; de soldaat bleef bij de deur achter. Hij reikte in het badwater en trok Sophia's slappe arm omhoog. Die hield hij zo dat de soldaat achter hem de sneden kon zien. Er sijpelde nog altijd bloed uit de wond.

Ben-Aryeh legde haar arm zachtjes in het water terug.

Hij boog zich voorover en begon luid te snikken.

✠ ✠ ✠

Chayim gaapte de soldaten aan. Ze stonden met getrokken zwaard voor de deur.

'In naam van de keizer,' zei de langste soldaat, 'plaatsen we jullie onder arrest voor verraderlijke activiteiten.'

Hij was de enige van deze soldaten die Chayim kende. Arminius Gavrus. Gavrus was zelfs zonder zijn legeruitrusting al indrukwekkend: een forse man met een hoekig gezicht en donkere ogen die geen emotie toonden. Met zijn zwaard en volledige wapenrusting was hij angstaanjagend.

Toen ze eerder op de dag hun afspraak maakten, had Gavrus bijzonder duidelijk gemaakt dat hij Chayim zonder enige aarzeling zou vermoorden als deze niet het overeengekomen bedrag betaalde. Dat was een goed teken, had Chayim gedacht; het bewees dat de man zijn karwei van deze avond serieus nam. Chayim vond dat het beloofde geld goed besteed zou zijn, want Gavrus had op hem de indruk gemaakt een intelligent man te zijn, zeer wel in staat Chayims plan uit te voeren.

Gavrus stapte voorwaarts en hief zijn zwaard. Zijn enorme lichaam leek de kleine ruimte te vullen. 'Wie weerstand biedt, raakt zijn arm kwijt.'

Iedereen in de kring zweeg geschokt. Corbulo was de eerste die sprak. 'Wij zijn vrienden die samenkomen voor een maaltijd. Daar is niets verraderlijks aan.'

De anderen zaten bewegingloos. Het zwakke licht van de kaarsen flakkerde over hun gezichten. Chayim zag dat Lea dichter bij de oudere vrouw naast haar was gaan zitten en beschermend een arm om haar schouders geslagen had.

Toen hij zijn plan met Gavrus besprak, had Chayim benadrukt dat ze geen van beiden konden voorzien hoe de christenen zouden reageren. Chayim had Gavrus gewoon verteld wat hij wilde bereiken, hem opdracht gegeven de juiste mannen in te huren en te handelen naar bevind van zaken.

'Ik herhaal,' zei Corbulo, 'we hebben niets verraderlijks gedaan.'

'Daar beslis ik niet over,' zei Gavrus. 'Ik volg bevelen op.'

Perfect geantwoord, dacht Chayim. Precies als een soldaat die werkelijk door Nero gestuurd was. Het zou vreemd zijn als Gavrus met de beschuldigden ging bespreken of de beschuldiging terecht was.

Corbulo wees naar Chayim. 'Jíj was het, hè? Jij hebt die soldaten hierheen geleid!'

'Stilte!' zei Gavrus. 'Ik roep jullie een voor een naar voren. Doe een stap vooruit en laat je ketenen.'

Chayim dacht aan Lea. Hoe kon hij de beschuldiging van Corbulo negeren? Maar het was nu te laat om de soldaten tegen te houden.

Een soldaat die achteraan gestaan had, ging naast Gavrus staan en leegde een zak op de vloer. De handboeien kletterden tegen elkaar.

'Wacht,' zei Chayim.

Gavrus reageerde snel. In één stap stond hij bij Chayim en drukte de punt van zijn zwaard in Chayims maag, net onder zijn borstbeen. 'Waag jij het een soldaat onder Nero's bevel te zeggen dat hij moet wachten?'

Chayim hapte naar adem. Hij wist dat Gavrus acteerde, maar hij wenste dat de soldaat niet zo veel druk uitoefende met zijn zwaard. Zo veel enthousiasme was niet nodig! 'Luister,' zei hij. 'Je kunt de keizer gehoorzamen en toch je beurs spekken met goud.'

'De brutaliteit!' Gavrus sloeg Chayim hard in zijn gezicht, zodat deze op de grond viel. 'Keten hem als eerste,' beval hij een van de soldaten.

Terwijl de handboeien in zijn pols sneden, deed Chayim nog een smeekbede. 'Geef degenen onder ons die de keizer getrouw zijn nu een kans hem trouw te zweren. Hoe zou de keizer daar onrecht in kunnen zien? En misschien willen degenen die loyaal aan de keizer zijn je hun dankbaarheid tonen voor die kans om vrij te blijven.'

Dat was het briljante aan Chayims plan: deze christenen dwingen tussen Nero en hun geloof te kiezen. De mensen die niet voor Nero kozen, zouden afgevoerd worden door de helft van de soldaten. Daarna zouden de mensen die wel voor Nero gekozen hadden, met straf bedreigd worden als ze Chayim niet hielpen. Deze mensen zouden waarschijnlijk ook wel willen onthullen wat Chayim weten moest over die verraderlijke brief die onder de christenen de ronde deed, had hij bedacht.

Door achter te blijven met de mensen die voor Nero kozen, kon Chayim bovendien ontkennen dat hij geloofde in die Christus van Nazaret. Hij zou gevrijwaard zijn van elk gevaar van Nero's kant. Vooral als hij de mensen die Christus niet verloochenden aan de autoriteiten overleverde.

Zeker nu de boekrollen bijna binnen handbereik waren – ze lagen op tafel – zou Chayim bijzonder tevreden moeten zijn over zijn beslissing in de bijeenkomst te infiltreren en soldaten precies op dit moment te laten komen. Het was een briljant plan en het werkte perfect.

Behalve het feit dat Lea hier was. En de hunkering die bevredigd moest worden.

'Denk tenminste over mijn verzoek na,' zei hij tegen Gavrus. 'Geef de mensen die voor Nero kiezen de vrijheid. Ze zullen je dankbaar zijn.'

'Dankbaar voor de kans om vrij te blijven,' vulde Gavrus aan. De forse soldaat wekte de indruk dat hij Chayim bestudeerde en over zijn eigen reactie nadacht. 'Hoe dankbaar?' vroeg hij ten slotte.

'Ik denk dat je zelf je prijs kunt bepalen,' zei Chayim. 'Vooral omdat de mensen die voor Christus kiezen schuldig zijn aan verraad en ter dood gebracht zullen worden in de arena.'

Gavrus deed alsof hij daar over nadacht terwijl hij voor de groep heen en weer stapte.

Chayim staarde naar zijn voeten en voelde een golf van haat tegen de soldaat. Een paar uur geleden had deze afspraak de volmaakte oplossing geleken voor het karwei waarmee Helius hem had opgezadeld. Nu vormden Gavrus en hun plan een barrière tussen hem en Lea.

'Prima,' zei Gavrus. 'Laten we kijken wie aan de arena wil ontsnappen. Wat de betaling betreft: wat ze aan goud, zilver en sieraden bij zich hebben, is waarschijnlijk genoeg. De mensen die sterven, hebben niets meer nodig en de anderen zullen die prijs wel voor hun leven overhebben.'

Hij wees met zijn zwaard op een oude man die met gevouwen handen zat te bidden. 'Jij daar. Als je zegt dat Nero god is, kun je blijven leven als een trouw onderdaan van Rome.'

De ogen van de oude man glansden van tranen. Hij aarzelde geen moment. 'Ik volg Christus; ik geef mijn leven graag voor Hem, omdat Hij zijn leven voor mij gegeven heeft.'

'Keten hem,' zei Gavrus effen. Hij wees op de volgende, blijkbaar de zoon van de oudere man. 'Nu jij. Zeg dat Nero god is, dat je niet langer gelooft in die onzin dat een man uit de dood is opgestaan. Red jezelf van de leeuwen en de gladiatoren.'

Stilte. De stilte van een hevige zielenstrijd.

'Het geloof van mijn vader is mijn geloof,' zei de zoon bijna fluisterend. 'Ik ga samen met hem naar de arena.'

'Keten hem ook.' Gavrus liep naar een vrouw van middelbare leeftijd met een vredige glimlach op haar gezicht. 'Dien jij Nero? Of kies je voor de dood?'

Door de uitdrukking op haar gezicht twijfelde Chayim geen moment wat ze zou antwoorden.

'De dood voor Christus schenkt mij het leven,' zei ze. Haar stem werd krachtiger. 'Nero is het Beest waarvoor Johannes ons in zijn openbaring gewaarschuwd heeft. Ik weiger zijn merkteken te dragen.'

'Keten haar.'

'Nero is het Beest waarvoor Johannes ons in zijn openbaring gewaarschuwd heeft'? Chayim vond dat een vreemde opmerking.

Voordat hij erover kon gaan piekeren, stond Gavrus echter al tegenover Corbulo. 'Wil jij Nero dienen?' vroeg Gavrus aan de visser. 'Wil jij voor zijn beeld in de tempels buigen?'

'Ja,' zei Corbulo. Hij keek uitdagend de kamer rond. 'Ik heb een gezin te onderhouden. Kinderen die van mij afhankelijk zijn. Moet ik hen soms tot armoede veroordelen?'

Niemand maakte enig geluid, behalve Gavrus. 'Ga naar die kant van de kamer.'

Corbulo trok een onaangedaan gezicht, maar beefde zichtbaar toen hij apart ging staan.

'Petrus heeft de Meester ook verloochend,' fluisterde een vrouw hem toe. 'En het werd hem vergeven.'

'Stilte!' Gavrus sloeg de vrouw tegen het hoofd.

Ze viel zijdelings op de grond. Met grote moeite lukte het haar te gaan zitten. 'Ik kies voor mijn Meester,' zei ze. 'Zijn Geest vervult deze ruimte en geeft ons troost.'

Bij deze woorden werd Chayim zich bewust van een bovennatuurlijke aanwezigheid, die zo sterk was dat zelfs Gavrus even aarzelde voordat hij naar de volgende liep. En de daarop volgende. Beiden weigerden Nero god te noemen. Beiden werden geketend.

Een jonge vrouw en een man die haar bij de hand hield, stonden zwijgend op voordat Gavrus tegenover hen stond; ze voegden zich bij Corbulo.

Lea was de laatste. Van de mensen voor haar hadden slechts drie hun geloof afgezworen. Alle anderen hadden gekozen voor arrestatie en een zekere marteldood in de arena, voor de ogen van duizenden toeschouwers.

'Jij!' zei Gavrus tegen Lea. 'Wil jij je leven ook verspelen?'

✠ ✠ ✠

Al pratend begon Ruso weer te wandelen; hij leidde Johannes over de Via Sacra in de richting van een smal zijstraatje.

'Hebt u daarom uw eigen verhaal toegevoegd aan de verslagen van Matteüs, Johannes Marcus en Lucas?' vroeg hij zo terloops mogelijk. Hij deed zijn best de emoties die in zijn binnenste woedden te maskeren; hij wilde Johannes blijven afleiden door vragen te stellen. 'Om een vollediger verslag te geven van de tijd die Jezus op aarde doorbracht?'

Johannes sloeg kameraadschappelijk een arm om Ruso's schouders. Ze lieten elkaar los toen een straathandelaar met zijn volgeladen ezel tussen hen door wilde lopen; daarna hervatten ze het gesprek terwijl ze op hun gemak verder wandelden.

'Jezus is de waarachtige God en het eeuwige leven; Hij is

mijn Heer en Koning,' zei Johannes nadrukkelijk. 'Het was mijn roeping en mijn heilige plicht verslag van die gebeurtenissen uit te brengen en ze voor anderen op te schrijven.'

Ruso knikte. 'Het is belangrijk dat iedereen weet wat Hij gedaan heeft.'

'Toch zouden wij die bij Hem geweest zijn, met ons allen nog niet alles kunnen vertellen. Zoals je misschien nog weet: – ' Johannes glimlachte om Ruso te laten zien dat hij citeerde uit zijn eigen brief die nu onder de gelovigen de ronde deed – 'Jezus heeft nog veel meer gedaan: als al zijn daden, een voor een, opgeschreven zouden worden, zou de wereld, denk ik, te klein zijn voor de boeken die dan geschreven moesten worden.'

'Ik wilde dat ik erbij had kunnen zijn,' zei Ruso, 'zoals jullie.'

Ruso was het zijstraatje ingeslagen. Opeens liepen ze in de schaduw. En in de stank van rottend afval. Ze waren de enige mensen in de steeg; hoewel ze slechts een paar stappen van de hoofdstraat verwijderd waren, was het hier veel rustiger.

'Dit is eigenaardig,' zei Johannes. 'Meestal nemen we een andere weg naar –'

'Er is iemand die u moet ontmoeten,' zei Ruso. 'Het is belangrijk.'

Hij begon sneller te lopen, zodat Johannes niet van gedachten zou veranderen en terug zou gaan naar de brede, drukke straat.

Zodra hij zeker wist dat Johannes bij hem bleef, keerde Ruso zich naar hem om. 'Hoe u ook aan mij terugdenkt, weet dat ik u altijd als mijn vriend beschouwd heb. Als een broeder.'

'Dat klinkt alsof we elkaar na dit gesprek nooit meer zullen zien,' zei Johannes.

Ruso voelde zich gedeprimeerd. Hij zag uit zijn ooghoeken vier forse mannen uit een nis stappen en hen snel van achteren naderen. 'Dat ís ook zo,' zei hij.

Johannes knipperde met zijn ogen. Voordat hij echter iets kon zeggen, gooide de grootste man hem een donkere kap over het hoofd. De andere drie waren onmiddellijk bij hem en bonden hem vast.

Johannes verzette zich helemaal niet. 'Ruso, ben je daar nog?' vroeg hij; zijn stem werd gedempt door de kap. 'Ben je gewond?'

Ruso werd zozeer door schuldgevoel en verdriet overstelpt dat hij niet kon antwoorden.

Johannes zweeg toen de mannen zijn armen en benen vastbonden. Ongetwijfeld drong het nu tot hem door dat Ruso niet aangevallen was; dat betekende dat Ruso hem had verraden en dat hij daarom gevangengenomen werd.

'Jij wordt bemind,' zei Johannes uiteindelijk; zijn stem klonk nog steeds gedempt. 'Als we elkaar nooit meer zullen zien, wil ik dat je dat weet. God zal zich nooit van je afkeren als jij je naar Hem uitstrekt. Ik wilde dat Judas dat had begrepen.'

Ruso kon nog altijd geen woord over zijn lippen krijgen. Hij gebaarde dat de vier mannen Johannes mee moesten nemen.

Dat deden ze door hem op te tillen en weg te dragen alsof hij een houten balk was. Een eindje verderop in de steeg pakten ze een groot stuk geweven tapijt dat ze daar klaargelegd hadden. Ze rolden Johannes erin, zodat hij er helemaal in verdween. Toen ze verder liepen, zagen ze eruit als arbeiders uit een plaatselijke winkel, die een tapijt gingen afleveren. Niemand zou kunnen vermoeden dat er een man in zat.

Ruso keek de mannen na tot ze het steegje uit waren; zijn ogen stonden vol tranen.

Het is gebeurd, dacht hij. We kunnen niet meer terug.

✠ ✠ ✠

'Wat is jouw antwoord?' had de soldaat dringend gevraagd.

Ik kies voor Nero, dacht Lea.

Ze was geen gelovige. Ze wilde de soldaat de waarheid vertellen: dat ze alleen op deze bijeenkomst van gelovigen was omdat ze op zoek was naar antwoorden.

Waarom had haar broer Natan alles – zelfs zijn leven – opgegeven voor die Jezus? Waarom had hij alles wat hij van jongs af aan over de Joodse godsdienst geleerd had de rug toegekeerd, terwijl hij wist hoe hij daarmee zijn vader en de rest van zijn familie kwetste? Hoe kon hij met zijn hele hart geloven dat Jezus werkelijk de beloofde Messias was?

Die vragen hadden Lea zozeer achtervolgd dat zij haar eigen vader misleid had. Hij was diepbedroefd over het verlies van Natan en Kaleb. Natan was ten prooi gevallen aan de leeuwen in de arena en Kaleb aan de soldaten van de keizer; dit alles was het gevolg van Natans geloof. Haar vader zou buiten zichzelf van woede zijn als hij ontdekte dat zij haar leven geriskeerd had voor een ontmoeting met mensen met hetzelfde geloof dat hun gezin verwoest had.

Maar ze had geen keus als ze de antwoorden wilde vinden.

Eerst had ze de brieven gelezen die ze voor Natan moest bewaren tot er iemand aan de deur kwam die ze mee zou nemen. Brieven van vrienden van Jezus. De brief van Matteüs over de paar jaar dat Jezus onderwijs gegeven had. Een brief van Johannes Marcus. En de Openbaring van Johannes, die zijn ongelooflijke visioen vol vrees en verwondering, gruwelen en hoop beschreef.

In het geheim had ze deze brieven telkens opnieuw gelezen, maar dat had nog meer vragen opgeroepen. Dus was Lea uiteindelijk de bijeenkomsten van de gelovigen gaan bezoeken in de hoop van hen iets te weten te komen over het mysterie van hun geloof en vrede te midden van alle verdrukkingen die ze onder ogen moesten zien. Ze had zelfs kans gezien Johannes zelf te spreken.

Dat was de waarheid die ze de soldaat wilde vertellen. Ze móest Jezus verloochenen en beweren dat Nero goddelijk was! Ze kon niet anders; ze werd overmand door angst.

Allerlei herinneringen drongen zich aan haar op. Mannen en vrouwen die met hun vastgebonden polsen aan palen hingen en in teer ondergedompelde tunica's droegen, heel de lange, hete dag, tot ze uiteindelijk bij zonsondergang door soldaten met toortsen aangestoken werden. Haar broer die met andere wanhopige mannen en vrouwen in een cel geperst werd. De kinderen die radeloos huilden toen ze bij hun ouders werden weggehaald om als slaven verkocht te worden. De enorme leeuwen, grauwend en vechtend terwijl ze mannen en vrouwen uit elkaar rukten in de arena; het vreselijke geluid van brekende botten, waarvoor ze zich niet had kunnen afsluiten terwijl ze in de arena zat te huilen op de dag dat haar broer stierf.

Terwijl dit alles haar te binnen schoot, richtte Lea onwillekeurig haar blik op de vreemdeling die de soldaten en deze dood in hun midden gebracht had.

Chayim.

De aanwezigheid van de soldaten was een minder grote schok dan het feit dat hij hen had verraden. Want Corbulo had beslist gelijk. Alleen Chayim kon de informant zijn. Wie anders?

Zojuist, toen hij het vertrek instapte, had ze een sensatie ondergaan die haar vreemd was. Haar hart leek uit haar borstkas te springen van verbazing over wat er gebeurde toen hun blikken elkaar raakten. Deze man had zo'n sterk effect op haar dat ze nauwelijks naar hem kon kijken. Was het liefde? Of een fysieke hunkering waaraan ze niet mocht toegeven?

En nu ze wist dat hij de verrader was, móest ze naar hem kijken omdat ze deze hele situatie niet kon geloven. Alsof zijn gezicht niet werkelijk die mysterieuze uitstraling kon bezitten die haar onmiddellijk aangetrokken had.

Toch raakte de intensiteit van zijn blik haar zelfs nu nog. Ze voelde zich trouweloos tegenover de anderen omdat ze hem niet haatte.

'Wat wordt het, mens?' snauwde Gavrus. 'Ik heb niet de hele nacht de tijd!'

Ik kies voor Nero, dacht ze. Niet voor de leeuwen of voor een tunica met pek, waarin ik levend moet verbranden.

Ik kies voor Nero.

Maar ze kon het niet zeggen. Want nu herinnerde ze zich weer waarom ze naar deze samenkomst gekomen was. Het beeld van haar broer die lofliederen zong in de gevangenis onder de arena. Haar broer die fier rechtop in de arena stond toen de leeuwen werden losgelaten. De schoonheid van de liederen die opstegen terwijl de leeuwen hen omsingelden. De vrede op zijn gezicht toen hij knielde en bad en wachtte tot hij zou sterven door het geweld van die wrede tanden en klauwen.

Op dat ogenblik hield Lea eindelijk op met het stellen van vragen over Jezus. Ze opende haar hart in een stil gebed en smeekte Hem om het geloof dat haar broer de kracht had gegeven om vervuld met vrede de leeuwen onder ogen te zien.

En op dat ogenblik werd ook zij vervuld met een ongelooflijke vrede, een onbeschrijflijke rust en blijdschap; de heiligheid van een onzichtbare Geest vulde haar als een zucht van een eeuwige wind.

Ze dacht even dat ook zij het Lam op de troon zag, zoals Johannes in zijn brief had beschreven, en de heerlijke engelenliederen hoorde waarnaar Johannes in zijn hemelse visioen had geluisterd.

Dit is het! Lea wist het volkomen zeker. Dit is het geloof dat mij tot God brengt. Het geloof in Jezus die zijn Zoon is en die voor mij aan het kruis is gestorven. Hij heeft de straf gedragen voor alle egoïsme en alle zonden die het mij onmogelijk maakten de kloof tussen mijn onvolmaaktheid en de volkomen heiligheid van God over te steken.

Dit is het!

Alle angst viel van haar af.

'Ik geloof,' zei Lea tegen de soldaat. 'Ik geloof dat Jezus de Zoon van God is. Ik zal met vreugde lijden voor mijn Meester.' Ze keek Chayim recht aan. 'En ik zal bidden voor iedereen die nog niet zo sterk is.'

✠ ✠ ✠

Ben-Aryeh zat naast het bad te snikken.

Sophia had natuurlijk haar ogen dicht, dus kon ze de soldaat die in de deuropening stond niet zien. Ze wist echter precies wat er gebeurde.

Ben-Aryeh had dit bedacht.

Eerder op de dag, toen hij ontdekt had dat er waarschijnlijk soldaten gestuurd zouden worden met het bevel dat Sophia zelfmoord moest plegen, had Ben-Aryeh een geit de keel doorgesneden en het bloed opgevangen in een kruik. Die kruik was verborgen geweest onder de handdoeken naast het bad; zodra Sophia in het hete water zat, had ze de inhoud in het bad gegoten en de kruik weer met de handdoek bedekt.

Toen kwam het moeilijkste: haar linkerpols – aan de kant van de deuropening – zo diep insnijden dat bij een terloopse inspectie voldoende schade zichtbaar zou zijn, maar niet zo diep dat het levensbedreigend was. Onder water had ze haar pols omkneld met een lapje in haar rechterhand om het bloeden grotendeels te stelpen.

Ben-Aryeh had gedaan wat hij beloofd had. Hij was samen met de soldaat binnengekomen; hij had haar linkerarm opgetild om de snee te laten zien. Toen had hij die arm zorgvuldig weer onder water gelegd en was hij breeduit voor het bad blijven staan zodat ze haar pols weer met haar andere hand kon omklemmen.

Omdat ze dit zorgvuldig hadden voorbereid, wist Sophia dat Ben-Aryeh gebruikmaakte van het schokken van zijn lichaam door zijn gesnik. Daardoor viel niet op dat hij zijn rechterhand dicht tegen zijn buik hield, vlak bij de greep van het mes dat hij onder zijn tunica verborgen hield.

Als de soldaat besloot Sophia nauwkeurig te inspecteren of zich ervan te verzekeren dat ze dood was door haar met zijn zwaard te doorsteken, zou Ben-Aryeh hem doden. Dan zou hun ontsnapping twijfelachtig zijn. Er stonden paarden klaar in de stal; ze moesten maar hopen dat ze na het ontdekken van de dode soldaat voldoende tijd zouden hebben om via de stal te vluchten.

Aan de andere kant: als de soldaat geloofde dat Sophia dood was, zou Ben-Aryeh zijn leven sparen.

Tijdens het wachten ademde Sophia slechts heel oppervlakkig, door haar neus; ze zorgde dat het water niet bewoog, want dat zou verraden dat ze nog leefde.

De ogenblikken gingen tergend langzaam voorbij.

Ze kon niet zien dat de soldaat op eerbiedige afstand bleef en Ben-Aryeh toestond in alle waardigheid te treuren. Dat werd zijn behoud. Ten slotte draaide hij zich om en liet Ben-Aryeh alleen met Sophia.

✠ ✠ ✠

Daar had je het nu, dacht Chayim. Lea had gekozen voor marteling. Vernedering. Dood. Al die schoonheid zou uit elkaar gerukt worden voordat hij ervan kon proeven, erin kon zwelgen.

Bijna kreunde hij.

Gavrus wendde zich tot Chayim. 'Zo. Tevreden? Jullie zijn vrij, alle vier.'

Hij wachtte tot Chayim zou antwoordden zoals ze tevoren afgesproken hadden. Een paar soldaten zouden de christenen meenemen en laten arresteren. Daarna zou Chayim de boekrollen meenemen die al in de kamer waren. Hij zou Corbulo en de andere twee dwingen hem alles te vertellen wat hij weten moest over die brief Openbaring waarnaar Helius een onderzoek deed. Zo kon Chayim voorkomen dat Nero hem zou zien als een verrader van het Romeinse rijk. Chayim zou waarschijnlijk zelfs beloond worden voor zijn daden.

Dat was alles wat hij wilde, had hij van tevoren gedacht. Nu stond hij echter tegenover een onverbiddelijk feit: het uitspreken van de woorden die Gavrus verwachtte, zou het lot van Lea en de andere christenen bezegelen.

Alles in de kamer scheen te verschuiven, alsof er een aardbeving plaatsvond.

'Nou?' vroeg Gavrus dringend. 'Wat heb je te zeggen?'

Chayim opende zijn mond om de woorden uit te spreken die Lea's doodvonnis zouden betekenen. Hij voelde zich alsof een ander mens op het punt stond namens hem te spreken. Hij haalde diep adem. Toen kwam hij tot een besluit. 'Alle vier?' vroeg hij. Hij wees op Corbulo en de andere twee. 'Ik zie er maar drie.'

Gavrus knipperde met zijn ogen. Dit was niet wat ze afgesproken hadden. 'Ik nam aan,' zei hij, 'dat jij de vierde was. Dat jij ook voor Nero zou kiezen.'

'Neem maar liever aan dat ik het leven wilde sparen van de mensen die voor Nero zouden kiezen.'

'Vertel je me nu dat jij geen trouw wilt zweren aan onze keizer en zijn aanspraak op goddelijkheid?'

Chayim haalde nog eens diep adem. 'Inderdaad,' zei hij. 'Ik zal in de arena staan met de mensen die niet bereid zijn hun geloof op te geven.'

In de kamer vol soldaten en veroordeelde gelovigen heerste een gespannen, angstige stilte.

Tot Chayim de stilte doorbrak.

'Jíj was het!' Chayim hief zijn geketende polsen en wees naar Corbulo. 'Jíj hebt de soldaten hierheen gebracht!'

'Helemaal niet!' Corbulo deed woedend een stap vooruit.

Chayim rammelde met zijn handboeien; het gerinkel leek te weergalmen. 'Jíj bent vrij,' zei hij tegen Corbulo. 'Jíj hebt voor de keizer gekozen. Wíj zijn niet vrij.'

'Genoeg,' gromde Gavrus.

Chayim wist dat hij een afleidingsmanoeuvre nodig had; het deed er niet toe wát. Als hij maar samen met Gavrus uit de kamer kon komen, als hij maar onder vier ogen met de Romeinse soldaat kon spreken.

'Verrader!' schreeuwde hij Corbulo toe; hij negeerde het feit dat Gavrus zijn zwaard ophief. 'En jij durft míj te beschuldigen!'

'Ik heb de soldaten niet hierheen gebracht,' zei Corbulo. Hij maakte een smekend gebaar naar de andere christenen in de kamer. 'Ik heb het niet gedaan!'

'Genoeg!' herhaalde Gavrus wat luider.

'Jij hebt onze Meester verraden.' Chayim bleef Gavrus negeren, want hij wist dat de soldaat hém niets zou doen, hoezeer hij ook door de situatie in verwarring gebracht werd.

Nog altijd met zijn handen beschuldigend naar Corbulo wijzend, zocht Chayim in zijn geheugen naar de naam die hij nodig had. Terwijl hij met Rikka praatte, had hij haar zo veel verhalen over die Christus laten vertellen als hij durfde; hij hoopte dat ze niet zou beseffen dat hij geen volgeling was. 'Jij bent net zo erg als – als Júdas!'

'Nee!' jammerde Corbulo.

'Genoeg!' schreeuwde Gavrus.

'Ik laat me niet intimideren.' Chayim spuugde naar Gavrus' voeten. 'We gaan toch sterven.' Hij spuugde weer, ditmaal op Gavrus' borst.

Eindelijk leek er een sprankje begrip in Gavrus' ogen te komen. 'Hoe durf je een soldaat van de keizer te beledigen!' zei hij.

'Ik dien de keizer niet! Dat is toch duidelijk! Wat wou je? Me mee naar buiten nemen en vermoorden, soms?'

Dat was een rechtstreeks bevel aan Gavrus. Zou hij het begrijpen?

Gavrus lachte. 'Met alle plezier.' Hij wendde zich tot de andere soldaten. 'Bewaak de rest. Ik ben zo terug.'

Gavrus, die veel groter en forser was, greep Chayim bij zijn handboeien en sleepte hem door de deuropening naar buiten.

'Wat speel je nu voor spelletje?' siste hij in Chayims oor zodra ze in het steegje stonden. 'Ik dacht dat jij je bij de mensen aan Nero's kant zou voegen en de anderen naar de arena zou sturen!'

'Jij bent een van hen,' zei Chayim. 'Een christen.'

'Wat?'

'Jij hebt me meegenomen naar het steegje om een echt gevecht te voorkomen. Je probeert me te beschermen. Dat zeg je tegen de anderen als je naar binnen gaat. Maar vertel hun dat pas nadat je de drie die voor Nero gekozen hebben, hebt vrijgelaten.'

'Wat?'

'Luister. Jij bent een van hen. Je hebt een spion aan het hof van Nero, die het jou vertelt zodra een groep christenen ontdekt is.'

Chayim bedacht het terwijl hij sprak; hij merkte dat de opwinding zijn gedachten glashelder maakte. 'Jij hoort de locatie van de groep en je arriveert ruim vóór de soldaten die werkelijk door Nero gestuurd worden om hen te arresteren. Dan stel je de christenen op de proef, zoals je zojuist gedaan hebt, om de mensen die hun geloof ontrouw zijn te ontmaskeren.'

'Om het kaf van het koren te scheiden,' vulde Gavrus aan. 'Ik zal die vrouw zelfs mijn verontschuldiging aanbieden.'

Chayim grinnikte. 'Je leert snel.'

'Hoe zit het met de mensen die voor Nero gekozen hebben?'

'Vertel het zo: die stuur je altijd weg voordat je de anderen vertelt dat je hen op de proef gesteld hebt. Als je het zo aanpakt, zullen Corbulo en de andere twee er nooit achter komen wat er gebeurt met de anderen.'

'En wat zeg ik tegen de mensen die achterblijven?'

'Bied je verontschuldiging aan voor het feit dat je hen zo bang gemaakt hebt. Vertel hun dat dat noodzakelijk was om hen te beschermen en dat ze nu weten dat ze iedereen in de groep die voor Christus gekozen heeft, kunnen vertrouwen. En daar hoor ik inmiddels ook bij.'

'Chayim...'

'Ja?'

'Je bent zo listig als een slang.'

'Dat beschouw ik als een compliment.'

Chayim was trots op zichzelf. Nu zou zijn aanwezigheid in hun midden geen argwaan oproepen. Hij kon meer te weten komen over die brief waar Helius een onderzoek naar ingesteld had. Gavrus kon altijd opgeroepen worden als getuige van het feit dat Chayim niet werkelijk een christen was. En het beste van alles was dat hij in Lea's ogen een held zou zijn.

'Dan ga ik maar,' zei Gavrus.

'Nog één ding.'

'Ja?'

'Voordat je hem wegstuurt,' zei Chayim, 'moet je Corbulo de dank van de keizer overbrengen omdat hij jou naar zijn groep geleid heeft. Ik wil dat iedereen daarbinnen denkt dat hij werkelijk een verrader is.'

Terwijl Gavrus de kamer weer inwandelde, glimlachte Chayim bij de gedachte aan Lea. Hij feliciteerde zichzelf met zijn overwinning. Ja, hij wist hoe hij indruk op een vrouw moest maken!

✠ ✠ ✠

'Op de bodem van de tas vind je twee kleine kruiken,' zei Jonatan bij Vitas in de cel. 'Pak ze, alsjeblieft.'

Vitas was te nieuwsgierig om te protesteren; hij reikte naar de tas en tastte erin. De ene kruik was groter dan de andere.

'Jij zult de verf moeten aanbrengen,' zei Jonatan. 'Die mag niet op mijn handen aangetroffen worden.'

'Verf? Wie heeft je gestuurd? Wat gebeurt hier?'

'De grootste kruik. Die verf moet in jouw haar.'

'Helemaal niet.'

'Dat moet om te zorgen dat jij in leven blijft.'

'In leven?'

'Welke kleur heeft mijn haar?' Jonatans stem klonk niet langer kordaat.

'Licht. Blond?'

'Die verf bleekt jouw haar tot het er net zo uitziet als het mijne. Als je klaar bent, moet je de donkere verf in mijn haar wrijven.'

'En dan?' vroeg Vitas. 'Naar buiten wandelen en jou hier achterlaten?'

'Ja,' zei Jonatan eenvoudig.

Dat volkomen oprechte antwoord deed Vitas verstijven.

Toen snoof hij. 'Gisteren heeft iemand mijn gezicht zo geslagen dat het onherkenbaar geworden is. Jouw gezicht lijkt me onbeschadigd. Niemand zou jou voor mij kunnen aanzien.'

'Dat zal snel genoeg wel zo zijn. Maak de kruiken open, alsjeblieft.'

Vitas gaapte Jonatan aan.

'Er ligt een schip op de Tiber,' zei Jonatan. 'Je reis is al betaald. Je moet daar vóór het donker arriveren. Het vaart vannacht uit.'

Vitas bleef hem aangapen; hij begon het te begrijpen. De houten knuppel, in leer gewikkeld...

Jonatan beschreef waar het schip te vinden was. 'Nog iets,' zei hij. 'Je zult hun de woorden moeten zeggen waardoor zij weten wie je bent: "Dat zijn degenen die uit de Grote Verdrukking gekomen zijn. Ze hebben hun kleren wit gewassen met het bloed van het Lam." Herhaal dat, zodat ik weet dat je me begrijpt.'

Vitas aarzelde, alleen omdat het allemaal zo vreemd was.

'Herhaal het,' zei Jonatan.

'Dat zijn degenen die uit de Grote Verdrukking gekomen zijn. Ze hebben hun kleren wit gewassen met het bloed van het Lam.' Vitas fronste zijn wenkbrauwen. 'Wat is dit voor geheimtaal?'

'Die geheimtaal kan jou het leven redden en je uit Rome weg krijgen.'

'Wil je beweren,' zei Vitas, 'dat ik uit deze gevangenis weg kan wandelen? Vandaag? Levend en wel?'

'Ik ben hierheen gestuurd om dat mogelijk te maken.'

'Maar moet jij dan...'

'In jouw plaats hier blijven,' voltooide Jonatan.

'Nee! Ik kan jou niet voor mij laten sterven.'

'Denk eraan hoeveel troost ik uit mijn geloof put,' zei de ander. 'En er is nog een goede reden. Ik zal sterven in de wetenschap dat ik mijn gezin heb kunnen redden. Want dat is mijn beloning. Als ik in jou plaats sterf, zullen zij gespaard blijven.'

'Wie heeft dit geregeld?' Vitas leunde voorover en trok aan de kleding van de man. 'Wie heeft jou gestuurd?'

'Kan ik niet zeggen.'

'Wil je dat niet?'

'Wil niet. Kan niet. Ik heb mijn instructies gekregen. Dat is alles.' Jonatan sprak zijn woorden onduidelijk uit. 'Denk je niet dat ik het graag zou vertellen?'

'Sophia!' zei Vitas.

'Sophia?'

'Mijn vrouw. Ze –'

'Nee!' Jonatans stem klonk fel. 'Als zij ontdekt dat je nog leeft, wordt zij gedood. Dat moest ik tegen je zeggen. Als jij niet op dat schip zit, wordt zij vermoord. Dat zijn de voorwaarden.'

'En als ik die niet accepteer?'

'Alsjeblieft! Mijn gezin is al uit de arena gehaald. Als je niet op dat schip komt, worden zij teruggehaald en voor de leeuwen geworpen.'

Vitas voelde dat zijn hoofd tolde. Wie had dit georganiseerd? Waarom? Waarom mocht hij niet naar Sophia? 'Waar gaat het schip naartoe?'

'Meer kan ik je niet vertellen. Ga, alsjeblieft! De kap zal je gezicht bedekken tot je goed en wel uit de arena bent. Voor het amfitheater staat een draagstoel te wachten om je bij het schip te brengen. Je herkent hem aan het feit dat alle dragers kaal zijn.'

Jonatan pakte de tweede wijnzak en hield die scheef. Hij kneep erin en keek of er nog wijn in zat. 'Mag ik jouw wijn hebben?' vroeg hij op verontschuldigende toon. 'Ik ben bang dat ik nog te veel voel.'

Vitas liet hem de tweede wijnzak nemen; hij begreep waarom Jonatan daar behoefte aan had.

Daarna pakte Vitas de houten, met leer omwonden knuppel op. Nu begreep hij waarom de slagen van de vorige dag hem niet tot bloedens toe verwond hadden: er zaten geen scherpe randen aan het hout. Wie dit ook geregeld had – de enige bedoeling was geweest zijn gezicht onherkenbaar te maken. Zodat, wanneer Jonatan – met dezelfde lengte en lichaamsbouw als hij – de arena instapte, iedereen die hem vanaf de tribune zag, zou denken dat het Vitas was die daar stierf.

'Het spijt me dat ik zo laf ben,' zei Jonatan. 'Toen mijn Verlosser aan het kruis wijn met mirre aangeboden kreeg, had Hij de moed die te weigeren. En Hij moest een veel wredere dood onder ogen zien.'

'Ik denk niet dat ik dit kán,' zei Vitas. De houten knuppel voelde zwaar aan.

'Je hebt geen keus. Moeten we soms allebei sterven? En mijn gezin ook?'

Vitas voelde zich ellendig en schuldig. Toch kon hij bij dit aanbod van uitstel van zijn dood ook niet ontkomen aan een opwelling van blijdschap. Dit zou hem de kans geven op de een of andere manier bij Sophia terug te komen.

'Ik zal het doen.' Hij hief de houten knuppel ter voorbereiding van de eerste slag op het gezicht van de man.

'Alsjeblieft,' zei Jonatan, 'doof de toorts. Ik wil de slagen niet zien aankomen.'

VESPERA

Toen Johannes eenmaal gevangengenomen en de slaaf Cornelius weggestuurd was, maakte Damianus geen haast om met zijn gevangene te spreken. Eerst gaf hij zijn mannen instructies waarheen ze Johannes moesten brengen. Damianus was niet van plan zijn gevangene onmiddellijk aan Helius over te leveren.

Ten eerste vermoedde hij dat het Helius wel eens goed van pas zou kunnen komen als Damianus plotseling en op geheimzinnige wijze zou sterven zodra Johannes op het keizerlijk terrein was afgeleverd. Hij moest maatregelen treffen om dat te voorkomen. Ten tweede wilde hij zelf zo veel mogelijk te weten komen van Johannes. Kennis is macht. En ten derde was hij nieuwsgierig naar Johannes' visioen; hij hoopte dat Johannes zijn vragen vollediger zou beantwoorden dan de beide rabbi's hadden gedaan.

Daarom was het avond voordat Damianus de man ontmoette die hij gevangengenomen had.

Het onderduikadres waar hij Johannes had laten brengen, was een schuur op het landgoed van Damianus' vader. Jarenlang was deze schuur als stal in gebruik geweest; het rook er nog altijd vaag naar opgedroogde mest. Damianus vond die geur niet onaangenaam. Hij had veel gelukkige herinneringen aan de tijd dat hij ongehinderd rondliep op het landgoed, zijn kindertijd.

Nu ontgrendelde hij de deur en stapte de schuur in met een lamp in zijn hand. Hij had hier al vaker gevangenen gehad. Hij knikte tevreden: de gebruikelijke maatregelen waren getroffen. De man daarbinnen was met ijzeren banden om zijn polsen en benen vastgezet aan de muur, met lange kettingen die hem de ruimte gaven om zich gemakkelijk te bewegen. Damianus had er geen belang bij zijn gevangenen te kwellen; hij was er trots op dat hij hen in optimale staat bij hun eigenaars afleverde.

Er was gezorgd voor een emmer waarin de man zijn behoeften kon doen en voor vers stro en schone dekens. Vers water en een mand met brood stonden binnen handbereik.

Met voldoening merkte Damianus op dat er flink van het brood gegeten was. Dat was een goed teken. Als een gevangene niet at, was dat een aanwijzing dat hij diep wanhopig was.

'Goedenavond,' zei Damianus hartelijk. 'Het spijt me dat ik u op deze manier moet laten vastketenen, maar ik wil de zaken niet ingewikkelder maken door bewakers buiten te posteren. Ik hoop dat u dat begrijpt.'

Het gezicht van de man glansde in het lamplicht; Johannes keek naar hem op en glimlachte, maar zei niets.

Dat is vreemd, dacht Damianus. Hij had wel eens koppige gevangenen gehad die weigerden te spreken, maar het stilzwijgen van deze man ging vergezeld van een vriendelijke glimlach.

'Ik zal er maar eerlijk voor uitkomen,' zei Damianus. 'Ik ben een slavenjager. Een buitengewoon machtig man heeft mij gestuurd om u te zoeken. Maar voordat ik u aan hem uitlever, zou ik u graag wat vragen over uw visioen willen stellen.'

Stilte. Dezelfde zachtmoedige glimlach. Maar: stilte.

Damianus dacht dat hij het begreep. 'Ik kan u niet in vrijheid stellen als u met mij spreekt, maar ik kan u wél beloven dat ik alles zal doen om uw gevangenschap zo comfortabel mogelijk te maken. Is dat eerlijk? Comfort in ruil voor antwoorden?'

Zijn gevangene verschoof enigszins; de kettingen die hem met de muur verbonden, rinkelden.

Damianus knielde neer. 'Kom,' zei hij. 'Hoe kan ik u zover krijgen dat u met me praat?'

De geketende man zei niets.

✠ ✠ ✠

'Je moet me de waarheid vertellen.'

Ben-Aryeh en Sophia hadden lang gezwegen. Nu verbrak Sophia de stilte.

Toen de avond viel, was Ben-Aryeh haar voorgegaan van de Via Appia naar een klein ravijn op flinke afstand van de weg. Hij had de paarden aan elkaar gebonden en samen met Sophia vruchten en kaas gegeten.

Geen vuur. Dat was te gevaarlijk.

Geen herberg.

Ze hadden genoeg goud; daar had Ben-Aryeh voor gezorgd voordat ze Vitas' landhuis achterlieten. Maar het risico dat iemand hen zou herkennen, was nog altijd te groot.

Iedereen dacht dat Sophia dood was; het voornaamste was dat Nero dat geloofde. Als Tigellinus of Helius te weten zou komen dat ze geen zelfmoord gepleegd had, moesten Sophia en Ben-Aryeh naar de verste uithoek van het Romeinse rijk vluchten, zonder ooit zeker te weten of ze de volgende dag nog vrij en in leven zouden zijn.

Dus rustten ze vlak bij de paarden uit. Elk in een deken gerold.

'Ik heb niet tegen je gelogen,' antwoordde Ben-Aryeh.

'Maar je bent jezelf niet. Ik heb nog helemaal geen sarcastische opmerking van je gehoord. Zelfs geen klacht over de Romeinen.'

'Alles is vreemd vandaag,' zei Ben-Aryeh.

'Nee,' zei Sophia vastberaden. Ze wílde het niet weten, maar ze móest het weten. 'Daar ligt het niet aan. Je bent iets over Vitas te weten gekomen. Dat voel ik.'

'Ik geef toe dat ik niet alles verteld heb,' zei hij. 'Vanmorgen, nog voordat we ons plan gemaakt hadden, arriveerde er een boodschapper met een vreemde brief. Daarin stond dat ik onmiddellijk samen met jou uit Rome moest vluchten. De rest van de brief zou aanwijzingen geven waar we heen moeten zodra we veilig en wel bij Nero uit de buurt zijn. Maar...'

'Maar?'

'Het taalgebruik is bijzonder symbolisch; de brief is blijkbaar gecodeerd. Ik heb er nog niet echt over kunnen nadenken; alleen blijf ik me afvragen wie die boekrol gebracht heeft en waarom.'

'Je hebt mijn vraag over Vitas niet beantwoord.'

Ben-Aryeh zweeg; dat bevestigde haar vermoeden.

'Vertel me alles,' zei ze.

'Mijn kind,' begon hij langzaam, 'de soldaat heeft me verteld dat Vitas vandaag in de arena voor de leeuwen geworpen zou worden.'

Sophia trok haar knieën verder op. Ze deed alsof haar hart van steen was. Vitas... Dood.

'Sophia?'

'Laat me met rust,' zei ze tegen Ben-Aryeh. 'Jíj beweert toch steeds dat we de komende dagen van 's morgens vroeg tot 's avonds laat moeten doorreizen?'

'Sophia.'

'Alsjeblieft,' zei ze. 'Genoeg gepraat.'

Hij liet haar met rust.

Maar ze kon haar hart niet in steen veranderen.

Vitas' kind groeide in haar buik. Voor dat kind moest ze in leven blijven.

Ze sloot haar ogen om de nacht buiten te sluiten. Toen ze begon te bidden, kwamen de tranen. Ze wist dat haar toekomst zonder geloof helemáál hopeloos zou zijn.

✠ ✠ ✠

De geketende man zei niets tegen Damianus.

Daar had hij een goede reden voor.

Damianus kon niet weten dat de geketende man niet Johannes was, maar diens vriend Ruso.

Ruso wist dat, zodra hij zijn mond opendeed, zijn accent het feit zou verraden dat Damianus de verkeerde man had laten gevangennemen. Dat Ruso Johannes had laten gevangennemen en in veiligheid had laten brengen, vervolgens zelf doorgelopen was naar Damianus, waar Cornelius volgens plan tegen de slavenjager had beweerd dat hij Johannes was.

Hoe langer Ruso bleef zwijgen, hoe verder Johannes van Rome verwijderd zou zijn.

En alleen Ruso kende Johannes' uiteindelijke bestemming.

✠ ✠ ✠

In het donker van de nacht ging Vitas aan boord van een klein schip op de Tiber. Toen ernaar gevraagd werd, riep hij het wachtwoord: 'Dat zijn degenen die uit de Grote Verdrukking gekomen zijn. Ze hebben hun kleren wit gewassen met het bloed van het Lam.'

Een man wiens gezicht hij niet kon onderscheiden, leidde hem zwijgend naar een hut in het ruim van het schip. Binnen enkele minuten na zijn aankomst stak het schip van wal en gleed stroomafwaarts met de zwarte, geluidloze stroming van de rivier.

Vitas ging mee de nacht in.

Maar hij liet Sophia achter!

De hut was benauwd. Het stonk er naar vis en azijn. Hij ging aan dek. Hij wilde de heuvels van Rome nog eenmaal zien.

De geluiden van de stad hoonden hem, riepen hem terug. 's Nachts werden de duizenden wagens in de stad gelaten. Hij hoorde het gepiep van houten wielen tegen de houten assen, het geloei van ossen, de krachttermen van de handelaars die ruimte probeerden te vinden in de drukke straten.

De wind rukte aan de losse randen van de nog opgerolde zeilen. Hij droeg nog altijd de tunica met de kap, maar hier, waar niemand hem kon zien, had hij de kap van zijn hoofd geschoven. De wind plukte aan zijn haar, al voelde hij de wind niet op zijn gezicht. De zwellingen van de afranseling waren nog te vers.

Zijn pijn was echter niet alleen fysiek.

Wat zou er van Sophia terechtkomen? Van hun ongeboren kind? Van Sabinus, de zoon van Maglorius, die hij had gezworen te zullen beschermen? Zou Helius woord houden en hun levens sparen?

Met heel zijn wezen verlangde hij ernaar op de een of andere manier terug te gaan naar Sophia. Van het schip te springen

Maar dat zou zelfmoord zijn. Letterlijk: net als de meeste mensen kon hij niet zwemmen.

Dus bleef hij op het dek staan en probeerde zijn emoties onder controle te krijgen, te onderdrukken om ze te kunnen verbergen. Hij zwoer dat hij alles wat voor hem lag zou overleven, hoe dan ook, om naar Rome terug te keren.

Toch lieten de pijn en het verdriet zich niet opzijzetten.

Als om hem nog meer te honen, kwam de maan achter de wolken tevoorschijn en hulde de heuvels in zilverkleurig licht. Hij kon de bocht in de bergwand boven zijn landhuis bijna zien – het landhuis dat hem door Nero afgenomen was.

Nero! Nooit was iemand zó puur slecht geweest als Nero, daarvan was Vitas overtuigd. Hij zwoer dat hij op een dag zou terugkeren om wraak te nemen. Zou hij daartoe in staat gesteld worden door een senaatsstemming die in de archieven verdwenen was, gemarkeerd met het getal zeshonderdzesenzestig? En de brief die hij bij zich droeg, die hij van die vreemdeling gekregen had – wat stond daarin geschreven? En waarom was die brief zo belangrijk?

Dat was een grote frustratie: het was zo donker dat hij de brief onmogelijk kon lezen voordat het ochtend werd. En tegen die tijd zou Rome ver achter hem liggen.

Hij tuurde zo ingespannen naar de stad dat zijn ogen begonnen te tranen.

Het water van de Tiber kletste tegen de scheepsromp. Toen

vervaagden de heuvels in het donker; de maan werd opnieuw door wolken bedekt.

Nog altijd bewoog Vitas nauwelijks. Hij greep de rand van de reling zo krampachtig vast dat hij het gevoel kreeg dat zijn knokkels zouden barsten.

Was er werkelijk een God die van zijn kinderen hield, zoals Sophia beweerde? En zo ja, hoe kon deze God toestaan dat een mens werd belast met zo veel onrechtvaardigheid, met de herinneringen aan een liefde die hem was afgenomen, met de angst wat er zou gebeuren met de mensen die hij achterliet?

In zijn smart vroeg Vitas zich af of hij op zijn knieën moest vallen.

Of hij moest bidden zoals Sophia hem getracht had te leren bidden.

Of hij het vaste besluit zijn eigen leven onder controle te houden, moest loslaten en zijn ziel in de handen van een hogere macht moest leggen.

Maar had hij werkelijk een ziel? Was er één waarachtige God die zijn gebeden zou horen?

Vitas kreunde van ellende. Hij wist dat Sophia vrede had. Die vrede wilde hij óók! Hij wilde geloven, maar hij kon niet. Hij was nog nooit zo leeg geweest, zo vervuld met wanhoop.

De maan kwam weer achter de wolken vandaan. Hij zocht de heuvels van Rome, maar het schip was al te ver van de stad verwijderd.

Op dat moment merkte Vitas dat iemand naar hem keek. Instinctief trok hij de kap over zijn hoofd. Als iemand zijn bont en blauwe gezicht in verband bracht met de man die zijn plaats in de arena ingenomen had, zou Nero ontdekken dat Vitas nog leefde.

Gedekt door de schaduw van de kap keek hij nog eens goed. Achter op het dek stak het silhouet van een man die op een dikke tros zat, duidelijk af tegen het maanlicht: een bewegingloze gestalte.

Het kon Vitas nauwelijks schelen. Zijn gezicht was blauw

en gezwollen; zijn emoties waren een mengeling van hoop en hopeloosheid, van beslistheid en hulpeloosheid, van woede en angst.

'Ik hoorde je jammeren,' zei de man.

'Wat je ook hoorde,' zei Vitas, 'dat zijn míjn zaken. Niet de jouwe.' Romeinse mannen – vooral Romeinse soldaten – lieten anderen niet delen in hun pijn. Zijn lippen barstten terwijl hij sprak; hij proefde bloed.

'Natuurlijk,' zei de man op de berg touw.

Vitas tuurde achter de man in de hoop nog een laatste glimp van de heuvels van de stad op te vangen.

'Het lijkt erop dat we dezelfde reis maken,' zei de man. 'Misschien kun jij me de bestemming van dit schip vertellen.'

'Als je zou weten hoe en waarom ik op dit schip terechtgekomen ben, zou je dat niet aan mij vragen.' Vitas likte het bloed van zijn lippen en probeerde vergeefs ze te bevochtigen. Hij kon niet ontkomen aan de prikkeling van nieuwsgierigheid. 'En je bent een dwaas als je dat niet van tevoren hebt uitgezocht – tenzij je als gevangene aan boord bent natuurlijk.'

'Ik ben wel vaker een dwaas genoemd,' zei de man; zijn gezicht was in de schaduw. 'Maar in dit geval is het een valse beschuldiging.' Hij hief zijn handen op om te laten zien dat ze gebonden waren en dat het touw aan de reling geknoopt was.

Hij wás een gevangene.

Juist omdat de man niet om hulp vroeg, besloot Vitas naar hem toe te lopen. 'Wie ben je?' vroeg hij. 'Waarom ben je hier?'

'Ik ben op dit schip omdat een vriend van mij blijkbaar dacht dat het hier veiliger voor me zou zijn dan in Rome.'

Vitas stelde de meest logische vraag. 'Waarom zou je in gevaar zijn?'

'Wij die het merkteken van het Lam dragen, worden gehaat door de mensen met het teken van het Beest.'

Merkteken?

In het licht van de maan bekeek Vitas de man nauwkeurig. Hij zag geen slavenbrandmerk op diens rechterhand of voorhoofd. Toch kwam de man hem bekend voor. Dat grijze haar...

'Jij bent geen slaaf,' zei Vitas. Waar had hij deze man eerder gezien?

'Als je wilt weten wat ik bedoel, zul je dat nog wel ontdekken. Ik vermoed dat we genoeg tijd zullen hebben om erover te praten. Want aangezien jij aan boord van dit schip bent, ben je misschien ook op de vlucht voor het Beest.'

Vitas begon de polsen van de man los te maken. 'Wie ben je?' vroeg hij opnieuw.

De man sprak met zo veel overtuiging; het was griezelig. 'Ik herinner me je stem. Je bent opnieuw naar me toe gestuurd.'

'Gestuurd?' Vitas probeerde uit alle macht dit te begrijpen.

'Bij mijn God,' zei de man lachend, alsof hij de ironie van de situatie bijzonder kon waarderen, 'bestaat geen toeval.'

Nu schoot Vitas te binnen waar hij de man eerder gezien had. 'Ik weet wie je bent!' zei hij. 'Die nacht. Tijdens de aardbeving. Jij was een van de vier die het Beest durfden weerstaan...'

De maan verdween weer achter de wolken. Vitas kon de man niet meer zien, alleen horen.

'Ja,' antwoordde de man. 'Ik ben een van de gevangenen die jij vrijgelaten hebt. Ik ben Johannes, zoon van Zebedeüs.'

EPILOOG

Dit boek biedt een alternatief voor de serie *De laatste bazuin*. *De laatste discipel* wil een andere uitleg van gebeurtenissen in de eindtijd aanbieden, gebaseerd op een methodeleer die ik *Exegetical Eschatology (E^2)* noem. Ik heb de uitdrukking *Exegetical Eschatology* bedacht om te onderstrepen dat ik bijzonder toegewijd ben aan een passende methode van bijbelse interpretatie, meer dan aan een bepaald model van eschatologie. Met andere woorden: de meest duidelijke en passende interpretatie van een passage uit de Bijbel moet altijd prioriteit krijgen boven een bepaalde eschatologische vooronderstelling of een bepaald eschatologisch model. (Meer hierover in het boek *Exegetical Eschatology* [uitgeverij Tyndale House].)

Bijvoorbeeld: het model van de Opname van gelovigen vóór de Grote Verdrukking in *De laatste bazuin* interpreteert Openbaring 13 op een volkomen letterlijke manier. Zo sterft de Antichrist en wekt zichzelf fysiek op uit de dood om zijn bewering dat hij god is te bewijzen. De volgende passage uit *Bezeten*, deel 7 van *De laatste bazuin*, brengt dit punt duidelijk over:

> Carpathia schoot als een katapult omhoog tot een staande positie aan het smalle uiteinde van zijn eigen doodskist. Hij draaide zich triomfantelijk om om naar de menigte te kijken, en David zag dat de make-up, de stopverf, de chirurgische

nieten en hechtingen in de kist lagen waar Nicolae's hoofd had gelegen.

Nicolae stond daar in doodse stilte voor hen en hij zag eruit alsof hij zojuist uit zijn kleedkamer was gekomen waar een lijfknecht hem in een onberispelijk pak had geholpen. Met glanzende schoenen, de veters gestrikt, gladgetrokken sokken, het pak ongekreukt en de das correct geknoopt stond hij daar breedgeschouderd, met fris geschoren gezicht en keurig gekamd haar, de lijkkleur was verdwenen. Fortunato en de zeven lagen op hun knieën, met hun handen voor hun gezicht luid te snikken.

Nicolae hief zijn handen op tot schouderhoogte en zei zo hard dat iedereen het kon horen, zonder hulp van een microfoon: 'Vrede. Wees stil.' Op dat moment stegen de wolken op en verdwenen, en de zon verscheen weer in al haar schittering en hitte. De mensen knepen hun ogen dicht.

'Vrede zij met u,' zei hij. 'Mijn vrede geef ik u. Ga staan alstublieft.' Hij zweeg even terwijl iedereen opstond, de blik op hem gericht en het lichaam verstijfd van angst. 'Laat uw harten niet bezorgd zijn. Geloof in mij.'

De mensen begonnen te murmelen en David hoorde dat men zich erover verwonderde dat hij geen microfoon gebruikte en zijn stem niet verhief. En toch kon iedereen hem horen.

Het was alsof Carpathia hun gedachten kon lezen. 'U verwondert zich erover dat ik rechtstreeks tot uw harten spreek zonder geluidsversterking, maar u hebt gezien dat ik zelfs uit de dood ben opgestaan. Wie dan de allerhoogste god heeft macht over de dood? Wie dan god beheerst de aarde en de lucht?'

(*Bezeten*, p.295-296)

In scherp contrast hiermee verklaart *De laatste discipel* Openbaring 13 in het licht van de gehele Bijbel. Zo kan satan het werk van Christus wel parodiëren door 'groot machtsvertoon en valse tekenen en wonderen' (Tessalonicenzen 2:9), maar hij kan niet letterlijk doen wat Christus gedaan heeft, namelijk zichzelf uit de dood opwekken.

Wat hier op het spel staat, is niets minder dan de goddelijkheid en de opstanding van Christus. In de christelijke visie heeft alleen God de macht om de doden op te wekken. Als de antichrist uit de dood zou kunnen opstaan en de aarde en de lucht zou kunnen beheersen, zou het christendom geen grond meer hebben om te geloven dat Christus' opstanding het bewijs van zijn goddelijkheid is. Verder: als satan de scheppende kracht van God bezat, zou dat feit de verschijningen van Christus na zijn opstanding ondermijnen, aangezien satan zich als de opgestane Christus had kunnen voordoen. Bovendien: de notie dat satan handelingen kan uitvoeren die niet te onderscheiden zijn van échte wonderen suggereert een dualistische visie, namelijk dat God en satan gelijkwaardige machten zijn die strijden om de wereldbeheersing.

Het is niet mijn bedoeling de orthodoxie van de schrijvers van *De laatste bazuin* in twijfel te trekken. We zijn toegewijd aan hetzelfde doel: het lezen van de Bijbel in zijn volle waarde en het inspireren tot hoop op de wederkomst van Christus. Collegiaal debat in het belang van de waarheid is echter essentieel voor de gezondheid van de kerk, terwijl we ons houden aan de christelijke stelregel: 'In het noodzakelijke eenheid, in het nietnoodzakelijke vrijheid, in beide liefde.' We moeten over deze kwestie in debat treden, maar we hoeven er niet door verdeeld te worden. Mijn bedoeling is het aanschouwelijk maken van de gevaren die inherent zijn aan de interpretatiemethode die zij en andere aanhangers van de bedelingenleer toepassen.

Die gevaren zijn niet alleen van theologische aard. Het situeren van het Beest in de eenentwintigste in plaats van in de eerste eeuw stelt ons ook voor historische problemen. Bijvoorbeeld: de apostel Johannes vertelt zijn lezers in de eerste eeuw dat ze met 'wijsheid' en 'inzicht' 'het getal van het beest' kunnen 'ontcijferen; er wordt een mens mee aangeduid. Het getal is zeshonderdzesenzestig' (Openbaring 13:16). Hoeveel wijsheid en inzicht ze ook hadden, zíj zouden nooit in staat zijn het getal van iemand als Nicolae Carpathia uit de eenentwintigste eeuw te ontcijferen.

Bovendien: terwijl Daniël de instructie kreeg zijn profetieën te verzegelen omdat ze naar een verre toekomst verwezen (Daniël 8:26, 12:4,9, vergelijk 9:24), werd Johannes gezegd dat hij zijn profetie níet geheim mocht houden (NBG: verzegelen), omdat de tijd van hun vervulling in de nabije toekomst lag (Openbaring 22:10). Het feit dat Johannes herhaaldelijk gebruikmaakt van woorden en zinsneden als *spoedig* en *de tijd is nabij* bewijst afdoende dat Johannes niet de eenentwintigste eeuw in gedachten gehad kan hebben.

Ten slotte: de gruwel van de Grote Verdrukking behelsde niet alleen de verwoesting van Jeruzalem en de tempel, maar ook de vervolging van de apostelen en profeten die de Bijbel neerschreven en het fundament vormden van de christelijke kerk waarvan Christus zelf de belangrijkste hoeksteen was. Zo is de Grote Verdrukking die Nero teweegbracht het prototype van alle verdrukking die nog zal volgen voordat wij de realiteit van onze eigen opstanding ervaren bij de wederkomst van Christus.

Om al deze en menige andere redenen situeert *De laatste discipel* de Grote Verdrukking in een milieu in de eerste eeuw waar ‘de laatste discipel’ gelovigen bemoedigt die te kampen hebben met de eerste en zwaarste van alle vervolgingen.

CHRISTIAN RESEARCH INSTITUTE

Het Christian Research Institute (CRI) is in het leven geroepen om christenen wereldwijd te voorzien van zorgvuldig verkregen wetenschappelijke informatie en goed beredeneerde antwoorden die hen bemoedigen in hun geloof en hen toerusten om dat geloof op intelligente wijze te communiceren met mensen die beïnvloed zijn door ideeën en leringen die het orthodoxe, bijbelse christendom aanvallen of ondermijnen. De strategie die het CRI toepast bij het uitvoeren van deze missie wordt uitgedrukt door het acroniem EQUIP (toerusten).

De *E* staat voor *essentials* (wat noodzakelijk is). Het CRI houdt zich strikt aan de stelregel: 'In essentials unity, in nonessentials liberty, and in all things charity (In het noodzakelijke eenheid, in het niet-noodzakelijke vrijheid, in beide liefde).'

De *Q* staat voor *questions* (vragen). Behalve dat het CRI zich concentreert op het noodzakelijke beantwoordt het vragen over sekten, cultuur en christendom.

De *U* staat voor *user-friendly* (gebruikersvriendelijk). Het CRI verplicht zich complexe onderwerpen zo begrijpelijk en toegankelijk mogelijk te maken voor niet theologisch geschoolde christenen.

De *I* staat voor *integrity* (integriteit). Denk aan de vermaning van Paulus: 'Neem je in acht, houd je aan de leer en blijf dat doen; dan red je zowel jezelf als hen die naar je luisteren.' (1Timoteüs 4:16)

De *P* staat voor *para-church* (naast de kerk). Het CRI is ten diepste toegewijd aan de plaatselijke kerk of gemeente als het door God geheiligde middel voor toerusting, evangelisatie en onderwijs.

Adres:
CRI United States
P.O. Box 7000
Rancho Santa Margarita, CA 92688-2124
Klantenservice 9494-858-6100

Internet:
www.equip.org

Wilt u via internet naar een uitzending van *Bible Answer Man* luisteren? Log in op onze website **www.equip.org**